HEYNE BIOGRAPHIEN

In der Reihe »Heyne Biographien« sind bereits erschienen:

Mary Lavater – Sloman

ANNETTE VON DROSTE-HÜLSHOFF

Einsamkeit und Leidenschaft

Wilhelm Heyne Verlag
München

Genehmigte, ungekürzte Taschenbuchausgabe
Copyright © 1950 by Artemis Verlags-AG, Zürich
Printed in Germany 1981
Bibliographie und Zeittafel wurden erarbeitet von Dr. Hubert Fritz
Umschlagfoto: Bildarchiv Preußischer Kulturbesitz, Berlin
Bildnachweis: Archiv für Kunst und Geschichte, Berlin
Umschlaggestaltung: Atelier Heinrichs & Schütz, München
Gesamtherstellung des Bildteils: RMO-Druck, München
Druck und Bindung: Presse-Druck, Augsburg

ISBN 3-453-55078-1

Und kann ich denn kein Leben bluten,
So blut ich Funken wie ein Stein.

ANNETTE VON DROSTE-HÜLSHOFF

Das Leben der Annette von Droste-Hülshoff gleicht einer Ballade. Dunkel, eintönig das Erleben; in fünfzig Jahre zusammengedrängt, wenige Male nur zu dramatischer Höhe aufrauschend, um wieder abzuklingen in den immer gleichen Refrain: Einsamkeit.

Einsamkeit der Seele inmitten der ewiggleichen Schar von Mitspielern, die in lautem, unruhigem Zuge mit ihr gehen, nur hin und wieder zurücktretend, als müßten sie die Heldin auch im äußerlichen Alleinsein zeigen, wie sie vor dem Hintergrund von Heide, Moor und windgefegtem Himmel mit sich selber spricht, eine Druidin ohne lauschendes Volk.

Und tritt auch die eine oder andere Gestalt einzeln aus dem Chor und gesellt sich ihr zu, so kehrt sie nach kurzem wieder zurück in die Menge. Nur ein Gegenspieler wandelt durch die ganze Lebensballade der Annette von Droste wie ein Schatten ihr zur Seite – schon zum Vorspiel aufgerufen und noch aufrecht dastehend, wenn die Heldin in die letzte große Einsamkeit zurücktritt –, das ist die Frau, der sie ihr Sein verdankt.

Immer sind ja die Erzeuger des Menschen ein Teil seines Schicksals, aber wohl selten hat eine Mutter ihrem Kinde so eigenmächtig den Weg bereitet wie Therese von Droste. Sie war eine junge Frau von fünfundzwanzig Jahren, stark an Geist, kerngesund am Körper, von stahlhartem Willen und der eigenen Kraft vertrauend, als sie sich zum zweitenmal in ihrer Ehe gesegnet fand.

Ihr liebenswerter, lebenszarter Gemahl, der Reichsfreiherr Clemens August II. von Droste zu Hülshoff, besaß aus seiner ersten Ehe keine Kinder, und sie, Therese von Haxthausen, seine zweite Gemahlin, hatte ihm als erstes Kind – nicht den sehr ersehnten Erben, sondern eine Tochter geschenkt. Die Eltern nannten sie Jenny. Therese war stark und gesund; das zweite Kind würde ein Sohn sein; es sollte ein Sohn sein!

Indessen verging mehr als ein Jahr, bis die Herrin von Hülshoff abermals gesegnet war, aber jetzt, jetzt würde sie, wenn je ihr Wille erreicht hatte, was sie wollte, mit ihrem Fleisch und Blut ein männliches Kind erschaffen. Therese von Droste war eine fromme Frau; so wird sie Gott am Altar der Schloßkapelle, oder noch spät bei Kerzenschein, und früh in der Morgenkühle auf ihrem Betschemel kniend, mit aller Dringlichkeit ihren Wunsch ans Herz gelegt haben: einen Sohn, gib mir einen Sohn! Und den Tag über, wenn sie als Schloßherrin emsig und umsichtig schaffte und regierte, immer, immer formte ihr Wille den Gedanken: ich will einen Sohn gebären, ich will einen Sohn gebären!

Aber weder Gebet und Flehen noch Versprechen an Gott, weder Wille noch Suggestion können das Geschlecht des Ungeborenen formen, ist es doch schon bestimmt, bevor die Mutter nur um ihre Hoffnung weiß, doch scheint *eine* verhängnisvolle Macht den Müttern gegeben: mit ihren angespannten geistigen Kräften die schlummernde Seele des Kindes zu erreichen.

Wie oft trägt eine unerwünschte Tochter die männlichen Veranlagungen des heißerflehten Sohnes, oder es zeigt ein Sohn, der sich einer Reihe von Brüdern gesellt, die weiblich-zarte Art der erhofften Tochter. Annette von Droste scheint eines dieser Menschenkinder zu sein, deren Seele nicht nur durch Vererbung, sondern auch durch den starken Willen der Mutter geformt wurde: ein männlicher Geist sollte in einem weiblichen Körper das Dasein erleben; gleichermaßen zu dieses Menschenkindes Glück wie zu seiner Qual; es war das Schicksal, an dem es wuchs und reifte.

Aber Therese kannte diese Zukunft nicht. Das Kind, das sie am 10. Januar 1797, um zwei Monate zu früh, gebar, entpreßte ihr nichts als Tränen grenzenloser Enttäuschung: es war eine Tochter.

Ein winziges bläuliches Wesen, das bei aller Sorgfalt immer wieder erkalten und seinen letzten Hauch tun wollte. Ohne es aus seinen Daunenkissen zu nehmen, taufte man es in aller Eile, Annette Elisabeth. Doch bei aller Enttäuschung: es war ihr Kind, Therese wollte es nicht mehr hergeben, es sollte auf dieser Erde bleiben, und schon regte sich die kraftvolle Liebe in der Mutter, die in dem überzarten Kind den Schützling sah, der ohne ihre Sorgfalt nicht bestehen konnte.

Therese hatte noch keine Milch für das Würmchen; man mußte eine Amme suchen, eine gesunde Bauernfrau, und es fand sich eine gute, redliche Seele, Marie Kathrin Pettendorf aus Altenberge, die mit ihrem derben Söhnchen im Schloß einzog. Breit und behäbig saß sie in der Tracht des Landes auf dem niedrigen Ammenstuhl neben dem Himmelbett der Freifrau, dem winzigen Munde, der noch keine Kraft zum Saugen hatte, künstliche Nahrung am kleinen Finger in den Mund träufelnd.

Wie Annette es später beschrieb:

> *Acht Tage zählt' er schon, eh ihn*
> *Die Amme konnte stillen,*
> *Ein Würmchen saugend kümmerlich*
> *An Zucker und Kamillen,*
> *Statt Nägel nur ein Häutchen lind,*
> *Däumlein wie Vogelsporen,*
> *Und jeder sagte: ‚Armes Kind!*
> *Es ist zu früh geboren!'*

Für die gute Marie Kathrin war es das große Ereignis ihres Daseins, dem kleinen Freifräulein das Leben zu erhalten. Wohl hundertmal hat sie Annette später von diesen ersten aufregenden Wochen erzählt, wo sich das ganze Leben im Schloß nur darum drehte, ob der kleine Erdengast zu bleiben oder davonzugehen gedachte, aber er schien sich doch für das Diesseits zu entscheiden, denn

> *Im zähen Körper zeigte sich*
> *Zäh wilder Seele Streben.*

Rückschauend hat Annette erkannt, daß sie schon in ihren ersten hauchzarten Lebenstagen ‚die wilde Seele' besaß, die gezwungen war, in einem unzulänglichen Körper mit dem Dasein zu kämpfen. Und so sollte es bleiben, ein Leben lang: eine starke, unbeugsame Seele in ewigem Kampf mit dem Gehäuse, in das hinein sie zu ihrem Unwillen gesperrt war.

Therese von Droste vergaß bald ihren Kummer, denn bevor

Annette nur recht gehen konnte, wiegte sie einen kräftigen Stammhalter in ihren Armen, und drei Jahre nach Annettens Geburt folgte ein zweiter Sohn. Das waren Werner und Ferdinand, Annettens geliebte Brüder.

Nun hatten Theresens Mutterwünsche Ruhe; zwei Töchter und zwei Söhne spielten um sie her. Mit befreitem Herzen konnte sie sich der Erziehung, den ‚Regierungsgeschäften‘ und der Geselligkeit hingeben. Sie war die treibende Kraft in der Familie, während Clemens August, ihr Gemahl, wie ein freundlicher Schatten durch ihre jungen Ehejahre ging. Sie ließ ihn mit halb liebenswürdiger, halb mitleidiger Nachsicht gewähren, wenn er, anstatt große Jagden zu veranstalten, sich in die Politik zu mischen und auf die Nachbargüter zu reiten, lieber mit Geistern, Vögeln und Blumen verkehrte.

Und es waren ‚seine‘ Geister, ‚seine‘ Vögel und ‚seine‘ Blumen; da war vor allem der abgeschiedene Geist Rosinas. Rosina war das süße Kind aus der befreundeten Familie von Böselager, das er in seiner ersten Ehe als Herrin nach Hülshoff geführt hatte, um es schon nach wenigen Monaten eines seligen, verträumten Glücks wieder zu verlieren. Rosina war immer um ihn, sie war seine Heilige im Himmel, sie hielt das Band zwischen Diesseits und Jenseits in ihrer weißen Totenhand und öffnete Clemens August den Sinn für das Leben und Weben der Geister, die ungesehen zwischen den Lebenden hindurchschritten.

Therese widersprach ihrem Gatten nie, denn es war ungehörig, wenn eine Frau ihrem Herrn und Gemahl widersprach; und was hätte sie auch erreicht? Clemens August war Münsterländer; sie konnte ihn nicht ändern; die waren alle gleich: vom Schloßherrn bis zum letzten Knecht, vom Großbauer bis zum Schafhirten, alle waren sie ‚Spökenkieker‘, das heißt Geisterseher, hatten Vorahnungen, Gesichte und waren Propheten.

Sie, Therese, stammte aus dem rauhen, wilden Paderborner Land, wo man mit beiden Füßen auf der Erde stand; zum Glück schien der kleine Werner, der Stammhalter, diese sehr wichtige Persönlichkeit, ganz und gar ihr nachzuschlagen und nicht dem Vater mit seinen vielen Absonderlichkeiten.

Da war zum Beispiel jene, die das Entzücken der Kinder bildete : seine Sammlung aller Vögel dieses Landstriches, die er lebend im Schlosse aufbewahrte, frei umherfliegen ließ und mit großer Sorgfalt pflegte; schien eines der Vögelchen traurig ob seiner Gefangenschaft zu sein, so gab er ihm die Freiheit und fing sich draußen zwischen Schilf und Heide in seinem Vogelstellerhäuschen einen neuen Gast.

Zum Glück war Therese auf die gute Idee gekommen, den unruhigen Gästen, die überall ihr Glückssiegel hinterließen, Federn verloren, Hülsen ausspuckten und auf Schränken und hinter schräghängenden Familienbildern Nester bauten, ein ganzes Zimmer zu opfern.

Clemens August und die Kinder waren überglücklich. Nun wurde der Boden fußhoch mit feinem Sand bestreut, Tannenbäumchen wurden aufgestellt, und die offnen Fenster mit feinstem Schleierstoff bespannt. Auch Brutplätze und Futterkästen legte der Freiherr eigenhändig an, und dann waren sie alle gutversorgt beieinander: die alltäglichen Finken und Meisen, seltene Rotkehlchen und die Rivalen im Gesang: Lerchen und Nachtigallen, dazwischen klopften Spechte und Baumläufer, sogar scheue Pirole hatte Clemens August gefangen, auch allerlei Würger, eilige Schwalben und die zänkischen Stare waren da; kleine fleißige Webervögel woben unermüdlich, ohne sich von dem Treiben der Aristokraten in dieser freundlichen Gefangenschaft stören zu lassen.

In sehr kalten Wintern saßen sogar dicke Eisvögel mit saphirblauen Brüsten verschüchtert auf einem niedrigen Zweig.

Clemens August, auf dem schmalen, frauenhaft zarten Antlitz ein liebevolles Lächeln, erzählte dann wohl seiner Kinderschar von der Eiswüste, aus der das Vögelchen gekommen, wie dort im Winter ewige Nacht sei und im Sommer ewiger Tag; von Eisbären und Walfischen und Pinguinen sprach er auch, und natürlich vom Meer, auf dem die Eisschollen trieben, und von den seltsamen Leuten, den Eskimos, die an seinen rauhen Küsten wohnten.

Fente, wie Ferdinand sich selber nannte, mochte noch zu klein gewesen sein, um etwas zu verstehen, Werner, ein dicker, wilder

Junge, hörte wahrscheinlich nur mit einem Ohr zu, während er irgendeinen Schabernack ausheckte, Jenny nahm alles still in sich auf, wie man die Gespräche der Großen eben aufnimmt, aber Annette muß, nach den Beschreibungen ihres kindlichen Wesens zu urteilen, die Geschichten ihres Vaters verlängert haben, immer neue phantastische Dinge erfindend und sich ausmalend, wie sie einmal mit ihm in die fernen Länder reisen würde ... auf einem Schiff wollte sie über das Meer fahren! Es wird erzählt, daß Annette über ihren Wachträumen, die sie auch tagsüber nicht losließen, in solche Erregung geraten konnte, daß sie irgendein Bild, das mit ihnen in Zusammenhang stand, oder einen verkrüppelten Baum, oder eine merkwürdige Wolkenbildung laut ansprach, umhertanzte und in Lachen oder Tränen ausbrach.

In solchen Momenten war Therese in ihrer vernünftigen Energie rasch bei der Hand das Kind aufzuheben und, wenn es auch strampelte und sich wehrte, ins Bett zu stecken. Gardinen vor, Licht aus, allein sein und keine solche Albernheiten mehr treiben. Dann aber kamen Nichtstun und Langeweile zu Annette, die bösen Feen ihres Lebens, die Therese ihr in der besten Absicht immer wieder aufdrängte.

In den Kinderjahren erschien allerdings die Amme, die sich nicht erlaubte, ihrem Fräulein mit Strenge zu begegnen, heimlich bei ihr, um nun ihrerseits Märchen zu erzählen, ein gänzlich unpädagogisches Eingreifen, das Annette ihr mit einer Dankbarkeit vergalt, die nie enden sollte. Später war es Jenny, die der Schwester half, die allzustrengen Maßnahmen der Mutter abzuschwächen.

Therese von Droste hatte es nicht leicht mit der Erziehung ihrer wunderlichen Tochter; wenn Clemens August wenigstens größere Strenge aufgebracht hätte! Aber er war von unerhörter Schwäche Annettens Exzentrizität gegenüber; die hatte sie wohl von ihm geerbt. Neuerdings gab es etwas außer der Vogelsammlung, das nun auch die besonnene Jenny ganz aus dem Häuschen brachte, etwas, das Therese veranlaßte, die dicken dunklen Brauen hochzuziehen und die herrischen Lippen fest aufeinanderzupressen: das war ihres Gatten nun wirklich kindliche Liebhaberei, die geringsten und gewöhnlichsten Blümchen der Gegend mit den Wurzeln auszugraben und sie, bei emsiger Hilfe der Kinder, im Schloßpark säuberlich in Reih und Glied anzupflanzen.

Er war doch kein Botaniker und nicht der Dorflehrer von Roxel, der Apothekerpflanzen zog! Therese hätte es lieber gesehen, wenn er häufiger mit seinen Standesgenossen verkehrt hätte. Nun ja, es wurde getrunken, geraucht, gespielt und Geschichten erzählt, die nicht für Damenohren waren, aber sie hätte solchen Zeitvertreib wie jede vernünftige Frau hingenommen, diese Spielerei mit dem Unkraut jedoch war ja lächerlich!

Zum Glück hatte ihr Herr und Gemahl seit kurzem außerdem eine Orchideenzucht angelegt und überdies noch begonnen, Irisblumen, die in langen Bändern den breiten Weiher, der das Schloß umgab, begleiteten, zu kreuzen und – wie Clemens August behauptete – neue Arten zu gewinnen. Er gab immerhin wie ein Herr unbesonnen viel Geld aus, um Samen und Setzlinge aus Holland kommen zu lassen; dieser Liebhaberei brauchte man sich wenigstens nicht zu schämen, wenn, wie so häufig, ein Nachbar mit Weib und Kindern vierspännig über Land gefahren kam und den Schloßherrn mit einer Gärtnerschürze und erdigen Fingern antraf.

Ach, es gab manches, was Therese nur mühsam hinunterschluckte. Wenn zum Beispiel die geistreiche Fürstin Gallitzin mit ihrem getreuen Overberg und dem Grafen Leopold zu Stolberg und andern frommen Leuten aus ihrem Kreise von Münster zu ihnen hinauskam, dann paßte es nicht in ein tiefreligiöses Gespräch, wenn Clemens August, ein Leuchten in den hellblauen Augen, die letzten Spukgeschichten zum besten gab, die er bei seinen Wanderungen durch die Heide von den strickenden Schafhirten oder einem Torf stechenden Bauern gehört hatte.

Therese, die stolz war auf ihr Elternhaus, wo die Haxthausen seit Generationen die edelste Kultur pflegten, wollte in dieser düsteren Wasserburg nicht wie im Mittelalter zwischen Gespenstern und heidnischen Märchen leben! Zum Kuckuck! Es war eine neue Zeit angebrochen. Man brauchte nicht gerade jene plebejische Aufklärung zu dulden, die in ihrer Kindheit die Weltordnung auf den Kopf gestellt hatte, aber ein helles, klares Denken gehörte zum neuangebrochenen Jahrhundert.

Nachdem Therese ihre Meinung über Aberglauben und Spukgeschichten bescheiden, aber deutlich ausgesprochen hatte, schwieg Clemens August hinfort von diesen Dingen; er bewunderte seine kluge Therese. Gewiß, sie hatte recht, von übersinnlichen Dingen sollte man nicht reden, aber er legte ein wunderschönes großes Buch an, in rotes Leder gebunden, das in Goldbuchstaben den Titel trug:

Liber mirabilis sive collectio prognosticorum, visionum, revelationum et vaticiniorum

und hier hinein schrieb er mit seiner schmalen, weißen Hand alle jene Geschichten, die er sich nicht mehr getraute, laut zu erzählen.

Das heißt, es gab doch jemanden unter den Seinen, dem er von den schier unglaublichen Dingen erzählen durfte, die überall in dieser Gegend geschahen; das war sein Töchterchen Annette, und so begierig hörte sie zu, die übergroßen Augen auf des Vaters Antlitz geheftet, und so tief drang ihr jedes Wort ins Gemüt, daß sie vier Jahrzehnte später noch alles wortgetreu aufzuschreiben vermochte, so als hätte sie es eben gehört.

Weißt du, Nette, unsere Landsleute, ja, sie sind abergläubisch, so hatte Clemens August wahrscheinlich eines Tages begonnen, aber ihr Aberglaube ist so harmlos wie sie selber.

,... Von Zauberkünsten weiß der Münsterländer nichts, von Hexen und bösen Geistern wenig, obwohl er sich sehr vor dem Teufel fürchtet, jedoch meint, daß dieser wenig Veranlassung finde, im Münsterlande umzugehen. –

Die häufigen Gespenster in Moor, Heide und Wald sind arme Seelen aus dem Fegefeuer, deren täglich in vielen tausend Rosenkränzen gedacht wird, und ohne Zweifel mit Nutzen, da man zu bemerken glaubt, daß die Sonntagsspinnerin ihre blutigen Arme immer seltener aus dem Gebüsche streckt, der diebische Torfgräber nicht halb so kläglich mehr im Moore ächzt und vollends der kopflose Geiger seinen Sitz auf dem Waldstege gänzlich verlassen zu haben scheint.

Von den ebenfalls häufigen Hausgeistern in Schlössern und großen Bauernhöfen denkt man etwas unklar, aber auch nicht schlimm, und glaubt, daß mit ihrem völligen Verschwinden die Familie des Besitzers aussterben oder verarmen werde, – diese besitzen weder die häuslichen Geschicklichkeiten noch die Tücke anderer Kobolde, sondern sind einsamer, träumerischer Natur, schreiten, wenn es dämmert, wie in tiefen Gedanken langsam und schweigend an irgendeiner verspäteten Milchmagd oder einem Kinde vorüber und sind ohne Zweifel echte Münsterländer, da man kein Beispiel hat, daß sie jemanden beschädigt oder absichtlich erschreckt hätten.

Man unterscheidet sie in Timphüte und Langhüte. Die ersteren kleine runzlige Männchen, in altmodischer Tracht, mit eisgrauem Barte und dreieckigem Hütchen; die anderen übernatürlich lang und hager, mit langem Schlapphut, aber beide gleich wohlwollend, nur daß der Timphut bestimmten Segen bringt, der Langhut dagegen nur Unglück zu verhüten sucht. Zuweilen halten sie nur in den Umgebungen, den Alleen des Schlosses, dem Wald- und Wiesengrunde des Hofes ihre philosophischen Spaziergänge; gewöhnlich haben sie jedoch außerdem einen Speicher oder eine wüste Bodenkammer inne, wo man sie zuweilen nachts auf und ab gehen oder einen knarrenden Haspel langsam umdrehen hört. – Bei Feuersbrünsten hat man den Hausgeist schon ernsthaft aus den Flammen schreiten und einen Feldweg einschlagen sehen, um nie wiederzukehren, und es war dann hundert gegen eins zu wetten, daß die Familie bei dem Neubau in einige Verlegenheit und Schulden geraten werde.'

Annette hatte keine Angst vor den kleinen runzligen Männchen; sie hatte nie Angst. Als sie mit sieben Jahren ihr erstes Gedicht machte, wickelte sie dieses Dokument in Goldpapier und trug es durch die vielen Zimmer und Säle und gewölbten Gänge, hier um die Ecke, dort um die Ecke, die Treppe hinunter, über den Hof, und nun immer höher, immer höher, den uralten Turm hinauf, auf dessen morsche Treppen sich kein Schloßbewohner mehr getraute; die Fledermäuse bewohnten das bröcklige Gemäuer, auch die Käuzchen hatten hier ihre Zuflucht und außen, zwischen den mächtigen vorspringenden Steinen, bauten die Schwalben ihre Nester; zuhöchst aber, wohin Annette nur mit Beben vordrang, hausten die Falken.

Es hieß in der Familienüberlieferung, daß der Geist eines Vorfahren den höchsten Zinnenkranz des Turmes zu besteigen pflege und mit der Wetterfahne im Winde kreise, wenn im Schlosse der Tod eingezogen sei, ein heimliches Feuer schwele oder irgendeine Gefahr drohe.

Annette, ein zierliches, blondes Mädchen – aber mehr Mut im Herzen tragend, als ihre beiden Brüder zusammen besaßen –, fürchtete sich nicht, ihre goldpapierene Rolle bis in den höchsten Dachsparren zu tragen, um sie dort zu verbergen und also getan, den Geist des Ahnherrn zu beschwören.

Man meint ihre, als etwas rauh und tief beschriebene Stimme zu hören, wenn sie in Reimen von dieser Tat und dem Turm erzählt:

> *Wie hab ich ihn umstrichen*
> *Als Kind oft stundenlang,*
> *Bin heimlich dann geschlichen*
> *Den schwer verpönten Gang*
> *Hinauf die Wendelstiege,*
> *Die unterm Tritte bog,*
> *Bis zu des Sturmes Wiege,*
> *Zum Hahnenbalken hoch.*
>
> *Und saß ich auf dem Balken*
> *Im Dämmerstrahle falb,*
> *Mich fühlend halb als Falken,*
> *Als Mauereule halb,*
> *Dann hab ich aus dem Brodem*
> *Den Geist zitiert mit Mut,*
> *Ich, Hauch von seinem Odem*
> *Und Blut von seinem Blut.*

Wie lebendig war das Dämonische in Annette; ohne Frage, ohne Furcht fühlte sie sich dem Übersinnlichen verbunden, dabei genügte die gewöhnliche Sprache diesem kleinen Leben von sechs, sieben und acht Jahren nicht, es fand Verse, seltsame Worte und Reime, es sang auch selbst erfundene Melodien und spielte auf seines Vaters Klavier, wenn es mit Mühe auf den hohen Schemel geklettert war, befremdliche Weisen.

Therese wußte dann nicht, sollte sie das Kind kalt abwaschen und mit Kamillentee ins Bett stecken, oder gerührt sein wie Clemens August, der sofort Tränen in den Augen hatte, wenn Nette ihn einen Blick in ihre Kinderseele tun ließ.

Im Jahre 1806, diesem Unglücksjahr, da das deutsche Reich zusammenbrach, weilten der Graf zu Stolberg mit Gemahlin und sieben Kindern in Hülshoff. An einem sonnigen Tage fuhr man in mehreren Equipagen zum nahen Stift Hohenholte, um zu erkunden, ob die Eltern Stolberg dort einige ihrer Töchter versorgen könnten.

Die Äbtissin, eine nahe Verwandte von Therese, sah mit dem geübten Auge der Menschenkennerin, daß bei den Hülshoffern ein kleiner Paradiesvogel aufwuchs. Jenny war ein freundlichverlegenes Mädchen von elf Jahren, Werner, ein dicker, stämmiger Knabe, der voller Unfug steckte, Fente, sechsjährig, schmal, blaß, still – mein Gott, er hätte ein kleines Mädchen sein können –, aber diese Annette mit den echt westfälischen Augen, unruhig wie die Nadel auf dem Kompaß, immer einen Spaß oder eine schlagfertige Antwort auf den Lippen, dieses Kind interessiert die Äbtissin.

Was sagte man ihr? Die kleine Hexe dichte und musiziere? Das mußte man hören! Es bildete sich ein Kreis um das Klavier, die Damen saßen, die Herren standen, und Annette, in all ihrem Selbstbewußtsein und ohne Scheu, rezitierte zwei, drei ihrer eigenen Gedichte. Die großen Leute applaudierten und sprachen ohne Scheu vor ihren alles hörenden Ohren von dem erstaunlichen Talent dieser jugendlichen Sappho; und nun die Musik!

Das Kind in seinem langen, engen Kleid nach griechischer Mode, wie es auch die Damen trugen, die blonden Locken zu einem Schopf am Hinterkopf zusammengebunden, sitzt, eine kleine Muse der Musik, ernsthaft auf die Tasten schauend; dann beginnt sie, den Blick ins Ungewisse sendend, leise, aber immer kräftiger werdend, Phantasien zu spielen, die den altmodischen Stücken gleichen, wie der Vater sie liebt, und doch sind sie eigenartig, anders, nicht sklavische Nachahmung. Das alles ist sehr erstaunlich.

Man überschüttet das Kind mit begeisterten Komplimenten, man schiebt es von einem zum andern, küßt es, streichelt es, man überbietet sich an Prophezeiungen zukünftiger Größe, die Clemens August gerührt und Therese mit stolzer Bescheidenheit hinnimmt. Nur einer schweigt: Friedrich Leopold, der Graf zu Stolberg, er ist seit einigen Jahren konvertierter Katholik und ein äußerst streng denkender Herr; er schweigt, aber findet, gerade wie andere Erwachsene in Annettens Umgebung, daß dieses reizende Kind ‚voller Eitelkeit und Selbstbewußtsein stecke‘.

Als er dann aber etwas später vernehmen muß, daß Nette sogar im Stift Hohenholte bei einem Schauspiel mitwirkte und wegen ihres auffallenden Könnens den lebhaftesten Beifall erntete, da schreibt der Graf einen höflichen, aber geharnischten Brief an seine liebe Therese von Droste, in dem er ihr seitenlang alle Gefahren des Theaterspielens, das nur Gefallsucht und Eitelkeit befördere, schildert.

‚Mädchen, die Komödie spielen‘, schreibt er unter anderem, ‚verlieren bald die holde Munterkeit unschuldiger Jugend; das Haus der Eltern wird ihnen traurig, die unschuldigen Freuden werden ihnen alltäglich, für die Natur werden sie kalt ... Bei jeder Vorstellung wird die Eitelkeit genährt, die Schüchternheit besiegt, bis sie zuletzt entflieht.

Und was entflieht nicht mit ihr! Die Wahrheit des Charakters geht verloren, das Scheinen ersetzt das Sein ... Nichts entfremdet mehr von der Einfalt, von der wahren Heiterkeit und von der christlichen Demut, als diese Gleichstellung mit der Welt, deren Charakter erkünstelt und dem Christentum zuwider ist.‘

Therese von Droste muß tief beeindruckt von der Predigt des prüden und frommen Stolberg gewesen sein. Da hatte man es! *Sie* hatte nur mit äußerstem Widerstreben ihre Erlaubnis zu diesem lästerlichen Theaterspielen gegeben, es kam immer verkehrt heraus, sobald man nicht auf ihren Willen hörte! Wenn sie es recht bedachte, so konnte Nette auch im Hause hochfahrend und spöttisch sein, als wäre sie allen ihren Altersgenossen überlegen.

Nur weil sie besser Klavier spielte als irgendein anderes Kind, nur weil sie Gedichte machen konnte? Sie war vom Hochmutsteufel besessen! Wenn doch Clemens August ihr mehr bei der Erziehung der Kinder helfen wollte! Aber gerade an Annette fand er nichts zu rügen. Doch es gab im Kampf gegen die Teufelchen in ihrer Tochter eine Helferin, die würde ihr beistehen wie niemand auf der Welt, das war Theresens Stiefmutter, die Herrin von Bökendorf: die Freifrau, Anna Maria von Haxthausen, aus dem Geschlechte der Wendt-Papenhausen, eine ,Heilige', wie das Volk sie schon jetzt nannte.

Diese fromme und vorzügliche Stiefgroßmutter würde Annette den Hochmut wohl auszutreiben wissen.

2

Bökendorf, das Stammschloß der Haxthausen, war für alle Hülshoffer Kinder ein Paradies, denn die Stiefgroßmutter hatte sieben Söhne und sieben Töchter; das waren vierzehn Onkel und Tanten, von denen die jüngsten im Alter von Jenny und Annette standen.

Sophie, Karoline, Anna und Ludowine waren Annette die liebsten, aber in diesem Jahre 1806, da sie mit Jenny für lange Wochen zur Großmutter geschickt wurde, hatte ihre Liebe zu den Bökendorfer Kindern schon etwas Scheues und Unruhiges. Sie konnte es nicht vergessen, wie man sie bei ihrem ersten Besuch vor zwei Jahren gescholten hatte, als sie in stürmischer Zärtlichkeit die kleinen Mädchen geküßt und gestreichelt hatte und herumgetanzt war in ihrer Seligkeit, plötzlich ein ganzes Haus voller Spielgefährten zu haben.

Annette besaß ein sehr feines Gefühl für den Anstand, deshalb hatten die großen Leute es leicht, sie tief zu beschämen und sie an dieser Verletzbarkeit zu leiten, wohin sie wollten. Seitdem man sie für ihre überschwengliche Liebe gerügt, als hätte sie etwas Böses getan, getraute sie sich kaum noch, unbefangen mit den kleinen Mädchen zu spielen, und nun neckten diese sie wiederum, weil sie so scheu und so anders war als sie alle.

Jenny pflegte Nette zu verteidigen wie eine Löwin, aber ihr Schwesterchen war gar zu sonderbar! Es konnte bocksteif dastehen, den Kopf trotzig zurückgeworfen, wenn es im Spiel Bänderchen ins Haar flechten sollte wie die Mütter und Tanten es taten, Papierfächer zierlich bewegen oder mit einer Puppe im Arm weise über ‚die Kinder‘ sprechen mußte. Manchmal lachte Nette auch plötzlich spöttisch auf, wenn die andern Albernheiten trieben und alle zugleich schwatzten oder sich beim Dunkelwerden nicht mehr getrauten, ohne Licht in ein entferntes Zimmer zu gehen.

Es konnte dann passieren, daß sie sich anerbot, ganz allein in den großen Ahnensaal zu pilgern, wo es nicht geheuer war, oder wenn eines der Mädchen bei dem kleinsten Schnitt im Anblick der Blutstropfen in lautes Weinen ausbrach, sich ein aufgeschürftes Knie auswaschen zu lassen, ohne daß ihre zusammengepreßten Lippen einen Laut hergaben.

Wenn sie wenigstens genäht und gestichelt hätte, aber sie haßte jede Handarbeit. Während die andern Mädchen ihre Seidenlümpchen aneinandersetzten und kicherten und schwatzten, saß sie wohl am Fenster, die Ellenbogen aufgestützt, das Gesicht in den Händen und schaute hinaus, ob sie nicht die jungen Stiefonkel erblicken könnte, wie sie ihre Pferde bestiegen oder zur Enten- oder Hasenjagd auszogen.

August war erst vierzehnjährig und durfte schon mitgehen. Sie träumte dann, sie wäre ein Knabe und sie dürfte auch mitkommen, so jung sie war. Manchmal hatte sie frühmorgens Glück und sah August und einen Knaben vom Gutsbetrieb, wie sie zum Dohnenstrich zogen in knappen Jagdröcken und Lederkäppchen; wie fröhlich sie waren! Nie würde sie eine Flinte tragen dürfen, nie zur Jagd ausziehen, kaum daß man ihr erlaubte, ein wenig in den Alleen auf und nieder zu reiten.

Aber eines konnten die Knaben nicht wie sie: Gedichte reimen oder Geschichten erzählen, bis die dummen Mädchen sich schließlich kreischend die Ohren zuhielten; und auf dem Klavier zu spielen vermochte auch keiner wie sie.

Vater und Mutter sind wieder fortgefahren, und nun darf sie viele Stunden bei der Großmutter sitzen. Sie bleibt gern lange, lange Zeit auf dem Schemel zu ihren Füßen; diese schöne, sanfte Frau schilt nicht mit ihr, sie verhöhnt sie nicht, sie predigt nicht in aufgeregter Stimme immer die gleichen Sachen.

Eine feine, beringte Hand streicht leicht über ihren Scheitel, immer wieder, immer wieder, bis ein süßes Gefühl in ihr Herz zieht wie an den Samstagabenden in Münster, wenn dort alle Glocken läuten; gerade wie die tiefen Töne geht es dann in ihrer Brust hin und her: Ruhe – Ruhe; Ruhe – Ruhe.

Anna Maria von Wendt-Papenhausen, die Freifrau von Haxthausen, hat eine Stimme, so schlicht, so bescheiden, als sei sie eine Dienende. Aber wem dient sie denn?

Gott im Himmel, mein Herzchen, dem müssen wir alle dienen, weil wir von ihm erhalten haben, was wir besitzen: viel Klugheit oder wenig, großes Können oder kleines; seltene Gaben des Geistes oder nur die alltäglichen. Wir haben kein Verdienst daran, wir können nur danke sagen, wenn es reiche Gaben sind, und uns bescheiden, wenn wir nichts als Armseligkeiten besitzen; wir haben kein Verdienst.

So etwa hat Anna Maria zu Annette gesprochen und sie Demut und Bescheidenheit gelehrt; und Annette, dieses Kind mit dem angeborenen Sinn für Sittlichkeit, nahm jedes Wort auf wie eine dürre Erde den warmen Regen des Himmels einsaugt, und es erwuchs in ihrem Gemüt eine grenzenlose Liebe zu dieser reinen, schlichten Frau, und eine Liebe zum Göttlichen und eine Liebe zu allem Hohen und Weltabgewandten.

Und doch behielt Annette ihrer ,wilden Seele Streben‘, aber hier, in diesem großen, niedrigen Gemach, in dem es nie ganz hell wurde, hier legte sich die innere Ungeduld. Wie gern hatte Annette dieses Zimmer mit der hölzernen Decke voll schwerer, geschnitzter Möbel, die wohl schon zweihundert Jahre standen, wo sie einmal hingesetzt wurden. Hier gab es keine venezianischen Spiegel, keine Glaslüster, keine seidenen Sessel und zierlichen Tischchen wie im Salon, wo die Fenster fast bis zum Boden reichten. Hier stand ein Schrank, groß wie eine Ritterburg, mit einem riesigen Schlüssel, den sie nicht umdrehen konnte. Die Stühle hatten sehr hohe Lehnen, und im Leder war das Wappen des Großvaters, aber schon ganz verblaßt, zu sehen.

Der Betschemel, von dem die Großmutter sich oft erst langsam erhob, wenn Annette hereintrat, war über und über geschnitzt, und an der gekalkten Wand darüber hing ein dunkles Gemälde, das stellte Maria dar, wie sie Elisabeth, die Mutter des Täufers, besuchte. Schwere Leuchter aus Zinn mit gelblichen Lichtern, zu denen die Bienen von Bökendorf das Wachs gesammelt hatten, standen auf dem langen schmalen Eichentisch in der Mitte des Zimmers. Schön war es, wenn die Kerzen das Stundenbuch beleuchteten, das so kostbar war, daß niemand außer der Großmutter darin blättern durfte, oder wenn der Lichtschein auf den Psalter fiel, der fast so hoch war wie breit, mit einer Schließe, von bunten Edelsteinen verziert. Das Papier war körnig und gelb, und die Lettern tiefschwarz, aber die großen Anfangsbuchstaben, oder die heiligen Namen, leuchteten von Gold und allen Farben; lesen konnte Annette nicht in dem alten Buch. Das ist Lateinisch, hatte die Großmutter gesagt.

Es schien Annette oft, als hielte sie Einkehr bei einer heiligen Klosterfrau. Die Großmutter trug eine enge weiße Haube, die nur ihr sanftes Gesicht sehen ließ; sie lächelte anders als die übrigen Frauen im Haus und ihre Augen hatten einen Blick, als sähe sie von weither auf die Menschen.

Das schönste war, wenn Anna Maria eine alte Bibel auf den Knien hielt und in dem rhythmischen Tonfall, der die unzählbare Wiederholung verriet, aus den Psalmen vorlas. Tief drangen Sinn und Versmaß in Annettens Gemüt ein, so daß diese geistlichen Gedichte in ihr weiterklangen, zuerst durch die Kinderzeit, dann durch die Jugendjahre und schließlich in die reifste Zeit ihres Lebens hinein.

Fast in Tränen, aber mit beherrschter Erregung, hörte sie auf die Worte – immer wieder mußte die Großmutter sie lesen:

Wohl dem, der nicht wandelt im Rat der Gottlosen,
noch tritt auf den Weg der Sünder,
noch sitzet, da die Spötter sitzen.

Dann senkte Annette schuldbewußt den Kopf; o, wie leicht wurde es ihr zu spotten, wenn die andern Mädchen so töricht waren und nie etwas verstanden; sogar über große Leute konnte sie heimlich lachen und sie vor Jenny nachahmen. Sie gestand es flüsternd der Großmutter; die war ganz erschrocken über so viel Bosheit.

Hör zu, Nette, ich lese dir etwas, das mußt du so oft anhören, bis du es auswendig weißt. Die alte Frau blätterte, bis sie zum einundfünfzigsten Psalm kam; langsam und deutlich las sie Annette vor:

Gott sei mir gnädig nach deiner Güte,
und tilge meine Sünden nach deiner großen Barmherzigkeit.
Wasche mich wohl von meiner Missetat,
und reinige mich von meiner Sünde.
Denn ich erkenne meine Missetat,
und meine Sünde ist immer vor mir.
An dir allein hab ich gesündigt,
und übel vor dir getan.

... an dir allein hab ich gesündigt ... Annette muß diesen Psalm tief in ihrem Herzen getragen haben, denn Jahre später, als sie sich sehr schuldig fühlte, floß ihr dieses Wort ‚an dir allein hab ich gesündigt‘ nur wenig verändert in einen Brief, der auf die Nachwelt gekommen ist. In dieser gleichen Zeit wird auch der neunundsechzigste Psalm in ihr nachgeklungen sein, der mit dem Aufschrei endet:

Ich bin fremd worden meinen Brüdern
und unbekannt meiner Mutter Kindern.

Aber es gab auch Psalmen, die ein Echo auf das Herrlichste in ihrem Leben waren: der Himmel mit dem Zug der Wolken, die Erde voller Blumen und Sträucher und Bäume und Bäche und Seen; der helle Tag, und die Nacht mit Mond und Sternen, und dann die Sonne, die alles schön und gut machte und so glühend rot hinter den Eichen am Schloßweiher untergehen konnte.

Sie hatte mit zehn Jahren wohl noch nicht die Worte, um der Großmutter die merkwürdige Erregung zu erklären, die sie befiel, wenn sie allein im Freien umherlief, aber es war die gleiche Freude, die sie empfand, wenn der singende Tonfall der alten Freifrau die Worte über ihren Kopf hinsprach:

Die Himmel erzählen die Ehre Gottes,
und die Feste verkündiget seiner Hände Werk.
Ein Tag sagt's dem andern,
und eine Nacht tut's kund der andern.
Es ist keine Sprache noch Rede,
da man nicht ihre Stimme höre.
Ihre Schnur geht aus in alle Lande,
und ihre Rede an der Welt Ende,
er hat der Sonne eine Hütte in derselben gemacht;
Und dieselbe gehet heraus, wie ein Bräutigam aus seiner Kammer,
und freuet sich wie ein Held, zu laufen den Weg.

Hat aber Annettens Kindergemüt den Sinn erfaßt, wenn Anna Maria las: Der Herr ist dein Schatten über deiner rechten Hand?

Nein, weder die alte Frau noch das Kind konnten es wissen, daß diese rechte Hand bestimmt war, unsterbliche Werke zu schaffen, auch ahnten sie nicht, daß in diesen Stunden ein Samenkorn in das junge Gemüt fiel, das zum früchtereichsten Baum in Annettens Leben werden sollte.

Wenn die Hülshoffer Kinder aus den alljährlichen Ferien aus Bökendorf heimkehrten, zeigte Annette sich jedesmal still, freundlich und von strengstem Gehorsam gegen die Mutter, aber nach einiger Zeit gewann doch ihr stürmisches Temperament wieder die Oberhand.

Es war meistens im September, daß die Geschwister nach Hülshoff zurückgebracht wurden, und je älter Annette wurde, je stärker sprach die Schönheit ihres Elternhauses zu ihr. Wenn sie über die Brücke gegangen war, stand sie auf ihrem Boden, über den die vielen Männer und Frauen ihres Blutes geritten, gefahren und gegangen waren. Die starken Mauern, die eckigen Türme, wie unerschütterlich standen sie da; ein lebendiges Wesen schien ihr diese graue Burg; die Dachfenster hoch oben blickten wie Augen ‚aus Wimpern schwer und grau' über Heide und Moor. Und der steinerne Kreuzritter, ihr Ahn, der über dem Tore wachte; sie sprach manchmal mit ihm und wartete, bis der Abendstern hinter seinem Haupt aufstieg.

Dreimal erscheint er in Annettens Werken. Wie anders war der geliebte Vater, der ging so sanft und still aus und ein, als gehöre dieses riesige Gemäuer, das ein Heer aufgehalten hätte, nicht mehr zu ihm, sowenig wie die schweren Rüstungen, die in der Halle aufgestellt waren. Man kämpfte nicht mehr, man erlitt die Zeit.

In Hülshoff wurden jetzt vielerlei Flüchtlinge aufgenommen, denn es waren schlimme Jahre und überall Not und Verfolgung. Die Großmutter in Bökendorf speiste die Armen mit einer Demut, wie wohl die heilige Elisabeth es getan haben mochte, aber fast noch schöner war es zu sehen, wenn die Mutter so hoheitsvoll den Bedürftigen oder alten und schwachen Personen, die täglich zu dreien oder mehreren auf der steinernen Flurtreppe lagerten, Kost und Kleidung reichte. Sie sprach mit ihnen, nahm teil an ihren Leiden, und wehe, wenn die Hülshoffer Kinder ohne Gruß an den Hausarmen vorüberliefen.

Die Mutter, die in ihrem klaren Verstand und in ihrer Willensstärke so streng zu herrschen wußte und dabei ohne eine Spur von Sentimentalität den edelsten Herzenstakt besaß, hat Annette früh zu großer Bewunderung hingerissen.

Welch unbeirrbaren sittlichen Instinkt verrät sie, wenn ihr der gerechte Blick nicht dadurch getrübt wird, daß die Mutter gerade sie von allen Menschen mit eiserner Strenge anfaßte.

Was Annette als heranwachsendes Mädchen mit klugen Augen beobachtet hatte, das faßte sie wenige Jahre vor ihrem Tode in die verstehenden und bewundernden Worte zusammen: Die Mutter war … ‚eine kluge, rasche, tüchtige Hausregentin, die dem Kühnsten wohl zu imponieren versteht und, was ihr zur Ehre gereicht, eine so warme, bis zur Begeisterung anerkennende Freundin des Mannes, der eigentlich keinen Willen hat als den ihrigen. Ohne Frage steht diese Frau geistig höher als ihr Mann, aber selten ist das Gemüt so vom Verstande hochgeachtet worden; sie verbirgt ihre Obergewalt nicht, wie schlaue Frauen wohl tun, sondern sie ehrt den Herrn wirklich aus Herzensgrunde, weiß jede klarere Seite seines Verstandes, jede festere seines Charakters mit dem Scharfsinn der Liebe aufzufassen und hält die Zügel nur, weil der Herr eben zu gut sei, um mit der schlimmen Welt auszukommen.

Nie habe ich bemerkt, daß ein Mangel an Welterfahrung seinerseits sie verlegen gemacht hätte, dagegen strahlen ihre schwarzen Augen wie Sterne, wenn er seine guten Kenntnisse entwickkelt, Latein spricht wie Deutsch, und sich in alten Tröstern bewandert zeigt wie ein Cicerone.

Die gnädige Frau hat südliches Blut, sie ist heftig, ich habe sie sogar schon sehr heftig gesehen, wenn sie bösen Willen voraussetzt, aber sie faßt sich schnell und trägt nie nach. Sehr stattlich und vornehm sieht sie aus, muß sehr schön gewesen sein, und wäre dies vielleicht noch, wenn ihre bewegten Gefühle sie etwas mehr Embonpoint ansetzen ließen, denn das innere Feuer verzehrt alles sonst Überfließende; so sieht sie aus wie ein edles arabisches Pferd.'

Annette hatte ihre Mutter ,heftig, sogar sehr heftig' gesehen, wenn sie ,bösen Willen voraussetzt', und wie oft, wie oft glaubte sie Nette voll bösen Willens. Was sollte das heißen, immer auf und davon, und reisen zu wollen, zu Land und zu Meer, sich nach fremden Ländern und fremden Menschen zu sehnen; auf die Jagd gehen zu wollen wie die Onkel in Bökendorf; sie war ein Mädchen, gehörte ins Haus und sollte sich lieber in feinen Handarbeiten üben, aber sie entwischte immer wieder und lernte weder nähen noch sticken. Wie Annette als Kind getan, so lief sie immer noch allein in die Heide hinaus oder stieg in halbverfallenen Räumen des Schlosses umher, wohin selbst die Brüder sich nicht getrauten.

Therese hatte viel zu verbieten. Kein Buch durfte Annette ungefragt aus dem Schrank nehmen, denn es genügte, daß sie Bilder entfernter Gegenden oder von Schiffen auf stürmischem Meere sah, daß sie wie von Sinnen kam und in Schluchzen ausbrach, weil sie nicht dort war, sondern hier. Die Mutter duldete solche Exzentrizität nicht; wenn die Onkel und Vettern davon phantasierten, in die Welt hinauszugehen, gut ... ihr Beruf konnte sie als Diplomaten, Offiziere, Forschungsreisende, oder nur zu ihrem Vergnügen in fremde Länder führen, aber das mußte Annette endlich verstehen, sie würde eines Tages verheiratet werden, viele Kinder haben und einem großen Haushalt vorstehen. Punktum.

Wenn sie allerdings weiterhin nach jedem Kampf mit der Mutter Fieber bekam, erbrach und zu husten begann, so blieb ihr nur ein Fräuleinstift, wo sie in der Stille ihre Tage beschließen würde.

Man sieht Annette, dieses Mädchen mit der ‚wilden Seele‘, bei der Aussicht, ihr Leben als zimperliches Jüngferlein hinzubringen, nun erst recht in inneren Aufruhr geraten. Gewiß, sie gab sich Mühe, sittsam zu sein, den Anstand nicht zu verletzen; sie hört in Gedanken die demutsvollen Worte der Großmutter in Bökendorf, sie versucht die stille, zahme Jenny nachzuahmen, aber es gelingt ihr nicht. Hat sie einen Stickrahmen in der Hand, so schneidet sie Grimassen, seufzt und stöhnt, und erlaubt sich Werner, der ein Jahr jünger ist als sie, sogar eine knabenhaft verächtliche Bemerkung, so schäumt sie über. Es gibt Streit und Tränen, und dann – wenn es nur irgend möglich ist – entwischt Annette aus dem Schloß, auch wenn das rauhe Wetter alle andern im Zimmer festhält.

O, wie der Sturm in den Eichen saust, wie die Wolken dahinjagen! Düster ist die Heide im Herbst, und das trügerische Moor von Binsen tückisch versteckt. Das Krächzen der Raben zerreißt im Wind, und aus dem Boden dringt langsam, höher, immer höher der dicke, weiße Nebel. Wehe, wehe, wenn er über Augenhöhe steigt! Den ‚Heidemann‘ nennt ihn das Volk ... ja, ‚jetzt ist’s unheimlich draußen sein, der Heidemann zieht‘.

Oft, so oft muß Annette das Grauen der einsamen Heide gesucht haben, denn nie wäre ihr Gemüt so tief davon berührt worden, so daß es ihr die schönsten ihrer Gedichte eingab, wenn sie nicht schon in jungen Jahren die trostlose Größe ihres Landes wie einen bösen Zauber eingesogen hätte.

Nach Jahren und Jahren sieht sie sich wieder als Kind vor den Spukgeistern, an die sie glaubte, nach Hause fliehen. Als Knaben schildert sie sich und erzählt Wort für Wort ihr Erlebnis:

> *O schaurig ist's übers Moor zu gehn,*
> *Wenn es wimmelt vom Heiderauche,*
> *Sich wie Phantome die Dünste drehn*
> *Und die Ranke häkelt am Strauche,*
> *Unter jedem Tritte ein Quellchen springt,*
> *Wenn aus der Spalte es zischt und singt,*
> *O schaurig ist's übers Moor zu gehn,*
> *Wenn das Röhricht knistert im Hauche!*

> *Fest hält die Fibel das zitternde Kind*
> *Und rennt, als ob man es jage;*
> *Hohl über die Fläche sauset der Wind –*
> *Was raschelt drüben am Hage?*
> *Das ist der gespenstische Gräberknecht,*
> *Der dem Meister die besten Torfe verzecht;*
> *Hu, hu, es bricht wie ein irres Rind!*
> *Hinducket das Knäblein zage.*

> *Vom Ufer starret Gestumpf hervor,*
> *Unheimlich nicket die Föhre,*
> *Der Knabe rennt, gespannt das Ohr,*
> *Durch Riesenhalme wie Speere;*
> *Und wie es rieselt und knittert darin!*
> *Das ist die unselige Spinnerin,*
> *Das ist die gebannte Spinnlenor',*
> *Die den Haspel dreht im Geröhre!*

> *Voran, voran! nur immer im Lauf,*
> *Voran, als woll es ihn holen!*
> *Vor seinem Fuße brodelt es auf,*
> *Es pfeift ihm unter den Sohlen*
> *Wie eine gespenstige Melodei;*

Das ist der Geigemann ungetreu,
Das ist der diebische Fiedler Knauf,
Der den Hochzeitheller gestohlen!

Da birst das Moor, ein Seufzer geht
Hervor aus der klaffenden Höhle;
Weh, weh, da ruft die verdammte Margret:
,Ho, ho, meine arme Seele!'
Der Knabe springt wie ein wundes Reh;
Wär nicht Schutzengel in seiner Näh,
Seine bleichenden Knöchelchen fände spät
Ein Gräber im Moorgeschwele.

Da mählich gründet der Boden sich,
Und drüben, neben der Weide,
Die Lampe flimmert so heimatlich,
Der Knabe steht an der Scheide.
Tief atmet er auf, zum Moor zurück
Noch immer wirft er den scheuen Blick:
Ja, im Geröhre war's fürchterlich,
O schaurig war's in der Heide!

Die Lampe im väterlichen Haus ... die Lampe bedeutet ihr Trost und Inbegriff der Geborgenheit nach den wilden Ausbrüchen; ,der Heimat Licht, das durch die Bäume schimmert', sagt sie ein andermal. Wie oft erscheint dieses tröstliche Licht der Geborgenheit, das in die Nacht hinausleuchtet, in Annettens Werk; es ist wie ein Symbol ihres Lebens: der Schoß der Familie, in den sie aus Einsamkeit und eigenstem Erleben immer wieder zurückflieht; das ewige Hinundher in ihrem Dasein.

Wie hätte sie auch das Glück der Heimkehr nach eigenmächtigem Davonlaufen nicht zutiefst empfinden sollen, durfte sie doch, noch zitternd vor Erregung, in die Arme ihrer Mutter stürzen. Denn Therese von Droste war nicht nur eine strenge Frau, sie war auch eine sehr kluge Frau, die in ihrer Weisheit und tiefverborgenen Güte wußte, wann Schelten nicht am Platze war; sie kannte das Maß der Dinge.

Und wie Annette bei all ihrem scheuen Respekt der Güte der leiblichen Mutter vertraute, so empfand sie in einem Urinstinkt, der in der zivilisierten Menschheit fast ganz verschüttet ist, eine Hingerissenheit und eine Zugehörigkeit zur Mutter Erde. Immer wieder und immer anders erlebt Annette durch ihr ganzes Leben dieses Niederstürzen zur Erde in das Gras, in das Heidekraut, in das Moos oder in die Blumen, um ‚das Blut der Erde zu saugen‘.

Wie Schmerzensschreie tönt es aus dieser Flucht in die Arme der Allmutter Erde in Annettens Gedichten, Balladen, Prosastükken und Briefen, die Zerrissenheit eines Menschenwesens verratend, das in die Kämpfe der Welt hinausstürmen möchte, und, da es an den Fleck gebannt ist, die Kämpfe im eigenen Innern erwählt! Zwiespalt einer überstarken Seele und Wurzel der großen Einsamkeit, die Annette von Droste kostbarer dünkte als irgendein Zugeständnis.

Es bedeutete ein Glück für sie, und auch für ihre Mutter, als die Zeit gekommen war, da sie die täglichen Schulstunden in höheren Fächern mit den Brüdern teilen durfte. Bisher hatte Therese ihre Töchter selber unterrichtet. Im Lesen, Rechnen, Französisch und Religion drillte sie ihre Kinder mit ebensoviel Strenge wie Ehrgeiz.

Sie war ja eine fromme Frau, aber in ganz anderer Art wie ihre Stiefmutter in Bökendorf. Therese redete mit dem lieben Gott aufrecht, Auge in Auge. Gott scheint ihr der Bundesgenosse im Lebenskampf zu sein. Annette lernte unbemerkt vieles durch den Unterschied, wie die Großmutter das Christentum hinnahm und wie die Mutter es handhabte.

Das Lesen hatte Annette wie im Spiel gelernt, das Rechnen verachtete sie. Rechnen und Berechnen lag ihrem generösen Charakter ganz fern. Das Schreiben zu lehren, hatte man der Köchin überlassen, die so sauber Buchstabe an Buchstabe zu setzen wußte.

Aber das war nun schon Jahre her, jetzt galt es, endlich die französische Sprache zu beherrschen ... es war wirklich ein Mangel, daß man ·nicht französisch geboren wurde, denn die Menschheit wurde scheinbar eingeteilt in solche, die Französisch sprachen, und solche, die kein Französisch sprachen. Annette erfuhr, daß sie zu den Menschen gehörte, von denen die Welt erwartete, daß sie die fremde Sprache redete wie die deutsche.

Also Vokabeln, Vokabeln und nochmals Vokabeln, und wie war die Mutter unermüdlich und genau! Auch noch, als mit dem Haß auf den französischen Kaiser, von dem immer und immer die Rede war, Dichter und gelehrte Männer zu predigen begannen, die deutsche Sprache täte es auch zur Unterhaltung.

Aber jetzt – Annette zählte zwölf Jahre –, da war eine neue Gestalt in Hülshoff eingezogen, der fünfundzwanzigjährige Kaplan, Bernhard Wenzelo. Der junge Mann war von Therese nach vielem Suchen, unter zahlreichen Empfohlenen für würdig erachtet, der Lehrer von Werner, Ferdinand und – Annette zu werden, zudem in der Schloßkapelle das heilige Amt zu versehen.

Aber kaum war er eingezogen, als die Herrin von Hülshoff eine gewisse Enttäuschung über den nicht gerade bedeutenden Kaplan an den Tag legte. Und doch hatte sie ihn ausgewählt, aber starke Charaktere umgeben sich ja instinktiv, manchmal auch bewußt, mit schwächeren Menschen, denn sie wissen, ein starker Mitspieler würde ununterbrochenen Kampf um die eigene Herrschaft bedeuten, aber die selbst ausgeführte Wahl hindert nicht, daß dem bescheideneren Teil seine Schwäche ständig im stillen vorgeworfen wird.

Aus diesem Grunde fand Wenzelo, der es herzlich gut meinte, aber nicht einen Funken von Autorität besaß, keine Gnade vor Theresens Augen. Auch die Kinder schienen keinen allzugroßen Respekt vor ihrem guten Wenzelo gehabt zu haben; denn noch Jahre später (Ende 1844) spricht Annette in einem Brief an Jenny in lächelnder Nachsicht von ihm.

Aber sie hatten ihn gern. Man sieht es vor sich, wie Jenny, die keine Stunden bei ihm nahm, ein vierzehnjähriges, wohlerzogenes Fräulein, ihn liebenswürdig ignoriert; wie er von Werner geneckt und fröhlich hintergangen wird, wie Fente ihm auf die Knie klettert und bei seinem späten und mühsamen Zahnwechsel das kleine blasse Gesicht an die schwarze Soutane drückt. Und Annette?

Ja, Annette ... wenn Werner der altererbten Ansicht huldigte, daß Gelehrsamkeit nicht ‚rittermäßig‘ sei, und Fente, dieses lebensschwache Pflänzlein, nicht viel in sein immermüdes Köpfchen hineinbrachte – Wenzelo belehrte ihn, als wenn er den Kleinen mit der Flasche aufziehen müßte –, so nahm Annette alles Wissen mit einem Heißhunger entgegen, als wolle sie eine Königin Christine von Schweden werden. Latein war ihre große Liebhaberei; die klassischen Dichter begeisterten sie, und Kaplan Wenzelo hatte Mühe, die alten Heiden nicht gar zu übermächtig werden zu lassen. Sie solle sich mehr an die Weltgeschichte halten, aber davon wollte seine eigenwillige Schülerin nicht viel wissen.

Nette tanzte ihrem lieben Wenzelo auf der Nase herum genau wie Werner, und der Kaplan hatte viel zu viel Ehrfurcht vor dem gnädigen Freifräulein und dem Junkerlein, um mit Strenge dreinzufahren.

Im Winter, wenn der breite Schloßweiher gefroren war, lag es ihm ob, die Kinder beim Schlittschuhlaufen zu beaufsichtigen; aber Werner schoß davon, ohne auf Wenzelos ängstliche Warnungen zu hören, Fente wollte nicht aufs Eis, er hatte kalte Füße und versteckte hustend sein Gesicht in den Händen; Annette, die auf keinen Fall in Transpiration geraten durfte, machte Pirouetten und Kunststücke, bis ihr die Haare naß an den Schläfen klebten, nur Jenny fuhr sachte, die Hände im Muff, nahe am Ufer auf kurzer Strecke auf und ab.

Wenzelo aber jagte mit flatternder Soutane wie ein flügellahmer Rabe den vereisten Weiher entlang, mit überschlagender Stimme nach Werner rufend, Annette beschwörend, Fente tröstend und Jenny anflehend, ihm beizustehen.

Der Schluß war leider sehr oft, daß Annette und Fente ins Bett gesteckt wurden, Werner im letzten der ‚sechs Schränke‘, einem praktischen Einbau im oberen Flur, Arrest bekam, der Kaplan von einem ungnädigen Blick der Herrin in sein Zimmer verscheucht wurde, und nur Jenny, die immer Gute, mit Kamillentee zwischen Annette und Fente hin und her eilen durfte.

3

Im Bett liegen, das war immer noch Annettens größte Qual, diese liebevolle Gefangenschaft, dieser gewaltsame Dämpfer auf ihre Lebensgeister! Ach, Anregung und Ablenkung wären ein Gesundbrunnen für sie gewesen; das wußte sie schon früh, aber sich zu wehren war vollkommen unmöglich!

Und wie hätte sie auch ihrer Mutter nicht dankbar sein sollen, die so viel Mühe und Sorgfalt auf ihre Gesundheit verschwendete, und wie böse von ihr, Jenny aus dem Zimmer zu weisen, wenn sie die Gardinen am hellen Tag zuzog und immer wieder den Kopf zur Tür hineinsteckte, um sich zu vergewissern, daß dieser wässerige Tee ausgetrunken war und Annette schlief.

In einem Romanfragment aus Annettens jungen Jahren steht ein Gespräch zwischen der Heldin ‚Ledwina‘, der Mutter, ‚Frau von Brenkfeld‘, und der älteren Schwester ‚Therese‘, das Wort für Wort auf eigenen Erfahrungen beruhen könnte.

Ledwina kommt von einem viel zu langen Spaziergang heim und ‚fühlte sich widrig erkältet. Sie beugte sich, ohne zu antworten, nieder, um ein Garnknäuel vom Boden aufzuheben.

Aber mein Gott, rief Frau von Brenkfeld, der durch diese rasche Bewegung ihre noch nicht völlig getrockneten Schuhe sichtbar geworden waren, du bist ja ganz naß!

Ich bin etwas naß, versetzte Ledwina, ganz herunter von widrigen Empfindungen.

Und das schon die ganze Zeit, versetzte die Mutter verweisend. Leg dich augenblicklich nieder, du weißt es ja in Gottes Namen auch selbst wohl, wie wenig du vertragen kannst.

Ja, sagte Ledwina kurz und stand auf, um in ihrer Empfindlichkeit allen weiteren Reden zu entgehen.

Daß du dich aber ja niederlegst, und trinke Tee, rief ihr die Mutter nach.

Sie wendete sich in der Tür um und sagte mit gewaltsamer Freundlichkeit: Ja, gewiß. Therese folgte ihr.

Du hast noch nicht getrunken, sprach Therese sanft verweisend, da sie nach einer Viertelstunde mit einem Glase Wasser von neu-

em in die Kammer trat und die weislich vor dem Fortgehen ein-
geschenkte Tasse noch unberührt sah. Wenn nun die Mutter
käme, fuhr sie fort: du weißt, wie sie auf ihr Wort hält.

Ach Gott, ich habe noch nicht getrunken? Wenn nun die Mutter käme! wiederholte Ledwina, aus tiefem Sinnen auffahrend,
und im Nu reichte sie Theresen die geleerte Tasse.'

In Wahrheit ließ Jenny sich hin und wieder einschüchtern,
aber die Mutter brauste auf, wenn Annette sich nicht in das Krank-
heitsspiel fügen wollte, das durchgeführt werden mußte. Auch
ein Gedicht: ,Guten Willens Ungeschick' ist ein Widerhall dieser
Krankheitsmisere. Wie ein respektvoll resignierter Seufzer klingt
es aus den Versen:

> *Wohl weiß ich, daß der Wille rein,*
> *Daß eure Sorge immer wach,*
> *Doch, was ihn labt, was hindert, ach,*
> *Ein jeder weiß es nur allein.*
>
> . . . . . .
>
> *So hab ich hundertmal gefühlt,*
> *Und tausendmal hab ich gesehn,*
> *Daß nichts so hart am Herzen wühlt,*
> *Wo seine tiefsten Adern gehn,*
> *Als – zürne nicht, die Lippen drück*
> *Ich sühnend auf der Lippen Rand –*
> *Als eine liebe rasche Hand*
> *In guten Willens Ungeschick.*

Annettens Vater stand diesen häuslichen Kämpfen fern, wie er
überhaupt immer ein wenig abseits stand. Weltfern und lebens-
fremd war sein inneres Ohr lauschend auf die Welt des Übersinnlichen gerichtet, ob er nicht einen Hauch aus dem Reich der Ab-
geschiedenen verspüre, und wenn er sein Auge auf die Erde richtete, so waren es mehr und mehr seine Vögel und seine Blumen,
mit denen er sprach und lebte, und die er pflegte; er liebte sie
mehr als die Menschen, denen von Jahr zu Jahr Haß und Ver-
nichtungswille mehr zu Kopfe stiegen; denn Napoleon, dieser

Korse, dieser neugebackene Kaiser, verwandelte nachgerade ganz Europa in ein einziges blutiges Schlachtfeld!

Annette beobachtete ihren Vater so gut wie sie ihre Mutter, ihre Geschwister und die weiteren Verwandten beobachtete, und wenn sie bei allen Menschen, sogar bei der geliebten Mutter, nicht blind für die Schatten in ihrem Charakter war, so empfand sie doch für den Vater eine unbegrenzte Verehrung.

Ihrem eigenen leidenschaftlichen Temperament, ihrer ewigen Kampfbereitschaft, ihrem Stolz und ihrer Rastlosigkeit, ihrem Zorn über jede Fesselung war die überlegene Ruhe, der Friede des Herzens und die Hingegebenheit an die Natur, ja, diese vollendete Harmonie im Wesen des Vaters wie ein Wundergarten, in dem ihre Wildheit Sanftmut wurde. Sie zeigte ihm aber auch in unverhohlener Begeisterung ihre Liebe; er pflegte sie dann mit Scherzen auf ein ruhiges Maß zu dämpfen und sie seine ‚alberne Barbe‘ zu nennen, aber im Grunde gab er sich allen Ernstes Rechenschaft davon, welche Macht ihm über seine temperamentvolle Tochter gegeben war, und je älter sie wurde, je weniger entzog er sich der Pflicht, sie auf seine Weise zu erziehen.

Der Himmel hatte Clemens August ein großes musikalisches Talent verliehen, und wie Orpheus, der alles lebende Wesen zu bändigen und zu leiten wußte, so führte er Annette am Bande der Musik in ein Land, wo sie bei ernstem Bemühen heimisch werden konnte und sich doch dem Alltag entrückt fühlen durfte; denn das war es ja offensichtlich, wonach Annettens Seele sich sehnte: nach dem Außergewöhnlichen.

Annette übertraf ihren Vater noch an musikalischer Begabung; sie lag ihr im Blut. Der Onkel Max von Droste war Komponist, und von dessen Sohn, Clemens, Annettens Vetter, hörte man in der Familie, daß er nahezu ein Wunderkind im Klavierspiel sei.

Wie manchen Herbstabend, wenn der Sturm im Rauchfang pfiff, oder im Winter, wenn schon am Nachmittag die Kerzen angezündet wurden, und tiefer Schnee jeden Laut der Außenwelt einsog, wenn im Frühling der Regen oft tagelang wie ein nasser, grauer Schleier um Türme und Mauern hing, brachte Clemens

August damit zu, Annette, die schon erstaunlich gut spielte, nun auch in die Geheimnisse der Harmonielehre und des Kontrapunkts einzuweihen.

Nie war er ungeduldig, wenn sie immer noch mehr wissen wollte, und nie schämte er sich, ihr zu gestehen, daß sein Wissen nur begrenzt sei. Wenn dann aber der Frühling kam und die Scharen von Singvögeln wieder jubilierten, daß man von Sonnenaufgang an nicht mehr schlafen konnte, und im Moor oder zwischen Binsen und Schilf, die die klaren Teiche umsäumten, das emsige Leben der Wasservögel begann, dann verging Clemens August die Lust, im Hause am Klavier zu sitzen – denn bei Annettens Eifer war es nicht mit einer Stunde getan –, und er sprach von wichtigen Arbeiten im Freien. Mit einem lächelnden Blick verstanden sich Vater und Tochter: Gehen wir? Ja. Morgen ganz früh? Ja.

Nur der Knecht, der knarrende Stalltüren öffnete, oder die Magd, die zum Melken ging, sahen den Herrn und das gnädige Fräulein über die Zugbrücke eilen, kleine Vogelkäfige in der Hand tragend; die Sonne war noch kaum über dem Schuppendach des Schlosses heraufgekommen und die Brücke erst eben an rasselnden Ketten heruntergelassen.

Die Schwäne, die abends so unheimlich schnarchend umherfuhren, schaukelten jetzt, sich putzend, auf dem besonnten Weiher, und die Eichen spiegelten ihre ausgebreiteten, noch kaum begrünten Äste in dem dunkel glänzenden Wasserspiegel.

Das Ziel war die Vogelhütte, wo der Vater seine Weidenklippen und Leimstangen gelegt hatte; nicht, um die kleinen Sänger zu quälen, aber um neue schöne Exemplare von einheimischen oder vorüberziehenden Vögeln für seine lebendige Sammlung heimzutragen.

Fanden Clemens August und sein Töchterchen keine unbekannten Gäste auf den Leimruten, so wurden die Zappelnden sachte befreit und ihre kleinen Klauen vom Leim gesäubert, bevor sie der freien Luft zurückgegeben wurden. Jahrzehnte später hat Annette noch in Briefen und Gedichten die Finger neugeborener Kinder mit zuckenden Vogelkrällchen verglichen.

Schön war es, am frühen Morgen auf bretternen Stegen das sumpfige Land zu überschreiten, wenn rechts und links Wolken von Vergißmeinnicht wucherten und die weißen, seidigen Büschel der Sumpfpflanzen über den klaren Wasserlachen hin und her wehten, die Lerchen sich jubelnd in die Luft warfen, die Libellen wie kleine Blitze über die Weiher huschten und das Schilf raschelte, als wolle es sich in das Gespräch von Vater und Tochter mischen, die selber wie ein Teil dieser lichten Natur dahinschritten.

Hell war der riesige Himmel, hell das weite, flache Land, und hell die Weiden den Fluß entlang, hell und frisch aber auch Annettens Gemüt, wenn sie sich so unbeschwert wie die Luft, plaudernd mit dem Vater, im Leben der Natur verlor.

Sie mieden die breiten Sandwege, durch die Karren und Wagen sich mühsam vorwärtsschleppten, und gingen querfeldein, obgleich die wehenden Birken zu seiten der Sandwege ein wenig Schatten geboten hätten, aber Clemens August folgte gern jeder Bodenerhebung, wußte er doch aus ihrer Form und der Art des Pflanzenwuchses, welchen Zeugen aus der Urzeit er dort auf die Spur kommen würde.

So wanderten sie denn durch das knisternde Heidekraut, das sich im Hochsommer wie ein glühend violetter Teppich zwischen stachligem Juniperus breitete, während der Ginster gelben Flammen gleich loderte, und sprachen vom Steckenpferd des Vaters: von den geologischen Zeitaltern. Clemens August konnte die erstaunlichsten Dinge von der Entstehung des Mergels, des Strontianit, des Grünsandsteins, des Schiefers und der kostbaren Bodenschätze im Lande Westfalen erzählen.

Beide trugen den Geologenhammer mit sich und vergaßen Zeit und Mittagshitze beim Klopfen und Sortieren.

Welch eine Wunderwelt erschloß sich vor Annettens Augen, wenn ein Kiesel, sich spaltend, die Form einer Muschel, eines Ammonhornes freilegte oder den winzigen Skelettabdruck eines Tieres, das hier geatmet, bevor die Eisdecke, von Norden herankriechend, alles Leben begraben hatte. Bis zu Tränen ergriffen konnte sie dem Vater lauschen, der, ein Stück Mergel voller Glimmerschüppchen in der Hand wiegend, im Bilderbuch der Äonen blätterte. Lange Jahre später stieg das Wunder dieser Stunden als Gesang aus ihrem Herzen:

> *Stoß deinen Scheit drei Spannen in den Sand,*
> *Gesteine siehst du aus dem Schnitte ragen,*
> *Blau, gelb, zinnoberrot, als ob zur Gant*
> *Natur die Trödelbude aufgeschlagen.*
> *Kein Pardelfell war je so bunt gefleckt,*
> *Kein Rebhuhn, keine Wachtel so gescheckt,*
> *Als das Gerölle, gleißend wie vom Schliff,*
> *Sich aus der Scholle bröckelt bei dem Griff*
>
> *Der Hand, dem Scharren mit des Fußes Spitze.*
> *Wie zürnend sturt dich an der schwarze Gneis,*
> *Spatkugeln kollern nieder, milchig weiß,*
> *Und um den Glimmer fahren Silberblitze;*
> *Gesprenkelte Porphyre, groß und klein,*
> *Die Ockerdruse und der Feuerstein –*
> – – – – – –
> *Ha, auf der Schieferplatte hier Medusen –*
> *Noch schienen ihre Strahlen sie zu zücken,*
> *Als sie geschleudert von des Meeres Busen*
> *Und das Gebirge sank, sie zu zerdrücken.*

Clemens August war jedoch in der Güte seines Herzens sehr vorsichtig, Annette nicht allzu sichtbar als sein Lieblingskind darzustellen; so ernannte er Jenny zu seiner Gehilfin in der Blumenzucht. Man sieht Therese, wie sie ungeduldig mit den Fingern auf der Fensterbank trommelt, wenn ihr Gemahl die Töchter wieder einmal von ihren häuslichen Pflichten zurückhielt.

Da stand er nun die längste Zeit mit Jenny am Irisbeet und lehrte sie, mit einem Sammetbürstchen den Blütenstaub von einer Blume auf die andere zu übertragen; natürlich mußte Nette ihre Zeit mit Zuschauen vergeuden, und Wenzelo, dem Fente davongesprungen war, stand mit einem verklärten Lächeln auf dem breiten Gesicht in erstarrter Verneinung einen Schritt seitlich hinter dem Schloßherrn. Wo Werner inzwischen hingekommen, mochte der Himmel wissen!

Es war nicht angängig, daß Therese sich auch nur ermahnend räusperte, aber ihre hohe, schlanke Gestalt erschien stets im rechten Moment unter ihrer Familie, um mit einem geschickten Wort Wenzelo und seine Zöglinge dem Blumenidyll zu entreißen und sie in das Schulzimmer zurückzuschicken.

Nun hatte Therese von Droste ein gemächliches, eintöniges Leben aber durchaus nicht gern; sie war eine so lebhafte und geistreiche Frau, daß sie es nie lange in Hülshoff fern der Welt aushielt. Deshalb bereitete sie mit der größten Freude ausgedehnte Besuche auf den Gütern der Verwandten umständlich vor.

In zwei Reisewagen fuhr man mit den heranwachsenden Töchtern, den Knaben, mit Wenzelo und einer Kammerzofe und großem Gepäck über Land. Außer in Bökendorf wohnte man bald auf dem Gut Abbenburg, bald bei den Wolff-Metternich in Wehrden, dann wieder in Haus Heessen, einem wahrhaft fürstlichen Wohnsitz, oder bei den Bochholz-Asseburg auf dem Bergschloß Hinnenburg mit seinen hellen, festlichen Rokokosälen; unheimlich war Vögedink, nur eine Hofanlage, aber mit mächtigem Wehrturm und Graben; auch versäumte man nicht, die Freunde in Schwegerhoff zu begrüßen, wenn man in ihre Nähe kam.

Therese von Drostes Haxthauser Verwandte zählten, als sie eine reife Frau war, über achtzig Personen, und jeder einzelne von ihnen, ob groß oder klein, hatte seine Wichtigkeit; denn die Familie war das Gerüst des Lebens. Was in der übrigen Welt vorging, wurde zwar mit wachen Augen beobachtet – die Männer nahmen auch handelnd am Weltlauf teil und griffen dank ihrer Stellung in Politik und Regierung, Kunstleben und Wissenschaft ein –, aber es waren doch gewissermaßen nur Ausflüge in die Welt; der Heimathafen war die Familie im weitesten Sinn. Der ganze westfälische Hochadel war untereinander verwandt.

War man beieinander, so drehte sich die Unterhaltung um Erbschaften, Eheschließungen, um Gesundheit, Krankheit und Fortkommen der Kinder, Berufswahl der jungen Männer, Versorgung der unverheirateten Töchter und – um die Wahl der Hauslehrer, Kaplane, Erzieherinnen und Kammerzofen, einem sehr wichtigen Kapitel im Familienleben, denn es ging nicht an, daß ein fremder Geist, sei er antikirchlich oder demokratisch, die Lebensprinzipien, die man der jungen Generation mitzugeben gedachte, verwässerte und zersetzte.

Nationalismus und Patriotismus waren in diesem ersten Jahrzehnt des Jahrhunderts gerade geboren, aber vom Adel noch kaum wahrgenommen; dagegen war die Idee eines ‚internationalen Adels‘, unter dem es vielleicht politische, aber selten persönliche Feindschaft gab, noch so lebendig wie zur Zeit der Kreuzzüge, als englische, französische und deutsche Könige, Freiherren und Ritter die gleichen Sitten und Gesetze anerkannten und einer des andern Sprache zu verstehen und zu sprechen sich bemühte. Und nun waren dieser Jérôme mit seinem lasterhaften Treiben in Kassel, und Napoleon, den die ganze Welt als Störenfried verwünschte, im Begriff, einen persönlichen Haß zwischen Menschen der gleichen Klasse zu säen, den die frühere Courtoisie niemals hatte aufkommen lassen.

Westfalen, dieses urkonservative Land, das in seiner Art Napoleon ein Dorn im Auge war, hatte durch einen kurz hingeworfenen Befehl ‚eine regelrechte Verfassung erhalten, die in allen Klassen die eitlen und lächerlichen Vorurteile verwischen sollte‘.

Was hätte dieser fortschrittliche Kaiser gesagt, wenn ihm die köstliche Geschichte zu Ohren gekommen wäre, die Tante Dorli, die Freifrau von Wolff-Metternich, geborene von Haxthausen, auf dem Gewissen hatte? Diese sonst so vortreffliche Frau war in einen ganz unheiligen Zorn geraten, weil ihr ältester Sohn, der Reichsfreiherr Clemens, ein Mädchen geheiratet hatte, das zwar wohlhabend, aber nur vom kleinen Adel war; da hatte sie ein Trinkglas schleifen lassen, das den Spruch zeigte: ‚lieber reinaltadlig Blut, als alles Geld und alles Gut‘. Zur Warnung für ihren jüngeren Sohn, damit er nicht den gleichen unverzeihlichen Fehltritt wie sein älterer Bruder begehe. Dank Annettens kritischhumorvoller Überwachung der Auswüchse eines an sich so würdigen Adelsbewußtseins ist dieses Begebnis auf die Nachwelt gekommen.

In den Jahren, da die Hülshoffer und ihre Verwandten kreuz und quer über Land zu fahren pflegten – es waren die Jahre, die dem Befreiungskrieg von 1813 vorangingen –, traten vermutlich Gespräche über Familiendinge vor den politischen Ereignissen in den Hintergrund. Jérôme und sein Hof in Wilhelmshöhe, jetzt Napoleonshöhe genannt, waren ein unerschöpfliches Thema. Jérôme galt zwar als ein freundlicher, wohlwollender Mann, der die Königskrone so unbefangen trug, als sei sie aus Goldpapier.

Im Anfang hatte man nur über ihn gespottet, als es noch hieß, er rechne darauf, daß der Adel von den Schlössern herströmen würde, um sein ,Klein Paris' in vollen Zügen zu genießen. Vielleicht hatte er sich darauf gefreut, die hinterwäldlerischen Damen zu lehren, die neue Mode zu tragen, hochgegürtete Schleiergewänder à la grec mit einem angsterregenden Décolleté, und die Herren zu zwingen, seine galanten Abenteuer mitzumachen. Dieser Cœurkönig, dieser Jérôme! Denn was war er anderes, als ein in das politische Spiel geworfener Kartenkönig? Nein, er sollte sich nicht als Trumpfkarte ansehen! Und wenn er auch Beethoven und andere Größen an seinen Hof zu ziehen versuchte, ... ,versuchte', denn die Größen blieben, wo sie waren.

Mit den Jahren aber wurde aus Spott tiefe Entrüstung. ,Das deutsche Capri', ein ,Babylon' wurde Napoleonshöhe genannt; Jérôme bade in Rotwein, und Katharina, die Königin, in Eselsmilch wie ihre schöne Schwägerin Pauline, die Fürstin von Borghese. Auch flüsterte man davon, daß dem liebestollen König Jungfrauen wie frisches Obst geliefert würden, und die Skandalgeschichten mit Schauspielerinnen und verführten Bürgermädchen nahmen kein Ende.

Was die junge Generation auf den Burgen und Gütern, in den Städten und Städtchen von den Gesprächen der Erwachsenen über Liebesdinge erhaschte, das zeigte ihr die Liebe als einen Spuk der Sinne, als Teufelswerk, als die verbotene Begierde des Bluts. Und je lauter die Empörung über die Unzucht am Hofe wurde, desto fester setzte sich eine unnatürliche Meinung von der Liebe zwischen den Geschlechtern fest, und das galt nicht nur von Westfalen.

Das galante Leben an den vielen neugegründeten Höfen, nicht mehr verbrämt von kultivierter Grazie wie das Hofleben des ancien régime, die schamlosen Übergriffe der Männer, die, zum Heeresdienst gepreßt, Jahr um Jahr in Europa hin und her fluteten, die rasch gegründeten Garnisonen und Behörden, die, ebenso rasch wieder aufgehoben, eine demoralisierte Bevölkerung zurückließen, dieses Zerbröckeln von Ehrbarkeit und Sitte bereitete die Reaktion in eine ängstliche Prüderie vor, die den kriegsversehrten Ländern für Jahrzehnte das bald rührende, bald lächerliche Antlitz des Biedermeier verleihen sollte.

Aber noch waren Jérôme, seine Brüder und Schwestern, die Generäle und Freunde des Kaisers in vollem Genuß ihrer Macht, vor der sie selber ebenso erstaunten wie ihre Untertanen.

Im Königreich Westfalen, wo nicht der schlechteste der Napoleoniden Herrscher spielte, dachte man unter dem Adel, der mit Ämtern und Würden überschüttet wurde:

Wenn es nur bei den Redouten, den Neubauten, dem französischen Theater, den Landpartien, den Feuerwerken und Illuminationen geblieben wäre – es kostete das Volk zwar viel, viel Geld, eine einzige Redoute konnte hunderttausend Franken verschlingen –, aber daß dieser Fremdling in das geheiligte Erb- und Familienrecht eingriff, das war wie der Schlag mit einem Holzprügel, unwürdig, unerhört, nie erlebt!

Da war das fast tausendjährige Lehen der Familie Diede von Fürstenstein durch Erlöschen des Mannesstammes erledigt, und anstatt das uralte Landesrecht sprechen zu lassen, gab Jérôme, dieser unerzogene Advokatensohn, Land und Schloß Fürstenstein mit Einkünften von vierzehntausend Franken an seinen Günstling, Pierre Alexandre Le Camus. Oder Jérôme und seine Berater fragten sich, als der Befehl zum Aufstellen einer neuen Armee ergangen war, ob denn der hohe Adel zu Recht alle die Waldungen, Minen und Mühlen, das Salz und die Heilquellen besitze? Diese Goldgruben sollten dem Staat gehören. So mußte nun jeder der selbstherrlichen Grafen und Freiherren seine Adelsberechtigung und die Besitzerrechte durch Dokumente erhärten. Was für eine unverständige und lächerliche Forderung das nun wieder war? Die Reichsunmittelbarkeit des hohen Adels reichte in nebelhafte Vorzeit zurück. Was wußte dieser Neulingskönig, der nach Laune Grafen, Barone und Ritter kreierte, von der Reichsstandschaft? Dokumente? Papiere? Niemand rührte einen Finger, um sein Recht zu belegen. Man war, der man war! Aber die Herren kochten vor Zorn, wenn an den großen Familienzusammenkünften oder bei den Herbstjagden über solcherlei Übergriffe debattiert und von den unerhörten Steuern, den immer neuen Lieferungen an Landesprodukten und dem Entzug der jungen Arbeitskräfte in empörten Worten gesprochen wurde. Das Land mußte in wenigen Jahren vollkommen ausgesogen und die großen Vermögen zerronnen sein.

Je böser und feindlicher die Zeiten wurden, je mehr zog sich der westfälische Adel hinter seine Wälle und Gräben zurück und lebte in den weitläufigen Burgen und Schlössern, deren Brücken noch zur Nachtzeit hochgezogen wurden, als sei man im tiefsten Mittelalter, ein einfaches patriarchalisches Leben.

Immer zahlreicher wurden die Vertriebenen, denen Unterkunft gegeben wurde, und die Zahl der Hungrigen, die man täglich speiste, wuchs mit der wachsenden Not.

Annette und ihre Geschwister sahen ihre Mittagstafel von Jahr zu Jahr einfacher werden und die Großmutter in Bökendorf und die Mutter in Hülshoff mit besorgter Miene über den Vorräten wachen, damit kein Bittender abgewiesen werden mußte.

Annette mit ihren begnadeten Augen für das Wesen der Menschen sah vieles in dieser Zeit der Not, was ihren Charakter zu seiner ganzen Schönheit formte: sie sah das Aufbrausen des gekränkten Stolzes in ihrem gesamten Verwandtenkreis, wenn der fremde König an ihre uralten Vorrechte rührte, und sie hörte, wie die Erwachsenen die Namen der tapferen Frauen aus dem Homberger Damenstift flüsterten, des Fräulein von Dörnberg, der Charlotte Christiane von Gilsa, der Erdmuthe von Metzsch und der Marianne vom Stein, die durch ihren Mittelsmann, den jungen Leutnant von Bothmer zu Schwegerhoff, an einer Verschwörung gegen Jérôme teilnahmen, obgleich sie wußten, daß ein Mißlingen des Umsturzes sie Freiheit und Leben kosten würde.

Sie beobachtete auch, daß die Mutter und die Tanten immer

die gleichen schlichten Kleider trugen und allen Vorrat an Wolle und Leinen für Bedürftige spinnen und weben ließen; auch zog man nicht mehr in den Wintermonaten in den Drostehof nach Münster, denn alle Redouten und Empfänge, Bälle und Konzerte waren abgesagt.

Anstatt dessen saßen die Herrinnen auf den Burgen an langen Abenden mit dem Gesinde und den Beherbergten in der Spinnstube, sich auf Plattdeutsch mit ihnen über die Geschehnisse draußen in der Welt und über die Nöte und Sorgen eines jeden unterhaltend.

Wenn Annette durch ihr ganzes Leben an den Traditionen ihres Lebenskreises festhielt, so hatte sie ein gutes Recht dazu, denn der Adel ihres Landes hatte sich in den Zeiten des Leidens bewährt. Die tausendjährige Lehre: die Vorrechte, die der Adel besaß, mit bedingungslosem Schutz der anvertrauten Menschen gut zu machen, hatte von neuem ihre innere Berechtigung erhalten.

Das Pflichtbewußtsein, die Großmut, die wahrhaft adlige Schlichtheit in Annettens Wesen wurde in diesen Jahren der Fremdherrschaft auf das schönste ausgebildet. Therese, die strenge Erzieherin ihrer Kinder, ahnte nicht, daß in dem Vorbild, das sie gab, ihre größte Autorität lag; deshalb wohl konnte auch keine noch so rasche, unbedachte Härte Annettens Absonderlichkeiten gegenüber ihre Liebe zu der Mutter erschüttern.

4

Da war etwas, das Therese Sorge bereitete: dieses Dichten, das sie nicht leiden konnte, obgleich sie selber in jungen Jahren dieser Schwäche gehuldigt hatte, und das Annette nicht aufgeben wollte und sie schon weiterum unter Verwandten und Bekannten auffällig gemacht hatte.

Zwar bewahrte Therese jedes Verschen Annettens auf und war im Grunde stolz darauf, daß ein gewisser Raßmann, Redaktor des ,Merkur‘ in Münster Nette um ihre Mitarbeit für das ,Poetische Taschenbuch auf das Jahr 1810' gebeten hatte und verwahrte sorgfältig den Brief dieses Guten, in dem er ihre zwölfjährige Tochter ‚Euer Hochwohlgeboren' anredete und sich darüber verbreitete, daß ihr ‚poetisches Talent sich schon in mehreren unverkennbaren Proben ausgesprochen habe', aber dichtende Frauenzimmer waren doch immer exzentrisch, nein, aus der Mitarbeit am Taschenbuch konnte nichts werden.

Natürlich war Annette in ihrer Selbstgefälligkeit tief enttäuscht, aber bildete sie sich etwa ein, sie könne als Freiin von Droste-Hülshoff ihre innersten Gedanken der Welt preisgeben? Hatte sie noch nie etwas von Diskretion gehört? Sie solle sich ein Beispiel an Jenny nehmen, die so hübsch malte. Mit dieser Kunst drängte sie sich niemandem auf; am Hof in Weimar wurde auch gemalt; Malen und Zeichnen war eine durchaus standesgemäße Kunst.

Annette, leidenschaftlich darauf bedacht, die Anerkennung ihrer bewunderten Mutter zu erringen, warf sich auf die Malerei, aber, was sie zuwege brachte, war herzlich schlecht; Jenny überflügelte sie weit. Wenn sie wenigstens musizieren dürfte, wie sie wollte, improvisieren und eigene Lieder singen, die sie spontan erfand. Dem Vater gefielen sie doch, aber Therese hatte zu oft das unnatürliche Leuchten in den Augen ihrer Tochter und das Glühen ihrer Wangen gesehen, wenn sie sich wie erschöpft vom Klavier erhob; sie kannte Annettens ungesunden Gefühlsüberschwang – Tonleitern, Etüden, gut, mehr nicht.

Zum Glück hatte Annette die Großmutter in Bökendorf, die den Kummer und die hungernde Sehnsucht im Gemüt ihrer Lieblingsenkelin beobachtete. Wie zermürbt von ‚ihrem wunderlichen, verrückten Unglück', mehr und anderes haben zu wollen als irgendein Mädchen, konnte Annette stumm zu Füßen der geliebten alten Frau sitzen, den Kopf an ihre Knie gelehnt; dann griff Anna Maria von Haxthausen nach dem ewig alten, ewig neuen Trost und las aus den Evangelien, den Psalmen oder ihren Andachtsbüchern vor – die Nachfolge Christi von Thomas von Kempen –, die verstand Annette nun schon, da sie vierzehn- und fünfzehnjährig war, und eines Tages muß in ihr die Idee aufgeblitzt sein, nur für die Großmutter wolle sie dichten: religiöse Lieder, in denen sie wie ein Echo zurückrief, was die Verehrte und Geliebte ihr zugerufen durch all diese Jahre. Darüber konnte auch die Mutter nicht zürnen. Und so begann Annette in schüchternem Tasten ein Werk, das sie erst kurz vor ihrem Tode beenden sollte. Sie gab ihm später den Titel: ‚Das geistliche Jahr'.

Aber es ging Annette, wie es immer gegangen: war sie unter dem starken, gegenwärtigen Einfluß ihrer Großmutter, so besänftigte sich ihr heftiges Wesen, die ungestümen Wünsche nach Ferne und Erleben schwiegen, und sie empfand ein Bedürfnis, ihr Sehnen ganz aus der Welt hinaus in übersinnliche Sphären zu richten. War sie aber nach Hülshoff zurückgekehrt, so nahm das, was sie ihr ‚verrücktes Unglück' nannte, sie wieder her und hin, und es kamen die schlaflosen Nächte, das tatenlose aus dem Fenster starren, ein Unbehagen über sich selber, Flucht, hinaus in die Natur, und die unerklärliche Gereiztheit gegen ihre ganze Umgebung.

Was suchte sie denn? Was wollte sie denn? Warum konnte sie nicht still da sitzen wie Jenny, an einer Handarbeit sticken, oder sich im Haushalt nützlich machen, und, wenn ganze Familien zu Besuche kamen, sich nett und liebenswürdig gebärden?

Sie wollte etwas tun, etwas schaffen, handelnd im Leben stehen. Aber als Mädchen durfte sie ja nicht handeln. Die Sitte verlangte, daß sie in allem und jedem abwartete und hinnahm; sogar ihre tatkräftige Mutter sprach stets von den Wünschen des Vaters, wenn sie ihr Eingreifen in den Lauf der Dinge angeblich nach diesen richtete. Nur in der Phantasie durfte sie ‚leben'; sie *mußte* dichten, heimlich, und nur für sich allein, höchstens daß Jenny darum wissen durfte. Wenn es verboten war, selber zu ‚leben', so konnte sie doch mit ihrer Phantasie Leben schaffen, erdachte Menschen gesund oder krank, bedeutend oder töricht darstellen, sie leben oder sterben lassen.

In diesem Winter 1811/12 war man wiederum, nicht für ein großes gesellschaftliches Leben, aber um mit Freunden und Verwandten in Münster zusammen zu sein, in den Droste-Hof am Krummen Timpen gezogen.

Am 10. Januar wurde Annette fünfzehnjährig. Sie hatte einen eigenartigen Wunsch zum Geburtstag: den alten Herrn kennenzulernen, der ihnen gegenüber wohnte. Therese mußte lachen, und auch Clemens August neckte seine Tochter, daß sie sich zum Geburtstag einen Verehrer wünschte, der über sechzig Jahre alt sein mußte.

Nach einiger Überlegung fand Therese Annettens Wunsch aber gar nicht mehr komisch, und er wurde mit allerlei Ausreden abgelehnt. Der alte Herr, Professor der Geschichte und der Rechte, war ihr guter Bekannter aus der Jugendzeit: Anton Matthias Sprickmann. Therese erinnerte sich noch, daß er in den Jahren, da die Fürstin Gallitzin die Seele Münsters gewesen, in deren Kreis unter dem Nimbus verkehrte, einst dem Hainbund angehört zu haben, zur Zeit des Sturm und Drang, wie die Literaturkenner jene verrückte Zeit nennen. Sprickmann soll einer der verrücktesten unter den damaligen wilden Gesellen gewesen sein.

Als Therese ihn inmitten der frommen und philosophischen Freunde der Fürstin kennen lernte, hatte Sprickmann seine wilden Jahre schon hinter sich. Er war damals zwar noch mit Matthias Claudius und Voß befreundet, die inzwischen sanft und fromm geworden, aber Sprickmann hatte seine Überschwenglichkeit nicht ganz verloren, und jetzt noch hieß es, daß er schwärmerische junge Geister unterstützte, die sich selber ‚Romantiker' nannten.

Das hatte Therese bei all ihren Sorgen um Annette noch gefehlt, daß sie eigenhändig ihr exzentrisches Kind zu einem alten Schwärmer wie Sprickmann in die Schule schickte, damit sie, anstatt vom Dichten kuriert, noch dazu ermuntert wurde, Mond und Burgruinen, Ritter und Friedhöfe zu besingen und das alles in eine Tunke von Wanderburscheneligkeit zu hüllen. Um Gottes willen, Dichter zu werden war ein Luxus, den man einem jüngeren Sohne erlauben konnte, dem der Stammhalter den Lebensunterhalt aussetzte, aber die Töchter, die man zu verheiraten gedachte, durfte man nicht in den Verdacht geraten lassen, ein Blaustrumpf zu sein.

Nun kam es am 10. Januar 1812 aber trotz Theresens Bedenken zu der ersehnten Teevisite bei Sprickmann, und man muß annehmen, daß Clemens August Annettens Enttäuschung nicht aushielt und sich ins Mittel legte und Jenny in ihrer stillen, sanften Art die richtigen Worte fand, ihrer Mutter einen ehrenvollen Rückzug zu ermöglichen.

Annette war wie im Fieber; zwar hütete sie sich, die innere Erregung zu zeigen – sie hatte schon einige Übung darin, die Maske zu tragen – aber der Gedanke: würde Sprickmann ihr helfen können, die Sprache zu finden, nach der sie suchte, die Worte, in denen sie sich von dem Überschwang der Gefühle und Phantasien befreien könnte?

Sprickmann war ein kluger Mann und erfahren im Verkehr mit jungen Talenten. Er konnte gut zuhören und erriet überdies, was hinter den Worten steckte; auch kannte er die Indizien für wahre Begabung ebenso wie das sprühende Überschäumen der Jugendjahre, das so verheißungsvoll scheint und doch mit der Beruhigung des Blutes vollkommen verschwindet.

Das kleine Freifräulein Annette war ein eigenartiges Wesen, ganz anders als alle andern Mädchen; wenn man dieses Gesicht von farblosem Teint und sogar farblosen Lippen unter der hohen, breiten Stirn sah und die tiefe, kräftige Stimme vernahm, so konnte der Eindruck entstehen, man spräche mit einem Jüngling. Das Fräulein selber schien sich immer wieder ihre Pflicht zurückzurufen, mädchenhaft zierlich und bescheiden erscheinen zu müssen, denn nach jedem temperamentvollen und selbstbewußten Ausspruch sank sie in eine fast peinliche Gutmütigkeit und Mädchenhaftigkeit zurück.

Nach wenigen Besuchen wußte Sprickmann, daß es wohl die Mühe lohnen würde, diesen ungewöhnlich starken Geist mit den Anforderungen, die die Welt an das weibliche Wesen stellte, in Einklang zu bringen. Was sie bisher gelesen habe, wollte Sprickmann wissen: Klopstock, Hölty, Salis, Matthisson. Ach, das sei ja alles veraltet und gehöre einer versunkenen Zeit an; aber in diesem Jahr sei Childe Harold von Lord Byron erschienen, Annette lese ja Englisch, aber sie müsse auch die neuen Franzosen, Italiener und, nicht zu vergessen, die Deutschen lesen. Sprickmann hatte im Handumdrehen einen ganzen Berg von Literatur vor Annette aufgebaut; nun solle sie sich hindurchfressen. Am wichtigsten seien Shakespeare, Goethe und Schiller; aus den Dramen dieser Großen würde sie die Schicksale der Welt und des menschlichen Herzens kennen lernen. Und dann solle sie ihm zeigen, was sie bisher gedichtet habe.

Ja, das wollte Annette tun, aber als sie dann ihre Gedichte und Versuche zu Hause überlas, sank ihr der Mut; sie mußte alles überarbeiten, bevor sie eine Zeile in Sprickmanns Hände gab, und sie setzte sich an die Arbeit – heimlich; Jenny mußte Ausreden erfinden, wenn sie allein zur Tanzstunde oder zur Teevisite ging: – Kopfschmerzen, nebeliges Wetter, das Annette Atemnot brachte, Fieber ...

Ja, das sah Therese: solche Augen hatte man nur bei Fieber, also Ruhe und im Zimmer bleiben; Annette schlug das Herz vor Glück. Sie schrieb und schrieb, die übermäßig kurzsichtigen Augen nahe über dem Papier. Wie leicht ihr die Verse und die Worte zufielen! Oh, es war gekommen, wie sie so sehr gehofft: wie mit einem heiligen Stab hatte Sprickmann den Felsen ihres Unvermögens berührt, und nun begann der Quell zu sprudeln, noch unsicher und sprunghaft, hierhin und dorthin gleitend, aber Sprickmann leitete, sprach weise, gab Ratschläge und verlieh poetische Werke.

Annette gab sich mit ganzer Seele dem Einfluß ihres alten Freundes hin; er war ihr Mentor, ihr Orakel, aber die Unruhe und die Sehnsucht, die sie immer und immer das Außerordentliche suchen ließen, fachte er nur noch mehr an.

Das hatte Sprickmann nicht gewollt. Er war ein kluger alter Mann, der bald sah und verstand, daß hier eine junge Seele war, die ihren Reichtum in eine gleichgestimmte Seele ergießen wollte. Sein abgelebtes Gemüt konnte ihr nicht mehr dienen, er war ein erkalteter Krater, die junge Droste brauchte ein lebendiges, begeisterungsfähiges Herz, das mit dem ihren zu schlagen vermochte. Seine Nichte Katharina Busch, ein prachtvolles Geschöpf, schön, klug und selten begabt, Kathinka sollte Annettens Freundin werden.

Sprickmann hatte Schicksal gespielt; die beiden begabten Mädchen lernten sich in seinem Hause kennen, sie wurden Gefährtinnen in der Begeisterung für die gleiche Kunst, und als es Frühling geworden, und Katharina oft in Hülshoff weilte, brach die Liebe zu der älteren Freundin in Annettens Herzen mit elementarer Gewalt auf, aber so stark war schon in diesen jungen Jahren ihr Charakter, daß sie den Sturm der Gefühle bändigte und niemanden sehen ließ, was sie so tief bewegte. Die Ihren sollten nicht zerschlagen und verspotten, was ihr ein heiliges Feuer bedeutete, und die angebetete Freundin sich niemals gegen ein Übermaß an Zuneigung wehren müssen.

Viel, viel später, als Annette von den Reichtümern und den Verlusten ihres Lebens in Versen Rechenschaft gab, hat sie dieser Zeit gedacht, ja, es war in der glücklichsten Epoche ihres Daseins, daß sie ihrer ersten Liebe und der Verhaltenheit, mit der sie die schöne, lebensvolle Gefährtin liebte, die Worte widmete:

Du hast es nie geahnet, nie gewußt,
Wie groß mein Lieben ist zu dir gewesen,
Nie hat dein klares Aug in meiner Brust
Die scheu verhüllte Runenschrift gelesen,
Wenn du mir freundlich reichtest deine Hand,
Und wir selbander durch die Grüne wallten,
Nicht wußtest du, daß wie ein Götterpfand
Ich, wie ein köstlich Kleinod sie gehalten.

Du sahst mich nicht, als ich, ein heftig Kind,
Vom ersten Kuß der jungen Muse trunken
Im Garten kniete, wo die Quelle rinnt,
Und weinend in die Gräser bin gesunken;
Als zitternd ich gedreht der Türe Schloß,
Da ich zum erstenmal dich sollte schauen,
Westfalens Dichterin, und wie da floß
Durch mein bewegtes Herz ein selig Grauen.

Kathinka, sie war neunzehnjährig, – und schon veröffentlichten Journale und Almanache ihre wohlgeratenen und zarten Gedichte. Annette bewunderte alles, was die Freundin schuf; so abgerundet, so poliert und leicht zu handhaben waren ihre Verse; sie, Annette formte nichts als eigenwillige Dinge, niemand würde ihre Verse lesen wollen. Was mangelte ihr nur, daß sie nicht dichten konnte wie Kathinka? Lag es an ihrer Phantasie, die hart sah, wo ihre süße, dunkellockige Freundin Weiches erblickte, daß sie, Annette, mit beiden Ohren auf die kriegerischen Gespräche der Männer lauschte und sich heimlich wünschte Soldat zu sein, während Kathinka nur eines ersehnte, mit ihren linden Händen zu pflegen und zu heilen?

Aber mochten Katharinas Gedichte besser sein als ihre, sie liebte die Freundin ja gerade, weil sie anders war als sie, mädchenhaft zart wie Jenny, und doch war sie ihr keine Schwester. In einer andern Weise liebte sie die Gefährtin dieses glücklichen Sommers, anders als Eltern und Geschwister, dieses Wesen, das ihr die Einsamkeit genommen, der sie sich schenkte mit ihrer hungernden Seele.

War das nicht Untreue an den Ihren, einer Fremden den ersten Platz in ihrem Herzen zu geben und mit jedem Gedanken darüber zu sinnen, ob sie Kathinka genüge, ob eine wahre Dichterin ein unreifes Kind wie sie, Annette es doch war, wirklich lieben könne? War es nicht nur mitleidige Freundlichkeit, die sie ihr widmete?

Annettens junges Herz, das sich noch nicht selber kannte, wurde von Stürmen der Verwirrung geschüttelt. Es ist kein Zufall, daß sich ein Gedicht über diese Zeit einer ersten leidenschaftlichen Aufwallung der Gefühle auf der Rückseite des Manuskriptes: ‚Du hast es nie geahnet, nie gewußt‘, befindet. Das gleiche Erinnern formte die einen wie die andern Verse, ein lächelndes Erzählen klingt aus dem zweiten Gedicht:

> *Über dem Brünnlein nicket der Zweig,*
> *Waldvögel zwitschern und flöten,*
> *Wild Anemon und Schlehdorn bleich*
> *Im Abendstrahle sich röten,*
> *Und ein Mädchen mit blondem Haar*
> *Beugt über der glitzernden Welle,*

Schlankes Mädchen, kaum fünfzehn Jahr,
Mit dem Auge der scheuen Gazelle.

Ringelblumen blättert sie ab:
‚Liebt er? – liebt er mich nimmer?‘
Und wenn ‚liebt‘ das Orakel gab,
Um ihr Antlitz gleitet ein Schimmer:
‚Liebt er nicht‘ – o Grimm und Graus!
Daß der Himmel den Blüten gnade!
Gras und Blumen, den ganzen Strauß
Wirft sie zürnend in die Kaskade.

Gleitet dann in die Kräuter lind,
Ihr Auge wird ernst und sinnend;
Frommer Eltern heftiges Kind,
Nur Minne nehmend und minnend,
Kannte sie nie ein anderes Band
Als des Blutes, die schüchterne Hinde;
Und nun einer, der nicht verwandt –
Ist das nicht eine schwere Sünde?

Mutlos seufzet sie niederwärts,
In argem Schämen und Grämen,
Will zuletzt ihr verstocktes Herz
Recht ernstlich in Frage nehmen.
Abenteuer sinnet sie aus:
Wenn das Haus nun stände in Flammen,
Und um Hilfe riefen heraus
Der Karl und die Mutter zusammen?

Plötzlich ein Perlenregen dicht
Stürzt ihr glänzend aus beiden Augen,
In die Kräuter gedrückt ihr Gesicht,
Wie das Blut der Erde zu saugen,
Ruft sie schluchzend: ‚Ja, ja, ja!‘
Ihre kleinen Hände sich ringen,
‚Retten, retten würd’ ich Mama
Und zum Karl in die Flamme springen!‘

Wäre die Zeit eine gemächliche, alltägliche gewesen, so hätte Annettens Schwärmerei für die vier Jahre ältere und berühmte Freundin wahrscheinlich keine tiefen Runen in ihrem Herzen hinterlassen, aber das Leiden um sie her stieg flutartig an, und da sie kein banales Mädchen war, muß ihre junge Seele wie durchgepflügt gewesen sein, so daß sie jedes Erleben bis in das innerste Gemüt empfand.

In diesem Jahre 1812 scheint Annette sich mit sprunghafter Schnelligkeit entwickelt zu haben, ihre späteren Epen, die Wurzeln bis in diese Zeit entsenden, geben Rechenschaft von der Richtung, in die Annettens Aufschwung zielte: Empörung und der Wille einzugreifen, sich zu wehren – diese Empfindungen stärkten das männliche Element in ihrem Charakter. Die immer neuen Berichte über Schlachten, Verfolgungen, List, Rache, Tollkühnheit und Wunden erfüllten ihre Phantasie mit Bildern, auf die sie in zweierlei Art antworten konnte: entweder in mädchenhafter Abkehr oder in männlich-kühnem Hinschauen.

Annette wandte die Augen nicht ab und hielt sich nicht die Ohren zu, und ihr Gemüt wurde nur gehärtet dadurch; es wurde ,steil und schroff‘, wie sie es nannte.

In diesem Frühling 1812, da Napoleon den russischen Feldzug vorbereitete, brodelte in dem von Westfalen abgetrennten Herzogtum Berg, zu dem Schloß Hülshoff gehörte, eine wütende Erregung über die Welle von neuen Herausforderungen und Befehlen. Am furchtbarsten war die gewaltsame, mit Blitzesschnelle durchgeführte Rekrutierung, die Tausende von Männern jedes Alters für den russischen Feldzug zusammenzutreiben versuchte. Viele der Bedrohten versteckten sich in den Wäldern oder in unzugänglichen Hütten in Moor und Heide, denn überall tauchten die Werber auf und ,Die Geheime‘, die gefürchtete Polizei Jérômes, scheute keine Drohung und Peinigung, um Mütter, Bräute, Schwestern, Ehefrauen zum Geständnis zu zwingen, wo die Männer sich verborgen hielten.

Aber die Hessen und Westfalen sind ein harter und mutiger Menschenschlag, und ,wo Eltern und, nachdem diese ausgeplündert waren, auch Geschwister mit ihren Habseligkeiten für diejenigen einstehen mußten, die sich der Militärpflicht entzogen hatten, haben sich zuweilen alle Zweige eines Stammes, ohne Rücksicht auf ihre unmündigen Kinder, zuerst bis zum letzten Heller exequieren und dann bis aufs Hemd auspfänden lassen, ohne daß es einem eingefallen wäre, dem Versteckten nur mit einem Worte den Wunsch zu äußern, daß er aus seinem Bretterverschlage oder Heuschober hervorkriechen möge, und so verhaßt, ja entsetzlich jedem damals der Kriegsdienst war, dem manche sogar durch freiwillige Verstümmelung zu entgehen suchten, so häufig trat doch der Fall ein, daß ein Bruder sich für den anderen stellte, wenn er dachte, dieser werde den Strapazen erliegen, er aber möge noch mit dem Leben davonkommen'.

Trotzdem hörte man allenthalben von Erschießungen und Deportierungen, aber mit jeder neuen Schreckenskunde wuchs der Widerstand, und das heimliche Arbeiten für die Befreiung ging kaum verdeckt weiter. Der ganze westfälische Adel war tief verwickelt in dieses zweite unterirdische Spiel, das besser vorbereitet wurde als die verfrühte Erhebung von 1809. Die tapferen Frauen aus dem Homberger Damenstift, die damals mitgespielt hatten, waren entweder in der Gefangenschaft gestorben, oder schmachteten in der Salpêtrière in Paris, oder zitterten in irgendeinem Gefängnis vor der angedrohten Deportation nach Cayenne.

Die geheime Bewegung von 1812 nannte sich ,Der Tugendbund'. Wie werden Therese von Drostes Augen stolz geblitzt haben, wenn es leise im Familienkreise besprochen wurde, daß ihr Bruder Werner von Haxthausen einer der geschicktesten Verbindungsmänner zwischen Berlin und Kassel war. Aus dieser Zeit stammt vielleicht Annettens – unerwiderte – Liebe zu ihrem Onkel Werner, der als Mediziner und Orientalist fähig war, eine rasche Wendung vom stillen Gelehrtenleben zum gefährlichsten politischen Spiel zu machen.

Um Haaresbreite wäre Werner von Haxthausen jedoch wie so viele ,Aufrührer' an einer Kasernenmauer füsiliert worden, aber es gelang ihm, sich mit genauer Not nach England zu retten.

Den ganzen Sommer über hörte man nichts von den westfälischen Truppen, die in die unendliche Weite Rußlands hineingetrieben waren, aber Ende September schwoll die wogende Angst zu einer alles überschwemmenden Welle des Schmerzes an: Kuriere waren eingetroffen. Bei Borodino ist eine Schlacht geschlagen; die Westfalen, die im Zentrum gestanden – von ihren Kommandeuren Alix, Hammerstein und Ochs befehligt –, hätten ihre Haut mit unerhörter Tapferkeit für den fremden Kaiser zu Markte getragen, aber Tausende seien gefallen oder aus Mangel an Pflege ihren Wunden erlegen. In Kassel wird ein Tedeum für Borodino abgehalten und im Westfälischen Moniteur sind Wunderdinge von der Einnahme Moskaus und stolze Vorhersagen auf den siegreichen Winterfeldzug zu lesen. Dabei wartet man in schmerzlicher Spannung auf den Wasserburgen, in Städten und Dörfern auf die Liste der Toten. Niemand ahnt, daß Moskau in Flammen aufgegangen ist, und der Winter für die obdachlosen Truppen zum Verhängnis werden muß.

Im Vorfrühling des Jahres 1813 konnte man auf allen Wegen und Straßen in Lumpen gekleidete Männer sehen, die ihre erfrorenen Gliedmaßen mühsam an Krücken und Stöcken in die Heimat schleppten, und was diese Unseligen vom Grauen der Schlachtfelder erzählten und von dem Dahinwanken über die vereisten Steppen, wo zusammengebrochene Menschen die einzige Wegesmarke waren, schon weither von gierigen Rabenschwärmen angezeigt, das ist ein Leidensepos der Menschheit, das keiner, der es gehört, je wieder vergessen konnte.

Annettens Dichterseele hat Wort für Wort aufbewahrt; haarscharf gemalten Bildern gleich blieben die Berichte derer, die aus der eisigen Hölle entkommen waren, in ihrem Hirn eingebrannt.

Sie war in diesem Sommer noch offener für jeden Schmerz als im vergangenen, denn ihr Glück mit Kathinka – nur ein Jahr der seligsten Freundschaft – ist schon vorüber. Kathinka wird heiraten, einen geliebten Mann, und sie, Annette wird nichts mehr sein! O die Verzweiflung der Eifersucht! Kathinka weit fort als Frau des Modestus Schücking, und sie allein, wieder allein. Was sie für einen unzerstörbaren Besitz gehalten, zerrinnt ihr wie Sand zwischen den Fingern. Ist es denn möglich, daß das Glück der Liebe kommt und geht wie eine schöne Jahreszeit? Wie soll sie ohne die Hochgefühle dieser großen Freundschaft leben?

‚Es waren dämmrige Tage‘, in denen sie ‚schwärmte in wirrer Gefühle Flut, in sechzehnjährigem Schmerze.‘

Wie war ihr das Heideland so lieblich geworden, seitdem sie es mit Kathinka durchstreift, wie war ihr Herz offen und sanft, seitdem sie das Überborden der Gefühle für Gottes Natur vor einem Menschenkind, das jung und gefühlsselig war wie sie, nicht zu verstecken brauchte; wie war bei allem Grauen dieser Zeit ein Licht über alles und alles ausgegossen, und keine Langeweile hatte sie mehr gekannt, kein quälendes Verlangen in die Ferne. Die Liebe zu Kathinka hatte sie wie eine Wolke getragen, für Kathinka hatte sie gedichtet, von ihr jede Kritik hingenommen, nun blieben ihr nur Sprickmann und die Mama, aber des einen Worte waren wie Streusand, und der andern Urteil wie ein Schwamm, der in einem Strich alles auslöschte. Kathinka hatte mitgefühlt und mitgekämpft und über jedes Gelingen mit ihr gejubelt.

Wer sollte die Freundin ersetzen? Die Eltern, die Geschwister? Nein, den Ihren schenkte sie eine andere Liebe.

Wie immer, wenn Annettens Seele aufbegehrte im Widerstand gegen das Leben, wurde sie krank. Nun regte Therese sich auf und erzürnte sich gegen die alberne Schwärmerei, die sie schon lange mit Unwillen betrachtet hatte. Da muß Annette für die letzten Wochen, die sie Kathinka noch besitzt, jede Zusammenkunft erkämpfen, den beiden jungen Menschenkindern wird darüber ihr Scheiden zum Drama. Aber Kathinka wird doch weiterhin dichten und schreiben und Annette beraten?

Sie hatte soeben ein romantisches Rittergedicht begonnen; sie kann es nicht vollenden, wenn Kathinka nicht mehr darüber wacht! So schwer, so mühselig ist das Dichten ... ‚bei Gott, ein angstvolles métier, das Schriftstellern, sie gönnte es keinem Hunde!‘

Aber Kathinka erklärt ihrer Freundin, daß sie von der Heirat an nicht mehr ‚Westfalens Dichterin‘ sein wolle, denn man könne nur in einer Art ein ganzer Mensch werden. Als Gattin, Hausfrau, und, wills Gott, als Mutter sei ihr Dasein erfüllt. Würde sie zugleich Dichterin sein wollen, so müsse sie ewig nur ein halbes Wesen bleiben.

Erbarmungslos reißt Katharina alle ihre Liebe zur Dichtkunst aus dem Herzen: nie mehr einen Vers, und niemals sollen ihre Gedichte gesammelt und herausgegeben werden. Die Türe des Paradieses wird sich hinter ihr schließen, und das Leben auf dem Acker des Alltags beginnen.

Annette glaubt der Freundin nicht; man ist als Dichter geboren oder nicht. Keine Pflichten, keine Bedrängnis des Lebens können die göttliche Flamme zunichte machen, und wenn Kathinka widerspricht, dämmert die Erkenntnis in Annette zum erstenmal auf, daß sie nicht zu diesen liebenswürdigen Verseschmieden gehört, die aus dem Dichten ein Vergnügen ziehen; sie ahnt es schaudernd: dichten muß ein Kampf sein auf Leben und Tod, und wenn es Seele und Verstand und Glück und Gesundheit kostet!

Am Tage des Abschieds gingen sie zum letztenmal die geliebten Wege; zwei junge unreife Menschen, ohne Maß für das, was ihnen geschah, ohne Ahnen, daß ihnen beiden das Leben größere Dramen vorbehielt. Nach Jahren, als Annettens Augen die Vergangenheit in erbarmungsloser Klarheit sahen, erzählte sie von diesem letzten Gang zu ihrem Lieblingsplatz unter der Erle weit draußen jenseits des Schloßweihers:

> *Vor Zeiten, ich war schon groß genug,*
> *Hatt' die Kinderschuhe vertreten,*
> *Nicht alt war ich, doch eben im Zug*
> *Zu Sankt Andreas zu beten,*
> *Da bin ich gewandelt, Tag für Tag*
> *Das Feld entlang mit der Kathi;*
> *Ob etwas Liebes im Wege lag?*
> *Tempi passati – passati!*
>
> *Und in dem Heideland stand ein Baum,*
> *Eine schlanke schmächtige Erle,*
> *Da saßen wir oft in wachendem Traum*
> *Und horchten dem Schlage der Merle;*

Die hatte ihr struppiges Nest gebaut
Grad in der schwankenden Krone,
Und hat so keck herniedergeschaut
Wie ein Gräflein vom winzigen Throne.

Wir kosten so viel und gingen so lang,
Daß drüber der Sommer verflossen;
Dann hieß es: „Scheiden, o weh, wie bang!"
Viel Tränen wurden vergossen;
Die Hände hielten wir stumm gepreßt,
Da zog ich aus flatternder Binde
Eine blanke Nadel und drückte fest,
Sie fest in die saftige Rinde;

Und drunter merkte ich Tag und Stund,
Dann sind wir fürder gezogen,
So kläglich schluchzend aus Herzensgrund,
Daß schreiend die Merle entflogen;
O, junge Seelen sind Königen gleich,
Sie können ein Peru vergeuden,
Im braunen Heid, unterm grünen Zweig,
Ein Peru an Lieben und Leiden.

5

Und dann fielen die Blätter, die Heidenebel stiegen allabend-
lich, die Herbststürme begannen und schoben dunkle Wol-
kenbündel nah über den Mooren dahin; es ächzte in den Eichen,
nachts schrien die Käuzchen wie verlassene Kinder, und die Fledermäuse blinzten, an das Fensterkreuz gekrallt, in die Zimmer des
Schlosses; die weiten Gänge wurden kälter und kälter, und in
diesem Kriegsjahr brachten nicht einmal die Jagden das Geräusch
von Lachen, Rufen, Hundegebell und frohen Stimmen in die Ein-
tönigkeit des Lebens hinter dem Weiher.

Nein, jetzt war keine Zeit für Feste und Jagden; das ganze
Land hält den Atem an; allenthalben ziehen siegreiche Kosaken-

scharen durch die Gegend. Für kurze Zeit hatte Tschernischeff schon in Kassel residiert und das Königreich Westfalen für aufgelöst erklärt, aber kaum war der erste frenetische Jubel verklungen, da war Jérôme auch schon zurückgekehrt, weil der Russe weiterziehen mußte.

In der Mitte des Oktober 1813 ist der Westfälische Moniteur voller französischer Siegesnachrichten; man kennt die Lügenmären nun nachgerade! Was ist wahr an ihnen? Die Spannung ist ungeheuer. Man weiß, daß im Osten Deutschlands etwas geschieht. Hat der Kaiser nochmals gesiegt? Ist die nahe Befreiung abermals nichts als ein Traum?

Endlich, endlich sickert die Wahrheit durch. Napoleon ist in einer Schlacht, in der alle Völker gegen ihn standen, besiegt worden; da verfliegt unter einem einzigen starken Windstoß der Alpdruck einer Weltherrschaft wie der Schrecken einer Nacht; nun aber ergreift ein übermütiges Aufatmen alle Volksschichten, und als der 27. Oktober heraufgedämmert ist, zeigt es sich, daß Jérôme und sämtliche Franzosen heimlich im Dunkeln Kassel verlassen haben.

Die Jubelbotschaft dringt rasch bis in die hinterste Provinz. Welch ein beglückender Herbst liegt über dem westfälischen Lande. Clemens August triumphiert, daß schon vor Jahren die Bauern mit ihren Seheraugen diese Zeit vorhergeschaut haben. Im Liber Mirabilis hatte er alle Prophezeiungen aufgeschrieben.

Es sind zehn bis zwanzig Jahre her, daß die Leute in Heide und Moor von silbernen Reitern sprachen, mit silbernen Kugeln auf den Köpfen, von denen Roßschweife flattern. Das sind die französischen Kürassiere. Andere hatten wunderlich aufgeputztes Soldatengesindel gesehen, das auf Pferden wie Katzen über Hekken und Zäune fliege, in der Hand eine lange Stange mit einem eisernen Stachel daran. Die Kosaken hatten die Bauern geschaut, die gefeierten Befreier.

Und in dieser Zeit, da alles aufgeregt glücklich ist, sinkt Annette immer tiefer in eine krankhafte Schwermut; sie kann den Verlust von Katharina nicht verschmerzen. Wie verloren treibt sie im Ansturm ihrer Gefühle, Ideen und Wünsche dahin. Gefühle einer niegekannten Verlassenheit, Ideen zu Werken, die sie schaffen möchte, sei es in der Musik, sei es in der Dichtkunst, Wünsche nach Aussprache von Herz zu Herz, Wünsche nach einem Gefäß, in das sie all ihre Unruhe, ihr Sehnen ergießen kann. Vorbei das Schlendern durch das blühende Land mit der angebeteten Freundin, vorbei das Träumen am Waldesrand oder auf einem Heidehügel; nun muß sie Sonne, Mond und Sterne allein betrachten, ohne daß ihr und der Gefährtin Verse über die Lippen drängen. Wenn Jenny abends mit ihr vom Fenster das Wolkenspiel um die sinkende Sonne betrachtet, so legt sie den Strickstrumpf nicht aus der Hand; Werner verhöhnt ihr geduldiges Warten, bis der Mond zwischen den Eichen hindurchwandelt, und Fente, der blasse, geliebte Knabe, ist so scheu, daß er in verzauberten Momenten kein Wort über die Lippen bringt.

Annette ist jung und überschwenglich; der Kummer um die verlorene Freundschaft steht wie ein Berg vor ihren Augen und verdeckt ihr die ganze Welt, und doch ist gerade jetzt nicht nur ihr Heimatland, nein, ganz Europa von einem bösen Traum erwacht und rüstet sich einen neuen Tag zu beginnen.

Onkel Werner von Haxthausen ist in Wien auf dem Kongreß; ein Widerhall des großen Lebens in Politik und Geselligkeit dringt bis nach Hülshoff, wenn er gelegentlich in der Heimat weilt. Staunend hört man von Männern, die die ganze Landkarte Europas verändern, und von Frauen, die klug und willensstark die Fäden des Geschehens in Händen halten. Menschen, die leben und von einem Land in das andere reisen, als sei es nichts.

Werner von Haxthausen sprach ganz ruhig davon, den Orient bereisen zu wollen. Alle Welt wollte jetzt reisen. Mit dem Schiff um die Erde, wer ganz tollkühn war, zu Wagen, wer Geld hatte, und als Wanderbursche, wer nur seine festen Schuhe und einen Stecken besaß. Aber das waren Männer, für die es keine Schranken in der Welt gab, diese Glücklichen, denen alles erlaubt war!

Stärker denn je peinigt das Fernweh Annettens ungestüme Seele. Wie in einem Bannkreis drehte sie sich jahraus, jahrein zwischen Hülshoff, Münster und den Gütern der Verwandten im Kreise. Nichts, nichts kannte sie; weder Kassel noch Göttingen, weder

Köln noch Bonn, und doch wirkten und studierten dort ihre Onkel und Vettern und Freunde. Sogar Sprickmann ist auf seine alten Tage in die Ferne gezogen, unermeßlich weit fort, bis nach Breslau; das ist die Trennung für alle Zeit.

Annette wird immer magerer, immer blasser, oft scheint es ihr selber, sie hätte die Auszehrung, aber sie stürmt trotzdem, wie sie es schon als Kind getan, in die Heide hinaus, soweit ihre Füße sie tragen können; ist sie dann auf dem Heimweg in völlige Erschöpfung geraten, so kehrt sie in dem kleinen niedrigen Bauernhaus ihrer Amme ein, die dort mit ihrem Mann und Annettens Milchbruder wohnt.

Kathrin Pettendorf fragt nicht und schilt nicht; sie ist eine Frau Ende der Dreißiger, etwas jünger als Annettens Mutter, klug auf Bauernart, voller Herzenstakt und von unendlicher Liebe zu ihrem ‚Töchterchen' erfüllt, aber von der mühsamen Arbeit auf dem Felde früh gealtert. Ist sie zu Hause, wenn Nette an ihre Türe klopft, so läßt sie das Kind in ihrem einzigen Lehnstuhl ruhen, gibt ihr warme Milch, trocknet ihre Schuhe und Strümpfe und schickt es dann schnell nach Hause, damit die Frau Mama nicht schelte.

Therese ist aber nicht mehr so rasch im Zorn wie in Annettens Kinderjahren; sie ist viel zu klug, um nicht zu begreifen, daß in ihrer absonderlichen Tochter mehr Kräfte stecken als in ihren drei andern Kindern zusammengenommen; sie sorgt sich um Annette und möchte sie so zurechtschleifen, daß sie in das vorgezeichnete Leben ihres Kreises hineinpaßt; es ist kein Glück, aus dem Ring seines Daseins herauszufallen. In Güte und Strenge versucht sie, es Annette klarzumachen. Sie muß begreifen, daß Frauen und Mädchen in das Haus gehören! Was sollte aus der Bewirtschaftung der großen Schlösser und Güter werden, wenn die Frauen in der Welt umherreisten, anstatt dafür zu sorgen, daß genügend Wolle und Leinen gesponnen wurde, zu berechnen, wieviel Salz und Zucker, Kaffee, Tee und Gewürze angeschafft werden durften, wieviel Eier eingelegt, Obst gekellert, Bier gebraut, Korn zu Mehl gemahlen werden sollte. Was alles an Fleisch gepökelt, gedörrt, gesalzen werden mußte und wie viele

Schinken und Würste in die Räucherkammer gehörten. Und immer gibt es neue Kleider und Wäschestücke zu nähen, Bettwäsche zu säumen, und wenn sich dann noch zehn bis fünfzehn Kinder in den Burgen und Gutshäusern tummeln, wie es sehr häufig ist, Krankheiten kuriert, die Dienstboten überwacht und Besuche empfangen werden müssen, dann waren die zwölf Stunden des Tages viel zu kurz für die Hausregentin. Annette sollte möglichst bald einen Gatten erwählen, dann würde ihr das sinnlose Spazierenlaufen, das Singen und Verseschmieden schon vergehen.

Nach solchen Bußpredigten kann Annette kaum an sich halten, vor der Mutter nicht ihre ganze innere Verzweiflung auszubreiten, aber sie schweigt in ihrer strengen Selbstdisziplin und versucht, sich ganz den weiblichen Hausgeschäften zu widmen, aber es gelingt ihr nur für Tage, dann schweift sie wieder ab in ihr eigenstes Leben, das weder sie beglückt noch die andern.

Einmal sendet sie ihrem lieben Sprickmann ein langes Gedicht. ‚Unruhe' nennt sie es und schließt mit den Versen:

> *O ich möchte wie ein Vogel fliehen,*
> *Mit den hellen Wimpeln möcht ich ziehen,*
> *Weit, o, weit, wo noch kein Fußtritt schallte,*
> *Noch kein Schiff durchschnitt die flücht'ge Bahn.*
>
> *Und noch weiter, endlos, ewig neu*
> *Mich durch fremde Schöpfungen voll Lust*
> *Hinzuschwingen, fessellos und frei –*
> *O, das pocht, das blüht in meiner Brust.*
>
> *Rastlos treibt's mich um im engen Leben,*
> *Und zu Boden drücken Raum und Zeit,*
> *Freiheit heißt der Seele banges Streben*
> *Und im Busen tönt's Unendlichkeit.*
>
> *– – – – – – –*
>
> *Fesseln will man uns am eignen Herde,*
> *Unsre Sehnsucht nennt man Wahn und Traum,*
> *Und das Herz, dies kleine Klümpchen Erde,*
> *Hat doch für die ganze Schöpfung Raum!*

Annettens Geist war in diesen Jahren ihrer Jungmädchenzeit übermäßig rege. Immer noch kämpfte sie mit ihrem Rittergedicht: ‚Walter‘, und seit kurzem hatte sie ein Trauerspiel ‚Bertha‘ begonnen, in das sie all ihren jugendlichen Kummer und ihre innere Unrast ergoß. ‚Schmerz verbreiten und erdulden, ist mein Los hienieden‘, sagt sie resigniert durch den Mund ihrer Heldin.

Annette wußte sehr wohl, wie unzulänglich ihr Werk wurde, und doch sind einzelne Verse kraftvoll und echt, aber nur, wenn sie ihrem eigenen Erleben entsprungen sind. Einmal wird die Heldin von ihrer Schwester ermuntert, sie solle ihre Unrast mit weiblichen Handarbeiten besänftigen, aber ‚Bertha‘ fährt auf:

> *Bei deinem farbigen Gewebe kann*
> *Ich keine Ruhe finden; ganz allein*
> *In meinen stillen Träumen liegt mein Glück.*

Was sind einzelne wahr empfundene Gedanken? Annette ist schon so weit Dichterin, daß sie ihre Unfähigkeit fühlt, den Stoff lebendig zu machen, und doch fährt sie fort, mit ihrem Werk zu ringen, aber es will und will nicht glücken. Hin und wieder fleht sie ihren alten geliebten Sprickmann an, er solle mit männlicher Härte und Klarheit kritisieren, das Urteil der Frauen sei Gewäsch.

Nur ihre Mutter ist von erfrischender Offenheit. Wie Annette in ihrem Rittergedicht ‚Walter‘ einen alten Freiherrn Selbstmord begehen läßt, verbietet Therese dieses Ende. Ein Freiherr nimmt sich nicht das Leben! Also gefälligst eine andere Lösung, und Annette, tief im Bann ihrer Mutter, bringt den alten Mann wieder zum Leben und läßt ihn nochmals, aber standesgemäß umkommen.

Dieses gehorsame Fabrizieren drückt jedoch auf ihr künstlerisches Gewissen und legt sich auch, je mehr sie versucht, verwirft und wieder beginnt, lähmend auf ihr Gemüt. Es ist ja dieses Wollen und nicht Können, das Schwert im Herzen, das keinem wahren Dichter erspart bleibt. Junge Menschen haben oft eine große Leichtigkeit, Verse zu machen, zweifeln meistens gar nicht an ihrem Talent und sprudeln unbefangen Gutes und Schlechtes hervor, aber Annette litt schon mit siebzehn Jahren alle Qualen des von den Göttern angerührten Menschen, der stets das Äußerste und Höchste erstrebt und nie von der eigenen Leistung befriedigt ist.

Sie hatte nun zwar gelernt, unter den Augen der Ihren Beherrschung zu üben, immer wieder versuchte sie, artig dazusitzen und zu stricken, aber es langweilte sie maßlos, wie sie Anna von Haxthausen gestand; sie fügte sich auch, wenn man ihr verbot, nach Noten zu spielen, weil ihre Augen immer schlechter wurden; sie ging gehorsam nur bis zum nahen Flüßchen und stand dort auf einem großen Stein, ihr verzerrtes und zerfließendes Bild betrachtend, um bald wieder heimzukehren, so als sei sie an einer langen Kette angeschlossen wie ein Hofhund.

Sie schwieg und lächelte, konnte sogar mit ihrem Sinn für Komik eine ganze Gesellschaft zum Lachen bringen, aber in ihrem Herzen war sie bedrückt und sehr allein. Wie oft trauerte sie den Stunden nach, da sie mit Kathinka über die Heide gewandert und sie ihr Herz vor der geliebten Freundin aufgetan hatte, wie vor einem zweiten Ich.

Nur einmal erhielt sie Nachricht von ihr, seitdem sie als Frau Schücking in Clemenswerth bei Sögel lebte, ein Jahr nach ihrer Eheschließung, als sie ein Söhnchen geboren hatte. Levin heiße es, so schrieb sie; seitdem nie mehr ein Wort.

Die Zeiten einer gewissen Ruhe kamen nur selten für Annette. Nächte und Nächte ließ eine kaum zu tragende Rastlosigkeit sie schlaflos liegen; besonders bei Mondschein waren ihre Nerven übersensibel; es mag an einer Ostern in diesen Jahren gewesen sein, daß sie sich, ihrer festen Behauptung nach, selber vom Fenster aus im Freien wandeln sah und angeblich auch von den Dienstboten, die draußen die Osternacht feierten, gesehen wurde. Verwandte, die zu Gast waren, haben auch bezeugt, daß sie, ihrer selber unbewußt, nachts in den Gängen des Schlosses wandelte und sehr vorsichtig geweckt werden mußte; überdies gibt ein Bekannter dieser Jahre, Fritz Beneke aus Hamburg, dem Annette in Bökendorf begegnete, ein Geständnis, das sie ihm gemacht in seinem Tagebuch mit den Worten wieder:

,ihr erscheint sehr häufig im Traum ein Gesicht, nicht widrig, aber stets das nämliche, sie mit Grauen erfüllend. Es gibt ihr stets Rat zu zaubrischen Versuchen, sagt ihr Dinge vorher, die stets eingetroffen, ja beurkundet sich auf die unwidersprechlichste Weise durch kleine Gaben der sonderbarsten Art. Anfangs hat sie sich verleiten lassen, Versuche zu machen, die auf überraschende Weise gelingen. Endlich aber hat sie sich zu Gott gewandt, und lange schon ist der dunkle Geist gewichen, der nun nur noch zuweilen anpocht; itzt fühlt sie sich auch körperlich wohler.

Ich würde nicht fertig werden, wenn ich nur die Hälfte hierher setzen würde von den Geständnissen, die sie mir machte ... Ich war stark beschäftigt mit der Zauber-Jungfrau, die – ich gestehe es – einen tiefen, vielleicht nie verlöschenden Eindruck auf mich hinterlassen hat.'

Die sichtliche Verbundenheit Annettens mit der Geisterwelt, das Dämonische in ihr muß so stark zum Ausdruck gekommen sein, daß unter den Bauern der Umgegend der Glaube entstand, das Fräulein aus dem Schlosse könne ,Wasser treten', man hätte gesehen, wie es trocknen Fußes den Weiher überschritten habe.

Annette war nicht glücklich über die wahren und die vermeintlichen Gaben, die sie besaß, so wenig wie irgendeiner der ,Blassen im Heideland', die zu dem ,gequälten Geschlecht der Seher der Nacht' gehörten. Wenn wenigstens das Musizieren ihr Herz entlastet hätte! Auch über ihr Klavierspiel fällt Fritz Beneke, der Beobachter dieser Jahre, ein treffendes Urteil:

,ihr Spiel ist fertig, etwas heftig und überschnell, zuweilen etwas verworren. Mit der größten Leichtigkeit spielte sie das Hauptsächlichste des Don Juan, und andere Hauptsachen, durch. Ihre Stimme ist voll, aber oft zu stark und grell, geht aber sehr tief und ist dann am angenehmsten. Wirklich komponiert sie itzt an einer Oper.'

Annette selber läßt in ihrem Drama die Schwester zu Bertha sagen: ,Oh, deine Harfe, o die tötet dich!' Ja, Annette wußte um die Gefahr, die in ihrer Maßlosigkeit lag, denn auch im Singen und Klavierspielen mutete sie ihren Kräften viel zuviel zu, und doch gab es immer wieder Nächte, in denen sie bis zum Morgengrauen spielte. Die Mauern des Saales waren dick, die Gänge lang und hoch die Treppen. Die Eltern konnten ihr Spiel nicht hören, und Jenny verriet ihre Schwester nicht; sie protestierte und mahnte zwar, weinte auch ein bißchen, aber schlief dann ein.

Annette jedoch, mit übermäßig geweiteten Augen, das Gesicht dem hohen Fenster zugekehrt, unter dem das Wasser träge an die hohen Burgmauern klatschte, den Mondschein in ihre geweiteten Pupillen saugend, ganz der Geisterstunde hingegeben, spielte und spielte. Die schmalen Hände hatten Männerkräfte, wenn sie anschlugen; die Gesichte, die Ideen überstürzten sich, es war ein wildes Spiel, ein Ringen um Glücksgüter, die ihr unerreichbar waren: das Leben in seiner tausendfältigen Form: in Liebe, Freundschaft, Kampf um die Kunst, in Begegnungen mit der Geisterwelt; nur erleben, erleben wollte sie, wie die Brüder einmal das Dasein erleben würden.

Ihr schmaler Körper bebte unter der Macht der Töne, denen sie zu gebieten wußte; manchmal sang sie auch zu den eigenen Melodien mit ihrer tiefen, etwas rauhen Stimme, die die Menschen zu packen und zu erschrecken pflegte; sie schüttelte dann ihre Locken zurück, die kranke Brust begann zu keuchen, die Wangen glühten, aber sie spielte und spielte das Lied ihrer Sehnsucht und ihrer eisigen Einsamkeit in einem Dasein, das sie beengte, unter einem Gewirr von Menschen, die sie fesselten und ihr nichts und gar nichts geben konnten.

Oder sie sprach zu ihrer Musik Verse, die ihr leicht von den Lippen flossen; dann lächelte sie vor sich hin, denn sie wußte: was in diesen Momenten aus ihren Gedanken floß, war gut, aber die Hände konnten die Tasten nicht lassen ... jetzt schreiben? Nein, nein, weder die Noten zu den eigenen Melodien noch die Worte ihrer Verse.

Wenn das erste Grau am Himmel erschien und hier und dort ein Vogelschrei ertönte, sah sie vor Müdigkeit und Erregung keine Taste mehr. Nun würden die Knechte sich bald erheben, sie mußte die verräterischen Lichter löschen – nur noch ein wenig, ein wenig spielen, der Morgenstern glänzte ja noch am Himmel, einmal noch sich ausschütten in Tönen und in diese selige Welt der Harmonien eingehen, in der sie flog und nicht schwer an der Erde haftete, aber die Gedanken verwirrten sich ihr, die Finger griffen falsch ... da taumelt sie in die Höhe, nimmt den Leuchter in die bebende Hand und geht schwankend, sich an den Mauern haltend, durch die endlosen Gänge in ihr Zimmer, wo Jenny tief und ruhig atmend schläft.

6

Als Annette achtzehn Jahre alt war, erhaschte sie einen Abglanz des Weltgeschehens, und wieder war Bökendorf der gesegnete Ort, der ihr Hilfe brachte. Hier wehte jetzt, nach den Jahren der Sorge und Bedrücktheit, ein frischer Wind. Nicht nur, weil August als Göttinger Student seine Freunde in die Ferien heimbrachte und damit ein ganz neues Denken in das alte Haus einzog, sondern hauptsächlich, weil Werner von Haxthausen, die Leuchte unter den sieben Söhnen, den Sommer im Elternhaus verbrachte. In der Familie wurde er als der große Patriot verehrt; denn kaum, daß die Befreiungskriege ausgebrochen, war er von England zurückgekehrt und hatte unter Wallmoden die Belagerung Hamburgs mitgemacht und bis zu Napoleons Sturz in vorderster Linie gekämpft.

Anna Maria von Haxthausen, die Mutter von vierzehn gesunden Kindern, strahlte, wenn sie, neben ihrem Gatten die lange Mittagstafel präsidierend, ihrem Sohn Werner zuhörte; er wußte alles, er kannte alles, war mit der gesamten Welt befreundet und hatte seine Hände in vielerlei politischen Geschäften. Seit kurzem war er preußischer Regierungsrat in Köln. Mit Temperament erklärte er die Struktur des Deutschen Bundes, von dem hier noch niemand etwas begriffen hatte, wobei Joseph von Görres sein Gewährsmann war, der seit einem Jahr den ,Rheinischen Merkur' herausgab; ein Mann, der ebensoviel gehaßt wie geliebt wurde und die Meinungen gehörig durcheinander zu rütteln wußte.

Aber vor allem fühlte Werner sich im geistesgeschichtlichen

Leben zu Hause; es gab kein Gebiet, in das er sich nicht zeitweise mit Vehemenz hineinstürzte. Man sagte ihm eine große Zukunft voraus, falls er seine Kräfte nicht zersplittere.

In diesem Sommer 1815, nachdem soeben der Schrecken über Napoleons Rückkehr verflogen war und man hoffen durfte, daß der große Störenfried nun endgültig auf seine Felseninsel gebannt sei, in diesem Juli kam Werner geradeswegs aus Wiesbaden, wo er Goethe besucht und ihm seine Sammlung neugriechischer Volkslieder vorgelegt hatte. Es war eine äußerst anregende Stunde gewesen, von der es in Goethes Annalen des Jahres 1815 heißt:

,Wenig Fremdes berührte mich, doch nahm ich großen Anteil an griechischen Liedern neuerer Zeit, die in Original und Über-setzung mitgeteilt wurden, und die ich bald gedruckt zu sehen wünschte. Die Herren von Natzmer und Haxthausen hatten diese schöne Arbeit übernommen.'

Werner war bei aller Geistesschärfe ein echter Sohn der Romantik; er schwärmte für altdeutsches Wesen und führte in Böken-dorf und Abbenburg altdeutsche Kleidung ein. Nun sahen die Herren und Damen der Biedermeierzeit aus, als wären sie aus den Gemälden des Lukas Cranach und Albrecht Dürer herausgetre-ten. Sehr hübsch, sehr malerisch, aber Annette spielte nicht mit, sie war zu echt und hatte zu viel Humor, um von den Äußerlich-keiten der Romantik angesteckt zu werden. Mit achtzehn Jahren war sie schon eine ausgesprochene Persönlichkeit, viel überlege-ner als ihre schwärmerisch-schweifenden Zeitgenossen; was in ihr krankhaft-rastlos erschien, war das Ringen mit dem unnatür-lichen Zwang, in dem ihr weitausladendes Wesen zusammenge-preßt wurde. Zu ihrem Glück besaß sie einen Humor, der nicht zu brechen war.

Es wird zwar behauptet, Frauen besäßen höchstens Sinn für Komik, aber fast nie Humor; denn der humorvolle Mensch neh-me sich auch im Unglück nicht wichtig, und diese Fähigkeit gehe den Frauen ab, sie lachten zwar leicht über andere, aber nie über sich selber. Annette hat diese Weisheit Lügen gestraft, bis zum Ende ihres Lebens galten die humorvollsten Aussprüche aus ihrem Munde der eigenen Person.

Hier in Bökendorf war ihre gefürchtete Ironie immer wach, denn sie liebte es, das ernsthafte Theaterspiel ihrer Verwandten ins Komische zu ziehen, ein Benehmen, das ihren Onkel Werner sehr erboste und ihn zu einem hochfahrenden Wesen ihr gegenüber veranlaßte. Annette konnte ihn nur dadurch versöhnen, daß sie ihn immer wieder bat, von seinem abenteuerreichen Leben zu erzählen, vor allem von seiner Flucht nach England. Dann mußte Werner beschreiben, wie er dort todkrank in einem Matrosenlazarett gelegen, in rauher Güte betreut von allerlei wildem Volk, und wie die Griechen ihm die liebsten unter den Seeleuten gewesen seien.

Ist es wahr, oder erfindet er es nur, daß die griechischen Matrosen ihn ihre Volkslieder gelehrt haben? Als Orientalist beherrschte er ihre Sprache. Wenn die Matrosen wirklich den Anfang zu Werners Liedersammlung gaben, so fügten während des Wiener Kongresses seine Freunde, der Grieche Manoussos und der slawische Gelehrte Kopitar, hinzu, was ihm fehlte. Mit diesen Erinnerungen aber kam Werner auf seine Tätigkeit am Wiener Kongreß, diesem politischen Wirrsal auf einem gesellschaftlich strahlenden Hintergrund, zu sprechen.

Die sieben Bökendorfer Schwestern: Dorothea, Ferdinandine, Franziska, Ludowine, Sophie, Karoline und Anna, von denen einige schon verheiratet waren, aber häufig in Bökendorf weilten, dazu Jenny und Annette, konnten nie genug von dem aufregenden Spiel hören, in das die Namen des ganzen europäischen Hochadels verwoben waren.

Die schönsten Geschichten handelten von Alexander, dem jungen, strahlenden, mystischen Zar von Rußland, der als Halbgott über den Wolken thronte, sich aber auch recht gern unter die Menschen begab. Vor ihm und einem Parkett von Königen hatte Beethoven seine Kantate zu Ehren des Friedenskongresses selber dirigiert. Von den großen Akteuren: Talleyrand, Metternich, Caslereagh, Hardenberg, Humboldt und Nesselrode gab es eine Kette von Anekdoten, in die Frauenliebe und Walzerklänge vermischt waren. Werner erzählte gut; man sah den Hintergrund, auf dem sich der Kongreß abspielte: diesen nie erlebten Luxus in

Moden und Lebenshaltung, diese Pracht in den Schlössern und Palais, diese Scharen von Dienern, die Auffahrt der neuesten Modelle an Equipagen und die auserwählt schönen Pferde.

In Werners Erzählungen tauchten oft die Namen seiner Freunde auf, mit denen er auf dem Kongreß am meisten zusammengekommen war: vom Stein, Arndt, Graf Münster, Manoussos und Joseph von Laßberg.

Der Freiherr von Laßberg, der altdeutsche Manuskripte sammelte und englischen und französischen Amateuren abjagte, was er konnte, war Werner der liebste der Freunde geworden, war er doch selber ständig auf der Jagd nach altdeutschen Kunstwerken. Werner war dabei gewesen, als Laßberg im letzten Moment noch die Hohenemssche Nibelungenhandschrift erobern konnte, bevor ein englischer Lord die Hand darauflegte.

Hat Jenny von Droste zugehört? Hat sie auch nur den Namen des vielbesprochenen Laßberg erfaßt? Vielleicht nicht, denn sie konnte nicht ahnen, daß Onkel Werner schon die Verbindung gezogen hatte, die einst ihre Lebensfäden ganz neu knüpfen sollten.

In den Jahren zwischen 1815 und 1820, da das geistige Leben in Bökendorf in voller Blüte stand und viele Freunde Werners und Augusts in deren Elternhause aus und ein gingen, gehörte Jennys Herz ganz und gar Wilhelm Grimm.

Die Brüder Grimm, leidenschaftliche Freunde des Altdeutschen wie Werner und August von Haxthausen, gehörten fast zur Familie. Ludwig Grimm, der Maler, und Malchen von Heereman-Zuydwick, deren Mutter eine der sieben Haxthausenschen Töchter war, fanden sich in großer Freundschaft zusammen. Charlotte Grimm sollte später die Frau des hessischen Ministers von Hassenpflug werden, der zum nahen Bekanntenkreis der Bökendorfer gehörte; Ferdinand Grimm kam und ging wie seine Brüder, Jakob und Wilhelm machten sämtlichen Mädchen den Hof, die ihnen zur Liebe begeisterte Jägerinnen auf Märchen, Geschichten und Bauernsprichworte wurden, wobei Wilhelm sich von Annette als dem eigentümlichsten der Mädchen sehr angezogen fühlte, bis ihr herbes, schroffes, ,durchbohrend witziges' Wesen ihn wie die meisten jungen Männer abschreckte und seine Freundschaft in Feindschaft verwandelte.

Wilhelm wandte sich nun ganz der sanften, weiblich-zarten Jenny zu, die sich mehr in ihn verliebte, als es für ein Freifräulein ratsam war, denn an eine Ehe zwischen ihr und einem bürgerlichen jungen Mann war nicht zu denken, das wußten beide und wollten die Weltordnung nicht umstürzen, aber dieses Wissen um die unvermeidliche Trennung gab ihrer Liebe das Verhaltene, Melancholische, das noch heute aus dem Briefwechsel der beiden jungen Leute wie eine zarte Melodie hervorklingt.

Es herrschte ein vollblütiges Leben in Bökendorf, wenn auch keine großen Leidenschaften die Fäden herüber und hinüber warfen, aber so viele Menschen verschiedenen Alters und verschiedener Herkunft trafen hier zusammen, daß immer neue Bindungen und Lösungen entstanden und die gegensätzlichsten Typen sich absonderten.

So erzählt einer der häufigen Besucher, daß der alte, achtzigjährige Großvater, eine echte Gestalt aus dem achtzehnten Jahrhundert, mit Vorliebe die ganze, oft dreißigköpfige Tischgesellschaft mit seinen witzigen und galanten Anekdoten aus dem ancien régime unterhielt, von der sehr frommen, aber nachsichtigen Hausfrau seien sie mit Schweigen hingenommen worden, während die junge Generation, die ganz andern Ideen huldigte, einem kernigen, romantischen Deutschtum, den alten, auf französisch erzählten Geschichten – in allem Respekt – die eigenen Erlebnisse entgegenhielt.

Nein, Schäferspiele suchte die Jugend nicht mehr. Wilhelm Grimm schreibt einmal, im Oktober 1818, seinem Freunde Achim von Arnim, wie die jungen Mädchen an schönen Sommerabenden zusammen Volkslieder singen, von den Brüdern auf dem Waldhorn und auf der Flöte begleitet und ein andres Mal, wie im Herbst am riesigen offnen Kaminfeuer Märchen in der einen oder andern Fassung vorgelesen werden und man beratet, welche die eigenartigste ist.

Annette besaß ihr besonderes Feld; sie suchte alte Volks- und Minnelieder und gewann solche Kenntnisse auf diesem Gebiet, daß es ihr im Laufe der Jahre gelang, Verse und Melodien wie derherzustellen. Schließlich komponierte sie eigene Lieder dieser Gattung und wußte sie so schlicht und berückend vorzutragen daß auch Kenner sie nicht mehr von den alten, echten Liedern zu unterscheiden wußten.

All dieses Suchen, Sammeln, Aufschreiben ging im Scherz und in jugendlicher Begeisterung vor sich, und doch wob die junge Generation, die sich hier in Bökendorf, dem abgelegenen Schloß in Westfalen, traf, an einem geistigen Gewebe, das unzerreißbar sein sollte. Werner von Haxthausens griechische Liedersammlung spukt durch Goethes ‚West-östlichen Divan‘; die jungen Mädchen hatten an den Grimmschen Märchen mitgebaut; Annettens ‚Judenbuche‘, ihr berühmtes Prosawerk, das später Turgenjew als das Muster aller Novellen erschien, entstand auf Grund von Berichten, die sie von August erfuhr und spielt in der Paderborner Gegend, und ‚Das Geistliche Jahr‘, das einzig dasteht in der religiösen Literatur, wäre ohne die Zeiten in Bökendorf nie entstanden.

Annette stand unter den vielseitigen Eindrücken von Bökendorf wie an einem Strand, der von den letzten Ausläufern der Wellen des großen Meeres bespült wird. Sie sah den Ozean des bewegten Lebens von ihrem Ufer aus, aber keine Möglichkeit war ihr gegeben, hinauszugelangen in die Weite, um zu sehen, zu erleben, zu kämpfen; nur hören durfte sie, nur *einen* Kampf bestehen: den Kampf mit ihrer Lebenssehnsucht.

Ihr Vater und ihre Mutter sahen es wohl. Häufiger nahm Clemens August sie jetzt auf seine weiten Wanderungen mit, und er freute sich, wie Annette alles Wissen über Leben und Gebräuche ihrer bäuerlichen Landsleute so begierig einsog, als führte ihr Vater sie in Amerika umher, und Therese bemühte sich, von der Leihbibliothek in Münster stets das Neueste zu erhalten, und wenn sie auch den Tag über unermüdlich geschafft hatte, sie zwang sich, abends im Familienkreis vorzulesen; Annette sollte nicht sagen können, daß sie in Hülshoff geistig verhungere!

Walter Scott war Trumpf in diesen Jahren; ein Abglanz von Theresens unermüdlichem Vorlesen schimmert aus Annettens Rittergedicht: ‚Walter‘, das ihr immer noch nicht genügte und mit eisernem Fleiß von ihr um und um gemodelt wurde. Jetzt ist's genug, sagte Therese eines Tages, denn das Gedicht gefiel ihr; das Kind hatte doch ein gewisses Talent; immer wieder verlangte sie von Annette das Manuskript, um es ihren Gästen vorzulesen.

An keinem ihrer Kinder hatte Therese so viel auszusetzen wie an Annette, und keines liebte sie so sehr.

Annette war nicht erfreut, wenn sie ihr Gedicht hergeben mußte, sie wußte genau, daß ihr kein Meisterwerk gelungen war; das überschwengliche Lob der Bekannten und ihre guten Ratschläge konnten sie sogar zur Verzweiflung treiben, und als ein älterer Bekannter, der sich bei ihr beliebt machen wollte, ständig eine gewisse Stelle aus dem Gedicht zitierte, schüttete sie ihr Herz dem guten Sprickmann aus:

‚Ich habe schon so viel darüber reden hören‘, schrieb sie von dem Gedicht, das ihr selber so fraglich erschien, ‚und jeder klug sein Wollende sitzt darüber zu Gericht und hat ein neues Lob und einen neuen Tadel dafür, und ich weiß oft nicht, worüber ich mich am meisten ärgere. So kam z. B. ein gewisser Herr immer darauf zurück, die schönste Stelle im ganzen Gedicht sei: Es rauscht' der Speer, es stampfte wild das Roß, und erst durch sein vieles Reden wurde mir offenbar, wie dieser Ausdruck so gewöhnlich und oft gebraucht ist. Dieser Herr hörte auch gar nicht davon auf, sondern sagte während des Tages mehrmals wie in Entzückung verloren: Es rauscht' der Speer, es etc. etc., wozu er auch wohl leise mit dem Fuße stampfte. Ich mußte endlich aus dem Zimmer gehn. Wie ich vor einer Woche in Münster bin, begegnet mir der Unglücksvogel auf der Straße, hält mich sogleich an und sagt sehr freundlich: Nun Fräulein Nettchen, wie geht's? was macht die Muse? Gibt sie Ihnen noch bisweilen so hübsche Sächelchen in die Gedanken wie das Gedichtchen von neulich? Ja, das muß ich Ihnen sagen, das ist'n niedlich Ding: was für 'ne Kraft bisweilen: Es rauscht' der Speer, es stampfte wild das Roß. Ich machte mich so bald wie möglich los und lachte ganz unmäßig; ich hätte aber ebensogut weinen können. Sehn Sie, mein Freund, und so geht's mir oft. Von der andern Seite würde ich mir wenig daraus machen, wenn ich nicht dabei gezwungen wär, zu tun, als ob ich ihre Bemerkungen ganz richtig fände, ein freundliches Gesicht zu machen und ihnen vielleicht noch für ihre Aufrichtigkeit danken. Aber wenn ich oft Stellen, von denen ich überzeugt bin, daß sie zu den bessern gehören, als dunkel, unverständlich et cet. schelten höre und dagegen die schlechtesten loben höre, und soll alsdann noch die oben benannten freundlichen Grimassen dazu schneiden – das ist zu arg.

Nur zwei- oder dreimal bin ich zu meiner Freude mit einem bloßen ‚recht schön!‘ abgefertigt worden, sonst ist es jedesmal, wenn ich das Gedicht in die Stube schicke (denn ich hebe es selbst auf, obschon es meiner Mutter gehört, und bin also gezwungen, mein liebes Kind jedesmal selbst in die Hände meiner Feinde zu liefern), so gut, als ob ich auf ein Dutzend Kritiken pränumerierte, denn fast niemand kann der Versuchung widerstehn, sich durch irgendeine Verbesserung als einen denkenden, feinen Kopf zu charakterisieren.

Was mein damals angefangenes Trauerspiel anbelangt, so habe ich es noch fortgesetzt bis zum dritten Akt, dann blieb es liegen, und jetzt wird es auch wohl ferner liegen bleiben. Es enthält zwar mitunter ganz gute Stellen, aber der Stoff ist übel gewählt. Außerdem habe ich in dieser Zeit nichts Bedeutendes aufzuweisen außer einer Anzahl Gedichte, wovon verschiedene geistliche Lieder, die ich für meine Großmutter geschrieben habe, vielleicht die besten sind.

Aber genug und zuviel hiervon, mein verehrter Freund! Ich unterhalte Sie beständig mit dem Verstande, und doch liegt so manches auf meinem Herzen, was sich hinaus und an das ihrige sehnt. O mein Sprickmann, ich weiß nicht, wo ich anfangen soll, um Ihnen nicht lächerlich zu erscheinen, denn lächerlich ist das, was ich Ihnen sagen will, wirklich, darüber kann ich mich selber nicht täuschen. Ich muß mich einer dummen und seltsamen Schwäche vor Ihnen anklagen, die mir wirklich manche Stunde verbittert; aber lachen Sie nicht, ich bitte Sie noch einmal, mein Plagedämon hat einen romantischen und geckenhaften Namen, er heißt Sehnsucht in die Ferne; nein, nein, Sprickmann, es ist wahrhaftig kein Spaß. Sie wissen, daß ich eigentlich keine Törin bin; ich habe mein wunderliches, verrücktes Unglück nicht aus Büchern und Romanen geholt, wie ein jeder glauben würde.

Ich denke, eine Narrheit, die uns der liebe Gott aufgelegt hat, ist doch immer nicht so schlimm, wie eine, die wir uns selbst zugezogen haben. Seit einigen Jahren hat dieser Zustand aber so zugenommen, daß ich es wirklich für eine große Plage rechnen kann. Ein einziges Wort ist hinreichend, mich den ganzen Tag zu verstimmen, und leider hat meine Phantasie so viel Steckenpferde, daß eigentlich kein Tag hingeht, ohne daß eines von ihnen auf eine schmerzlich-süße Weise aufgeregt würde. Kunstwerke und dergleichen mehr haben alle diese traurige Gewalt über mich. Ich bin keinen Augenblick mit meinen Gedanken zu Hause, wo es mir doch so sehr wohl geht; und selbst wenn Tage lang das Gespräch auf keinen von diesen Gegenständen fällt, seh' ich sie in jedem Augenblick, wo ich nicht gezwungen bin, meine Aufmerksamkeit angestrengt auf etwas andres zu richten, vor mir vorüberziehn, und oft mit so lebhaften, an Wirklichkeit grenzenden Farben und Gestalten, daß mir für meinen armen Verstand bange wird. Ein Zeitungsartikel, ein noch so schlecht geschriebenes Buch, was von diesen Dingen handelt, ist imstande, mir die Tränen in die Augen zu treiben; und weiß gar jemand etwas aus der Erfahrung zu erzählen, hat er diese Länder bereist, diese Kunstwerke gesehn, diese Menschen gekannt, an denen mein Verlangen hängt, und weiß er gar auf eine angenehme und begeisterte Art davon zu reden, o! mein Freund, dann ist meine Ruhe und mein Gleichgewicht immer auf längere Zeit zerstört, ich kann dann mehrere Wochen an gar nichts andres denken, und wenn ich allein bin, besonders des Nachts, wo ich immer einige Stunden wach bin, so kann ich weinen wie ein Kind, und dabei glühen und rasen, wie es kaum für einen unglücklich Liebenden passen würde. Meine Lieblingsgegenden sind Spanien, Italien, China, Amerika, Afrika, dahingegen die Schweiz und Otaheite, diese Paradiese, auf mich wenig Eindruck machen. Warum? das weiß ich nicht:

Sagen Sie! was soll ich von mir selbst denken? und was soll ich anfangen, um meinen Unsinn loszuwerden?

Mein Sprickmann, ich fürchtete meine eigene Weichheit, wie ich anfing, Ihnen meine Schwäche zu zeigen, und statt dessen bin ich über dem Schreiben ganz mutig geworden.

Sie können auch nicht denken, wie glücklich übrigens meine äußere Lage jetzt ist; ich besitze die Liebe meiner Eltern, Geschwister und Verwandten in einem Grade, den ich nicht verdiene, ich werde, besonders seit ich vor dreieinhalb Jahren so krank war, mit einer Zärtlichkeit und Nachsicht behandelt, daß ich wohl leicht eigensinnig und verwöhnt werden könnte, wenn ich mich nicht selbst davor fürchtete und sorgfältig hütete. Dabei ist mir die Achtung vieler schätzbaren Menschen zuteil geworden und die Freundschaft einiger lieben, lieben, harmoniereichen Seelen, worunter freilich mein Sprickmann in meinem Herzen steht, wie der Mond unter den Sternen. Unter den übrigen möchte ich Ihnen vorzüglich die Generalin Thielemann nennen, die Frau unseres Gouverneurs. Ihr Rang und der Unterschied unserer Jahre hielt uns lange entfernt voneinander, vorzüglich da meine Mutter allen Umgang vermeidet, der sie in weitläufige Bekanntschaften führen könnte; wir haben wirklich beide mit schweren Hindernissen zu kämpfen gehabt, um zueinander zu kommen. Ich möchte und könnte Ihnen sehr vieles Anziehende und Merkwürdige von dieser seltsamen und lieben Frau erzählen, aber das Blatt geht zu Ende, und so will ich lieber gar nichts sagen, bis zum nächsten Briefe. Wir haben jetzt eine Schwester meiner Mutter, Ludowine, bei uns, ein gutes, stilles, verständiges Mädchen, deren Umgang mir sehr wert ist, besonders wegen ihrer klaren und richtigen Ansicht der Dinge, womit sie oft, ohne es zu ahnden, meinen armen verwirrten Kopf wieder zu Verstande bringt. Werner Haxthausen lebt in Köln, und mein ältester Bruder Werner kömmt in einigen Wochen zu ihm. Leben Sie wohl und vergessen Sie nicht, wie begierig ich auf Antwort warte.

Ihre Nette'

7

Im Februar 1819, da Annette ihren langen Brief an Sprickmann schrieb, war der Adel vom Lande nach Münster gekommen, wo das gesellschaftliche Leben endlich wieder an frühere Zeiten erinnerte. Zwar ist niemand ungeschoren durch die Kriegsjahre gekommen; die besitzenden Klassen haben viel an Vermögen und Besitz eingebüßt, aber ist es denn irgendwo im deutschen Reiche anders?

Clemens August von Droste mußte sein weitläufiges Stadtpalais, das so viel Unterhalt und Dienerschaft erforderte, verkaufen, und hat sich nun mit seiner Familie für die Wintermonate im Beverförder Hof, den er vor kurzem erworben, niedergelassen. Das Haus war auch geräumig und eine architektonische Sehenswürdigkeit Münsters aus der Wende des siebzehnten zum achtzehnten Jahrhunderts. In dem prachtvollen Tanzsaal in weißer Stukkatur und Täfelung, die nur von den tiefer getönten Marmorpilastern unterbrochen wurden, tanzte die Jugend nun wieder, zwar nicht mehr Gavotten und Menuette wie die Barockputten über dem Kamin sie gesehen hatten, sondern den Walzer, der in Wien aufgekommen war.

Nach Jennys Bericht hat Annette nie gern getanzt, auch brachte sie kein Interesse für Kleiderfragen auf, und die üblichen Gespräche unter jungen Mädchen über Verliebtheiten und kleine gesellschaftliche Intrigen lagen ihr erst recht fern; sie fand ihre Rolle in der Geselligkeit auf einer ganz anderen Ebene. Annette sang und vermochte die Menschen zu ungehemmter Begeisterung hinzureißen.

Therese hatte längst ihr Verbot, daß Annette sich ,produziere‘, fallen gelassen; das Talent ihrer Tochter schlug alle Bedenken nieder. Dabei war es nicht nur Annettens eigenartige Stimme, die ihre Zuhörer hinriß, es war die Beseeltheit des Vortrages und zudem der Inhalt dieser neuartigen Minne- und Volkslieder, die die Zuhörer packte und ihnen die Tränen in die Augen trieb. Oder konnte es der Abglanz einer versteckten Tragik sein, der Annettens Gesang ein so unbegreifliches Leuchten gab, ein Abglanz, den jedes nicht ganz verhärtete Gemüt fühlen mußte, einer Tragik, von der sich niemand Rechenschaft gab, und die Annette selber nicht hätte deuten können?

Vielleicht sah Wilhelmine von Thielemann ein wenig tiefer als andere Menschen; sie war eine erfahrene Frau, diese etwa vierzigjährige Generalin, von der Annette an Sprickmann geschrieben hatte, daß sie und die ältere Freundin ‚mit schweren Hindernissen zu kämpfen hatten, um zueinander zu kommen'.

Therese von Droste war gegen diese Bekanntschaft gewesen; die Generalin war eine exzentrische Frau mit einer bewegten Vergangenheit, war oft nervenkrank und sollte Halluzinationen haben und sich mit Geistern unterhalten. Wenn *ein* Umgang für Annette gefährlich war, dann dieser mit der Thielemann. Aber Annette, wie magisch angezogen von allem Außergewöhnlichen, hatte es doch erreicht, bei der Generalin aus und ein zu gehen. Sie pflegte sie sogar in Tagen, wenn die Nerven versagten und sie in einer andern Welt zu schweben schien.

Niemand mochte dann um die Kranke sein, erschien sie ihrer Umgebung doch wie eine Irre, aber Annette ließ sich zum Entzücken des Generals, der ihr sehr zugetan war, nicht abschrekken, hielt bei Wilhelmine aus und hatte einen wunderbar beruhigenden Einfluß auf die Freundin. In den Tagen und Wochen, da sie gesund war, lebte Annette in Wilhelminens Atmosphäre wie in der heiß ersehnten ‚weiten Welt', aber nicht etwa wegen der, von der Gesellschaft mit bewunderndem Flüstern häufig wiederholten Feststellung: die Generalin ist die Schwester der zweiten Braut des Novalis, der Julie von Charpentier, einer außerordentlich liebenswerten Persönlichkeit. Was für ein Verdienst hatte Wilhelmine daran? Sondern weil das Leben dieser Frau weit von allem Herkömmlichen verlaufen war. Und wie hatte Wilhelmine es gemeistert! Wie war sie keinem Hindernis ausgewichen; sogar den eigenen Eltern hatte sie zu widerstehen gewußt; das gab Annette viel zu denken.

Jetzt war Wilhelmine Generalin und eine reiche Frau, aber nur durch die Wechselfälle der napoleonischen Ära war ihr Mann, der in Rußland mit großer Bravour gekämpft hatte, so hoch gestiegen. Als junges Ding war Wilhelmine mit Thielemann auf und davon gegangen; ihr Geliebter war damals noch Unterleutnant gewesen.

Von den Eltern verstoßen und verflucht, hatte sie ihre überschwengliche Liebeszeit in tiefstem Elend verbracht, das erste Kind in einer Hütte, auf Stroh liegend, geboren. Aber sie war nicht zu Kreuze gekrochen, sondern hatte ihren Mann von Land zu Land begleitet bis er, von Ehren überhäuft und reich geworden, seine Frau in Münster zu einer der ersten machen konnte.

Annette vermochte das Aufundnieder in diesem Leben kaum zu fassen und liebte Wilhelmine schon allein ihrer Vitalität, ihres Mutes und ihrer Abenteuerlichkeit wegen. Da hatte diese schöne, jetzt so verwöhnte Frau, auf Stroh gebettet, ihr erstes Kind selig in den Armen gehalten, und in Hülshoff war die Geburt des Stammhalters ein so feierlicher Akt, daß noch heute die Sage ging, der Schloßelf wandle in der großen Stunde zum Weiher und tauche mit dem ersten Schrei des Kindes in das burgbeschützende Wasser hinunter.

In Annettens Leben war alles starre Konvention, Gehorsam gegen die Überlieferung, strenge Abgeschlossenheit durch eine unüberbrückbare Kluft von der übrigen Welt; der Welt, die nicht dem Hochadel angehörte ... und Wilhelmine war frei wie eine Marketenderin durch die Kriegszonen vagabundiert, bis sie im Kreise von Fürsten und berühmten Heerführern aufgenommen wurde.

Annettens Fernweh berauschte sich an den sprühenden, feurigen Worten dieser Frau, die noch so jung empfand und so beweglich war an Geist und Körper, als hätte der Himmel ihr zum Lohn für ihren Lebensmut die ewige Jugend geschenkt. Ja, sie trank beseligt von diesem Quell eines echten Lebens! Was war das Geschwätz auf Bällen und Redouten, was das romantische Säuseln im literarischen Kränzchen, was die kleinen Familienbegebenheiten, die in den Mittelpunkt der Welt gerückt wurden, gegen die Erlebnisse einer Wilhelmine von Thielemann, gegen ihre saftige Sprache, ihr sonores Lachen, mit dem sie das Entsetzen ihrer Standesgenossen hinnahm, gegen ihre handfesten Lebensregeln?

Ja wahrhaftig, Schiller hatte tausendfach recht: ‚In deiner Brust sind deines Schicksals Sterne!'

Oh, wäre sie doch gesund, dann würde auch sie vielleicht den Willen finden, der sie hinausführte, dorthin, wo sie ihre Kräfte regen durfte. Aber in diesem Frühling des Jahres 1819 weiß sie besser denn je, daß ihr Körper – ‚Bruder Esel', wie Sankt Franziskus gesagt hatte – ihr für immer störrisch den Dienst verweigern würde.

Der Arzt in Münster sagte, das vegetative Nervensystem sei nicht in Ordnung, und sprach viele gelehrte Worte über den ‚Sympathicus', wobei Annette fand, daß dieses Wort schlecht gewählt sei; ihr waren diese Magenkrämpfe und das Erbrechen, die Herzbeschwerden und Augenschmerzen, die Gereiztheit und die Schlaflosigkeit durchaus nicht mit dem Worte ‚Sympathie' in Verbindung zu bringen!

Eine Kur in Bad Driburg wurde verordnet. Therese stöhnt über die großen Ausgaben, aber die gute Großmutter in Bökendorf, die über alles auf dem laufenden ist, behauptet, selber eine Kur gebrauchen zu müssen, und nimmt, wie es Sommer geworden, Annette mit in den eleganten Badeort.

So trinkt Annette nun das heilende Wasser und badet; ‚Bruder Esel' fügt sich dem Geist und der Seele etwas williger als zuvor, aber der verhängnisvolle Kreislauf: gestählter Körper – große Aufnahmefähigkeit äußerer Eindrücke; dadurch Schwächung des Körpers und mangelnde Widerstandskraft des Geistes, – ist auch in Driburg nicht zu unterbrechen.

Annette war, wie überall, gleich im Mittelpunkt der Anteilnahme ihrer Umgebung. Eine fünfunddreißigjährige Frau von Stuttnitz, ‚die aussieht als wäre sie sechzig, weil sie schon seit Jahren ganz kontrakt von der Gicht ist', suchte Annettens Freundschaft. Die Kranke schien ihr nur Geist zu sein; Annette hatte ‚die phantastischen Briefe' lesen dürfen, die sie mit Zacharias Werner wechselte, dem sie in einer platonischen Freundschaft innig zugetan war, auch wurde sie davon unterrichtet, daß der Seelenfreund nicht nur ein großer Bühnenschriftsteller, sondern ein Mystiker und Romantiker sei, der vor kurzem in den

Katholizismus geflohen war, als in die Welt des vollkommen Schönen.

Annettens gesunden Glauben mutete diese Frömmigkeit aus Ästhetizismus unbehaglich an; viel ernsthafter beschäftigte sie die Möglichkeit einer reinen Freundschaft zwischen zwei hochstehenden Menschen, die Liebe im höchsten Platonischen Sinne, die Leidenschaft des Geistes von einer zärtlichen Neigung durchblutet, dieses Glück, das – sie sah es ja in ihrem Miterleben – von keiner Entfernung und keiner Krankheit zerstört werden konnte. Nein, bei all ihrer schlichten Güte wirkte die Stuttnitz in ihrem gehobenen Geistesleben nicht beruhigend auf Annettens erregbare Nerven.

Zum Glück gab es als Ausgleich unter den Badegästen Herrn von Knigge, einen Neffen des berühmten Knigge; der hatte sich mit Annette im Reiche der Musik gefunden, aber bald war nur noch von den Reisen in Afrika und Asien die Rede, die dieser unternehmungsfrohe Mann hinter sich hatte. Annette veranlaßte ihn immer mehr, und immer Neues von seinen Abenteuern unter den Menschen in den fremden Erdteilen zu erzählen.

Und eine Nichte des Herzogs von Hamilton, dreiunddreißig Jahre alt, verheiratet, aber kinderlos, die Annette ‚meine liebe Mine‘ nennt, wurde ihr lieb und vertraut. Von ihr schreibt Annette an die Mutter:

‚Sie ist sehr groß und schlank; Zug für Zug sehr schön, und doch kömmt sie einem im ganzen eher häßlich vor; ich glaube, weil sie zu viel wie ein Mann aussieht. Ich glaube auch, daß sie noch mehr Verstand hat wie ihr Mann. Sie hält äußerst auf ihr point d'honneur und ein edles anständiges Betragen. Ich glaube, du würdest sie sehr lieb gewinnen, nur ist ihre Gegenwart trotz aller Freundlichkeit etwas drückend; sie hat mich außerordentlich lieb und, seit sie fort ist, schon sechsmal geschrieben, ich habe aber erst einmal antworten können.‘

Zu diesen ungewöhnlichen Bekanntschaften kommen die langen religiösen Unterhaltungen mit der Großmutter, die auch ‚an der Genesung Bronnen‘, wenn

Im Saale tafeln Stern und Band,
Sich mittags kranke Bettler sonnen,
Begierig schlürfend überm Rand
Und emsig ihre Schalen schwenken,

noch an Gaben weit über ihr Können denkt und sich damit tröstet, daß ein Wunder ihre Börse immer neu füllen wird. Die geliebte Großmutter, diese ,heilige Einfalt‘, sie verlangt einen kindlichen Glauben von Annette, den diese bei all ihrer tiefen Frömmigkeit nicht aufzubringen vermag.

Wahrhaftig, Driburg war kein beruhigender Ort! Annettens Seele gleicht mehr und mehr einem umgepflügten Acker nach all den Eindrücken des bisher verflossenen Jahres, und in diesem Zustand der Aufgeschlossenheit begleitet sie im September Anna Maria, ,die heilige Frau‘, wie ihre Bauern sie nennen, nach Bökendorf zurück.

Kommt nun eine Nachkur in der Ruhe des Landlebens? Oh, nein, keineswegs! Die Herbstferien der Universität haben begonnen, und August verbringt sie mit seinen besten Freunden, Heinrich Straube und August von Arnswaldt, im Elternhaus.

Annette kannte die Freunde ihres jungen Onkels August schon seit zwei Jahren. Arnswaldt wird als ein feiner, sinniger Mensch bezeichnet, aber er scheint auch die Schärfe dieser feingeschliffenen Leute gehabt zu haben, eine Schärfe, die unvermutet eine tiefe Wunde zufügen kann; indessen hätte niemand dem schönen eleganten und liebenswürdigen Weltmann eine verborgene Grausamkeit zugetraut.

August von Haxthausen war ein geistreicher, gebildeter, tatenfroher Jüngling, nicht ohne Selbstbewußtsein unter Männern, und von ungeniertem Hochmut der Mädchenschar, seinen Schwestern und Nichten, gegenüber. Annette selber nennt ihre gleichaltrigen Tanten einmal ,kopfschwach‘; sie hatte sie trotzdem gern, aber sie konnte die Mode der Zimperlichkeit, dieses gewollt ,schwachen‘ Geschlechts, nicht mitmachen und lehnte sich deshalb empört gegen Augusts gönnerhafte Freundlichkeit auf.

Und Heinrich Straube? Von ihm heißt es, er sei klein, affenhaft häßlich, habe struppige, graublonde Haare, sei der Spaßmacher der ganzen Gesellschaft; er lache immerfort und alle lachten über ihn, doch habe ihn jeder gern.

Straube war ein ewiger Student, bald dieser, bald jener Fakultät verschrieben, dabei genial, kritisch und von großem Wissen, aber von dieser Seite kannten ihn nur seine Freunde. Von den Bökendorfern wurde er nicht ernst genommen, zumal er ein Protestant unter all den strengen Katholiken und ein gänzlich mittelloser Bürgerlicher war, der sich noch keinen Namen gemacht hatte, wie zum Beispiel die Brüder Grimm.

Nein, Heinrich Straube ‚gehörte nicht dazu‘, und nur, weil er ein halbes Jahr lang die Zeitschrift ‚Wünschelrute‘ herausgegeben hatte, sich in Gedichten und Novellen versuchte und mit Heine verkehrte, war ihm Bökendorf, das ja etwas auf seine geistige Atmosphäre gab, so gastlich offen.

Annette muß die einzige in der jungen Schar gewesen sein, die hinter Straubes immer bereitem Lachen und Spaßen die tödliche Melancholie des Geduldeten ahnte. Sogleich, als sie ihn kennengelernt, scheinen ihr menschlich warmes Herz und ihr kluger Blick die schöne, aber nicht glückliche Seele in dem narrenhaft häßlichen Körper erkannt zu haben. Seitdem bemühte sie sich, Straube aus der töricht schwatzenden Mädchenschar herauszuheben, die ihn neckte und gar nicht sah, daß jedes schnippische Wort in ihrem hochmütigen Spiel einen Dolchstoß für Straubes stolzes Empfinden bedeutete.

So hatte sie ihn zu einsamen Spaziergängen entführt, und tat es auch in diesem Herbst 1819. Wenn dann draußen auf der hügligen Heide, auf diesem Zauberteppich zwischen Himmel und Erde, endlich das Lachen des Hofnarren, Heinrich Straube, verstummte, brach ein Sturzbach an hohen Gedanken über Annette her.

In diesem goldenen September, da sie an mancherlei Bekanntschaften gereift war, schwieg sie nicht mehr, sondern antwortete Heinrich in unbefangener Offenheit. Sie nahmen von einander und gaben einander und staunten über den Reichtum, den sie besaßen, ohne es bisher geahnt zu haben. Da begann eine glückliche, aber streng verdeckte Vertraulichkeit das Band der Freundschaft zwischen ihnen zu weben.

Heinrich hatte ihr so viel zu sagen. Er stand mit beiden Füßen in der neuen Zeit, obgleich er nicht zu den romantischen Schwärmern gehörte, die sich in mystischem Schönheitsdrang allem Übersinnlichen, Seltsamen, Märchenhaften in die Arme warfen; seine Göttin war die reine Wissenschaft, er liebte das Studium der Natur, das Erforschen ihrer unabänderlichen Gesetze. Von diesen Plaudereien aber war es nur ein Schritt bis zur Diskussion über naturgeschichtliche Phänomene, das Dämonische in den Menschen dieses Landes, Annettens übersinnliche Erfahrungen und zu den Streitigkeiten der katholischen Kirche mit dem preußischen Staat.

Das Thema war in aller Munde und gerade in Annettens eigener Familie von brennendem Interesse. Ihr Verwandter, Clemens August von Droste zu Vischering, ein hoher Geistlicher, hatte soeben seinen Kampf gegen die Hermesianer mit aller Schärfe aufgenommen; die katholischen Theologen des Bistums Münster durften durch sein Verbot nicht mehr in Bonn, sondern nur noch in Münster studieren; nun drohte der preußische Staat mit Aufhebung der theologischen Fakultät; ein Kampf war ausgebrochen, dessen Ende nicht abzusehen war. Der gesamte westfälische Adel nahm leidenschaftlich teil an allen Phasen des Streites.

Straube wird den Hermesianern, den ,Aufgeklärten‘, das Wort geredet, und Annette die Rechte ihrer Glaubensgenossen verteidigt haben, dabei mußte auch das Dogma diskutiert werden, wie es in dieser aufgeregten Zeit üblich war, und Annette wird Meinungen und Worte gehört haben, die sie in ihrem frommen Eltern- und Großelternhaus nicht zu vernehmen gewohnt war.

Gewiß hat sie ihren Glauben erklärt und verteidigt, aber ihrem hellen Verstand muß es eine Wonne gewesen sein, mit einer scharfen Intelligenz wie der Straubes zu wetteifern; hier war sie endlich nicht mehr das Fräulein, das sittsam zu schweigen hatte, sondern der gleichberechtigte Geist; aber es waren gefährliche Gespräche.

Nun war aber nicht nur zwischen Heinrich und ihr von Glaubensdingen die Rede, August von Haxthausen und Arnswaldt beschworen ihrerseits leidenschaftliche Diskussionen herauf, denn Straubes geliebter Arnswaldt spielte, wie so viele schwärmerische Protestanten, mit dem Gedanken, sich dem mystischen Zauber des Katholizismus zu weihen, er pflegte sich einen ‚katholischen Protestanten' zu nennen.

Vermutlich sind die jungen ‚kopfschwachen Tanten' bei diesen Gesprächen über die Konfessionen geflohen, während Annette blieb und im Stolz, man muß beinahe sagen im Hochmut ihrer Toleranz, nicht erkannte, wie sie das Gift des Zweifels einsog.

Arnswaldt fand Annette reizend in der Kampfbereitschaft, mit der sie sich in den Wettstreit warf; sie war ganz anders als die übrigen Mädchen: eine herbe Minerva unter spielerischen Nymphen; ihre jungen Tanten gaben mehr auf ihr Äußeres, Jenny, ihre Schwester, war hübscher, aber sie, Annette, war das rassigste der Mädchen: schlank und beweglich, Stolz in Haltung und Gang ausdrückend. Mit einer ungeduldigen Bewegung ihres Kopfes pflegte sie die blonden Locken zurückzuschütteln; der schöne Mund drückte viel temperamentvollen Widerspruch aus, und die Augen, die an sich schon so groß waren, weiteten sich im Übermaß des Gefühls. Ein eigenartiger, unerklärlicher Zauber umschwebte dieses Mädchen; Arnswaldt näherte sich ihm gern; daß Annette scheu vor ihm zurückwich, erhöhte sein Entzücken nur.

Die Herbstferien gingen ihrem Ende entgegen; Annette hätte Straube gern für eine Zeitlang mit nach Hülshoff genommen, sie wußte von August, daß er in sehr kargen Verhältnissen lebte, aber Straube wollte es nicht; er fühlte sich unsicher und fremd ohne seine Freunde in einer Umgebung, die ihm, trotz Annettens Freundschaft, wie eine andere Welt erscheinen mußte; er war kein Gast für Schlösser, Bökendorf ausgenommen, lieber wollte er in seiner schlechtgeheizten Kammer den Winter durchfrieren und durchhungern.

Annette tat das Herz weh für ihren lieben Straube, aber nun zog es sie auch nicht nach Hause. Bökendorf war voller schöner

Erinnerungen. Als ihr Vater in seiner Zärtlichkeit ihre Heimkehr verlangte, schrieb sie ihm:

‚Bökendorf, den 18. Sept. 1819

Es ist mir sehr betrübt, du armer, lieber Papa, daß man dir meinetwegen so viel Unruhe gemacht, da doch, gottlob, nichts an der Sache ist ... Du schreibst mir, ich soll im Oktober herüberkommen, da die hiesigen Ärzte aber behaupten, daß gerade die Bergluft dasjenige wäre, wovon ich auf die Dauer meine völlige Genesung erwarten dürfte, so wollen die Großeltern noch nichts von Abreise hören ... Du mußt nun nicht denken, mein lieber Papa, als ob mir irgendein Ort so lieb sein könnte wie Hülshoff, aber ebenso mußt du auch nicht glauben, als ob ich mich bloß durch Rücksichten hier zurückhalten ließe ... ich werde hier so äußerst freundlich und liebevoll behandelt, daß ich nächst Hülshoff wohl hier am liebsten bin, aber richte du alles ein, wie du willst, mein lieber Papa, und vergiß bitte die bewußten Stunden nicht, ich denke auch immer daran, aber ein paarmal habe ich es in Driburg versäumt, weil ich schlief, ich habe es aber nachgeholt.

Straube ist jetzt auch hier, er wird aber nicht nach Hülshoff kommen, weil er in Göttingen zu viel zu tun hat. Der arme Schelm muß sich doch erschrecklich quälen.

Die Fräulein Deckens haben mir gesagt, daß bei ihnen in Eichsfelde so viele schöne Orchis wüchsen, sie wollen sich von einem Freunde die Namen der dort wachsenden aufschreiben lassen und schicken sie mir alsdann. Lebwohl, lieber Papa, ich wollte auch noch gerne an Jenny schreiben. Grüße doch Wilmsen und alle andern.

Deine gehorsame Tochter Nette‘

So blieb sie denn den ganzen Winter über in ihrem zweiten Elternhaus; sie nannte Anna Maria von Haxthausen, die heißverehrte, nun Mutter, wie Sophie, Ludowine und Anna es taten. Bökendorf war sehr still im Winter und Annette sehnte sich nach der ersten schönen Jahreszeit, denn dann war der Sommer nicht mehr fern. Als es Vorfrühling war, ging sie nach Hülshoff.

Sie hatte fast vergessen, wie schön das Leben mit den Geschwistern war, welch ein Balsam für die Seele das sanfte Wesen des Vaters, und wie erfrischend die Gewitter, die Therese, einem alles beherrschenden Jupiter gleich, über die Ihren kommen ließ.

Da war der Fall Wenzelo: es war nach Theresens Ansicht mit diesem schwachen Menschen nicht mehr gegangen; ihren alles sehenden Augen konnte es nämlich nicht verborgen bleiben, daß der Herr Kaplan eine Vorliebe für den Alkohol zeigte. Hatte der Gute sich Mut antrinken wollen im Verkehr mit der gestrengen Herrin? Wie dem auch sei, Therese hatte ihn von ihrem Gesichte verstoßen. An Wenzelos Stelle amtete nun der unendlich gute, fromme und unermüdliche Wilmsen.

Er unterrichtete Fente mit Engelsgeduld, Fente, den Annette zärtlich in die Arme zu schließen pflegte und mit allerlei kleinen Freuden verwöhnte und ihn beschützte, als sei er ein zartes Mädchen.

Wilmsen hatte eine unbegrenzte Verehrung für Annette; er nannte sie seinen ‚besten Freund‘. Wenn alles ihn neckte, weil er stets zu Tisch mit seinem weißen Wachtelhündchen erschien, um es verschämt auf seine Knie zu drücken, so konnte Annette ihm ermunternd zunicken, als wollte sie ihm sagen: lieb du nur dein Hündchen, es fühlt sich glücklich dabei. Oder wenn Wilmsen die geringfügigsten Sächelchen aus seinem spärlichen Besitz hervorklaubte, um sie Annette zu schenken, so bezeugte sie eine Freude darüber, als hätte er ihr eine Provinz zu Füßen gelegt.

Dafür veranstalteten Annette und die Geschwister aber auch zu Wilmsens Geburtstag ein Ständchen zu viert, oder man dichtete eine festliche Adresse, die ihm, schön geschrieben, feierlich überbracht wurde.

Wilmsen und die Amme gehörten mit zur Familie; seit kurzem wohnte Katharina Pettendorf wieder im Schloß; ihr Mann war tot, der Sohn und Tochter waren fort, so wurde sie mit Selbstverständlichkeit im Haushalt des Schlosses wieder aufgenommen, wo sie nun rüstig half und schaffte und – ihr Kindchen, ihre Nette liebte und pflegte und verwöhnte.

Ja, es war schön in Hülshoff; es war die Heimat, es war der Boden, aus dem Annette gewachsen, hier gehörte sie hin, in die vielhundertjährige Burg vom Weiher umschlossen, unter den Schutz des steinernen Ahnherrn, der über dem Tore Wache hielt, dem zur Liebe man nie, nie eine Abtrünnige werden konnte.

8

Aber als dann der Sommer kam und mit ihm die Universitätsferien, fuhr Annette doch eines Tages mit Jenny nach Bökendorf; sie freute sich auf die Großmutter, auf die Wochen mit den Onkeln und Tanten, auf die Brüder Grimm, auf deren Schwester Charlotte, die inzwischen eine Frau von Hassenpflug geworden war und mit ihrem jungen Gatten in Bökendorf erwartet wurde, sie freute sich auf die Gespräche über alles Neue in der Literatur, auf das Singen im Chor an schönen Abenden, vor allem aber freute sie sich auf ihren lieben Freund und Gefährten, auf Heinrich Straube.

Dieser wird sich auch gefreut haben, aber in ganz anderer Art. Er sah deshalb in Ungeduld dem geliebten Mädchen entgegen, der schönen, rätselhaften Nixe, weil er von ihrem endlich erwachten Herzen einen Winter lang geträumt.

Ja, der Sommer des Jahres 1820 sollte Annettens Schicksalssommer werden und doch liegt es wie Nebel über den einschneidendsten Wochen ihres Daseins, die nun beginnen. So viel läßt sich erraten, daß Großeltern und Eltern einer Verbindung mit August von Arnswaldt, der auch wieder anwesend war, günstig gegenüberstanden.

Man sah, daß der junge Mann Annette den Hof machte und daß sie ihm bald auswich, bald seine Nähe duldete, das war ein gutes Zeichen.

August von Haxthausen scheint seinem Freunde Mut gemacht zu haben; so ist alles auf dem besten Wege; Straubes Freundschaftsgefühle zu Annette sind für niemanden von Bedeutung. Das sieht und fühlt Straube, und nun reckt sich in ihm der übergangene Liebende auf; seine tiefverborgene Leidenschaft überwältigt jede Vorsicht, und es kommt der Tag, da er Annette in seine Arme reißt und sie lehrt, was der Rausch der Liebe ist.

Abseits im Park von Bökendorf gibt es eine grüne Gartenbank – viel später von Annette besungen – von drei Seiten schließt eine dunkle, rauhe Taxuswand sie schützend ein; hier war ,der Thron in ihrem Königreich des Glücks', hier scheint ihr ,die Natur in Flammen zu schwimmen, wenn sie am geliebten Munde ruht'; hier legt Heinrich ihr die Gedichte seiner Liebe in die Hand, hier pflanzen sie ein Efeureis zum ewigen Gedenken ihres Glücks, und hier auch empfand Annette ihre Liebe – unausgesprochen von ihr, ungeahnt von Straube – als höchste Freundschaft; Heinrich war ihr Gefährte im Geist, und die Zärtlichkeit, die sie beide über die Erde emporhob, galt ihr als der äußere Ausdruck ihrer seelischen Vereinigung. Annette soll in dieser Zeit sehr schön gewesen sein. Leicht und schwebend trugen ihre kleinen Füße die elfenzarte Gestalt dahin, ihre Augen strahlten, ihre Lippen lächelten. Alle jungen Männer schauten sie in Bewunderung an.

Arnswaldt versucht manchmal ihre Hand zu ergreifen, ihren bloßen Arm wie zufällig zu streifen, dann erschauert sie – warum? Was ist dieses Seltsame, das sie auch zu Arnswaldt zieht? Er ist schön von Angesicht, so schön wie Heinrich häßlich ist. Manchmal sieht sie sich in Gedanken auch in Arnswaldts Armen und im Triumphgefühl des Begehrtseins kennt sie keine Skrupel, mit ihm zu spielen; und doch mag sie Arnswaldt nicht, er ist hochmütig und hart und sieht sie schon an wie seinen Besitz; sie soll seine Frau werden? Niemals! Niemals wird sie eines Mannes Frau werden!

Auch Heinrich möchte sie nicht heiraten, und doch liebt sie ihn; o sie liebt ihn so sehr: seine reiche, herrliche Seele, seinen klaren Verstand, die Glut seiner Gefühle, den Zauber seiner Worte, aber Annette ist nicht nach Art junger Mädchen in Heinrich Straube ,verliebt', sie sucht die Leidenschaft des Geistes und glaubt, das hohe Glück der Freundschaft gefunden zu haben. Arnswaldt hat wohl lange nicht gewußt, welche Leidenschaft zwischen seinem besten Freunde und Annette erblüht war, und Heinrich Straube in seinem Glauben, Annette erobert zu haben, ahnte nicht, daß sie den adligen Bewerber als eventuellen Gatten im Ungewissen hielt. Aber in irgendeinem unseligen Moment muß Arnswaldt die Fäden zerrissen und Annette preisgegeben haben; sie scheint in ihrer Verwirrung – wie aus einem Brief hervorgeht – verraten zu haben, daß eine geistige Freundschaft sie und Straube verband, daß sie aber keine Ehe mit ihm wünschte. Und doch hatte sie seine Zärtlichkeit geduldet? ‚Geistige Freundschaft‘, war das eine Entschuldigung für ihren Standeshochmut, oder wußte sie nicht, was frauliche Wünsche und Gefühle waren?

Arnswaldt hat nun wohl sich und den Freund, der auf die Erfüllung seiner Liebe hoffte, gleichermaßen betrogen gesehen und fühlte sich verpflichtet, Heinrich über Annettens ungewöhnliches Wesen aufzuklären. Und nicht nur das: die jungen Männer und jungen Mädchen scheinen in plötzlicher Empörung auf unerhört grausame Weise auf sie eingeredet zu haben, ‚alle hackten auf sie ein, man schmähte sie, man wandte sich von ihr‘. Nur wegen eines unentschlossenen Schwankens zwischen zwei Bewerbern? War es nicht viel eher die jäh ausgebrochene Rache an Annettens fremdartigem Wesen, mit dem sie seit ihrer Kinderzeit die jungen Verwandten, und seither die Freunde ihrer Onkel, vor den Kopf gestoßen hatte?

Niemand wußte, daß vor wenigen Monaten, zu Ostern dieses gleichen Jahres 1820, ein Freund Werners von Haxthausen, Fritz Beneke aus Hamburg, in seinem Reisetagebuch von Annette von Droste, die er fälschlich ‚Minette‘ nennt, geschrieben hatte:

‚Dieses wunderbare, höchst interessante Mädchen ist ganz eigener Art. Was ich von ihr wußte, ehe ich kam, war folgendes: Minette ist überaus gescheut, talentvoll, aber gebieterisch, fast männlich, hat mehr Verstand wie Gemüt ... Werner Haxthausen ist der einzige, den sie fürchtet, weil er sie bei jeder Gelegenheit demütigt.‘

Beneke erzählt dann, daß er sich, gerade wie sein Freund Werner, absichtlich ‚ganz hoffärtig‘ gegen Annette benahm, bis sie ihn ‚sehr ruhig fragt‘: ‚Sie scheinen etwas gegen mich zu haben, bitte sagen Sie mir doch, was halten Sie eigentlich von mir?‘

Dazu schreibt Beneke in seinem Tagebuch: ,Es schien mir wirklich, als habe sich etwas Gebieterisches, Unweibliches bei ihr ausgesprochen ... ohne Schonung antwortete ich ihr, daß es mir scheine, als sei ihr Geist unweiblich. Sie sah mich recht durchdringend an, in ihrem Blick war etwas Trauriges, Schmerzhaftes.'

Am andern Tag hatte Annette diesem Herrn Beneke einen Spaziergang vorgeschlagen, bei dem ein Gespräch entstand, ,eines der interessantesten meines Lebens', wie der Gast in sein Tagebuch schrieb. Es war viel von Annettens okkulten Erfahrungen die Rede, aber auch von dem Widerwillen ihres Onkels Werner gegen sie, Annette; Beneke schreibt, sie habe gesagt:

,... er beleidigt, er kränkt mich bei jeder Gelegenheit auf das schonungsloseste, er fühlt das selbst und gibt sich oft die sichtbarste Mühe, gütig gegen mich zu sein, und doch verläßt ihn bei jedem neuen Anlaß aller Takt.'

Was lag Werners Antipathie zugrunde? War es nicht auch hier Annettens männliches Wesen, das durch ihre gehaltene und betont weibliche Art wider Willen hindurchschimmerte, oder vielmehr ein ,geschlechtsloses' Wesen? Auch Werner wird die Geschichte gekannt haben, die Annette geschah, als sie kaum erwachsen war, nach der sie zu einer Kranken gerufen wurde, weil sie in den Augen des Volkes ,eine Sternenjungfrau' war, die nicht ,lieben' und sich nicht ,lieben lassen' mag und deshalb besondere Heilkräfte besaß.

Und zwei Jahrzehnte später wird ein Mann von Annette schreiben, daß sie gesagt habe, sie besäße ,kein Organ für die Liebe'.

Es lag das schwere, kaum ausdenkbar tragische Schicksal über Annette von Droste, ein Einzelwesen zu sein; in diesem Sommer 1820, da sie sich nicht zur Ehe hatte entschließen können, begannen ihr die Augen aufzugehen, und sie vermochte sich nicht gegen den Entrüstungsschrei der Mädchenschar zu wehren: du willst nicht heiraten, du willst deine Frauenpflichten meiden, du willst es den Männern an Unabhängigkeit gleichtun! Was bist du für ein Wesen, wenn du nicht wie wir einem Gatten untertan sein und ihm Kinder schenken willst? Du willst Heinrich Straubes Freundin sein? Freundschaft zwischen einem Jüngling und einem

Mädchen? Was ist das? Was heißt das? Bist du denn von Sinnen gekommen? So etwa wird es auf Annette eingehagelt haben, denn aus einem Brief geht hervor, daß sie ihren Gefühlen für Straube alle möglichen Erklärungen zu geben suchte.

Hat Annette in diesem Wirrsal von Anklagen und Verteidigung wie unter einem Blitzstrahl erkannt: ja, ich bin nicht wie die andern Mädchen; von jeher habe ich meine weibliche Natur gehaßt; was mich krank gemacht seit meiner Kinderzeit, das war die Sehnsucht, ein Mann zu sein? Jahrzehnte später ruft sie noch aus: ‚Wär' ich ein Mann doch wenigstens nur ...‘

Jetzt, in ihrem dreiundzwanzigsten Lebensjahr, wußte sie sich nicht zu verteidigen; sie hatte ahnungslos mit ihren Lebenspflichten gespielt, und verspielt. Heiraten? Nein, sie wollte nicht heiraten.

Jenny, die Annette treu zur Seite stand, wenn sie sie auch nicht begriff, hat in einem späteren Bericht resigniert geschrieben: ‚Wenn Annette sich über den Ehestand aussprach, so war es nur, um zu sagen, daß sie nicht dafür tauge, weil sie zu wenig Gesundheit und zu viel Unabhängigkeitssinn habe, und ich glaube, daß dies ihre wahre Meinung war, sie paßte auch in der Tat nicht dafür.‘

Aber in diesem Herbst des Jahres 1820 war noch alles wirr und ungeklärt in Annette; sie begriff sich selber nicht; sie liebte Heinrich doch und schauderte trotzdem vor dem Gedanken jeder Ehe zurück. Seinen leidenschaftlichen Küssen hatte sie sich hingegeben, ihm scheinbar alles versprechend, aber im Grunde gewillt, nichts zu gewähren. Sie hatte davon geträumt, ‚ihn immer um sich zu haben‘, wie sie in einem Brief erklärt, und in ihrer Blindheit geglaubt, ein liebender Mann könne sich mit einer brüderlichen Freundschaft begnügen.

Ihr war die Gemeinschaft im Geist, durchblutet von der Zärtlichkeit des Herzens, als der höchste, reinste Gipfel des menschlichen Glücks erschienen, aber die Ihren, und gar Arnswaldt und Straube, sahen es anders: sie war eine Unnatur, eine Niete, eine Verworfene im Haushalt Gottes, sie hatte leben und genießen wollen, ohne nach ihrer Bestimmung leidend Leben zu schaffen. O wären ihr doch früher die Augen geöffnet worden, sie hätte ihren ganzen Willen angespannt, ein Weib zu sein, wie Gott es von ihr gewollt, aber sie hatte ja auch mit Arnswaldt nur gespielt, schon entschlossen ihm ihre Hand zu verweigern, während seine äußere Schönheit sie noch verlockte und verführte.

Wie in erschrecktem Staunen flüstert sie vor sich hin:

Die Seele minnt man nicht,
Die edle Braut,
Und wagt um ein Gesicht,
Aus Staub gebaut,
Die ew'ge Reue!

Es kamen für Annette furchtbare, nie vergessene Tage in Bökendorf, an denen die Jugend – wahrscheinlich unbeachtet von der Großmutter – sie beschimpfte und sich von ihr wandte, wie von dem gemeinsten Mädchen! Sie mußte wohl in tiefe Schuld gesunken sein, wenn Arnswaldt sich erlauben durfte, ihr einen Schmähbrief zu schicken, der sie fast tötete.

August von Haxthausen hat später in einem Schreiben gesagt, Annette sei nach Empfang des Briefes lange in ihrem Zimmer hin und her gegangen und nachher völlig ruhig unter ihren Verwandten erschienen, der Brief habe seine Wirkung scheinbar nicht getan.

Haben die schadenfrohen Mädchen vor Annettens Türe gelauscht, hatte man auf ihre offne Zerknirschung gehofft? Annette hat kein Wort der Erklärung über ihre Gedanken gegeben, aber sie ist aus Bökendorf geflohen, um es für viele Jahre nicht mehr zu betreten, das geliebte Bökendorf, ihr zweites Elternhaus!

Auf August von Haxthausen warf Annette einen wahren Haß, er muß der Grausamste gewesen sein; von der Mädchenschar aber wollte sie nichts mehr sehen und hören, nur an Anna, die ihr scheinbar vorgeworfen, sie habe Straube betrogen und ihn nie geliebt, schrieb sie einen langen Brief, ein erschütterndes Dokument menschlicher Verwirrung.

Es beginnt mit den Worten:

‚Ich habe lange gewankt, ob ich deinen harten Brief beantworten sollte, liebe Anna, denn ich war entschlossen, alles über mich ergehen zu lassen; was soll ich den andern auch sagen, sie wissen ja eigentlich nichts, und zudem muß ich büßen für manches, was du auch nicht weißt, es ist schrecklich, sich so stillschweigend von allen Seiten verdammen zu lassen, aber du kommst mir zu tief ins Leben.

Recht kann ich es dir auch nicht erklären, das könnte ich Straube ganz allein, aber den werde ich wohl nicht wiedersehen. Ach Gott, ich ginge gerne darum zu Fuß nach Göttingen, wenn es anginge. Anna, du weißt, wie lieb ich Straube immer gehabt habe, die andern wissen es auch, ich habe nie ein Geheimnis daraus gemacht. Schon in Hülshoff habe ich es gesagt, er wäre mir lieb wie ein Bruder, und im Grunde war er mir lieber wie meine beiden Brüder, aber ich hielt es ehrlich für Freundschaft. Wenn ich mir oft große Reichtümer träumte, so war mein Hauptgedanke, Straube immer um mich zu haben, und nun meint er wohl, ich hätte ihn nie lieb gehabt.

O Gott, er hat recht, es zu glauben, ich kann ihm den abscheulichen Gedanken nicht nehmen, das ist mein ärgstes Leiden, Anna, ich bin ganz herunter, ich denke nur immer an Straube. Um Gottes Willen, schreib mir doch, was macht er? Ihr wißt nicht, wie unbarmherzig ihr seid, daß ihr mir nichts sagt!

Ich schreibe das alles so hin, als wenn es mich keinen Schmerz kostete, und doch löst es sich mir aus der Brust wie Stücke vom Herzen.

Arnswaldt muß mich von Anfang an gehaßt haben, denn er hat mich behandelt wie eine Hülse, die man nur auf alle Art drücken und brechen darf, um zum Kern zu gelangen. Ein herbeigeführtes Mißverständnis ließ mich glauben, daß er mir seine Neigung gestanden, und ich stand keinen Augenblick an, auch meine Gesinnung offen zu gestehen, da ich fest entschlossen war, ihm meine Hand zu verweigern, falls er sie fordern sollte. Ich entdeckte ihm deshalb mein Verhältnis zu Straube.

Nun fragte er noch viel wegen Straube, ich konnte ihm nicht alles sagen, und wollte doch nicht lügen, so verwirrte ich mich, und er ängstigte mich dermaßen durch seine Fragen, daß ich doppelsinnige Antworten gab, und endlich das Ganze verändert und verstellt dastand. Dieser stille, tiefe Mensch hatte eine unbegreifliche Gewalt über mich, und dies verkehrte Verhältnis gab mir einen Schmerz, den wohl keiner ahnte außer dir.

Ich habe noch oft (vor Arnswaldt) von Straube mit aller Liebe, die ich für ihn fühlte, geredet und mich aufs härteste angeklagt, aber Arnswaldt ging immer leicht darüber hin; ich sollte mit Gewalt recht schuldig werden, Straube sollte gerettet werden und ich zugrunde gehen. Auch noch in seinem Brief sucht er mir den Glauben an Straube, das einzige, was ich noch habe, zu nehmen, ist das nicht Grausamkeit?

Du willst wissen, wie mir ist. Das kann ich dir nicht sagen. Ich wünsche dir, daß du es in deinem Leben nicht verstehst – aber ich habe es verdient. Ich bin tiefer gesunken als du denkst, dafür habe ich nun auch gelitten, wie ich früher keine Idee davon hatte, und das wird auch wohl dauern, solange ich lebe.

Darum sollt ihr mich auch nicht schimpfen und quälen. Ich bin zuweilen wild, wenn ich denke, wie ihr jetzt auf mich loshackt, aber das kommt selten, denn ich denke Tag und Nacht an Straube. Ich habe ihn so lieb, daß ich keinen Namen dafür habe. Er steht mir so traurig vor Augen, daß ich oft die ganze Nacht weine und ihm in Gedanken vielerlei erkläre, was ihm jetzt fürchterlich dunkel sein muß. Ach Gott, wenn ich ihm nur schreiben dürfte, dann wüßte ich wohl allerhand, was ich ihm allein sagen kann.

Ach, könnte ich Straube nur noch einmal sehen, oder auch nur eine vergebende Zeile von seiner Hand. Soll er meine Locke wohl fortgeworfen haben? Anna, es ist unmöglich, ein solches Verhältnis kann sich nicht ganz lösen!

Verdient habe ich alles, das ist gewiß, darum will ich es auch tragen. Es ist mir nur um Straube, gegen den habe ich allein unrecht, und für den habe ich allein wahre, tiefe Neigung, es mag Freundschaft oder Liebe sein, ich weiß nicht, was es ist.'

„... hat Heinrich wohl meine Locke fortgeworfen', fragt Annette.

O nein. Jahrzehnte später fand sich unter Straubes Nachlaß Annettens Locke und der verzweifelte Brief an Anna von Haxthausen, die bald nach der Katastrophe Arnswaldts Frau geworden und mit Straube in naher Verbindung blieb; auch ist ein Brief bekannt, in dem Straube bittet, ‚eine arme Seele nicht zu quälen, die er nie, nie vergessen könne‘.

Wenn Anna doch Straube den Brief, in dem Annettens ganze Liebe zu ihm enthalten war, überließ, warum sagte sie dieser nichts von Straubes offensichtlichem treuem Gedenken? Und warum schrieb Straube nie an Annette? Rätsel über Rätsel.

Nie hat Annette das versöhnende Wort mit Heinrich Straube tauschen, nie erfahren dürfen, daß er keinen Tag an ihrer Liebe gezweifelt. Er ist unverehelicht alt geworden, während Annette die Qual des erzwungenen Schweigens und der Sehnsucht nach Versöhnung niemals zu überwinden vermochte.

Doch war es wohl nicht Menschenwerk, sondern die Vorsehung, die Annettens Nächste zwang, so hart zu sein, denn die Einsicht über sich selber, die ihr auferlegt war, hat ihren Charakter zu seiner Größe geformt, aber zuvor mußte sie in ihrer Verwirrung bis an die Grenze des Wahnsinns gelangen.

In grauenvoller Angst ruft sie eines Tages zum Himmel:

> *O Gott, ich kann nicht bergen,*
> *Wie Angst mir vor den Schergen,*
> *Die du vielleicht gesandt,*
> *In Krankheit oder Grämen*
> *Die Sinne mir zu nehmen,*
> *Zu töten den Verstand!*
>
> *Es ist mir oft zu Sinnen,*
> *Als wolle schon beginnen*
> *Dein schweres Strafgericht;*
> *Als dämmre eine Wolke,*
> *Doch unbewußt dem Volke,*
> *Um meines Geistes Licht.*

In diesen Wochen der Aufgewühltheit und der Ratlosigkeit ist Annette auch den Gedanken über Metempsychose – der Wiedergeburt der Seele – begegnet; es ist bezeichnend für ihr Nachdenken über sich selber, wenn sie sich fragt, ob sie nicht eine ganz andere Persönlichkeit hätte werden sollen und nun in diesem Erdenleben eine falsche Rolle spiele? Es ist ‚eine Frage, die sie bis in den Tod drückt':

> *Wie ein Leib, der längst entfaltet*
> *Durch der Pflanze milden Saft*
> *In erneuter Lebenskraft*
> *In den zweiten Leib gestaltet:*
> *Wie er wieder mag erscheinen,*
> *Von dem andern unverwehrt,*
> *Der ihn trug in den Gebeinen,*
> *Und vom dritten längst verzehrt.*

Oder sie ruft aus:

> *Ist es oft nur mein vergangnes Leben,*
> *Grauenhaft zum zweitenmal geboren.*

Geboren in falscher Form, in einer Art, die sie niemals wird erfüllen können; immer wieder geißelt sie sich selber mit den Worten: unfruchtbar, tot, verdorrt, ein stehendes Gewässer, ein Stein.

Das ‚Geistliche Jahr', in dem diese Verse stehen, hat neben der tiefen Würdigung einer wunderbaren Gottesnähe, die darin enthalten ist, sehr verschiedene Deutungen erfahren. Das Werk wurde als ‚jugendliche Übertreibung, krankhafte Selbstgeißelung, unverständlicher Mystizismus, unberechtigte Selbstanklage' und manches andere abgetan, und doch steht neben den Klagen um ihre Zweifelsucht, neben ihrer inbrünstigen Sehnsucht nach Gott, in den Liedern vom Neujahrstag bis Ostermontag deutlich Wort für Wort der ganze furchtbare Schrecken darüber, daß sie anders ist als jene Frauen, die nichts als einzig Erhalterin des physischen Lebens sein wollen.

Von wahrhaft ergreifender Schönheit ist das Lied vom verdorrten Feigenbaum; Annette von Droste sieht sich selber darin als den Feigenbaum und spricht mit der Menschheit, die ihr wie eine einzelne Person gegenübersteht. Es beginnt mit den Worten:

> *Wie stehst du doch so dürr und kahl,*
> *Die trocknen Adern leer,*
> *O Feigenbaum!*

und endet im ersten Vers mit dem warnenden Aufschrei:

> *Daß du das Leben fassest,*
> *Es nicht entlassest!*

und der dritte Vers heißt:

> *Wie bist du denn so völlig tot,*
> *So ganz und gar dahin,*
> *O Feigenbaum? –*
> *O Mensch, wie üpp'ges Morgenrot*
> *Ließ ich mein Leben ziehn*
> *Am Erdensaum,*
> *Und weh, und dachte nicht der Frucht!*
> *Da hat mich Gott der Herr verflucht,*
> *Daß ich muß allem Leben*
> *Ein Zeugnis geben!*

Etwas weiter stehen die Worte tiefster Resignation:

> *Es lag schon auf der Waage*
> *Am ersten Tage.*

Sie weiß es – mit der Geburt wurde das Schicksal ihr auferlegt, für alle Tage ihres Lebens abseits zu stehen, und wenn ihre Gedanken sich – durch das Bild des fragenden Menschen ausgedrückt – auflehnen und fragen:

> *Steht denn kein Hoffen mehr bei dir?*

Dann antwortet sie voller Mutlosigkeit:

> *O Mensch, kein Hoffen steht bei mir,*
> *Denn ich bin tot, bin tot!*

Und doch hätte dieses Sterben nicht sein müssen, denn der Wille kann das Schicksal bezwingen, deshalb antwortet sie, wenn der Mensch sie fragt: ‚Wie halt' ich denn das Leben fest?'

‚O Mensch, der Wille ist das Best'!' Ja, wäre sie nicht blind durch ihr junges Leben dahingetappt, dann hätte sie wohl versucht, anders, weiblicher zu handeln; jetzt kann sie nur noch in tiefster Reue aus dem Abgrund ihrer Verwirrung ausrufen:

> *O Lebenstraum,*
> *Hätt' ich dein schweres Sein gefühlt,*
> *Hätt' ich nicht frech mit dir gespielt:*
> *Ich stände nicht gerichtet,*
> *Weh mir, vernichtet!*

Annettens Zeit hatte noch nicht die Erkenntnis, daß in jedem Menschen Weibliches und Männliches gemischt liegt, und daß es weder Schuld noch Verdienst ist, wenn die eine oder andere Art überwiegt, und eine Schuld nur da bestehen kann, wo der Mensch sich wider die Natur versündigt. Annette aber verehrte die gesunde Natur, die Weltordnung, die Pflicht jedes Geschöpfes, sein Leben nach dem Gesetz in ihm zu erfüllen; ihr war ein gerader, reiner Sinn gegeben, eine unbeugsame Ethik. Und doch hielt ein Widerspruch in ihrem Wesen sie vom einfachen Weg der Schöpfung fern? Wie soll sie dann noch an Gottes Weisheit glauben?

Aber trotz all ihrer quälenden Zweifel steht sie unerschüttert in ihrer Liebe zu Jesus; wie groß in ihrem schlichten Vertrauen sind die Worte:

> *Mein Jesu, sieh, ich bin zu Tode wund*
> *Und kann in der Zerrüttung nicht gesunden!*
> *Mein Jesu, denk an deine bittern Wunden*
> *Und sprich ein Wort, so wird dein Knecht gesund!*

Annette hat ihre geistlichen Lieder wie unter einem Gewitter, in einem Zug, umgearbeitet und neugeschrieben; mehrmals in ihrem Leben hat dieses pausenlose, gedrängte, sich überstürzende Schaffen sie überfallen, aber immer nur, wenn die Seele in Aufruhr geraten war. Vom Hochsommer bis Anfang Oktober 1820, unmittelbar unter der ersten Wirkung des Schlages, den sie erhalten, entströmt ihr die endgültige Form der ersten fünfundzwanzig Lieder; oft ist der Anfang der Gedichte deutlich in der ersten Fassung stehengeblieben, wie sie sie für die Großmutter in Bökendorf niedergeschrieben hatte, sie gehen dann aber in das

stürmische Wogen des Herbstes von 1820 über; einige Lieder
bleiben auch ganz unverändert, so Charfreitag bis Ostermontag; groß auch diese als religiöse Lieder, aber noch ohne Herzblut geschrieben.

Jetzt, seit man im Sommer über sie hergefallen, als wolle man
sie für alle Zeit zu Boden schlagen, weiß sie, daß ihre Fruchtbarkeit im Seelischen liegt, aber, o Qual, auch die Seele, die mit dem
Glauben gespielt, hält sie für verloren:

> *Hast du mir in Macht und Güte*
> *Meine Seele rein gegeben,*
> *Herrlich groß und wohlgerüstet*
> *Wie ein königliches Schloß:*
> *Und nun liegt es in Zerstörung,*
> *Graunvoll in der öden Größe,*
> *Wie ein knöchern Ungeheuer,*
> *Wie ein toter Meerkoloß.*

Und doch darf sie ihre Seele nicht verloren geben, denn

> *Nur dort kann sich gestalten,*
> *Was so rettungslos zerstört.*

Das gleiche Ahnen, daß sie im Geiste Frucht tragen und auf
ihr Weibesleben verzichten soll, wenn auch unter dem Richter-
spruch der Einsamkeit, das steht in den Worten, die so groß wohl
nie von einer Frau ausgesprochen wurden:

> *Doch hast du, Herr, mich ausersehn,*
> *Daß ich soll starr, doch fest gegründet*
> *Wie deine Felsenmauern stehn:*
> *So brenne mich in Tatengluten*
> *Wie den Asbest des Felsen rein!*
> *Und kann ich denn kein Leben bluten,*
> *So blut ich Funken wie ein Stein!*

Dreifach war Annettens Verwirrung, wie sie sich im ‚Geistlichen Jahr‘ widerspiegelt: das weltlich leichtsinnige Spiel mit
zwei Bewerbern, der Schrecken über die Art, in der Gott sie ge-

schaffen, und die Reue über das Zerreden ihres Glaubens; denn in all ihrer Seelenqual waren ihr auch darüber die Schuppen von den Augen gefallen: anstatt Heinrichs Seele, die Gott nicht gehört, mit dem Medium deiner vielgepriesenen Freundschaft für die Ewigkeit zu retten, bist du seinen ungläubigen Reden gefolgt, hast gefragt, hast erfahren wollen, was ein gläubiges Gemüt mit der Seele wissen sollte.

Und wie war sie stolz auf ihren Verstand gewesen, auf ihre Kenntnisse über die Gesetze der Erde. Sie hatte Gott ‚in der Natur gesucht, und weltlich Wissen war die eitle Frucht‘.

Ja, sie hatte diskutiert und kalten Herzens Meinung gegen Meinung gehalten, sogar Zugeständnisse gemacht, um dem geliebten Manne zu gefallen; mit dem Heiligsten hatte sie gespielt wie mit einem bunten Ball. Da hatte Gott sich vor ihr verhüllt, und als sie ihn nicht mehr kannte, nicht mehr sah, war sie in Schuld gefallen, gesunken und gesunken, immer tiefer in die Nächte ihres Zweifelns, und nun besaß sie nichts mehr von den Glücksgütern, die sie für unverlierbar gehalten: nicht das Ruhen in Gott, nicht mehr sein Bild in der gesamten Schöpfung, nicht ihre Ehre vor den Menschen, nicht mehr die Sprache des Dichters, auf die sie schon so töricht stolz gewesen.

Aber alle Einsicht, auch die Macht des Gebetes gibt ihr keine Ruhe, weil sie ‚ein furchtbar blendend Feuerlicht geduldet‘. Und ganz ohne Mut stöhnt sie eines Tages auf:

> *Gleich dem getroffnen Rehe*
> *Möcht’ ich um Hilfe rennen durch die Erde;*
> *Doch kann ich nimmer deine Wege finden,*
> *Ich weiß, daß ich im Moor versinken werde.*

Ausbluten möchte sie die verborgenen Schäden, aber sie verharrt wie tot in ihrer inneren Einsamkeit, in der Beraubtheit, in ihrer Leblosigkeit. Als habe sie eine Rinde um ihr Hirn, so prallt davon ab, ‚was andere rührt und andere schreckt!‘ Wie todesmatt lebt sie dahin und sagt zu sich selber:

> *Ich mußte wohl die Kraft verspielen*
> *In dem Spiel mit Sünd’ und Leidenschaft!*

Und viel, viel später fragt sie noch:

> *Gibt es Verwüstung, die entsetzlicher,*
> *Als wenn das Höchste stirbt an matten Scherzen?*

Und in der gleichen Zeit der Rückschau:

> *Warum man mich in Ruh nicht ließ,*
> *Im Freundschaftsmantel überdies,*
> *. . . . . .*
> *Ich weiß es nicht, und will darum nicht rechten.*

Oder sie klagt über ,des Verstandes Fluch, der trotzig ragt', und dann wieder flammt das Entsetzen über die eigene Menschlichkeit in ihr auf, die sie zu leidenschaftlichen Wünschen hinreißen kann, denn Annette *ist* ein Mensch voll Blut und Leben; es gibt Verse von erschreckender Offenheit, wie sie so mutig und schonungslos nur von den größten Gestalten des Christentums in den Stunden ihrer Anfechtung vor Gottes Thron getragen wurden.

Sie weiß, daß sie abgeirrt ist, daß sie die ihr gestellte Aufgabe nicht erfüllt hat: die Harmonie des Glaubens wie einen Mantel um sich und den Gefährten zu schlingen, anstatt ihn von leichtfertigen Händen zerfetzen zu lassen.

Heinrich wäre ihr gefolgt, wohin sie ihn geführt, sie wußte es, in der Ekstase ihrer Liebe hätte sie ihn zu Gott emporreißen können, und sie hatte es nicht getan, denn Gott hatte ,des Verstandes Fluch zu ihrer Prüfung ihr gestellt'. Aber sie hatte die Prüfung nicht bestanden, da war sie tief gestürzt.

Bis sie nicht die beiden Sünden, die Sünde des Unglaubens und die Sünde ihrer fruchtlosen Begehrlichkeit in sich ausgerottet hatte, würde sie nie wieder Liebe finden; aber

> *Hab' ich dem Schlamme mich entwirrt*
> *So ganz und recht,*
> *Dann erst zu deinem Bildnis wird*
> *Die Sehnsucht echt:*
> *Dann darf ich lieben, stark, gesund,*

> *Ohn' alle Schmach und Hehle,*
> *Aus meines ganzen Herzens Grund*
> *Und meiner ganzen Seele.*

Bis dahin aber blieb ihr nichts als das Trauern um die eigene Unzulänglichkeit, als die Einsamkeit des Herzens, denn sie war aus ihrem Paradies vertrieben, hinausgestoßen in die nackte, kahle Einsamkeit.

Die großen religiösen Gestalten, die aus dem blendenden Licht der Gottesnähe urplötzlich durch die Schuld ihrer Menschlichkeit in die Dürre des Unglaubens oder in die Sünde geschleudert werden, kannten alle die Flucht in die Einsamkeit, in die Einsamkeit der Wüste, der Felsenschlucht, des Klosters; und wenn dann diese Einsamkeit so ungeheuerlich groß wurde, daß sie sich zum Schicksal gestaltete, dann konnte Gewaltiges aus ihr entstehen.

Der Fluch der Verzweiflung liegt über der von Menschen verhängten Absonderung, aber ein wunderbarer Segen umstrahlt die selbstgewählte Einsamkeit.

Annette steht tief gebeugt in ihrer scheinbaren Verworfenheit von Gott, und ist ihm doch näher, als sie ahnt; so dringt endlich auch ein Strahl des Trostes in ihr Herz, wenn ihre Gedanken zu Heinrich gehen:

> *Bruder mein, so laß uns sehen*
> *Fest auf Gottes Wort!*
> *Die Verwirrung wird vergehen,*
> *Dies lebt ewig fort.*
> *Weißt du, wie sie mag entstehen*
> *Im Gehirne dort?*
> *Ob wir einst nicht lächelnd sehen*
> *Der Verstörung Wort?*

Ja, Annette schuf aus Qual und Verwirrung heraus ein großes Werk, dem das Motto wohl anstehen würde: ‚ich lasse dich nicht, du segnest mich denn‘, und es ist dieser Glaube mitten im Zweifel, dieses Vertrauen in der Angst des Herzens, diese grenzenlose Liebe zu Gott im Gefühl der Verworfenheit, die für alle Zeiten ir-

renden und suchenden Herzen zum Trost und zur Führung gerei-
chen wird; denn sie war, wie sie es selber empfand: ,ein Wüsten-
herold in der Not‘.

Ein katholischer Geistlicher unserer Tage, den ein großes,
menschliches Verstehen auszeichnet, hat tiefe und wahre Worte
über das ,Geistliche Jahr‘ gesprochen und niedergeschrieben.
Er sagt:

,Die Heilige Schrift hat das Wort von der Last Gottes, von der
Last der Gesichte, die seine Propheten schauen müssen. Und wir
haben mehr als ein Beispiel in der Heiligen Schrift, wo die Träger
vor der Last Gottes zu fliehen suchen, wo sie unsägliches Leid
um die Gesichte Gottes erdulden müssen.

Auf der Droste lag die Last Gottes. Sie mußte Gesichte schau-
en, die sie zu versteinern drohen.‘

Und im weiteren führt er Annettens seherisches Wort an:

,Es mußte eine Sünde geschehen, ich hab sie für dich getan‘,
und setzt hinzu:

,Auch dieser Verzweiflungsschrei eines zu Tode verwundeten
Herzens wird durch ein Wort aus unserer Liturgie erhellt. Die
Kirche spricht es aus in jener Charsamstagsliturgie, wo sie von
der felix culpa spricht – von der glückseligen Schuld, die uns einen solchen Erlöser geschenkt hat.‘

Wie hellsichtig ist Annette hier verstanden; sie muß in Wahrheit ihre ,glückselige Schuld‘ empfunden haben, denn in aller Bescheidenheit, immer sich selber nur als Werkzeug Gottes betrachtend, ruft sie über alle Zeiten hin:

> *Meine Lieder werden leben,*
> *Wenn ich längst entschwand:*
> *Mancher wird vor ihnen beben,*
> *Der gleich mir empfand.*
> *Ob ein Andrer sie gegeben,*
> *Oder meine Hand:*
> *Sieh, die Lieder durften leben,*
> *Aber ich entschwand!*

9

Annette war in Beschämung, Verwirrung, zerschlagen von ihrem Schuldgefühl von Bökendorf geflohen; nur heim nach Hülshoff, wo sie niemanden mehr zu sehen brauchte, niemanden von diesen jungen gehässigen Menschen, aber in Hülshoff mußte sie ihrer Mutter unter die Augen treten: eine Tochter, die sich durch absonderliche Ideen ins Gerede gebracht und sich durch leichtfertiges Wesen eine gute Heirat verdorben hatte. Annette wäre sicher lieber bis ans Ende der Welt geflohen, als sich den verachtenden Strafreden ihrer Mutter auszusetzen, vor der zu glänzen bisher ihr größter Ehrgeiz gewesen.

Und dann kam es ganz anders.

Als Annette wieder zuhause war, von Jenny und ihrem Vater wortlos bemitleidet, fern dem frommen Zuspruch ihrer Großmutter, wie versteinert unter den Schmähworten, die Tag und Nacht in ihrem Herzen nachklangen, da war es Therese von Droste, die ihre ganze Größe und tiefe, echte Mutterliebe zeigte.

Es gibt aus dieser Zeit keine Beschreibung ihrer Strenge, keinen Hinweis in Annettens Briefen und Werken oder in Jennys Erinnerungen auf Schelten und Zurechtweisen. Wir wissen nicht, in welcher Art Therese handelte, aber sie hat wohl in schweigendem Verstehen neben Annette gestanden, und vor Annette, wenn sie angegriffen wurde; auch scheint es, als habe sie, die Annette so bedenkenlos bei ihren dichterischen Versuchen mit Arbeiten im Haus zu stören pflegte, ihrer Tochter volle Ruhe zum Schreiben und Dichten gelassen; ja, das ist gewiß, Therese wachte wie ein guter Genius in dieser schweren Zeit über ihrem Kind. Das Schicksal hatte auch ihr eine Prüfung auferlegt: ein neues Verstehen, oder Unverständnis in der alten Art.

Aber Therese war von genialer Klugheit und genialer Güte. Mit einem Griff riß sie das Steuer ihrer eigenen, scheinbar feststehenden Art herum und war Annette zugehörig wie nur eine Mutter es sein kann, die ihr Fleisch und Blut anerkennt, als von ihr geschaffen.

Kein Wort ist über das Zueinanderfinden dieser beiden so unähnlichen Charaktere auf die Nachwelt gekommen, aber die unzerreißbaren Bande, durch die Mutter und Tochter fortan miteinander verbunden blieben, die Sorge und Liebe, die eine für die andere besaß, geben Zeugnis von einem Bündnis, das in Annettens Kinderzeit noch nicht bestand.

Eine Tat Annettens spricht jedoch über Theresens wahrhaft großes Verhalten mehr als irgendein Bericht es vermöchte, das ist die Übersendung des ‚Geistlichen Jahres‘, nicht an die Großmutter, für die es ursprünglich bestimmt gewesen, sondern an die Mutter, der keine von Annettens Selbstanklagen entgehen würde.

Es war eine Tat der Überwindung, wie sie wenigen Menschen möglich wäre; kann man sich in seiner Schuld doch eher jedem Fremden anvertrauen, leichter, an einem dunklen Beichtstuhl kniend, seine Sünden bekennen, als sich vor *dem* Mitmenschen erniedrigen, an dessen Hochachtung einem vor allem liegt. Deshalb ist nicht das von der größten Bedeutung, was dieser oder jener Annette antat, und wie die Schuld aussah, in die sie sich verstrickt hatte, sondern das ist von Wichtigkeit, wie sie den Kreuzesweg von Schuld, Reue, Buße, Erlösung und Friede in Gott beschritt, damit sie zu der Gestalt wurde, die jeder Generation von neuem zur Führerin aus dem Abgrund der Schuld in den Frieden der Entsühnung würde.

Annette von Droste hat nicht wie die meisten Menschen es tun, die eigene Schuld vor sich selber verkleinert, geleugnet und tausend Entschuldigungen gesucht, sie hat ihrer Verfehlung ins Gesicht gesehen und ist auch der schwersten Einsicht nicht ausgewichen.

Das ‚Geistliche Jahr‘ ist ein Gespräch mit Gott, wie es menschlicher und wahrer kaum je geführt wurde. Weit entfernt von Pietismus und Mystizismus offenbart hier ein Mensch, der mit seinen Füßen fest auf der Erde steht, die Möglichkeit, mit den Augen seines Geistes bis zur Erkenntnis Gottes zu gelangen, soweit es einem sterblichen Wesen vergönnt ist.

Wie aus der Ruhe nach dem Sturm klingt Annettens Brief, den

sie der Liedersendung beilegt. Sie schreibt von Hülshoff; die Mutter weilte vielleicht in Bökendorf, und nun redet Annette sie nicht wie sonst: ‚meine liebe Mama‘ an, sondern ein einziges Mal in all ihren Briefen mit dem Wort aller Worte: Mutter.

Sie spricht im Anfang von ihrem jahrelangen Bemühen, für Anna Maria geistliche Lieder zu verfassen und ruft dann aus:

‚So habe ich geschrieben, immer im Gefühl der äußersten Schwäche und oft wie des Unrechts, und erst, seitdem ich mich von dem Gedanken, für die Großmutter zu schreiben, völlig freigemacht, habe ich rasch und mit mannigfachen, aber immer erleichternden Gefühlen gearbeitet und, so Gott will, zum Segen.

Die wenigen zu jener mißlungenen Absicht verfertigten Lieder habe ich ganz verändert, oder, wo dieses noch zu wenig war, vernichtet, und mein Werk ist jetzt ein betrübendes, aber vollständiges Ganzes, nur schwankend in sich selbst, wie mein Gemüt in seinen wechselnden Stimmungen. So ist dies Buch in Deiner Hand!

Für die Großmutter ist und bleibt es völlig unbrauchbar, so wie für alle sehr frommen Menschen; denn ich habe ihm die Spuren eines vielfach gepreßten oder geteilten Gemütes mitgeben müssen, und ein kindlich, in Einfalt frommes würde es nicht einmal verstehen. Auch möchte ich es auf keine Weise vor solche reine Augen bringen, denn es gibt viele Flecken, die eigentlich zerrissene Stellen sind, wo eben die milden Hände am härtesten hingreifen.‘

Hier bezeugt Annette es selber, daß Therese mit ihren raschen kräftigen Händen nicht hart zugegriffen, als sie Annettens Kummer begriffen, sondern zugehört, verstanden und geschwiegen hatte. Am Schluß des Briefes heißt es:

‚Ich darf hoffen, daß meine Lieder vielleicht manche verborgene kranke Ader treffen werden; denn ich habe keinen Gedanken geschont, auch den geheimsten nicht. Ob sie Dir gefallen, muß ich dahingestellt sein lassen ... ich wünsche es indes sehnlichst, da sie als das Werk Deines Kindes Dein natürliches Eigentum sind.‘

Und wie nahm die Mutter das Werk auf? ‚Sie las es sehr aufmerksam und bewegt durch‘, aber sie sagt dann kein Wort, legt das Buch in ihren Schrank und widersetzt sich nicht, als Annette es nach einiger Zeit wieder an sich nimmt.

Annette fragte sich beunruhigt, ‚ob es unrecht gewesen, diese Lieder, die eine so offne Sprache sprechen, ihrer Mutter zu geben; sie hätte kein Recht, sie zu betrüben‘, aber wenn Therese schwieg, so kann es nur in dem Wissen geschehen sein: hier können Worte nichts helfen; Schweigen und Vertrauen waren der einzige Balsam für Annettens kranke Seele.

Man hat mit Bedauern behauptet, Annette hätte nach ihren Schicksalstagen in Bökendorf fünf Jahre lang nichts geschaffen; was sie aber im ‚Geistlichen Jahr‘ niedergelegt hatte, war mehr als manches Dichterschaffen von fünf Jahren; nur kam dieses Werk noch lange, lange nicht unter die Menschen.

Annette soll sich in dieser Zeit mit Leidenschaft der Musik ergeben und es oft ausgesprochen haben, sie wolle alle ihre Kräfte dem Komponieren weihen, aber auch hier war es ihr zarter Körper, der der Anstrengung des Spielens, des Denkens, der harten Arbeit des immer Neubeginnens sowie des Notenschreibens nicht gewachsen war.

Ihre Leiblichkeit war weniger fähig denn je, die Wucht des Geistes, der viel zu rege, viel zu unbändig für sein Gehäuse war, zu ertragen. Im Frühjahr 1821 schrieb Annette an Anna von Haxthausen, daß sie an einem Roman arbeite; ‚Ledwina‘ nennt sie ihn und meint, er werde gut, ‚aber so düster, daß mich das Abschreiben daran jedesmal sehr angreift‘. Und am 20. Juli 1821 an ihre Kusine, Therese von Wolff-Metternich, sie solle bei den Steinen in der Weser an sie denken, auf denen sie so oft gestanden.

Was Annette, in das strömende Wasser starrend, gedacht, steht in der Ledwina:

‚Ein großer, aus dem Flusse ragender Stein sprühte bunte Tropfen um sich, und die Wellchen strömten und brachen sich so zierlich, daß das Wasser hiervon mit einem Netze überzogen schien und die Blätter der am Ufer neigenden Zweige im Spiegel wie grüne Schmetterlinge davonflatterten. Ledwinens Augen aber ruhten aus auf ihrer eigenen Gestalt, wie die Locken von ihrem Haupte fielen und forttrieben, ihr Gewand zerriß und die weißen Finger sich ablösten und verschwammen.

Da wurde ihr, als ob sie wie tot sei und die Verwesung lösend ihre Glieder treffe, und jedes Element das Seinige mit sich fortreiße.'

Wie oft mag sie den Tod im Wasser überdacht haben, denn noch ein anderes Mal sieht sie Ledwina, das heißt sich selber, als Leiche im Wasser treiben, wenn sie von einer Nacht erzählt, da sie schlaflos im Bette liegt:

,Das Mondlicht stand auf dem Vorhange eines der Fenster, und da der Fluß unter ihm zog, schienen sie zu wallen wie das Gewässer. Der Schatten fiel auf ihr Bett und teilte der weißen Decke dieselbe Eigenschaft mit, daß sie sich wie unter Wasser vorkam. Sie betrachtete dies eine Weile, und es wurde ihr je länger je grauenhafter; die Idee einer Undine ward zu der einer im Fluß versunkenen Leiche, die das Wasser langsam ruhig zerfrißt.'

Ja, die ,Ledwina' ist ein düsteres Bild. Grauenvoll der Traum, in dem die Heldin sich in den Sarg tief in die Erde zu ihrem toten Geliebten legt, ihn mit Blumen bedeckt und ihn so zum Leben zurückzubringen hofft. Sie spricht auch von Ledwinens krankem, überreiztem Gemüt, das nicht einmal das flimmernde Naturspiel der untergehenden Sonne erträgt, ,denn es hätte leicht zu einem finsteren Bilde des Gefesseltseins in der sengenden Flamme, der man immer vergeblich zu entrinnen strebt, da der Fuß in dem qualvollen Boden wurzelt, ausarten können'.

Dreiundzwanzig Jahre zählte Annette und sah sich schon am Ende alles Hoffens, das aber bedeutet bei einem Menschen wie Annette von Droste mehr als mädchenhafte Enttäuschung über den Verlust eines Geliebten; es ist die tötende Einsicht: ich stehe an einem Abgrund, über den hinüber es keine Brücke gibt. Einen eigenartigen Satz sagt Ledwina, der in den Roman wie hineingefallen scheint, nur, weil er immerwährend zuvorderst in Annettens Gedanken stand:

,Wenn er aber nun gar nicht lieben und deshalb auch nicht heiraten kann?'

Dieser Gedanke des Nicht-lieben-Könnens zuckt durch Annettens ganzes Leben immer wieder wie ein Irrlicht auf. Es *ist* ein Irrlicht, denn Annette konnte lieben, tiefer, leidenschaftlicher als die meisten Menschen es vermögen; aber mit ihrem Goldschatz an Liebe, der bei Annette reinste höchste Freundschaft war, stand sie dennoch arm wie eine Bettlerin da, denn das Gold in dieser Form wollte niemand, es sollte in die Münze der erotischen Liebe umgeprägt sein.

Resigniert sagt Ledwina zu ihrer Schwester:

,Wir suchen doch alle einmal, aber ich habe aufgehört; denn ich weiß, daß ich nicht finde.'

Viel Todessehnsucht liegt in der Ledwina. Annette weiß nicht – denn das Wissen hätte den mystischen Prozeß zerstört –, daß ein Schmerz, so abgründig, daß er das Menschenherz an den Rand des Wahnsinns zu bringen vermag, Gottes segnende, aber schwere Hand ist, die den Dichter formt.

Annette hat in dieser Zeit ihrer qualvollen Verwirrung die Sprache des Begnadeten gefunden. Von vollendeter Schönheit in Wort und Rhythmus ist das Bild der Mondnacht vor Ledwinens Fenster – das heißt vor Annettens Fenster in Hülshoff:

,Der Mond stand klar im tiefen Blau ... Ledwina blickte lüstern durch die Scheiben; das graue Silberlicht lag wie ein feenhaftes Geheimnis auf der Landschaft, und dünne, matte Schimmer wogten über die Ginster und Kräuter wie feine Fäden, als bleichten die Elfen ihre duftigen Schleier. Am Flusse war die Luft ganz still, denn die Weiden standen wie versteint, und kein Hauch bog die gesträubten Haare, aber in der Ferne schüttelten sich die Pappeln und hielten dem Mondlicht die weißen Flächen entgegen, daß sie schimmerten wie die silbernen Alleen in Träumen und Märchen. Ledwina sah und sah, und ihr Fuß wurzelte immer fester an der lockenden Stelle, und bald stand sie, halb unwillkürlich, halb mit leisen Vorwürfen, in ein dichtes Tuch gehüllt, am offenen Fenster ... Ihre Blicke fielen auf das klare Licht über sich und das trübe Licht unter sich im Strome, dann auf den finsteren träumenden Hintergrund, und das Ganze kam ihr vor wie der stolze und wilde Seegruß zweier erleuchteter Fürstengondeln, indes das Volk gepreßt und wogend in der Ferne steht und sein dumpfes Gemurmel über das Wasser hallt.'

In dieser wichtigsten Zeit in Annettens Leben, da sie in Schmerzen wurde, was sie sein sollte, geht das alltägliche Leben im Haus und unter den Verwandten und Bekannten unverändert fort: wie immer klagt man über diese oder jene Sorge, hat Angst vor Geldschwierigkeiten, Krankheiten und Familiennöten.

Annette wird keine gesellschaftliche Pflicht im Elternhaus erlassen; jedem belanglosen Geschwätz muß sie zuhören und denkt doch im Innern: O, wüßtet ihr ...

Auch das geht in ‚Ledwina' ein. Nun sollten zwar Beschreibungen des gesellschaftlichen Hinundher, des seichten Geplauders über hundert Geringfügigkeiten ironisch und von weither gesehen sein, aber im Romanfragment drückt sich ein ganz subjektives Mißvergnügen am Treiben der gedankenlosen Durchschnittsmenschen und ihres kleinlichen Lamentierens aus.

Es mag ein solcher Tag des Überdrusses und des plötzlichen Ahnens um ihre schmerzensreiche Sendung gewesen sein, daß sie auf die Rückseite eines Manuskriptblattes zum ‚Geistlichen Jahr' die Verse hinwarf:

> *Was redet ihr so viel von Angst und Not*
> *In eurem tadellosen Treiben?*
> *Ihr frommen Leute, schlagt die Sorge tot,*
> *Sie will ja doch nicht bei euch bleiben!*
>
> *Doch wo die Not, um die das Mitleid weint,*
> *Nur wie der Tropfen an des Trinkers Hand,*
> *Indes die dunkle Flut, die keiner meint,*
> *Verborgen steht bis an der Seele Rand –*
>
> *Ihr frommen Leute wollt die Sorge kennen*
> *Und habt doch nie die Schuld gesehn!*
> *Doch sie, sie dürfen schon das Leben nennen*
> *Und seine grauenvollen Höhn.*
>
> *Hinauf schallt's wie Gesang und Loben,*
> *Und um die Blumen spielt der Strahl,*

Die Menschen wohnen still im Tal,
Die dunklen Geier horsten droben.

Die dunklen Geier … Ja, die Ihren sehen, daß sie in eine unfaß-
bare Welt entrückt ist; jeder behandelt sie schonend wie eine
Kranke.

Im Winter , der nun gekommen ist, weigert Annette sich, nach
Münster unter die Menschen zu gehen, oder war es so, wie es in
einer älteren Beschreibung ihres Lebens heißt, daß die Mutter sie
aus der Gesellschaft zurückzog, weil mit einer Verehelichung
nicht mehr zu rechnen war? Eher hat wohl Annette die Welt geflohen.

Es gibt kein Wort von ihr über irgendein Weltereignis dieser
ersten Zwanzigerjahre, und doch ist es die Zeit, da ganz Europa
sich in einen Taumel des Philhellenismus hineinsteigert und die
Freiheitskämpfe Griechenlands in aller Munde sind; Byron ist der
Held des Tages. Auch fällt in diese Epoche das Ende der Romantik und das Hervortreten einer neuen Dichtergeneration. Chamisso, E. T. A. Hoffmann, Immermann, Hauff, Simrock, sogar
Clauren, beherrschen die literarischen Zirkel. Ist alles, alles an
Annette vorübergegangen? Es gibt keine Briefe von ihr zwischen 1821 und 1825. Nach der Ledwina, die unvollendet liegen
bleibt, bemüht sie sich auch um keine neuen dichterischen Versuche, und die vielen Kompositionen, die unter ihren Händen
hervorquellen, werden nie aufgeschrieben … gespielt, verhallt.

Tatenlos, tränenlos starrt Annette zurück auf die seligsten Som-
mermonate ihres Lebens, da sie noch nicht aus dem Paradies vertrieben war. Immer wieder im langsamen Weiterrücken der Zeit
kommen Stunden, in denen sie es noch einmal durchlebt, dieses
unsagbare Glück der innigsten Gemeinschaft mit Straube, daß sie
noch einmal ihrer beider Erblühen zu *einem* Leben sieht. Wie deutlich stehen seine Augen dann vor ihr, leuchtend in Verehrung
und Dankbarkeit, aber dann kommt das andere Bild: Heinrichs
Gesicht verzerrt von Schreck und Schmerz. Damals hatte sie
doch gleich mit ihm sprechen wollen, erklären, bitten, aber schon
hatte man sie getrennt, und grausam wurde jede kleinste Brücke

von ihr zu ihm zerschlagen; und dann der Brief, dieser Brief, den man ihr gebracht, den sie hinter verschlossener Türe gelesen! Wie die andern sie mit ihren neugierigen Blicken durchbohrten, als sie endlich wieder unter ihnen erscheinen mußte! Kein Wort hatte sie gesagt, kein Wort. Ach, hätte sie doch auch Arnswaldt nichts geantwortet auf seine listigen Fragen! Und seitdem ... Selbstanklagen, die sie bis zum Ersticken füllen und ungelöst in ihr liegen bleiben; Gedanken, Gedanken, immer von neuem gedacht.

Tagaus, tagein dreht sich die Stachelkugel in ihrer Brust, und es steigt höher und höher um sie her wie der kalte Heidenebel, der aus dem Boden quillt und Verirren und Versinken im Moore bringt. Öfter, immer öfter packt sie die Angst vor einem Doppelwesen in ihr, das sie unheilvoll überwältigen wird.

Es gibt ein Gedicht von Annette, das davon spricht, wie sie prüfend ihr Gesicht im Spiegel durchforscht, dieses zweite Ich zu finden, das sie manchmal haßt und manchmal beweinen möchte. Wie matt sind ihre Augen; ist das der Irrsinn, der aus ihnen blickt, oder jenes frühere Sein, das in sie hineingeboren wurde und das sie nun noch einmal leben muß, anders als ihr sichtbares Mädchendasein? Ein Dichterschicksal, das sie tragen muß und dem ihre heutige Existenz sich ,wie Moses nahet, unbeschuhet, voll Kräfte, die ihr nicht bewußt, voll fremden Leides, fremder Lust?'

Durch die Verse hindurch erblickt man diese zarte Frauengestalt, die, wie besessen vom Genius, im Ahnen kommender Kämpfe, ratlos die Hände vor das Gesicht schlägt, aufstöhnend:

> *Gnade mir Gott, wenn in der Brust*
> *mir schlummernd deine Seele ruht!*

,Das Spiegelbild' nennt Annette dieses, erst viel später nieder geschriebene Gedicht, und es lautet von Anfang bis zu Ende:

> *Schaust du mich an aus dem Kristall*
> *Mit deiner Augen Nebelball,*
> *Kometen gleich, die im Verbleichen;*
> *Mit Zügen, worin wunderlich*

Zwei Seelen wie Spione sich
Umschleichen, ja, dann flüstre ich:
Phantom, du bist nicht meinesgleichen!

Bist nur entschlüpft der Träume Hut,
Zu eisen mir das warme Blut,
Die dunkle Locke mir zu blassen;
Und dennoch, dämmerndes Gesicht,
Drin seltsam spielt ein Doppellicht,
Trätest du vor, ich weiß es nicht,
Würd' ich dich lieben oder hassen?

Zu deiner Stirne Herrscherthron,
Wo die Gedanken leisten Fron
Wie Knechte, würd' ich schüchtern blicken;
Doch von des Auges kaltem Glast,
Voll toten Lichts, gebrochen fast,
Gespenstig, würd', ein scheuer Gast,
Weit, weit ich meinen Schemel rücken.

Und was den Mund umspielt so lind,
So weich und hülflos wie ein Kind,
Das möcht' in treue Hut ich bergen;
Und wieder, wenn er höhnend spielt,
Wie von gespanntem Bogen zielt,
Wenn leis' es durch die Züge wühlt,
Dann möcht' ich fliehen wie vor Schergen.

Es ist gewiß, du bist nicht Ich,
Ein fremdes Dasein, dem ich mich
Wie Moses nahe, unbeschuhet,
Voll Kräfte, die mir nicht bewußt,
Voll fremden Leides, fremder Lust;
Gnade mir Gott, wenn in der Brust
Mir schlummernd deine Seele ruht!

Und dennoch fühl' ich, wie verwandt,
Zu deinen Schauern mich gebannt,
Und Liebe muß der Furcht sich einen.

Ja, trätest aus Kristalles Rund,
Phantom, du lebend auf den Grund,
Nur leise zittern würd' ich, und
Mich dünkt – ich würde um dich weinen!

10

Den Tag über trug Annette die Maske der Gleichmütigkeit, ja, oft sogar des Frohsinns, sie übte ihren Witz und ihre Spottlust an allem, was ihren nicht zu ertötenden Humor anregte, und so täuschte sie die Ihren in einem Maße, daß in dieser Zeit das nie mehr nachlassende Predigen begann: Annette solle humoristische Geschichten schreiben; sie verkenne ihre Gabe; zum ernsthaften Schreiben sei sie nicht befähigt, sie gehöre zu den Spaßmachern und solle die Leute amüsieren.

Annette schweigt dazu und wird ihr Leben lang schweigend unter der Verkennung ihrer Dichtergabe leiden. Einer ihrer besten Freunde, Wilhelm Junkmann, hat später gesagt: ‚Annette wurde von ihrer Umgebung mehr heiter als ernst genommen, und doch schlug ein tiefes, wundes Herz unter der Oberfläche.‘

In dieser Zeit, da ihre Nächsten sich täuschen ließen, kam ein junger Bekannter der Hülshoffer hin und wieder hinaus auf die alte Wasserburg; das war der Freiherr Melchior von Diepenbrock aus Bocholt. Er war ein Jahr jünger als Annette, ein ungewöhnlich kluger, überragender Mann. Als Offizier hatte er mit Auszeichnung in den Befreiungskriegen gekämpft, jetzt studierte er in Münster Theologie.

Annette nannte ihn Herr von Diepenbrock, aber zwanzig Jahre später sollte sie ihm die Anrede: ‚Euer fürstbischöfliche Gnaden‘ geben, weil Melchior von Diepenbrock mit zweiundvierzig Jahren zum Fürstbischof und Kardinal aufgestiegen war.

In ihrer jetzigen Verstörtheit hat Annette sicherlich kaum beachtet, daß der junge Geistliche nach wenigen Gesprächen tief in sie hineinsah und ihr eine still bewundernde Freundschaft zu widmen begann, die nach Jahr und Tag zum Briefwechsel und zum Austausch von dichterischen Werken führen sollte.

Aber in diesen Jahren zwischen 1820 und 1825 war Annette vollkommen in sich gekehrt und nahm keine äußeren Eindrücke auf; ihr zweites Ich, das niemand kennt, ist inmitten der Ihren in die Einsamkeit gegangen. Das Lob des Alleinseins kommt ihr immer leichter von den Lippen.

‚O süße Wonne, o Einsamkeit!‘ ruft sie einmal aus, oder:

> *Mir ist so wohl in meiner armen Zelle!*
> *Wie mir das Klausnerleben so gefällt!*

Oder sie gesteht Jenny, sie möchte Eremit werden. Die Grundmelodie ‚Einsamkeit, Einsamkeit‘ wird nie mehr in ihrem Leben verstummen. Die Einsamkeit ist ihr Schutz vor der Welt und ihre Zuflucht, ihr Kraftquell und die Kirche, in der ihr Gott begegnet. Aber nie verliert Annette den klaren Blick; jede Verstiegenheit, jede Sentimentalität ist ihr verhaßt; so spricht sie einmal voller Einsicht von dem ‚verführerischen, betäubend lieblichen Klausnerleben‘ und vergißt nie, daß die Einsamkeit nur fruchtbar ist, wenn sie von Gedankenarbeit, Kämpfen und seelischer Disziplin erfüllt wird, daß sie aber die Seele auffrißt, wenn das Gemüt tot, der Geist leer und der Überdruß der Tatenlosigkeit sich wie ein fressendes Geschwür auszubreiten beginnt, und gerade diese Gefahr wächst und wächst in den fünf kostbaren Jahren, seit dem Schlag, mit dem man sie zu Boden geworfen.

Fünf Jahre ihrer schönsten Jugendzeit gehen dahin und Annette ist auf dem Wege, hypochondrisch stumpf und grillenhaft zu werden. In der Familie hat man sich an ihre Art gewöhnt; das Leben dreht sich von Jahresanfang bis Jahresende wie ein Mühlrad, nichts ändert sich, nichts Neues kommt über den Weg.

In diesen stagnierenden Zustand eines bis zur Unerträglichkeit gedämpften Familienlebens tritt eines Tages, frisch, strahlend, unternehmender denn je, wer von allen Menschen? Onkel Werner von Haxthausen, der junge Mann von der Flucht nach England, der Belagerung Hamburgs, dem Wiener Kongreß und dem Orientalismus.

Werner kommt im eigenen Reisewagen mit Betty, seiner eleganten jungen Gemahlin, über die Brücke von Hülshoff gefahren. Das schöne Paar, das wie von einem frischen Wind dahergeblasen wird, hat vor kurzem geheiratet, und nun wird die kleine Freifrau von ihrem stolzen Gemahl auf den Gütern der Verwandten herumgereicht.

Werner ist auf dem Wege nach Köln, wo er aber nur noch ein Jahr lang leben wird, um dann auf seinem Erbe, in Bökendorf, die Herrschaft anzutreten.

Während der Tage seiner Anwesenheit in Hülshoff betrachtet Werner seine Nichten Jenny und Annette immer bekümmerter und erstaunter. Er hatte Annette nicht immer gern gehabt, aber jetzt erinnert er sich der fröhlichen Zeit mit den Grimms und Augusts Freunden in seinem Elternhaus.

Jenny ist trotz ihrer dreißig Jahre noch recht hübsch, ein liebenswertes, tätiges Mädchen; warum hat es nicht geheiratet? Auf der Börse der Familienneuigkeiten sprach man einmal von einer unglücklichen Liebe zu Wilhelm Grimm. Und Annette?

Um Gottes Willen, was ist aus diesem sprühend lebendigen, geistreichen Mädchen geworden? Eine Kassandragestalt mit versteinerter Miene, die Augen von einem Schmerz erfüllt, der Werners großmütiges Herz erschrecken macht. Er weiß natürlich von der fatalen Geschichte. Straube war ja ein Freund seines Bruders August, und Arnswaldt, den Annette eigentlich heiraten sollte, ist inzwischen der Gatte seiner Schwester Anna geworden. Man hat die arme Nette in Bökendorf gar zu strenge behandelt; nie mehr hat sie das großelterliche Haus betreten.

Da fühlt Werner sich verpflichtet, etwas gutzumachen, er weiß nicht genau was, aber das ist sicher, Annette muß ins Leben zurückgebracht werden, aus dem sein Bruder August und die Schwestern sie in grausamer Härte vertrieben haben, und er schlägt vor, sie solle zu ihm nach Köln kommen.

Wie? Hört man recht? Annette, die mit ihren achtundzwanzig Jahren noch nie über Münster und die Güter der Verwandten hinausgeschaut hat, soll bis Köln entführt werden? Sie soll unter fremder, eleganter Gesellschaft leben? Und die Kleider, die Schuhe, die Mäntel, Hüte und Ballroben, die Nette nicht besitzt, woher soll man all die modischen Dinge plötzlich beschaffen?

Betty beruhigt ihre so viel ältere Schwägerin, Therese: darum solle sie sich keine Sorgen machen, sie würde ihre Nichte schon auszurüsten wissen. Annette bebt vor Erregung, ob sie wird reisen dürfen oder nicht; können die Eltern es möglich machen? Aber Clemens August übergibt als echter Edelmann ohne zu zögern die nötige Summe an Werner. Wie schwer es ihm wird, gerade jetzt, wo sein Sohn Werner sich unter den Töchtern des Landes umzuschauen beginnt, verrät er niemandem, nicht einmal Therese, und während er lächelnd seine Einwilligung gibt, graut und ekelt es ihn schon vor den Wegen, die er machen muß, um Geld zur Bewirtschaftung von Hülshoff zu beschaffen.

Aber was immer er auch unternehmen muß, seine arme, süße Annette, deren schöner Geist sich vor seinen Augen von Jahr zu Jahr verdüstert hat, Annette, sein Liebling, soll durch die Welt gerettet werden. Sein Schwager Haxthausen hat recht und er, Clemens August, wird und muß das Geld in aller Stille zurückerwerben.

So reist Annette denn mit Onkel Werner und Tante Betty nach Köln und glaubte, bei ihnen sehr ruhig im jungen Haushalt mitleben zu sollen, aber es wurde dann ganz anders. Es begann schon unterwegs.

Kaum hatte sie den ruhigen Hafen des Elternhauses verlassen, als die Stürme der Ereignisse sie packten. Die erste Station – denn man nahm sich Zeit zum Reisen – wurde bei Vetter Clemens von Droste in Bonn gemacht; er war der Sohn von Onkel Max von Droste, dem Komponisten, mit dem Annette so innig durch die Musik verbunden war. Clemens, ,das freundlichste der Menschenherzen‘, war in Annettens Alter, ein ausgezeichneter Klavierspieler und hatte es somit in der Hand, Annettens verstörter Seele durch die Musik einen ersten Weckruf zu senden.

Vier Tage blieb sie mit den Haxthausen bei Clemens und dessen lebhafter, anregender Frau, wie überwältigt von dem plötzlichen Einbruch eines Lichtes von Geist und Schönheit, woran sie gar nicht mehr geglaubt hatte. Wie im Traum stieg sie am frühen Morgen des 17. Oktober in den Reisewagen ihres Onkels, aber sie mußte Clemens versprechen, wiederzukommen. Gewiß, o gewiß, sie würde noch einmal nach Bonn kommen.

Dann fährt man, immer nahe dem Rhein, durch den strahlenden goldenen Herbst. Als man aber am Nachmittag in Köln anlangt, gerät der Reisewagen in eine undurchdringliche Menschenmenge. Was ist geschehen? Ein Unglück? Aber nein! Das neue Dampfschiff, ‚Friedrich Wilhelm‘, ist soeben vom Stapel gelassen und macht nun die Probefahrt.

Werner jagt seine Damen aus dem Wagen; zum Landesteg! Rasch, durch die Menge, ihr müßt euch durchdrücken, das wird ein Schauspiel sein! Wahrhaftig, und was für ein Schauspiel!

Am nächsten Morgen wirft Annette, noch wie atemlos vor Erregung einige Sätze für ihre Mutter auf das Papier. Das Schiff war schon auf dem Wasser, ‚aber dann sahen wir es ganz nah – wir standen auf der Schiffsbrücke – mehrere Male eine Strecke des Rheins herauf und herunter mit türkischer Musik und beständigem Kanonenfeuer durch die Schiffsbrücke segeln, mit einer Schnelligkeit, die einen schwindeln machte. Endlich legte es an der Schiffsbrücke an und das sämtliche diplomatische Corps, das die Probe mitgemacht hatte, begab sich ans Land.

Ein so großes Dampfschiff ist etwas höchst Imposantes, man kann wohl sagen, Fürchterliches. Es wird durch Räder fortbewegt, die, verbunden mit dem Geräusch des Schnellsegelns ein solches Gezisch verursachen, daß es auf dem Schiff schwerhalten muß, sich zu verstehen. Doch dieses ist nicht das eigentlich Ängstliche. Aber im Schiff steht eine hohe, dicke Säule, aus der unaufhörlich der Dampf hinausströmt in einer grauen Rauchsäule mit ungeheurer Gewalt und einem Geräusch wie das der Flamme bei einem brennenden Hause.

Wenn das Schiff stille steht, oder wenn der Dampf so stark wird, daß er die Sicherheitsventile öffnet, so fängt das Ding dermaßen an zu brausen und zu heulen, daß man meint, es wollte sogleich in die Luft fliegen. Kurz, das Ganze gleicht einer Höllenmaschine, doch soll gar keine Gefahr dabei sein, und ich möchte diese schöne Gelegenheit wohl benutzen, um nach Koblenz zu kommen, was in fünf Stunden möglich sein soll.'

Im übrigen bittet Annette in diesem Brief um ihr Manuskript ‚Ledwina' und um ihre Noten, denn schon sprudeln die Lebensgeister hoch auf, aber von der modischen Ausrüstung, die Betty von Haxthausen besorgt, weder an die Mutter noch an Jenny ein Wort, nur einige ärgerliche Seufzer über die großen Ausgaben für Handschuhe, feine Strümpfe und seidene Schuhe, zu deren Anschaffung das elegante Leben ihrer Tante Betty sie zwingt. Sehr trocken wird angemerkt, sie sei auf einigen Bällen gewesen, habe aber nicht getanzt.

Nein, Kleiderfragen, Tanz und Ballgespräche sind es nicht, was Annette sucht und braucht, etwas anderes aber läßt ihr Herz vor Freude schlagen: Wilhelmine von Thielemann wohnt gar nicht fern von Köln, bei Nonnenwerth; und dorthin fährt Annette, obgleich das gesellschaftliche Leben in Köln hohe Wellen schlägt; Werner und Betty sind vollkommen damit beschäftigt und entbehren Annette nicht.

Wilhelmine, die gute, die prachtvolle Frau – sie war leider verrückter denn je und kein segensreicher Umgang für Annette, die wochenlang bei ihr blieb und sie pflegte, auch wenn ‚die clairvoyanten Zustände und der Somnambulismus' sogar ihr westfälisches Herz erschauern machten.

Es sollte noch viel schlimmer kommen. Da lebte in Köln eine junge, exzentrische Frau, die als das größte Original weit und breit bekannt war: Sibylla Mertens-Schaafhausen, die Tochter eines schwerreichen Kölner Bankiers und Gattin eines ebenfalls reichen Fabrikanten.

Sibylla konnte ihren Gatten nicht ausstehen, führte ‚eine Höllenehe' mit ihm, wenn sie nicht von ihm getrennt lebte, sommers in ihrem Landhaus zu Plittersdorf und im Winter im Stadtpalais in Köln. Die junge Mertens schätzte die Männer überhaupt nicht hoch ein und behauptete, das starke Geschlecht seien die Frauen. Sibylla trug kurze Locken wie ein Jüngling und hatte eine zierliche, bewegliche Gestalt, sie kleidete sich nicht nach der Mode, sondern nach eigenem Geschmack, wenn auch nicht wie ihre Freundin George Sand nach Männerart. Sie liebte es in völliger Ungebundenheit vierspännig mit unübersehbarem Gepäck in ganz Europa umherzureisen. Übrigens war sie eine ernsthafte Kennerin von Altertümern und eine berühmte Sammlerin.

Außer Bildern, Gemmen und Münzen, Kristallen und Versteinerungen sammelte Sibylla Mertens originelle Menschen und ließ sie wochenlang in ihrem Hause wohnen. George Sand, Daniel Stern, Schlegel und Adele Schopenhauer. Diese, grundhäßlich und immer noch in glühender Liebe an Ottilie von Goethe hängend, sollte nach einigen Jahren Sibyllas unzertrennlicher Famulus werden.

Jetzt, in diesem Winter 1825 bis 1826, hatte Sibylla von dem seltsamen Mädchen, Annette von Droste-Hülshoff, reden hören. Man hatte ihr erzählt, dieser sprühende Geist könne ganze Gesellschaften unterhalten. Auf Plattdeutsch oder in dem schon erlernten rheinischen Dialekt erzähle sie die tollsten Geschichten, oder sie karikiere in ihrer Spottlust, die aber nie bösartig sei, allgemein bekannte Persönlichkeiten wie eine gewiegte Schauspielerin, so daß ihre Umgebung nicht aus dem Lachen käme; sie könne aber auch die Leute mit westfälischen Gespenstergeschichten zum Gruseln bringen; ihre großen blauen Augen leuchteten dann wie die Flämmchen über dem schwankenden Grund ihrer Heimat und ihr elfenhaft schlanker Leib hebe sich wie von unsichtbaren Händen gezogen vom Sessel in die Höhe.

Und wenn sie sang – o das mußte Sibylla hören –, wenn diese tiefe, eigenartige Stimme erklang, in der Tränen über Gott weiß welchen verborgenen Kummer ertönten, dann ahnte, wer mit dem Herzen hörte, daß die strahlende Maske ein furchtbar einsames und zu Tode betrübtes Wesen verbarg. Man mußte sie lieben, diese Annette, ohne sie verstehen zu können.

Sibylla ließ es keine Ruhe. Die junge Droste war zwar vom Hochadel, ein Reichsfreifräulein, und sie, Sibylla, nur eine Bürgerliche, aber es gelang ihr doch, das gefeierte Mädchen als Anziehungspunkt für den Kreis ihrer berühmten Freunde zu gewinnen. Aber wie einfach, wie frei von jedem Hochmut war ihre neue Eroberung. Sibylla faßte sogleich eine stürmische Neigung zu Annette und hat sie ihr wohl nicht verborgen.

Da steht nun Annette unvermutet mitten in einer Prüfung für ihren Charakter, aber es zeigte sich, daß ihre Kämpfe, ihr Ringen, ihre Einsamkeit mit Gott nicht Spiel, nicht Wort, nicht Hirngespinst gewesen waren, sondern tödlicher Ernst, der zu einer wunderbaren Reife geführt hatte. Unantastbar entzieht sie sich dem Werben Sibyllas, und die junge Frau versucht sie doch auf immer neue Weise zu gewinnen.

Sie wirft sich zu Annettens Muse auf, regt sie zum Komponieren an, führt sie mit Musikern zusammen, Annette nimmt es freundlich wie einen Tribut hin, aber läßt sich keine Fesseln der Dankbarkeit anlegen. Sibylla überschüttet die Freundin mit kostbaren Stücken aus ihrer Sammlung, und Annette geruht, eine eigene Sammlung zu beginnen, den Anfang zu einer lebenslänglichen Freude, aber alle Schätze der Welt sind noch lange kein Grund, daß Annette sich Sibylla Mertens so tief verbindet, wie diese es zu wünschen scheint; Annette hat sie gern, sie freut sich an ihrer Großzügigkeit, an ihrem warmen Herzen, an ihrer Originalität, aber: Abstand, Abstand!

Annette überlegt eines Tages – und aus dem Brief klingt es wie ein lachender Seufzer –, was ihre Mutter wohl sagen würde, wenn Sibylla, die Exzentrische, Aufgeregte, vierspännig in Hülshoff erschiene, und sie bittet die Freundin, es ja zu unterlassen – gut, aber dann soll Annette bei Sibylla wohnen.

Nein, Annette geht lieber zu Vetter Clemens nach Bonn. Onkel Werner mag ihn nicht, behauptet, ‚der Droste räsoniere dumm' und spottet über ihn, aber Annette weiß, was sie an Clemens und Pauline hat, deren Haushalt keineswegs banal ist. Bei ihrem Vetter verkehrt alles, was in Kunst, Literatur und Wissenschaft einen Namen hat: der Theologieprofessor Braun, mit dem Annette sich herzlich befreundet, die Brüder Boisserée, die altdeutsche Kunstwerke sammeln und von Goethischem Licht umglänzt sind, die Dichter Immermann und Simrock, der Naturforscher Professor d'Alton, der Naturphilosoph Ennenmoser, dessen anthropologische Studien und Vorträge Annette zu heller

Begeisterung hinreißen, der merkwürdige Mann, Wilhelm Smets, Pfarrer, Dichter und Schauspieler zugleich, und dann August Wilhelm Schlegel, alt und eitel, berühmt und umschwärmt, von Annette mit einem sarkastischen Auge betrachtet.

Sie verlor fast den Atem vor Eindrücken, die wie aus einem Füllhorn über sie stürzten; sie schonte sich nicht und wich niemandem aus. Ahnungslos war sie in eine hohe Lehrzeit geraten, aber sobald sie begriffen hatte, welche Schätze sich ihr von allen Seiten boten, griff sie in ihrer hellen, raschen Klugheit zu.

Die ‚Ledwina‘ litt darunter; ach, im Grunde war Annette froh, wenn sie die traurige, grausige Geschichte für alle Zeiten ruhen lassen konnte. Sie war sehr glücklich bei Clemens und Pauline; Bonn war eine geistgeladene Stadt, sie wäre am liebsten gar nicht wieder zu Onkel Werner zurückgegangen, aber im Februar (1826) verlangte man ihre Anwesenheit beim Karneval.

So siedelte Annette wieder nach Köln über und war abermals in Sibylla Mertens nächster Nähe. Annette ist so klar und überlegen in ihrer Menschenkenntnis und weiß ihren Weg so sicher zu gehen, daß sie die Führende in diesem Freundschaftsbund wird; sie läßt sich nicht einfangen und duldet keinen Hauch auf dem reinen Spiegel ihrer Seele. Bei aller Freundschaft ist sie nicht gewillt, ganz und gar in Sibyllas Atmosphäre einzugehen.

Die junge Mertens aber, gewohnt zu bekommen, was sie haben will, weiß Annettens Gegenwart mit dem uralten Mittel zu erzwingen, das bei Sibylla nahe bei der Hysterie lag oder sogar, wie die Berichte es andeuten, Hysterie *war*: sie erfindet Krankheiten und *hat* nun auch allerlei Krankheitssymptome, und Annette in ihrer nieversagenden Hilfsbereitschaft pflegt die junge Frau wie sie Wilhelmine von Thielemann gepflegt hat, wacht bei ihr und läßt sich tyrannisieren und ausnützen.

Betty von Haxthausen, im gleichen Alter wie Annette, ist außer sich; sie will nicht, daß ihre Nichte als intime Freundin dieser nur allzu bekannten Frau genannt wird. Jetzt aber sieht Annette nur das eine: wo Hilfe von ihr verlangt wird, da ist sie zur Stelle; dem Gerede der Leute zur Liebe hat sie in ihrem Leben noch keine Pflicht versäumt; sie wird schließlich heftig und tut, was Kopf und Herz ihr vorschreiben.

Über diesen Widerstand ist die junge Tante fassungslos: eine unverheiratete Person setzt sich über den Gehorsam, den sie der verheirateten Frau schuldig ist, hinweg? Mit der Ehe ist die Frau, von Gnaden ihres Mannes, aus dem Zustand der Sächlichkeit in die weibliche Form erhoben und somit über jede unverheiratete weibliche Person gestellt, und wenn die junge Ehefrau auch erst sechzehnjährig ist! Sie geht zum Beispiel vor der Unverheirateten, und sei diese noch so alt, zuerst durch die Türe, sie darf auch einen Lehnstuhl beanspruchen, während die Unverheiratete nur einen Stuhl erhält. So ist es! Und Annette erlaubt sich, diese heilige Weltordnung zu mißachten und eigene Entschlüsse zu fassen!

Mit einiger Mühe wird Frieden geschlossen, aber Annette hat sich nicht gefügt.

Gegen Wintersende schreiben die Eltern immer wieder, sie solle heimkommen, besonders der Vater drängt in einer Ungeduld, die Annette nicht an ihm kennt. Aber sie zögert und zögert ihre Abreise hinaus; der Frühling bricht an, der März vergeht, es wird April. Annette scheut vor Hülshoff zurück; es ist der Ort von fünf Jahren Seelenangst, Reue, Sehnsucht und grauester Apathie, und doch ist es ihr Vaterhaus; einmal muß sie heimkehren, denn im Mai wird Bruder Werner Karoline von Wendt-Papenhausen heiraten, ein Mädchen aus der Familie ihrer Großmutter, Anna Maria von Haxthausen.

Auf Schloß Hülshoff wird es großen Trubel geben, auch darf sie dem Vater keine weiteren Kosten bereiten, er steht im Begriffe ein Landgütchen für Werner zu kaufen, denn Therese hat die Zumutung, die Regierung in Hülshoff abzugeben, mit Entrüstung von sich gewiesen. Das Haus des jungen Paares muß möbliert werden, und die Scharen von Verwandten, die zum Teil mit Dienerschaft, nicht nur für den Tag der Hochzeit kommen, sondern sich in dem weitläufigen Schloß für längere Zeit niederlassen werden, wollen gespeist sein.

Die eigene Dienerschaft muß erweitert, Werner vollkommen

ausgerüstet und für alle Familienglieder neue Kleider angeschafft werden. Dazu Schmuck für die junge Frau. Oh, Annette
kennt diese Verpflichtungen, die in der jetzigen Zeit kinderrei-
che Familien – und wie oft zählt die Nachkommenschaft mehr als
zehn Köpfe – ruinieren können.

Wie der Vater sich durch seine Schwierigkeiten hindurchwin-
det, weiß Annette nicht, aber sie darf ihm nun keine neuen Kosten machen. Sibylla will nicht, daß Annette fortgeht und wird
schnell noch ein wenig kränker, aber Annette bleibt fest, wenn
ihr auch das Herz unter Sibyllas Vorwürfen wehtut. Sie nimmt
Abschied, ahnungslos, daß sie die tyrannische Freundin noch
manchesmal in ihrem Leben wird pflegen müssen.

Am zweiundzwanzigsten April etwa fährt Annette, nach einem halben Jahr der Abwesenheit, endlich wieder in das westfälische Land, das Herz verkrampft vor Bedauern, daß nun die Zeit
der Freiheit und des vielfältigen Lebens zu Ende ist.

Am fünfundzwanzigsten April 1826 schreibt sie an Betty von
Haxthausen nach Köln:

,Ich bin vorgestern abend glücklich, aber ermüdet hier angekommen und habe meine lieben Eltern und Geschwister alle
noch viel wohler aussehend gefunden, als ich sie verließ. Werner
ganz und gar liebenswürdig aus Freude über seine nahe Heirat,
Papa ganz verklärt neben seinen Orchisbeeten, wo einige nagel-
neue Sorten aus der Schweiz blühen; unter uns gesagt, nichts
weniger als schön, die am meisten ins Auge fallen, sind hellgelb
und machen ungefähr so viel Parade wie eine Schlüsselblume,
aber das ist ganz einerlei, es macht ihm die größte Freude. Mama
ebenfalls höchst aufgeräumt und angenehm beschäftigt in der
neuen Einrichtung, und Jenny so zufrieden in ihren Ökonomie-
geschäften, daß ich am Ende glaube, dieses ist ihr wahres Talent.
Wenn ich Dir nun noch sage, daß Ferdinand jetzt auch von den
letzten Spuren seiner früheren Schwächlichkeit befreit ist, und
daß wir das Geld zu meines Bruders Einrichtung ohne Schaden
haben aus dem Holze machen können, so siehst Du liebe Tante,
daß dies für den Augenblick alles mögliche ist.

Ich bedurfte dieses angenehmen heitren Empfanges denn doch

in der Tat! Ich habe mich unbeschreiblich schwer von Köln getrennt. Solange der liebe Onkel bei mir war, kam es mir vor, als
ob ich noch nicht recht fort wäre. Aber am andern Tage, da war
mir so zumute, daß ich mir immer vorsagen mußte: du kommst
ja zu deinen Eltern. Am andern Tag ging es schon durch bekannte Örter, und des Nachmittags um fünf sah ich meine liebe Mutter
wieder, eine Stunde weit von Hülshoff, bis wohin sie mir ent-
gegengefahren.

Am Abend fragte sie mich viel und ernstlich darüber, ob ich
Dir immer gehorsam gewesen sei, ich sagte, ich hoffte es, aber es
war mir äußerst empfindlich, weil ich bedachte, wie ich Dir Kummer gemacht habe ... Ich bilde mir ein, ich würde nun in der Lage ganz anders handeln, und doch kann ich es nicht mit Gewißheit sagen, denn wenn ich an die arme Mertens denke, wie krank
und schwach ich sie zurückgelassen habe, so möchte ich um alles
in der Welt nichts getan haben, das sie gekränkt hätte; ich wollte,
es hätte alles zusammen bestehen können – das ist alles, was ich
sagen kann, und daß es mir sehr empfindlich ist.

... Leb wohl, liebste, beste Tante, Dich und den lieben Onkel
umarme ich von Herzen und danke Euch nochmals für alle Eure
unvergeßliche Liebe für mich.

Eure Nette'

11

Ja, nun war Annette wieder daheim und zu ihrem Glück geriet
sie mitten in die emsigsten Hochzeitsvorbereitungen. Was für
eine Betriebsamkeit, was für eine Unruhe, aber es war eine fröhliche Unruhe, denn wenn der Erbe von Hülshoff heiratete, so mußte
alle Pracht entfaltet werden, die diese Zeit noch aufzubringen
vermochte. Und es war trotz der französischen Plünderungszüge
auf Silbergeschirr, Schmuck und Kunstgegenstände noch viel
Schönes und Prächtiges von dem erhalten geblieben, was sich
an Kostbarkeiten im Laufe der Jahrhunderte angesammelt hatte.

In den Kriegsjahren hatte man manches vergraben und versteckt, aber diese Dinge waren längst wieder an ihrem alten Platz,

und Schloß Hülshoff durfte sich sehen lassen, wenn aus allen Schränken, Kabinetten und Vorratsräumen der altererbte Besitz hervorgeholt wurde. Ohne große Geldausgaben ging es jedoch nicht ab, indessen schien Clemens August in seiner etwas zerstreuten Sorglosigkeit nach dem Verkauf des Holzes der Ansicht zu sein, ein für allemal aus den Geldschwierigkeiten herauszusein; er sprach nie vom Geld, und die Frauen durften sich nicht erlauben, danach zu fragen.

Und doch muß Annette mit ihrem starken Sinn für das Praktische die Vorbereitungen mit geheimer Sorge beobachtet haben. Da wurden mehrere Zimmer, die seit Jahr und Tag leer gestanden hatten, neu hergerichtet, und die vielen Frauen, die treppauf, treppab in allen Räumen und Gängen und Winkeln reinmachten, arbeiteten auch nicht mehr für einen Gotteslohn wie früher, und wenn man nur die Kerzen berechnete, die zu hunderten gekauft werden mußten, oder den Wein, den der Vater zur Ergänzung seines Kellers herbeischaffen ließ, und den Lohn der Näherinnen, die wochenlang für Herrschaft und Gesinde arbeiteten, da konnten einem wohl schwere Sorgen aufsteigen.

Aber die Wendt-Papenhausen waren ein großes Geschlecht, man wollte sich in Hülshoff nicht vor ihnen schämen müssen. Und dann war auch schon die Hochzeit da, und der Festrausch riß auch Annette mit, so daß alle Sorgen himmelweit davonflogen.

Werner war ein glückseliger Bräutigam und Line, die kleine Schwägerin, ein hübsches, freundliches, aber ein wenig törichtes Kind. Jenny in ihrer übergütigen Kritiklosigkeit fand sie entzückend, Annette sah schärfer, aber sie tröstete sich damit, daß ja nicht jede Frau ein Ausbund an Klugheit sein müsse; wenn diese kleine Karoline nur gesund war und das Haus Hülshoff durch zahlreiche Söhne fortpflanzte, so hatte sie ihre Pflicht getan.

Ferdinand, hübsch, lang, mager, keineswegs geheilt, wie Annette es bei ihrer Ankunft geglaubt, Fente hatte nach dem Tanzen Flecken auf den Wangen und war vergnügungshungrig wie alle Schwindsüchtigen, die um die Kürze ihres Lebens wissen. Fente tanzte und liebelte unermüdlich, überhitzte sich, hatte abendliche Rendez-vous im Park, hustete, spuckte hin und wieder Blut und verursachte Annette, die ihn zärtlich liebte, schlaflose Nächte.

Am 28. Mai war die Hochzeit gefeiert worden, aber es ging tief in den Juni hinein, bis die letzten Verwandten auf ihre Güter heimkehrten. Und nun kommt ein Monat, über den nichts bekannt ist; kein Brief, keine Überlieferung spricht von der körperlichen oder seelischen Verfassung Clemens Augusts von Droste, der – angeblich – am 25. Juli 1826 am frühen Morgen von seinem Diener tot im Bett aufgefunden wurde.

Die allgemein hingenommene Erklärung spricht von einer raschen, heftigen Erkältung. Clemens August war aber, dank seiner langen Wanderungen zu allen Jahreszeiten, ein abgehärteter Mann, auch stand man im Hochsommer, der gesunden Menschen kaum je eine tödliche Erkältung bringt, die vor allem nicht zu einem so plötzlichen Tode führt. Und warum wachte nachts niemand bei ihm, wenn er wirklich schwer krank war?

Von Annette heißt es: ‚Entsetzen war es, was diese Todesstunde als Erinnerung in ihr hinterließ.‘ Nicht der Tod, sondern die ‚Todesstunde‘. So war sie doch bei dem Sterben zugegen gewesen? Jenny schreibt am 29. November 1826 an Wilhelm Grimm: ‚Uns ist doch der Trost geblieben, des Vaters sanften Tod zu sehen.‘ Andrerseits sagte sie in einem Brief vom 14. September 1826 ihrem Freunde Wilhelm vom Sterben des Vaters: ‚Ich kann jetzt nicht mehr darüber schreiben, aber ich habe die sichere Überzeugung, daß sie mich verstehen.‘

Die Todesstunde mag ‚sanft‘ gewesen sein, aber nicht die weiteren Umstände; darauf deutet Annettens Vers in den ‚Unbesungenen‘, in dem sie ausruft:

> *’s gibt Gräber, die wie Wetternacht*
> *An unserm Horizonte stehn.*

Also wie Katastrophen mit Blitz und Donner. Sie wurde schwer krank, nachdem der Vater von ihnen gegangen; ja, ihre Erschütterung war so tief, daß dem Rückschauenden der Gedanke kommen muß, ob nicht etwas ganz anderes als Krankheit die Schuld am Tod Clemens Augusts trägt.

Es gibt eine Ballade von Annette, ‚Der Mutter Wiederkehr‘, die mit einer solchen Eindringlichkeit ein Spukerlebnis schildert, daß die Wahrheit der Erfahrung aus jeder Zeile, die es beschreibt, hervorspiegelt. In dem äußeren Geschehen, das erfunden ist, spielen Wechsel und Geldpapiere eine Hauptrolle, Dinge, die Annette im Zusammenhang mit ihrem Vater seit Werners Hochzeit wahrscheinlich sehr geläufig waren.

Im Gedicht sitzt der Vater am Tische:

Wühlt’ in Papieren, schob und rückt’,

die Kinder duckten am Kamin ‚wie Fische, wenn drauf das Auge des Reihers drückt‘. Und dann hört man eine Erscheinung, die als die Gestalt einer jungen Frau geschildert ist, im Nebenraum gehen, Stühle rücken und mit einem Schlüsselbund klirren.

Die ganze Ballade ist erfüllt von Zusammenhängen mit dem Leben in Hülshoff. Schildert Annette hier Rosina, die früh verstorbene erste Frau des Vaters, die er als überzeugter ‚Geisterseher‘ sicher oft und oft zu beschwören versuchte? Es spielt auch ein überaus gütiger Kaplan eine Rolle, zu dem wohl der gute Wilmsen das Vorbild geliefert hat.

In der Ballade sagt ‚der Vater‘, der vor Schreck über das Erscheinen seiner verstorbenen jungen Frau für immer auf und davon geht, zum guten Kaplan:

Dir will ich auf deine Seele legen
Meine zwei Buben; denn du bist treu.

Aber in Annettens erstem Entwurf, der im Manuskript vorhanden ist, schrieb sie noch:

Dir will ich an die Seele legen
Die Meinen, denn ich fand dich treu.

Diesem Kaplan (oder Sakristan) hinterläßt ‚der Vater‘ einen Brief, und der Vers, der dieser Szene gilt, klingt, so wie er im Entwurf steht, wie in eigenster, unverwelkter Erinnerung niedergeschrieben:

Ihm frühe ward ein Brief gebracht,
Und auch dabei ein Schlüssel noch,
„Ich lese nicht", hat er gedacht,
Und zögerte, las endlich doch
Den Brief, in letzter Nacht geschrieben
Von meines armen Vaters Hand,
Der fest im Herzen mir geblieben,
Obwohl mein Bruder ihn verbrannt.

Die ersten Worte des Briefes aber lauten im Manuskript:

Was mich betroffen sag ich nicht,
Eh soll verdorren diese Hand!

Hat Clemens August eine übersinnliche Erfahrung gehabt, und steht der Schrecken darüber mit seinem Tod in Zusammenhang? Bestand überdies eine Verbindung zwischen dem Erlebnis – wie immer es gewesen sein mag – mit den Geldschwierigkeiten, in die der Schloßherr geraten war? In der Ballade spielen unglückliche Geldangelegenheiten eine Hauptrolle, ohne jedoch eine überzeugende Notwendigkeit für den Ablauf des Geschehens zu besitzen.

Daß Therese von Droste und ihre Kinder nach dem Tode des Vaters sich kaum der größten Bedrängnis zu erwehren wußten, ist bekannt, kam Annette deshalb auf die Idee, die ‚Erscheinung' im Kabinett verschwinden zu lassen, wo Geld, Papiere und Wechsel aufbewahrt wurden, und sie dort mit Schlüsseln rasseln zu lassen?

Annette wußte sehr wohl, daß im Grunde niemand an eine Spukgeschichte glaubte, was immer auch auf allen Schlössern darüber bezeugt wurde; so ruft sie in der Ballade aus:

Doch wieder sag ich's: bei meinem Leben!
Wir sahen und hörten genau!

Es ist sehr merkwürdig, daß es keinen Brief von Annette gibt, in dem der Tod des Vaters auch nur mit einem Wort berührt wird, und doch muß sie auf Beileidsschreiben ihrer Verwandten und Freunde geantwortet haben, die ihre Briefe aus früheren Jahren schon aufzubewahren pflegten; aber wenn ein Spukereignis Clemens August betroffen hatte, so wurde es aus Vernunft- und Taktgründen totgeschwiegen.

Daß diese Spukerlebnisse tatsächlich eintraten, beweist die Geschichte des Freiherrn von Kerckerinck, der seine eigene Beerdigung ‚sah‘ und kurz danach starb; ein Ereignis, das auch von Annette in der Ballade ‚Vorgeschichte‘ festgehalten wurde. Wenn sie in Briefen über den Tod ihres Vaters geschwiegen hat, so ging das tragische Ereignis, außer in die Ballade ‚Der Mutter Wiederkehr‘, auch noch in den ‚Anhang‘ zu ‚Des Arztes Vermächtnis‘, einem sehr düsteren, rätselvollen Epos, ein.

Diesen *Anhang*, genannt ‚Des Arztes Tod‘, hat man oft als ein fremdes Stück angesehen, das nirgends einzureihen sei. Von einem Beurteiler jedoch, der anderer Meinung war, wird gesagt, daß er ‚kaum begreiflicher Weise das reimlose Gedicht: Des Arztes Tod, als Erinnerung an den Tod des Vaters der Dichterin auffaßt.‘

Es scheint vielmehr ‚kaum begreiflich‘, wenn man ‚Des Arztes Tod‘ *nicht* mit Clemens Augusts Sterben in Zusammenhang bringt; entschließt man sich aber dazu, so muß man annehmen, daß Annette hier ihre eigene ungeheure Erregung aus der Todesnacht niedergelegt hat. In ‚Des Arztes Tod‘ spricht Annette von sich selber, wie sie es fast immer in ihren Werken tat, als von einem männlichen Wesen; sie stellt sich als einen der anwesenden Söhne des alten Arztes dar; dieser zweite Sohn ist *erst für den ‚Anhang‘ erfunden*, im Epos: ‚Des Arztes Vermächtnis‘ gibt es ganz deutlich nur *einen* Sohn.

Der ältere Sohn heißt Carl, ein Name, den Annette mehrfach in ihren Gedichten für den einen oder andern ihrer Brüder benutzte. Sie selber ist ‚der bleiche Knabe‘, ‚der Jüngling‘, der glaubt, mit der Macht des Gebetes den Vater retten zu können, um ihn dann doch bei Morgengrauen entseelt zu finden. Die Verse lauten:

> *Inmitten des Gemachs am Boden liegt*
> *Der Knabe: unaufhaltsam strömt sein Weh*
> *In glühnden Zähren; krampfhaft Schluchzen schüttelt*
> *Die junge Brust; er windet sich, er stöhnt,*

Dann springt er auf; ein fromm erzognes Kind,
Kniet er im Winkel, und sein wimmernd Flehn
Steigt Lavaströmen gleich empor, doch halb
Ist's Wahnsinn, halb ein kindlich treu Gebet.
Den Himmel möcht' er stürmen; alles will
Er, alles opfern: jede Jugendlust,
Will Jahre kranken, selbst das junge Dasein
Ist nichts um diesen Preis. Oh, hätt' er Macht,
Er wagt' es, Gott zu diesem Tausch zu zwingen!

‚Er will Jahre kranken‘, das ist ein Gedanke, wie er Annette in ihrer eigenen schwachen Gesundheit kommen mußte. Jenny und Annette waren in Hülshoff, als der Vater starb und Fente im Forstdienst abwesend; das geht aus Briefen an Wilhelm Grimm hervor; Werner wohnte in seinem neuen Heim und Therese könnte nach den Anstrengungen der Hochzeitswochen zur Erholung nach Bökendorf gefahren sein. Sowohl in der Ballade ‚Der Mutter Wiederkehr‘ wie im ‚Anhang‘ zum ‚Vermächtnis‘ sind nur zwei Kinder – einmal des fliehenden, einmal des sterbenden Vaters – in der kritischen Nacht anwesend.

Nun ist zwar im ‚Anhang‘ von keinem Spukerlebnis die Rede, sondern nur von der Sterbestunde des Vaters, der Annette scheinbar beigewohnt hat, so daß die Version, der Vater sei von seinem Diener tot aufgefunden, als Versuch erscheint, die Umstände des Todes im Dunkeln zu halten; aber zu dem gesamten Werk: ‚Des Arztes Vermächtnis‘, zu dem der ‚Anhang‘ gehört, schrieb Annette den Satz, der wie lebendigste Erfahrung klingt:

‚Das Thema dieses Epos ist die vernichtende Einwirkung des Schauerlichen, Unbegreiflichen auf ein Menschenkind, dessen Seele, von Natur aus, dem Außerordentlichen offen ist, aber in seiner Harmlosigkeit und Gutmütigkeit dieses Außerordentliche zu tragen nicht befähigt ist.‘

Ja, wenn Clemens August wirklich ein seelenerschütterndes Ereignis zuteil wurde, so wäre es bei seiner zarten seelischen Lebenskraft wohl möglich, daß er davon wie zu Tode getroffen wurde.

‚Das Menschenkind', das in Annettens Begleitsatz beschrieben wird, ist Wort für Wort ihr Vater, der Harmlose, Gutmütige, als den sie ihn auch andernorts gekennzeichnet hat, und ist zugleich der Arzt, dessen Todesstunde so erschütternd von ihr dargestellt wurde.

Und nun noch ein Drittes: Clemens August scheint, durch das Spukerlebnis schon von Todesahnungen bedroht, eines Sommerabends mit Annette im Freien gesessen zu haben. Später, als sie einmal das Porträt des Verstorbenen betrachtete, erinnerte sie sich dieses zärtlichen Beisammenseins; das Gemälde vor ihr an der Wand hat viele Mängel, aber sie sagt, während sie prüft und betrachtet:

> *Was fremd, dahin will ich nicht schauen,*
> *. . . . . .*
> *Ich will nur sehn in deine Augen,*
> *Den einen reinen Blick nur saugen,*
> *Der leise meinen Namen nennt.*
>
> *Ihn, der wie Äther mich umflossen,*
> *Als in der ersten Abendzeit*
> *Wir saßen Hand in Hand geschlossen*
> *Und dachten Tod und Ewigkeit;*
> *Ihn, der sich von der Sonne Schwinden*
> *Heilig gewendet, mich zu finden,*
> *Und lächelnd sprach: ich bin bereit.*

Es liegt offensichtlich ein Geheimnis über dem Tod von Annettens Vater, denn da alle ihre Werke von tiefem Erleben durchblutet sind, darf man kaum ihre deutlich hinweisenden Verse und Aussprüche auf dieses Hinsterben als Zufallserfindungen ansehen – doch können sich ihre Worte nur in Vermutungen widerspiegeln. Vermutungen, die immerhin den *einen* Wert besitzen, in den dunklen Brunnen hinabzuleuchten, aus dem Annette schöpfte.

Nach dem Verlust ihres Vaters war Annette bis tief in den Herbst des Jahres 1826 hinein schwer leidend, aber sie durfte keine Rücksicht auf ihren schmerzenden Kopf, die Atemnot und die nervösen Magenbeschwerden nehmen; sie mußte räumen und packen, denn Therese stand es bevor, mit ihren Töchtern das Schloß zu verlassen, war doch Werner jetzt der Herr der Burg, und die kleine Schwägerin Line sollte neben ihm das Regiment führen. Ja, es war besser, daß Therese ihren Witwensitz, das kleine, efeuumsponnene Rüschhaus bezog, ein hübsches Anwesen, halb Bauernhaus, halb Schlößchen, mit einem kleinen Park und etwas Land. Anstatt des breiten Weihers wurde es von einem Bach umzogen und hatte eine Holzbrücke mit einem Türchen. Anstatt der gotischen Kapelle einen eingebauten Altar, der sich wie ein Schrank schließen ließ; alles war klein, auch die meisten Zimmer, aber das ganze Haus von einem eigenen Zauber umsponnen.

Therese hatte nicht viel Sinn für den poetischen Reiz des Rüschhauses; ihr fiel es sehr schwer, ihren stolzen Wohnsitz zu verlassen, ja, der Abschied wäre ihr nicht gar so bitter erschienen, wenn sie über reichlichere Mittel verfügt hätte, aber sie wußte, daß sie in äußerster Einfachheit, fast in Dürftigkeit würde leben müssen.

Werner konnte der Mutter und den Schwestern nur ein sehr geringes Einkommen versprechen, da er selber die größte Plage haben würde, sein Erbe zusammenzuhalten und in geordnete Verhältnisse zu kommen.

Im Familienrat war alles besprochen worden. Jenny besaß eine Präbende auf ein Damenstift und konnte ihren alten Tagen ruhig entgegensehen, aber solange sie bei der Mutter wohnte, mußte sie, wie auch Annette, Kostgeld bezahlen. Therese, tapfer, kühl und umsichtig wie von je, hatte beschlossen, ein heranwachsendes Mädchen aus der Verwandtschaft zu sich zu nehmen, das sie erziehen und das Annette unterrichten würde. Nette hatte ja nichts zu tun und mehr gelernt, als für eine Frau nötig war.

Eine erregte Debatte verursachte Annettens Erklärung, sie würde die Amme, ihre gute alte Katharina mit nach Rüschhaus nehmen. Therese war entrüstet über diese Gefühlsseligkeit; man hatte keinen Platz in dem kleinen Rüschhaus, und mußte froh sein, keinen unnützen Esser in der Gesindestube zu haben.

Aber Annette erklärte, sie würde eines ihrer drei Zimmer an die Amme abtreten und Kostgeld für sie bezahlen. Kathrin würde gebrechlich und im neuen Haushalt im Schloß könnte sie bald als überflüssig beiseite geschoben oder weggeschickt werden. Die alte Frau war überglücklich, wie hatte sie vor der Leerheit des Greisenalters gezittert, sie stand ja ganz allein, und nun nahm ‚ihr Kind‘ sie mit und hielt die Hand über ihr und würde ihr nichts geschehen lassen.

Als Annette im Oktober in ihren niedrigen Zimmerchen mit den kleinen Fenstern eingerichtet war, ach so einfach, so bescheiden, da war es ihr ein lieber Trost, in dem winzigen Raum, der nur einen Eingang von Annettens Schlafzimmer hatte, das unermüdliche Surren des Spinnrades zu hören, an dem Kathrin, wohlversorgt in warmer Behaglichkeit, saß und spann und spann, um von ihrer Dankbarkeit ein wenig abzutragen.

Es muß ein schwerer Winter gewesen sein, in dem Therese und ihre Töchter, immer noch wie erstarrt vor Schrecken und Schmerz, es nicht fassen konnten, daß sie wie von einem Sturmwind aus dem altgewohnten, behüteten Leben hinausgetrieben waren. Da saßen sie nun zusammengedrängt in dem kleinen Haus, ohne Mittel, nur mit einem Wagen und einem Pferd, ohne den Schloßkaplan, den guten Wilmsen, der ihnen die Messe las. Eine einzige Kammerjungfer bediente die Damen, dazu kam die Köchin sowie eine Magd und ein Knecht für das Land.

In Hülshoff aber, dem viel zu weitläufigen Schloß, auf dem Generationen und Generationen von Drostes groß geworden, hausten Werner und Line nur widerwillig, viel lieber wären sie in ihrem kleinen hübschen Landhaus geblieben. Die junge Frau, die sich auch weiterhin als ‚ein gutes harmloses Geschöpf‘ zeigte, fürchtete sich in der alten Wasserburg mit den langen, hallenden Gängen, mit den unzähligen Zimmern, den halbverfallenen Türmen und Stiegen, wo es spukte, obgleich sie dem Tag entgegen sah, wo sie Schloß Hülshoff – wie man selbstverständlich hoffte – mit einem Erben beschenken sollte.

Wie rasch das Leben weiterrollte; im Mai hatte das junge Paar geheiratet, im Juli war der Vater gestorben, im Oktober übernahm Werner die Herrschaft über die Burg, die hundert Bauernfamilien, über die Wälder, Heiden, Moore, Wiesen und Felder,

und im Frühling, als um das Rüschhaus her die verpflanzten Blumen des Vaters aus der Erde zu sprießen begannen, brachte Karoline von Droste wirklich den Erben zur Welt; ein neuer wich-
tiger Tag in der Geschichte der Hülshoffer, der Annette die uralte Sage vom Schloßelf ins Gedächtnis brachte, der zur Geburts-
stunde des Erben in den Schloßweiher unterzutauchen pflegte.

Nach langer Ruhezeit ergreift sie endlich wieder einmal die Feder und beschreibt in einem Gedicht für Werner und Line, wie
einer ihrer alten Bauern in den Nachtstunden, da die junge Herrin einem Kind das Leben geben sollte, die Wahrheit der Sage
zu prüfen gedenkt.

Mit einer Vision des Schlosses Hülshoff beginnt die Ballade:

In monderhellten Weihers Glanz
Liegt brütend wie ein Wasserdrach'
Das Schloß mit seinem Zackenkranz,
Mit Zinnenmoos und Schuppendach.
Die alten Eichen stehn von fern,
Respektvoll flüsternd mit den Wellen,
Wie eine graue Garde gern
Sich mag um graue Herrscher stellen.

Am Tore schwenkt, ein Steinkoloß,
Der Bannerherr, die Kreuzesfahn',
Und kurbettierend schnaubt sein Roß
Jahrhunderte schon himmelan;
Und neben ihm, ein Tantalus,
Lechzt seit Jahrhunderten sein Dogge
Gesenkten Halses nach dem Fluß,
Im dürren Schlunde Mooses Flocke.

Ob längst die Mitternacht verklang,
Im Schlosse bleibt es immer wach;
Streiflichter gleiten rasch entlang
Den Korridor und das Gemach.
Zuweilen durch des Hofes Raum
Ein hüpfendes Laternchen ziehet;

Dann horcht der Wandrer, der am Saum
Des Weihers in den Binsen kniet.

‚Ave Maria! stärke sie!
Und hilf ihr über diese Nacht!'
Ein frommer Bauer ist's, der früh
Sich auf die Wallfahrt hat gemacht.
Wohl weiß er, was der Lichterglanz
Mag seiner gnädgen Frau bedeuten;
Und eifrig läßt den Rosenkranz
Er durch die schwiel'gen Finger gleiten.

Doch durch sein christliches Gebet
Manch Heidennebel schwankt und raucht;
Ob wirklich, wie die Sage geht,
Der Elf sich in den Weiher taucht,
Sooft dem gräflichen Geschlecht
Der erste Sprosse wird geboren?
Der Bauer glaubt es nimmer recht,
Noch minder hätt' er es verschworen.

Scheu blickt er auf – die Nacht ist klar
Und gänzlich nicht gespensterhaft,
Gleich drüben an dem Pappelpaar
Zählt man die Zweige längs dem Schaft;
Doch stille! In dem Eichenrund –
Sind das nicht Tritte? – Kindestritte?
Er hört, wie an dem harten Grund
Sich wiegen, kurz und stramm, die Schritte.

Still! still! Es raschelt übern Rain
Wie eine Hinde, die im Tau,
Beherzt gemacht vom Mondenschein,
Vorsichtig äset längs der Au.
Der Bauer stutzt – die Nacht ist licht,
Die Blätter glänzen an dem Hagen,
Und dennoch – dennoch sieht er nicht,
Wen auf ihn zu die Schritte tragen.

Da, langsam knarrend, tut sich auf
Das schwere Heck zur rechten Hand,
Und, wieder langsam knarrend, drauf
Versinkt es in die grüne Wand.
Der Bauer ist ein frommer Christ;
Er schlägt behend des Kreuzes Zeichen:
‚Und wenn du auch der Teufel bist,
Du mußt mir auf der Wallfahrt weichen!‘

Da, hui! streift's ihn, federweich,
Da, hui! raschelt's in dem Grün,
Da, hui! zischt es in den Teich,
Daß bläulich Schilf und Binsen glühn;
Und wie ein knisterndes Geschoß
Fährt an den Grund ein bläulich Feuer
Im Augenblicke, wo vom Schloß
Ein Schrei verzittert überm Weiher.

Der Alte hat sich vorgebeugt,
Ihm ist, als schimmre, wie durch Glas,
Ein Kindesleib, phosphorisch, feucht
Und dämmernd, wie verlöschend Gas;
Ein Arm zerrinnt, ein Aug' verglimmt –
Lag denn ein Glühwurm in den Binsen?
Ein langes Fadenhaar verschwimmt,
Am Ende scheint's Wasserlinsen!

Der Bauer starrt hinab, hinauf,
Bald in den Teich, bald in die Nacht;
Da klirrt ein Fenster drüben auf,
Und eine Stimme ruft mit Macht:
‚Nur schnell gesattelt, schnell zur Stadt!
Gebt dem Polacken Gert' und Sporen!
Viktoria! soeben hat
Die Gräfin einen Sohn geboren!‘

12

Der Tod des Vaters hatte die fröhliche Welt von Hülshoff mit einem Schlage zertrümmert, und es schien, als solle eine Kette von Sorgen, die mit der Schreckensstunde begonnen hatte, nicht mehr abreißen: Geldnöte in Hülshoff, Annettens schwere Krankheit, ein Rückfall Ferdinands, ,der schon kränkelte, als er die traurige Nachricht bekam' und nun lungenkrank in Rüschhaus liegt.

Jenny, der die Verehelichung Wilhelm Grimms vor einem Jahr den letzten tiefverborgenen Hoffnungsschimmer auf eine Liebesheirat genommen, bricht fast zusammen unter der Trennung vom Vater, der ihr ein verstehender Freund gewesen war. Sie schreibt an Wilhelm, dem sie ihre Treue nicht entzieht: ,Meines Vaters Liebe war immer mein Trost, der ist nun dahin. Es freut Sie gewiß zu hören, wie herzlich gut er Ihnen war, wir haben oft von Ihnen geredet.'

Therese von Droste, trotz ihrer Beraubtheit mit rastloser Energie geladen, eilt in ihrem winzigen Wirkungskreis wie eine gefangene Löwin im zu engen Käfig gereizt hin und her.

Annette flieht sobald ihr Gesundheitszustand es erlaubt; nur Betätigung, nur Arbeit! Es zieht sie zu Sibylla Mertens, zu Wilhelmine von Thielemann; vielleicht ist wieder Gelegenheit, die Freundinnen gesund, und sich selber halb zu Tode zu pflegen. Oder zu Vetter Clemens nach Bonn, und wenn es nur wäre, um ihm seine alten lateinischen Papiere neu zu ordnen, oder Noten für ihn abzuschreiben. Sie erträgt die Tatenlosigkeit ihres Daseins, dieses Dahindämmern, nicht mehr!

Aber erst im Sommer 1827 erreichte sie es, Rüschhaus für einige Wochen verlassen zu dürfen. Ferdinand ist zu seinem Forstdienst zurückgekehrt, Therese weilt in Hülshoff oder in Bökendorf; Jenny, sanft und gefaßt wie immer, richtet ihr neues Treibhaus ein und verwandelt den nüchternen, vernachlässigten Garten von Rüschhaus in ein wahres Blumenparadies, so darf Annette sich ohne Gewissensbisse der Welt widmen und zwischen Bonn, Köln und Koblenz hin und her reisen.

Aber die Ablenkung ohne ernste Arbeit kann ihr nun doch nicht helfen, denn sie gehört nicht zu den Menschen, die eine innere Leere, von einer Zerstreuung zur andern hastend, vor sich selber verleugnen können, oder mit Beschäftigungen bald dieser, bald jener Art die Selbsttäuschung aufbauen, ihre Tage seien voll ausgefüllt und sie wären wichtige Persönlichkeiten.

Annette braucht einen Beruf, wie ein Mann ihn braucht, bis zum Kranksein ersehnt sie einen Zweck ihres Lebens. Aber ist nicht das Dichten und Schreiben ihre Aufgabe in diesem Dasein? In dieser Zeit muß – wie so oft schon – das Gefühl des Unvermögens, des Mangels an Stoff sie tief niedergedrückt haben.

Mitten in einer bewegten Welt, die von der neuen Zeit umgetrieben wurde, lechzte Annettens Geist nach Nahrung, denn es erging ihr wie so manchem intuitiven Dichter: wochen- und jahrelang können die Anregungen und Möglichkeiten zum Schaffen auf ihn herniederregnen, sie fließen ab wie Wasser vom Felsen, und dann, eines Tages, haftet ein herbeigetriebenes Samenkörnchen, treibt einen Keim und steht plötzlich als Pflänzchen da, wächst und wächst, und der Dichter könnte nicht mehr sagen, wann und warum gerade dieses Samenkorn in einer Felsenritze seiner verzweifelten Schaffenssehnsucht Wurzel fassen mußte.

Annette hatte, da Minchen Thielemann schwer nervenkrank war, häufig mit deren Tochter geplaudert, wenn sie beide der halb Wahnsinnigen ferngehalten wurden. Die junge Thielemann hatte einen Salinendirektor in Bex im Schweizer Kanton Wallis geheiratet und jetzt, an irgendeinem Tage ein paar Worte über die Mönche am Großen St. Bernhard fallen lassen; vielleicht, daß gerade die Rettung eines kleinen Knaben durch den Bernhardiner Hund Barry, geschehen war, eine Geschichte, die durch alle Zeitungen ging und großes Aufsehen machte.

Es mag sein, daß dieses Gespräch im ersten Moment keinen sonderlichen Eindruck auf Annette machte, aber dann, in der ersten ruhigen Stunde, oder in einer schlaflosen Nacht muß die Anteilnahme an dieser seltsamen Begebenheit zwischen Mensch und Tier hoch oben in den eisigen Schneeregionen Annettens darniederliegende Geister aufgerüttelt haben.

Nun ließ Annette die junge Frau nicht mehr frei; immer mehr mußte sie ihr von dem Hospiz erzählen und die Hunde beschreiben, die in ihrer Klugheit Menschen auffanden, wenn sie sich im Schneesturm verirrt hatten. Von der Paßstraße selber wollte Annette auch alles wissen, denn sie war nun schon von der Idee besessen, ein Epos zu Ehren der tapferen Mönche zu schreiben. Daß die Römer hier hinüberzogen, wenn sie nach Gallien und Helvetien gelangen wollten, und auf der Paßhöhe einen Tempel und ein Schutzhaus erbauten, kann ihr nichts nützen. Weiter, weiter, und dann?

Ja, im zehnten Jahrhundert haben die Augustiner Chorherren Kloster und Hospiz angelegt; denn auf dem Großen St. Bernhard ist ein ständiges Hinüber und Herüber von Reitern und Wanderern, aber der Schnee fällt früh im Herbst, er kommt oft unerwartet, wenn alles noch grün ist, und kehrt im Frühling zurück, wenn man meint, nun sei der Winter glücklich überwunden.

In diesen Zeiten suchen die Mönche mit unerhörter Tapferkeit nach Verirrten, ach so oft finden sie nur noch Tote, die sie im Beinhaus aufbahren, bis die Angehörigen zu Berg gestiegen sind. Zu ihrer eigenen Hilfe haben sie schon früh die Hundezucht begonnen.

Und nochmals muß die junge Frau in allen Einzelheiten erzählen, wie der Hund Barry einen kleinen Knaben ins Hospiz getragen, der, auf seinen Rücken gekauert, die halberstarrten Hände in das Fell geklammert, das Gesicht zum Schutz auf Barrys breiten Nacken gedrückt, dem Tode entronnen war.

Annette ist ganz erfüllt von dem Leben der Mönche, der Klugheit der Hunde und den Gefahren der Bergwelt. Sie macht Notizen über die Witterung und die Flora, über die Formation und das Gestein des Großen St. Bernhard, über Sprache, Lebensgewohnheit und Namen der Walliser Bauern, über die geringfügigsten Einzelheiten unterrichtet sie sich, und danach bleibt sie in ihrem Zimmer in freiwilliger Klausur und entwirft das Epos, das ihr vorschwebt, sie sucht nach dem Versmaß, schreibt einzelne Szenen nieder; sie ist wie im Fieber und glücklich bei ihrer Arbeit.

Aber eine hat Annettens Flucht auf die Höhen des Parnaß sehr ungern; das ist Sibylla; sie möchte in Annettens Denken den ersten Platz haben; um *ihr* Wohl und Wehe soll sie sich bekümmern, und Sibylla wird nervenkrank, so schwer, daß Annette alle dichterische Arbeit liegen läßt und die Freundin pflegt, bis sie selber fast zusammenbricht.

Nacht um Nacht wachte sie, und Tag für Tag harrte sie bei der jungen Frau aus; es ist eine unsagbar mühsame Zeit, von der sie nach fünfzehn Jahren dichtete: ,Mein Haupt so müde, daß es schwamm wie trunken, so matt mein Knie, daß es zum Grund gesunken'.

Aber endlich war Sibylla wieder gesund, und die Kranke wie ihre Pflegerin, die beide gleich erschöpft waren, suchten in diesem herrlichen Herbst in Sibyllas Landhaus zu Plittersdorf neue Kräfte.

Annette hatte sich in ihrer unendlichen Güte und Opferbereitschaft von Sibylla ausnützen lassen, aber kaum, daß sie wieder sich selber gehörte, so regte sich die vernachläßigte Dichterlust und gewaltig strömten Annette die Kräfte zu. So oft es möglich war, eroberte sie eine Stunde der Einsamkeit, um glückselig an ihrem Epos zu arbeiten. Gesang nach Gesang floß ihr aus der Feder. Ach, es war eine glückliche Zeit, die ihr Freundschaft und Arbeitskraft bescherte; triumphierend ruft sie in der Rückerinnerung an diese lebensvollen Wochen aus:

> *Da fühlten wir das Blut so keimend treiben,*
> *Als müßt' es immer frisch und schäumend bleiben.*

Und dreimal sagt das Versende, daß sie ,jung war und gesund'. Annette auf den Wellen des Lebens, im freien Verströmen ihrer Gefühle war immer gesund, so war es ihr Leben lang; zur Einsamkeit verdammt oder in die Einsamkeit als in die letzte Zuflucht fliehend, wird sie krank.

Erst im Frühling 1828 reiste Annette nach Rüschhaus zurück, und nun folgte ein langer, stiller Sommer. Die Mutter und Jenny weilten in Bökendorf; Annette hätte sie begleiten sollen, aber noch kann sie den Ort des Glücks mit Heinrich Straube und ihrer beschämenden Niederlage vor aller Welt nicht wiedersehen.

Ihr Leben lang wird die Wunde sich nicht schließen; arbeiten, arbeiten, das ist das Ein und Alles ihrer Heilung.

Oft schreibt sie am ‚Großen St. Bernhard' tage- und nächtelang. Marie Kathrin, ihre Amme, zetert und warnt vor einem Nervenzusammenbruch, Annette schüttelt nur ungeduldig den Kopf und schreibt weiter. Wenn die Ideen und die Verse fließen wie ein frischer Bach, so singt sie bei der Arbeit und scherzt mit ihrer lieben Alten, aber wenn Tage der Ermüdung eintreten, wenn das Hirn wie ausgedörrt ist und das Geschriebene ihr zum Zerfetzen schlecht erscheint, wenn sie sich selber ganz und gar zum Überdruß geworden ist, dann wirft sie sich in einer wilden, heftigen Verzweiflung der Natur in die Arme.

Was Annette hinaustreibt über die Heide, ist kein sanfter Naturgenuß, kein lyrisches Spazierenschlendern, das die Nerven beruhigt, nein, es ist eine wilde Hingabe an die Geister ihrer Heimaterde, und was diese der gequälten Frau dafür geben, ist ein Wachsen ihres Geistes, eine Steigerung des inneren Lebens bis zu seherischer Gewalt und damit ein Heranreifen ihres dichterischen Könnens.

Nach diesem ersten, völlig einsamen Sommer und Herbst paßt Annette nicht mehr in das Maß ihrer Umgebung, aber sie bezahlt die Übersteigerung ihres inneren Lebens mit den prophezeiten Nervenkrisen, die unerträgliche Kopf- und Augenschmerzen bringen.

Oft vermag sie wochenlang keinen Buchstaben am ‚Großen St. Bernhard' zu schreiben, aber ihr mystisches Eingehen in die zeitlose Natur und das Einsaugen des Übersinnlichen, das über diesem besessenen Lande schwebt, wird darum nicht unterbrochen.

Annette ist ein doppeltes Sein beschieden: die Welt, in der ihr Dichtergemüt wird und wächst, und das tägliche Leben, in dem sie mit beiden Füßen steht, voller Güte, Aufmerksamkeit und tätigem Helfen. Marie Kathrin ist in diesem Sommer krank, aber kaum daß Annette sie gesund gepflegt hat, wird die Kuh krank,

‚das geliebte Rind', das die alte gewiegte Bauernfrau unter ihren besondern Schutz genommen hatte; wenn das Rind krank wird, tötet die Sorge die Alte fast, nicht anders als wenn Annette, ihr angebetetes Fräulein, elend daliegt. In einem Brief an die Mutter, in dem Annette kein Wort von ihrer Arbeit am ‚Großen St. Bernhard' erwähnt, spricht sie jedoch von der ‚affaire' der kranken Kuh:

‚Marie Kathrin ist längst wieder besser, aber einen Schrecken hat sie gehabt, der ihr fast einen Rückfall gegeben hätte: das geliebte Rind nämlich hatte sich verfangen und war einige Stunden lang wirklich so elend, daß ich fürchtete, es würde sterben, und bis tief in die Nacht mit dabei gewesen bin, wie es mit Blutlassen, Essig- und Salzeingeben, mit Strohreiben etc. nach und nach kuriert ist.'

Als es Herbst geworden, und die Mutter und Jenny immer noch nicht heimgekehrt sind, und Regen, Sturm und frühe Dunkelheit Annette in ihrem Schneckenhaus, wie sie ihre Zimmer nennt, festhalten, lassen die ‚Nervenkrämpfe' in der erzwungenen Ruhe nach, und sie nimmt mit erneuter Hingabe die Arbeit am ‚Großen St. Bernhard' auf.

Der Mittelpunkt des Geschehens ist der Tod eines alten, freundlichen und sanften Mannes sowie die Beschreibung seines Schreckens und Grauens, im Schneesturm, den Tod vor Augen, gefangen zu sein. Eine Erinnerung an das Sterben des Vaters, die in Annette nicht zur Ruhe kommt? Es ist wohl möglich, denn am Schluß des Epos ist vom Schmerz einer Tochter um den Tod des Vaters die Rede. Der Kummer wird mit der ganzen Leidenschaft der eigenen Erfahrung geschildert.

Im Epos ist es die Klage einer jungen, kinderlosen Frau, und als zweite Person ist ihr Gatte zugegen. Ein Gatte jedoch, und gar ein Kind sind für Annette keine lebendigen Begriffe, so beginnt die Totenklage mit den kühlen Worten:

> *Der Mann ist gut, sie denkt nicht sein —*
> *Des armen Lieben nur allein. [des verunglückten Vaters]*
> *Kein Kind hat sie, kann nicht ermessen,*
> *Wie Mutterleid die Herzen bricht;*

Doch einen Vater kann man nicht,
Sein graues Haar, sein treu Gesicht,
In Ewigkeit ihn nicht vergessen.
Gedenkt sie an sein graues Haar,
Wie er sie rief: ‚Rosette, mein Licht! –
Rosette, mein Kind!‘ – es ist zu viel!
Zu viel! und aller Fassung bar
Sinkt sie ins Knie, reibt an die Mauer
Ihr Antlitz in vermeßner Trauer.

Die junge Frau wird sonst ‚Rose‘ genannt, aber in Verbindung mit dem Tod des Vaters ändert sich der Name in ‚Rosette‘, was dem Klange nach Annette gleicht; und wer, der es nicht erlebt hat, würde die Worte erfinden, daß man sein Gesicht vor Gram ‚an der Mauer reibt‘?

Annette hätte gern in einem Zuge Gesang nach Gesang verfaßt, aber die Bilder des Klosters, der Berge, des Lebens der Mönche standen nicht klar vor ihrem Auge; ihre Phantasie kämpfte wie in einem dichten Nebel. Minchen Thielemann mußte noch einmal helfen; am besten wäre es, wenn die Freundin sie in Rüschhaus besuchte. Am 2. November 1828 schrieb Annette ihr in einem langen Brief:

‚Sag mal, mein Herzchen, denkst du denn gar nicht, mal nach Münster zu kommen? Wir haben bei meinem Aufenthalt in Bonn so wenig voneinander gehabt; du warst krank, und ich bei andern zu Besuch, die sehr nahe Ansprüche auf mich hatten.

Ich habe dir unser Rüschhaus schon öfters beschrieben; Du weißt, daß der Raum beschränkt, unsere ganze Lebensweise höchst einfach ist. Kennte ich mein Minchen nicht so genau, ich dürfte gar nicht sie einzuladen wagen. Aber nun weiß ich, daß ich es darf, und meine gar, Du würdest Geschmack an unserer Art, zu sein, finden. Meine Mutter und Schwester sind den ganzen Sommer hindurch abwesend gewesen, in Bökendorf nämlich, und ich erwarte sie morgen zurück.

Ich dachte in dieser Zeit recht viel zu arbeiten, aber Gott hat mir Augenschmerzen geschickt.

Den 12. Ich habe lange pausiert, wie Du siehst, mein bestes Minchen, Du darfst aber die Schuld nur auf meine Augen schieben und nicht auf mich. Meine Mutter und Jenny sind derweil zurückgekehrt, und alles geht auf dem alten Fuß. Jetzt will ich auch wieder arbeiten, sobald ich darf nämlich.

Du weißt, daß ich ein Gedicht unter der Feder habe, das auf dem Sankt Bernhard spielt, und Deine liebe Julie war schon auf dem Godesberg so gütig, mir einige Notizen über jene Gegend und das Kloster mitzuteilen. Da ich aber damals nicht Zeit fand, sie niederzuschreiben, so wird Deine liebe Tochter wohl so gütig sein, mir einige Fragen über die Gegenstände zu beantworten.

Der zweite Gesang nämlich spielt im Kloster selbst und beginnt damit, daß ein Mönch in der Nacht im Turme steht und läutet. Das Gewand der Mönche ist mir bekannt, aber über das Innere der Kirche wären mir einige Bemerkungen sehr lieb. Ob sie groß, wie ihre Form, einige Particularités, zum Beispiel: wenn sich auffallende Gemälde darin befinden oder ein besonderes Heiligenbild. Denn da ich nachher diesen Mönch mit seiner kleinen Laterne durch die Kirche ins Kloster zurückkehren lasse und die Beschreibung dieses nächtlichen Ganges einen nicht unbedeutenden Punkt der Erzählung ausmacht, so kann ich nicht umhin, mich so genau wie möglich über die Lokalität zu unterrichten.

Nachher ziehen die Mönche aus, um einen Verunglückten zu suchen – könnte ich nicht erfahren, wie sie sich bei solchen Gelegenheiten kleiden? Sie führen ohne Zweifel Alpstöcke bei sich, aber auch sonst eine besondere Art von Fuß- oder Kopfbedeckung zum Schutz gegen die Kälte? Und Werkzeuge oder sonstige Hilfsmittel, die für ihren Zweck passen? Was zum Beispiel wird wohl angewandt, um die Verunglückten fortzuschaffen? Tragbahren oder wollene Decken? Große Leintücher?

Vom St. Bernhardsberge selbst habe ich eine recht genaue Beschreibung, doch weiß ich nicht, ob die Oberfläche desselben auf malerische Weise von hervorragenden Felszacken unterbrochen wird, oder ob sie eine einförmige, wüstenähnliche Schneemasse darbietet. Ist das Schneehuhn dort heimisch?

Das sind viele Fragen, mein liebes Minchen, und ich fürchte, mich sehr unbescheiden auszunehmen, aber ich *muß* mich zu dieser Bitte an die liebe Julie entschließen oder das ganze Gedicht liegen lassen.'

Minchen Thielemann muß gut geantwortet haben, denn Annette sagt in ihrem Epos mit der Bestimmtheit des Wissens von der nächtlich leeren Kirche:

> *So öd, so öd zu dieser Frist.*
> *Das Dunkel, das im Bethaus waltet –*
> *Der leeren Bänke Reihn – ein Bild,*
> *Das scheinbar aus der Nische quillt –*
> *Und von der Decke hochgestaltet*
> *Manch grauer Heil'ger zürnend schaut.*

Und nun der Auszug der Mönche:

> *Sechs Brüder treten hastig vor,*
> *Im Schneelicht wie ein Geisterchor.*
> *Die grauen Mäntel, Kappen rauh,*
> *An ihrem Fuß der Filzschuh grau,*
> *Gewirkte Gürtel um die Lenden,*
> *Der Eisenstachel in den Händen.*
> *Und ihrer zwei an Stangen auch,*
> *Die arme Leiche einzuschlagen,*
> *Ein festgerolltes Leilach tragen.*

Die äußerlichen Einzelheiten hat Annette sich sagen lassen, aber die Verzweiflung des alten Mannes, der, mit dem Enkel an seiner Brust, im Schneesturm zusammenbricht, das ferne Glöckchen des Klosters hört, ruft und ruft, aber nicht gehört wird, obgleich die Wächter ihr Signal geben und dann zu horchen scheinen, das ist mit dem inneren Auge gesehen, in bebendem Mitgefühl gespürt.

Und woher kannte Annette die mühsam beherrschte Angst der Männer, die gezwungen sind, über einen vereisten Stamm, der die tief unten schäumende Drance überquert, zu schreiten und – was noch hundertmal mehr Mut erfordert – mit dem erstarrten Greis den gleichen Weg noch einmal zu beschreiten?

Das Epos ist voller Spannung und eigenartiger Schönheiten, eine Kette von Bildern, wie nur das echte Dichterauge sie sieht; die Sprache scharfkantig und klar, nicht die Sprache der Romantiker, noch weniger die eines Fräuleins aus der Biedermeierzeit. Die Verse fließen Annette aus der Feder, die Gesichte ihrer Phantasie sind mehr, als sie in Worte zu fassen vermag. Nur weiter, weiter, dem Ende entgegen und dann ... wenn es endlich abgeschlossen ist – niemand darf ihr dawider sein –, dann will sie ihr Epos gedruckt und unter den Menschen sehen!

Vetter Clemens wird ihr helfen und Sibylla wird auch Rat wissen, denn sie kennt ja manchen der Verleger, die ihre jungen Dichterfreunde herausbringen. – Aber dann, mitten in ihren frohen Zukunftsplänen, fällt es wie ein Schlagbaum vor Annette nieder: Fente ist heimgekehrt, krank, todkrank! Jetzt fort mit Papier und Feder, zu Ende die Ruhe des Schaffens!

Ferdinand liegt in einem der kleinen Zimmer; die Mutter und die Schwestern pflegen ihn in großer Angst; aber muß man denn gleich an das Schlimmste denken? Er hat doch schon oft Blut gespien und nach Luft gerungen!

Doch bevor Mutter und Schwestern nur den ersten Schrecken überwunden haben, verbrennt das dünne Lebenslicht mit ungeheurer Schnelligkeit; kam das geliebte Kind denn nur nach Hause, um zu sterben?

Jetzt ist es Hochsommer; schon im Mai hatte Annette darüber geklagt, daß Fente Blut spucke und so erschreckend huste, aber der Arzt hatte sie damals beruhigt, wenn der junge Mann keine Schmerzen verspüre, dann brauche sich niemand Sorgen zu machen. So lebte Ferdinand mit voll ausgebrochner Schwindsucht unter seinen Kameraden oder in Hülshoff, wo die vielen kleinen Kinder waren; zwei von ihnen waren schon jetzt von der todbringenden Krankheit befallen.

Und Annette, die sich selber jeden Herbst und Frühling halb zuschanden hustete, atmete ahnungslos durch Wochen der zärtlichsten Pflege die vernichtenden Keime ein.

Als Ferdinand in einem Blutsturz sein kurzes Leben endete, brach auch sie zusammen. Abermals eine Beerdigung auf dem

Friedhof zu Roxel in voller Sommerpracht. Alle Erinnerungen an den Tod des Vaters stehen von neuem auf. Sie mag nicht mehr, sie kann nicht mehr; wen besitzt sie denn auf der Welt außer ihren nahen Blutsverwandten? Nun sind nur noch Jenny und die Mutter da, und die Mutter ist eine alte Frau, wenn auch ungebrochen vom Schmerz, aber doch der Abberufung nicht mehr fern, und ob Jenny immer bei ihr bleibt? Aus der Welt wird jedoch nie jemand an ihre Seite treten und ihr gehören als ihr zweites Ich.

Annette läßt sich in eine grenzenlose Trauer fallen, in eine Apathie des Geistes, und der Körper folgt mit rätselhaftem Kranksein; sie hält das Leben nicht mehr fest.

Auf dem Lande war kein Arzt, der Annettens Leiden erkennen und pflegen konnte, so brachte man sie nach Münster und rief ihre unverheiratete Tante Karoline von Haxthausen, die nicht viel älter war als Annette, um sie zu pflegen, aber der Trübsinn will nicht weichen.

Da erscheint in Münster, wie vom Himmel gesandt, Katharina Schücking, Kathinka, die geliebte, angebetete Freundin aus Annettens Jugendzeit! Kathinka lebt in einer trostlos unglücklichen Ehe, auch sie ist krank; die Weltabgeschiedenheit von Schloß Clemenswerth, wo ihr Gatte Richter und Advokat für wenige Dörfer ist, dünkt sie eine Wüste der geistigen Armut. Zu allem Übel muß sie sich nun bald von ihrem Sohn Levin trennen, denn er hat das Alter erreicht, da er in Münster das Gymnasium besuchen darf.

Unfrieden, Geldnot, Einsamkeit, Krankheit – aber Kathinka trägt ihr Schicksal in Würde und ungebrochenem Mut. Annette läßt sich vom Leben erdrücken? Sie läßt sich die Stimme des Dichters nehmen? Da schilt Katharina Schücking in herben Worten und rüttelt Annette auf: wer ein Talent besitzt wie sie, der darf sich nicht untersinken lassen. Aufstehen, gesund sein, denn sie ist ja gar nicht krank. An die Arbeit! Mit den Pfunden wuchern, die der Himmel ihr gegeben!

Und wirklich, Annette springt auf, reißt das Leben von neuem an sich, aber dieses Mal nicht das Leben der Geselligkeit, des Debattierens und des Geschwätzes in dieser oder jener Stadt; es zieht sie nach Rüschhaus, in den Zauber ihrer Einsamkeit, an das

Herz der Natur. O Kathinka, du Retterin! Die Dankbarkeit gibt Annette die Worte ein:

> *Auch war ich krank, mein Sinnen sehr verwirrt,*
> *Und keinen Namen mocht ich sehnend nennen;*
> *Doch hat dies deine Liebe nicht geirrt,*
> *Du drangst zu mir nach langer Jahre Trennen.*
>
> *Und als du vor mich tratest, fest und klar,*
> *Und blicktest tief mir in der Seele Gründe,*
> *Da ward ich meiner Schwäche wohl gewahr,*
> *Was ich gedacht, das schien mir schwere Sünde.*
> *Dein Bild, du Starke in der Läutrung Brand,*
> *Stieg wie ein Phönix aus der Asche wieder,*
> *Und tief im Herzen hab' ich es erkannt,*
> *Wie zehnfach größer du als deine Lieder.*
>
> *Du sahst, Bescheidne, nicht, daß damals hier*
> *Aus deinem Blick Genesung ich getrunken,*
> *Daß deines Mundes Laute damals mir*
> *Wie Naphta in die Seele sind gesunken.*
> *Ein jedes Wort, durchsichtig wie Kristall*
> *Und kräftig gleich dem edelsten der Weine,*
> *Schien mir zu rufen ,Auf! der Launen Ball,*
> *Steh auf! erhebe dich, du Schwach' und Kleine!'*

Kathinka hat sie nicht umsonst aufgerüttelt! Sie will dichten, dichten, dichten. O Kathinka, du große Frau, halte von ferne eine segnende Hand über mein Bemühen, denn du, die auch gedichtet, du weißt es nur zu gut:

> *Wer eine ernste Fahrt beginnt,*
> *Die Mut bedarf und frischen Wind*
> *Er schaut verlangend in die Weite*
> *Nach eines treuen Auges Brand,*
> *Nach einem warmen Druck der Hand,*
> *Nach einem Wort, das ihn geleite.*

Ach, daß Kathinka nun wieder ferne ist! Sie schreibt keine Briefe; sie tat, was sie tun mußte, aber nun herrschte wieder Schweigen zwischen den Freundinnen. Wer, wer soll Annette beistehen? Da ist zwar ihr neuer Freund Schlüter in Münster, der den alten Sprickmann zu ersetzen beginnt. Christoph Bernhard Schlüter, Dichter, Philologe und Philosoph, Professor zu Münster. Vier Jahre jünger als Annette und schon fast blind, ein sehr frommer Mann, der der treueste von ihren Freunden werden sollte.

‚Professorchen' nennt sie ihn, oder ‚Schlüterchen'; sie liebt ihn wie einen Bruder; seine Frömmigkeit und seine Gelehrsamkeit sind niemals aufdringlich, er gleicht im täglichen Leben vielmehr einem warmen Ofen oder einer heimeligen Stube. Trotz seines schweren Leidens lebt er stillvergnügt und in philosophischer Ergebenheit, betreut von rührend besorgten, lebensfernen Frauen, seiner Mutter und seiner Schwester Therese, von Annette gern ‚Thereselchen' genannt.

Die ganze Familie betet sie, Annette, an und verhätschelt sie, aber kann ihr nur sanfte Speise geben.

Nein, nein, was sie braucht, um ihren Geist zu einem Aar zu machen, der die Sonne sucht, sind die tiefen Dinge der Seele: Leiden, Sehnsucht, Kampf des Schaffens, eisige Einsamkeit; so geht sie zu keinem lebenden Menschen, sie geht zu ihren Toten, deren Stimme, weiterlebend in der Natur, sie erst jetzt recht versteht. Die Geister der Verstorbenen sollen das Bluten ihrer Seele segnen, so sagt sie eines begnadeten Tages, wie mit gefalteten Händen zu ihnen:

> *Ein ernstes Wagen heb' ich an,*
> *So tret ich denn zu euch hinan,*
> *Ihr meine stillen strengen Toten;*
> *Ich bin erwacht an eurer Gruft,*
> *Aus Wasser, Feuer, Erde, Luft*
> *Hat eure Stimme mir geboten*
> *. . . . . .*
>
> *Ich fasse eures Kreuzes Stab*
> *Und beuge meine Stirn hinab*
> *Zu eurem Gräberhauch, dem stillen;*
> *Zumeist geliebt, zuerst gegrüßt,*
> *Laßt, lauter wie der Äther fließt,*
> *Mir Wahrheit in die Seele quillen.*

13

Um die Wahrheit zu finden, braucht es Versenkung. So gibt es nun Stunden, da Annette unbeweglich auf ihrem großen schwarzen Sofa kauert, die Füße auf dem Polster, die Hände um die angezogenen Knie geschlungen, den Blick auf die kleinen quadratischen Fenster gerichtet, hinter denen sie in dieser Stellung nur den Himmel und die Zweige eines Baumes sehen kann.

Wenn die Äste kahl sind, gleicht ihr zierliches Gezweige einer schwerelosen japanischen Malerei, aber wenn der Sturm sie vor dem blaugrauen Himmel durcheinander und auf und nieder peitscht, dann erweckt dieser Anblick in Annette die Vorstellung einer wilden Melodie.

Es kann geschehen, daß sie dann zu ihrem altmodischen Tafelklavier geht und improvisiert. Vetter Clemens und der gute blinde Schlüter würden mit ihr schelten, wenn sie wüßten, daß sie nie eine Melodie niederschreibt, aber in dieser Zeit schafft sie gar nichts, sie hält ganz still und wartet, was Gott mit ihr im Sinne hat. Die Mutter pflegt von ihrem ,wilden, trotzigen Herzen' zu sprechen. Ach, was weiß sie bei aller Liebe von der eigenen Tochter? Nichts, wie eigentlich niemand etwas vom andern weiß.

,Wild und trotzig?' Ja, wenn die wohlmeinenden Verwandten sie begönnern und erziehen wollen, wenn die Mutter, die es neuerdings liebt, Annettens Entwürfe zu Gedichten und Epen vorzulesen, ehe sie selber noch hervorgesucht hat, was sie der Kritik preiszugeben bereit ist.

Eines der ,Heidebilder' erzählt, wie Annette sich vor strömendem Regen in die alte Vogelhütte ihres Vaters rettet und nun hier gefangen sitzt, während im Rüschhaus den Gästen ihre Gedichte vorgelesen werden. Resigniert seufzt sie auf:

> Ich habe mich gesetzt in Gottes Namen;
> Es hilft doch alles nicht, und mein Gedicht
> Ist längst gelesen, und im Schloß die Damen,
> Sie saßen lange zu Gericht.

Statt einen neuen Lorbeerkranz zu drücken
In meine Phöbuslocken, hat man sacht
Den alten losgezupft und hinterm Rücken
Wohl Eselsohren mir gemacht.

‚Wild und trotzig', ja, o ja in den Momenten, da es gilt, sich von dem saugenden Strudel ihrer heißen Lebenswünsche zu retten, wenn der Verzicht auf das gottgewollte Glück der Menschen so über alle Maßen schwer ist: das Glück der Gemeinschaft mit einem liebenden Gefährten. Wie sie im Grunde ihres Herzens die alten Mädchen in ihrer Familie verachtet, die mit ihren leeren, unbeschriebenen Gesichtern so gutwillig verzichten und dankbar die Versorgung im Fräuleinstift annehmen!

Annette mit ihrem männlich-selbständigen Charakter, der lieber werben und erobern möchte, als erobert zu werden, Annette ringt schwer mit ihren Wünschen. Ach, dürfte sie doch ‚diese ganze in Funken verglimmende Lebenskraft in einem einzigen recht lohhellen Tage ausflammen lassen!' Aber sie hatte die Kraft zur Würde und zur Zurückhaltung. Nur hält dieser Kampf zwischen Sehnen und Bescheiden den trotzigen Ruf in ihr wach:

Und kann ich denn kein Leben bluten,
So blut ich Funken wie ein Stein!

Annette wartet; wartet in der Stille ihrer Versenkung, daß Gott den Stein schlägt, bis er Funken sprüht. Die Kraft zur inneren Stille ist für den künstlerischen Menschen ein Gnadengeschenk, denn nicht jeder vermag sich, gleich einer Blume am Abend, über sich selbst zu schließen. Viele Künstler suchen die geistige Befruchtung im Strudel des Lebens, Annette aber wußte, wann und wo ihr ‚die rechte Stunde' schlug. Nicht

Im heitern Saal beim Kerzenlicht,
Wenn alle Lippen sprühen Funken; –
Und gar, vom Sonnenscheine trunken,
Wenn jeder Finger Blumen bricht; –
Und vollends an geliebtem Munde,

Wenn die Natur in Flammen schwimmt, –
Das ist sie nicht, die rechte Stunde,
Die dir der Genius bestimmt.

Doch wenn so Tag als Lust versank,
Dann wirst du schon ein Plätzchen wissen,
Vielleicht in deines Sofas Kissen,
Vielleicht auf einer Gartenbank,
Dann klingt's wie halb verstandne Weise,
Wie halb verwischter Farben Guß
Verrinnt's um dich, und leise, leise
Berührt dich dann dein Genius.

Deshalb möchte Annette auch nicht mitreisen, als Onkel Werner von Haxthausen mit Betty nach Rom fährt und auf dem Heimweg seinen Freund Laßberg in der Schweiz besuchen will. Jenny schluchzt und ist völlig außer sich, weil die Mutter nicht erlaubt, daß wenigstens sie allein mitreist, – Rom zu sehen, in die Schweiz zu reisen, ein solches Glück widerfährt nur wenigen Menschen, und sie muß zurückbleiben im kleinen Rüschhaus! Aber Therese läßt sich nicht erweichen; wie ein Fels steht sie, ahnungslos zwar, nicht nur vor den Reisefreuden, sondern vor dem Lebensglück ihrer Tochter; doch wird das Schicksal Jenny dennoch helfen.

Vorläufig reisen Werner und Betty allein ab; für ein Jahr etwa, denn eine Reise nach Rom ließ sich nicht in wenigen Wochen bewältigen, war es doch eine Lebenstat, die den Reisenden berühmt machte unter Kindern und Kindeskindern.

Es ist der Frühling des Jahres 1830. Wer liebte nicht den nordischen Mai, wenn er das flache Land beglückt? Ein hellblauer Himmel, mit allerlei Wolken, die sich harmlos und ohne Regendrohung bilden und zerfließen, spannt sich unendlich hoch über das Land, dessen äußerste Wellen die reine Linie des Horizontes bilden, gerade wie auf dem Meer. Durch das verschiedene Grün wird es hier als Wiese, dort als Acker kenntlich, und dazwischen liegt das scheckige Muster von Heide oder Moor. Die Hecken, die die Wege säumen, sprießen von hellen seidigen Blättern und beschützen ganze Bänder von Veilchen. Die Birken stehen im

Brautschleier, die Buchen sind schon deutlich belaubt, und nur die Eichen bleiben lange kahl.

Wie frisch gefüllt sind die Tümpel und Teiche, die Bäche von ungewohnter Munterkeit, und als Schönstes schwebt über allem das, was den Menschen, ob jung oder alt, in einen leichten übermütigen Rausch versetzt, der Duft von frisch aufgebrochener Erde, dahingetragen von einem leichten Wind, in der Wärme der Sonne verschwebend und Meisen und Lerchen, Buchfinken und Stare zu unermüdlichem Gesange begeisternd.

Den sandigen Weg beim Schlagbaum, ganz nahe dem Rüschhaus, überschritt in diesem Mai 1830 ein blutjunger, zartgebauter Jüngling von sechzehn Jahren und neben ihm wanderte, schwerfällig aber rüstig, ein geistlicher Herr. Der junge Mann sah ohne sonderliches Vergnügen auf den Weg vor seinen Augen, der an einem Gehölz entlang führte und dann in eine Allee einbog, die zu dem Hause führte, in dem eine fremde Dame wohnte, die er um alles in der Welt besuchen soll. Wenn sie nicht eine Freundin seiner heißgeliebten Mutter wäre, ja, dann hätten keine zehn Pferde ihn hier heraus gebracht.

Der geistliche Herr zeigte viel mehr Begierde, das Freifräulein Annette von Droste-Hülshoff kennenzulernen, als sein störrischer Schüler, Levin Schücking, denn es ging in Münster von ihr die Rede, sie sei eine geistreiche und hochbegabte Dame. Sie war nicht mehr ganz jung; sie mußte die Dreißig schon überschritten haben.

Als der Jüngling und der ältere Mann den drei Damen im großen Wohnzimmer von Rüschhaus gegenübersaßen, scheint es, nach dem, was Levin Schücking im Alter darüber schrieb, nicht allzu gemütlich hergegangen zu sein.

Therese hatte nicht das geringste Interesse für diesen hereingewehten Besuch; Jenny, immer noch unter der großen Enttäuschung leidend, beugte sich nach einigen höflichen Worten wieder über ihren Stickrahmen, eine hübsche, leise welkende Blume. Auch Annette wird als eine zart und kränklich aussehende Dame beschrieben, und doch muß ihr Bild, wie sie in dem schlichten weißen Musselinekleid, dessen Rock sehr weit und lang war, in einem hochlehnigen Stuhl ruhte, außerordentlich hübsch gewesen sein, denn Levin, den kein Ahnen über die Bedeutung dieses Nachmittags durchwehte, hat trotzdem den ersten Anblick seiner liebsten Freundin nie vergessen.

Nicht nur in den Lebenserinnerungen, auch in seinen Novellen und Romanen taucht immer wieder das aristokratische, schöne Gesicht Annettens auf ‚mit den großen, wundersamen Augen‘, der mächtigen klugen Stirn, umrahmt von einer Fülle leuchtend goldenen Haares. ‚Die Undine des Schilfhauses‘ nennt Levin Schücking sie in der Rückerinnerung. Wie schön waren diese schmalen, vornehmen Hände, die sie so gesammelt und fest übereinander gelegt hielt, gerade wie man es auf so vielen Frauenporträts der alten Zeit sah.

Der geistliche Herr war ein Bildernarr, der alles kannte, was je gemalt war, auch er wird das Freifräulein betrachtet haben, das sich so ruhig, ohne eine Handarbeit zu berühren, mit den Gästen unterhielt. Ja, gewiß, sie war schön wie jene alten Gemälde, die Fürstinnen darstellten, denen man ansah, daß sie mit Umsicht die Regierungsgeschäfte ihres Gemahls versehen würden, wenn er sich auf einem Kriegszug befand und man sie für einmal handeln ließ.

Hat sich der geistliche Herr überlegt, daß die Männer auf den Bildern aus früheren Jahrhunderten stets eine Handlung andeuten? Sie halten Dokumente, Geldrollen, Waagen, ihren Schwertknauf, oder greifen in ihre schwere Ordens- oder Magistratskette, aber die Frauen warten, sie warten, ob ihre Stunde einmal kommen oder nie kommen wird, – so wartete auch das Freifräulein von Droste.

Prüfend betrachtete auch ihrerseits Annette den Knaben – Kathinkas Sohn – und suchte in seinen hübschen, noch unentwickelten Zügen nach dem Antlitz der Frau, die sie einstmals die Schauer einer ersten Liebe kennen lehrte, aber auch der Frau, die im Leiden gereift, sie, Annette, aus den Abgründen einer tiefen Melancholie emporgerissen hatte.

Kleiner Levin. Wahrhaftig, dieser feine, hübsche Knabe mit den wachen Augen voll jugendlicher Geistigkeit ist kein banaler junger Mann.

Nach einer kurzen Zeit des Gesprächs hatte Annette sich an jenem Nachmittag erhoben und den Jüngling, der so verschüchtert zwischen den Großen saß, in ihr eigenes Zimmer geführt, um dort frei und herzlich mit ihm zu plaudern: von seiner lieben Mutter, von seinem Leben in Münster, von seinen Studien, seiner Zukunft. Dann zeigte sie ihm ihre Sammlung, als sei er ein gleichaltriger Kenner, damit er nicht glaube, sie wolle ihn einem Verhör unterziehen. Annette hielt ihre Schätze in einer großen Schieblade ihres Arbeitstisches aufbewahrt.

Mit ihren preziösen weißen Fingern nimmt sie Petrefakte auf, auch allerlei seltsame und kostbare Steine; Muscheln, die Hunderttausende von Jahren keine Meereswelle mehr bespült hat, unansehnliche Steine, die aber in ihrem Schliff von vorwärtskriechenden Gletschern erzählen.

Annette spricht in kurzen, lebhaften Sätzen, in einer ungewöhnlichen und humorvollen Sprache; ihre Wangen sind jetzt gerötet und ihre etwas vorstehenden blauen Augen, die sie jeweils dicht an den Gegenstand der Betrachtung heranbringt, blitzen unter der Arbeit des regen Geistes.

Schön und kostbar ist auch die Uhrensammlung; jedes Stück ist von einer Geschichte wie mit einem unsichtbaren Glanz umgeben.

Levin schrieb später, Annette habe ihm einen eigentümlichen Eindruck gemacht; er vermag keine weibliche Bekanntschaft in ihr zu sehen wie die mit irgendeiner Dame; sie ist eine Nixe, kein sterbliches Weib; etwas ist fremd und merkwürdig an ihr. Der sechzehnjährige Levin verspürte zu der Freundin seiner Mutter eine scheue Zuneigung; war es die äußere Ähnlichkeit mit dem liebsten Wesen, das er besaß? Waren es nicht die gleichen Dichteraugen, in die er seit seinen frühesten Kindertagen mit so viel Vertrauen geschaut?

Ja, nun hatte er den seit langem befohlenen Besuch absolviert und der geistliche Herr seinen Ehrgeiz befriedigt, das Fräulein vom Rüschhause kennenzulernen; es war ein schöner, merkwürdiger Nachmittag gewesen, und das Bild Annettens blieb für alle Zeiten in Levins Gedächtnis eingehämmert, wie es aus dem hübschen Rahmen hervortrat, der es umschloß; denn alles, alles war wie *ihr* Rahmen gewesen: dieser braungetäfelte Gartensaal mit dem offnen Kamin und der Doppeltüre, die man für den geistlichen Herren geöffnet hatte, um ihm den Altar zu zeigen, der dahinter verborgen war; und draußen die hohe Steintreppe, die in den Garten hinunterführte, in der Höhe der edelgeschwungene Barockgiebel des Hauses, und dann dieser Garten: ein Blumenparadies, und mitten darin, als ein Überbleibsel aus der galanten Zeit, vier Sandsteinputten, die Jahreszeiten darstellend, in gewundener Haltung, halb von Efeu und wilden Rosen umwuchert.

Wie anmutig war auch das hölzerne Gittertor, das den Steg abschloß, der über den Bach führte. Für die stolzen Schwäne – man erzählte ihm, sie seien vom Hülshoffer Schloßweiher hierhergebracht – war dieses Wässerlein fast zu eng. Der ganze verzauberte Edelhof, er war ein Märchen!

Annette hatte Levin gesagt, er solle sie wieder einmal besuchen, er hatte dankend ja geantwortet, aber dabei blieb es. Die Tage, die Monate gingen hin, doch Levin raffte sich nie mehr auf, den einstündigen Weg von Münster nach Rüschhaus zu unternehmen, und Annette schickte ihm keine Einladung, war sie in dieser Zeit, da sie die Dreißig überschritten hatte, doch schon tief in ihre Einsamkeit eingegangen. Sie kannte kein Fernweh und keinen Menschenhunger mehr. Still hielt sie sich wie ein Gefäß dem Geist bereit. Mit wunderbarem Frieden in der Seele und einer unbeschreiblichen Bereitschaft im Herzen gleicht sie, über die Spanne des Jahrhunderts hin, der heiligen Jungfrau, die, auf ihrem Betschemel kniend, von keinerlei Symbolen weiblicher Arbeiten und Pflichten umgeben, ahnend auf den Engel wartet, der ihr Leben mit einer großen Aufgabe erfüllen soll: mit der Wonne der Empfängnis im Geist und den Todesschmerzen, die untrennbar von diesem Wunder sind.

Annette von Droste sollte und mußte eine Einsame sein. Das Schicksal war nur scheinbar hart, wenn immer neue Krankheiten ihr verboten, unbeschwert mitzuspielen unter den Handelnden ihrer Zeit, oder es ihr als Frau unmöglich machte, frei hinauszuziehen in die Welt, oder wenn ihre männliche Seele sie hinderte, nach Eheglück und Mutterfreuden Ausschau zu halten, oder wenn gar der Mangel an irdischen Gütern sie zu einem asketisch schlichten Leben zwang. Diese strenge und karge Form ihres Daseins aber nahm Annette in jenem seltenen Wissen an, das auch Goethe und wenige andere Große besaßen: dieses geniale Wissen, das der biblische Mythos vor die Augen der blinden, umsichschlagenden Menschen mit den Worten gerückt hat: ‚zu wissen, was Gut und Böse ist‘.

Es ist ‚gut‘ seinen Weg zu gehen, wie hart er auch sein mag und wie unverständlich für die Mitwelt; es ist ‚gut‘ ein Ganzes zu werden, aber es ist ‚böse‘, sich zu widersetzen und nach rechts und links auszubrechen. Das große Können lohnt die *Bereitschaft;* das Haften in der Halbheit aber ist die Strafe für den Eigenwillen gegen die höhere Macht.

Annette steht zu dieser Epoche unter Zeitgenossen, die von großer Unruhe gepackt sind. Wie die Kreuzzugsidee in der stillen Frömmigkeit des mittelalterlichen Menschen die Lust nach den Schätzen der Welt erweckte, so brachte das erwachende technische Zeitalter die Sucht hervor, jede Ferne zu überbrücken und die Erde nach allen Richtungen hin zu durchschweifen.

Welches Aufsehen macht es nicht, daß Chamisso sich bereitet, die Welt zu umfahren, daß Platen Polen bereist und besingt, um dann seinen Wohnsitz in Italien zu nehmen. Heines ‚Reisebilder‘ erscheinen; Fürst Pückler-Muskau, ein weitgereister Mann, schrieb die ‚Briefe eines Verstorbenen‘, die Beschreibungen fernster Gegenden enthielten; Lenau war nach der Neuen Welt aufgebrochen und wollte sich am Mississippi ankaufen. Lord Byron, der vor Jahren den Hellenen zu Hilfe geeilt war, hatte eine Schar Griechenlandfahrer nach sich gezogen; Eichendorff pries die Wanderburschenlust, die Engländer begannen überall auf dem Kontinent als Reisende aufzutreten, und Herren und Damen führten die Mode ein, die Alpen bis in erstaunliche Höhen zu besteigen.

Annette läßt sich durch nichts beirren; ja, als die Sehnsucht in die Ferne, die sie doch selber einst in krankhaftem Maße besessen hatte, bis in ihre eigenen Wände dringt, lehnt sie mit unerschütterlicher Ruhe die Verlockung ab.

Onkel Werner von Haxthausen war nämlich inzwischen auf dem Rückweg von Italien in Konstanz angelangt und hatte von hier aus mit seiner Familie Freund Laßberg besucht, diesen liebsten seiner Gefährten aus der Zeit des Wiener Kongresses. Onkel Fritz ist in Rüschhaus und erzählt begeistert vom Freiherrn Joseph von Laßberg, der verwitwet, und seit wenigen Jahren auch seiner Herrin und geliebten Freundin, der Fürstin Fürstenberg, beraubt, im Kanton Thurgau auf Schloß Eppishausen lebt. Immer noch trägt er mit ungeheurem Fleiß, Kenntnissen und Opfern an Geld alte Pergamente, Liedersammlungen, Erstdrukke, Stundenbücher und Missalien, geschmückt mit den kostbarsten Inkunabeln, gebunden in Schweinsleder, die Ecken und Schließen ziseliert und mit Edelsteinen verziert, zusammen. Der kostbare Besitz einer Nation sammelt sich in seinem Wohnsitz an. Er lebe nur für seine Schätze, hatte Werner geschrieben, er, Fritz, solle ihm entgegenreisen und alles ansehen; vor allem die Nibelungenhandschrift, die älteste und wichtigste, die noch vorhanden sei; und dann jene Perlen seiner Sammlung: ein Evangelienbuch von Kaiser Karl dem Dicken, das er den Nonnen zu Lindau geschenkt, mit Miniaturen geschmückt!

Onkel Fritz von Haxthausen, Mitglied des Hildesheimer Domstifts, wußte, daß dieses Evangelienbuch eine der wertvollsten Handschriften in Deutschland war; er mußte es sehen, auch die Codici und lateinischen Klassiker und die mittelhochdeutschen Gedichte, und er erklärte den Hülshoffer Damen, was es mit Baarlam und Josaphat von Hohenems für eine Bewandtnis habe.

Laßberg selber sei ein Mann in den Sechzigern, groß, schlank und straff, mit kühnen Zügen, der letzte im alten Reich zum Ritter geschlagene Edelmann, das hatte ihm ein Germanist in Hildesheim erzählt; für diese Herren sowie für alle Dichter und Märchensammler war Eppishausen ein Wallfahrtsort.

Und nun: wer kommt mit mir in die Schweiz? Ob es Annette, die doch auch ‚Verse schmiede‘, nicht locke, den berühmten Laßberg in seinem weitberühmten Hause kennenzulernen? ‚Verse schmiede‘, so oder ähnlich wird Onkel Fritz sich ausgedrückt haben, denn die Familie hatte die Gewohnheit angenommen, Annette mit ihrer Dichterei zu necken.

Nein, sie wollte nicht reisen; sie wollte in ihrem Schneckenhaus bleiben, aber Jenny, die sicher nicht wagte, sich noch einmal zu freuen, sollte mitreisen. Annette versuchte ihrer Mutter die Erlaubnis abzuringen, aber es kostete noch einen schweren Kampf, bis Therese von Droste sich entschloß, ihre sechsunddreißigjährige Tochter in die Welt hinausziehen zu lassen.

Nach der nötigen Zeit der Vorbereitungen reiste dann Onkel Fritz von Haxthausen seinem Bruder Werner entgegen, begleitet von ‚der lieblichen Jenny‘, wie es in einem alten Buche heißt. Übrigens hatte Jenny etwas Liebliches, dieses alternde, schlanke Mädchen mit den hellblonden Haaren, den hellblauen Augen und dem hellrosa Teint. Jenny hatte Grazie, eine weiche Fraulichkeit, keine sprühende Intelligenz, aber einen gesunden Menschenverstand, und daneben die ausgezeichneten Manieren und jene Weltgewandtheit, die in den Schlössern des Adels auch im vertrauten Familienkreis streng aufrechterhalten wurden.

Jenny reiste also mit Kleidern, Hüten, Schuhen, Longshawls, Schirmchen, Filethandschuhen und Fächern ab. Es war die Zeit, da die Frauen kleinen Pyramiden glichen. Es fing mit einem sehr weiten Rund von festen Rocksäumen und Rüschen an, stieg über enorme Schinkenärmel über die abfallenden Schultern zu schmalen Schutenhüten auf, die noch von einem Busch hoher Straußenfedern überhöht waren. Das zierlichste an den Frauen war eine sehr enggeschnürte, von einem Seidenband umschlungene Taille, – und die Schuhe. Der eigentliche Fuß blieb vom Rock verdeckt und nur eine winzig-schmale wattierte Fußspitze, die den echten Fuß vortäuschen sollte, schaute unter dem Gewoge von Röcken und Unterröcken hervor.

Wenn Jenny überdies noch den bis zum Boden reichenden gesteppten Reisemantel mit vier bis sechs Pelerinenkragen über die Kleidermasse zog, einen flatternden Schleier, der sich überall verfing, über den Hut warf – wie Scheuklappen legte er sich um ihre Schläfen –, dann sah ihr zartes Gesicht winzig klein aus, und die Unbehilflichkeit, mit der sie in Onkel Fritzens Reisewagen kletterte – so viele Stoffalten um sich raffend, wie sie in ihren Händen bergen konnte –, ja, dann war sie das Abbild des schutzbedürftigen Frauenzimmers, das schon aus gehemmter Beweglichkeit und in der Unmöglichkeit, den seidenen Schuh auf einen holprigen oder verschlammten Weg zu setzen, auf die helfenden Hände des Mannes angewiesen war.

Gewiß ist Annette nicht aus diesen äußerlichen Gründen zu Hause geblieben, und doch muß sich instinktiv in ihrem furchtlosen, selbständigen Innern ein Widerstand gegen das unvermeidliche Ausgeliefertsein an den männlichen Beistand zusammengeballt haben. Nein, zum Kuckuck, sie war keine zimperliche alte Jungfer und dankte für das halb liebenswürdige, halb verächtliche Betreuen durch das starke Geschlecht!

Gottlob war ,die liebliche Jenny' nicht nur in der Fassade, sondern auch im Innern bis in alle Winkel ihrer Seele eine vollkommen weibliche Frau; sie freute sich dankbar der Obhut ihres lieben Onkel Fritz, der nur wenige Jahre älter war als sie. So erreichte das Freifräulein von Droste-Hülshoff unbeschadet die, ach so ferne Schweiz, den Thurgau und Schloß Eppishausen, aber nun ereignete sich etwas ganz Unerwartetes.

Joseph von Laßberg, obgleich wahrhaftig kein Jüngling mehr, und Schwabe von Geburt, verliebte sich in das blonde Mädchen aus dem Norden. Auf einer Besteigung des Rigi, – die Damen saßen in gepolsterten, stuhlähnlichen Sätteln auf dem Rücken von Mauleseln, die geknickten Sonnenschirmchen nahe vor das Gesicht gehalten, erklärte sich Laßberg dem Fräulein und erhielt ein verschämtes Ja unter der Bedingung, daß die Frau Mutter einverstanden sei.

Jakob Grimm, der langjährige Jugendfreund und Bruder von Jennys geliebtem Wilhelm, war Zeuge dieses Idylls. Aber als Jenny dann bebend und strahlend vor Glück und Verliebtheit heimkehrte, sagte Therese: Nein. Rundheraus, nein! So weit fort von ihr, und sogar über die deutsche Grenze heiraten? Nein! Einen Mann – seinen Ruf als Forscher und Sammler in Ehren –, von dem man vernehmen mußte, daß er seiner fürstlichen Herrin näher gestanden war, als es einem Oberjägermeister zukam? Nein. In vollkommen fremde Verhältnisse? Nein!

Jenny weinte, die Onkel Werner und Fritz sprachen zugunsten Laßbergs, Annette versuchte der Mutter vorzustellen, daß Jenny auf dem Wege sei, ein spätes, großes Glück zu finden. Nein, und nochmals nein! Theresens Töchter gehörten auf ein Schloß in Westfalen und nicht in eine dubiose Republik, wo es von aufsässigen Elementen wimmelte. Schluß, und nicht mehr davon geredet!

Annette, die so oft von Jenny getröstet worden war, machte nun ihrerseits der Schwester Mut, auszuharren, und sicher hat sie eine Korrespondenz mit Laßberg auf irgendeine Weise gedeckt, denn für die nächsten Jahre sollte die schöne späte Liebe dieser beiden vorzüglichen Menschen immer freundlichere Blüten treiben.

Je mehr aber Annette dem fremden Glück an ihrer Seite zum Gedeihen half, je schmerzlicher muß ihr die eigene Abseitigkeit in das Bewußtsein gedrungen sein, und, wenn gar das gelungen war, was Jenny so heiß erhoffte, so würde sie, Annette, nur noch die Mutter haben.

Was wollte das Schicksal mit ihr? Genügte es nicht, daß sie für immer als eine Einzelne unter ihren Lieben stehen würde, warum mußten die Bande der Blutsverwandtschaft, der Freundschaft, und nun auch noch der geschwisterlichen Nähe zerrissen werden, die wie Brücken von ihr hinüber in das lebendige Leben führten?

Nachdem der Vater und der Bruder von ihr gegangen waren, hatte sie den achtunddreißigjährigen Freund und Vetter, Clemens von Droste, verloren, mit dem sie so frohe Zeiten in Bonn geteilt, der ihr so nahe gestanden war wie wenige Menschen. Der Vater war schon alt gewesen, aber Ferdinand und Clemens, zwei junge Leute, auf deren Miterleben sie gezählt, zwei geliebte Wesen, denen sie von dem Übermaß ihrer zärtlichen Neigung zu geben gewohnt war, warum mußten sie ihr genommen werden? Sie hatte die beiden lieben Menschen so oft gesehen, wie es bei der Entfernung möglich gewesen, ... nun blieb ihr nur noch Kathinka als Gefährtin ihrer Jugendzeit übrig.

Es muß Annette eines Tages schwer aufs Herz gefallen sein,

daß sie sich seit der letzten beglückenden Begegnung nie bemüht hatte, Katharina Schücking zu einem Briefwechsel zu ermuntern oder ihr in Kummer und Schwierigkeiten beizustehen, und jetzt, in diesem November des Jahres 1831, der Jennys Gram um ihr verbotenes Glück sah, da Annette ihre Gleichgültigkeit durchbrach und die Feder nahm, um Kathinka von ihrem treuen Gedenken zu sagen, da traf sie der bitterharte Schlag des: zu spät, zu spät!

Annette hatte sich – wie Levin es später beschrieb – an einem frühdunklen, naßkalten Nachmittag an ihren großen Arbeitstisch gesetzt und wollte ihre Seele mit einem Brief an Kathinka erwärmen; ihr war kalt, innerlich und äußerlich. Die Tischplatte sogar strömte eine unerfreuliche Kälte aus, so zog sie eine Zeitung heran, breitete sie aus, legte den Briefbogen darauf und senkte nachdenklich die Augen auf eine Spalte gleichgültiger Anzeigen. Eine davon ist von einem breiten schwarzen Rand umgeben. Annettens Augen weiten sich, sie fahren dicht auf das Blatt nieder, ihr Herz setzt aus, mit bebender Hand streicht sie über die Augen, liest noch einmal ... Katharina Schücking geborene Busch, Levins Mutter, ist tot! ... im sechsunddreißigsten Jahre ihres Lebens gestorben.

An diesem Tage wird Annette wie erstarrt in ihrem Zimmer geblieben sein; die Mutter hatte Kathinka nie gemocht, sie konnte Annette kein großer Trost sein, Jenny hatte mit dem eigenen Kummer zu tun, aber vielleicht hat Marie Kathrin Annettens Tränen gesehen und in dem unfehlbaren Wissen der einfachen Menschen, die sich nie von der Scholle und den Geschöpfen, die darüberschreiten, getrennt haben, die richtigen Worte gefunden, um Annette zu sagen, daß ihr auf diese harte Art wohl ein Auftrag gegeben sei.

Denn die Toten haben ihre eigene Weise zu reden. Oh, ja, das wußte Annette! Hatte Kathinka ihr sagen wollen: laß mein Kind nicht allein; habe ein Auge auf Levin, wache über ihm, ich übergebe ihn dir als mein Liebstes?

Ja, der junge Levin war nun allein. Es hieß, der Vater sei ein schwieriger, streitsüchtiger Mann und ein unfähiger Phantast. Würde man ihm die übrigen Kinder nehmen und sie bei Verwandten unterbringen? Kathinka war der gute Geist des Hauses gewesen, hatte immer wieder für Frieden gesorgt und der materiellen Not unter tausend Leiden gesteuert. Wer würde nun ihrem geliebten Levin, diesem hochbegabten Jüngling, Schule und Studium bezahlen?

Annette besaß zu ihrem Leidwesen die Mittel nicht, sie hing ja von ihrem Bruder Werner ab, aber sie konnte Levin beraten, mit seinem Rektor über ein Stipendium verhandeln, ja, sie wollte eine freundschaftliche Hand über ihn halten, für alle Zeiten!

Solches schreibt nun Annette auf das gleiche Blatt, das sie für Kathinka bereitgelegt hatte, in einem Brief an ihren Sohn; sie fordert Levin auf, so rasch als möglich zu ihr nach Rüschhaus hinauszuwandern.

So kommt Levin zum zweitenmal zu Annette; er ist noch wie erstarrt vor Schmerz, denn seine Mutter war der Inhalt des Universums für sein junges Herz gewesen. Hat er in Annettens Armen geweint? Es mag wohl sein, denn Güte und Verstehen strömten so stark von ihrem Wesen aus, daß jeder sie zur Vertrauten und zur Mitträgerin seines Kummers zu machen pflegte.

Annette mußte sich nicht mehr um ein Stipendium bemühen, denn bald nach dem Besuch in Rüschhaus war Levins Schulzeit beendet. Er war nun achtzehnjährig und verließ Münster, um weit fort nach München zu gehen, und gab Annette keine Gelegenheit, über ihn zu wachen.

Von München wandte er sich nach Heidelberg und schließlich nach Göttingen, um Jurisprudenz zu studieren. Er ließ kein Sterbenswort von sich hören. Wie tatkräftig hätte Annette eingegriffen, wenn sie geahnt hätte, daß Kathinkas Sohn fast unterging in der Not des Lebens. Ja, Levin war aus dem Dasein, das seine angebetete Mutter mit so viel Liebe und Sorglichkeit erfüllt hatte, herausgerissen und lebte in einer großen fremden Stadt, bettelarm, von den geliebten Geschwistern getrennt, vom Vater im Stich gelassen. Hunger und kalte Dachkammern zur Winterszeit nahmen ihm sehr bald die Gesundheit des Leibes, und die Seele litt unsagbar, weil sein Familienstolz durch das Parialeben tief gekränkt wurde.

Nichts war er hier in der Fremde; ein armes Studentlein, das sich aus körperlicher Erschöpfung nur mit Mühe unter den Mitstudenten halten konnte. Aber nie, nie würde er das Freifräulein von Droste um Hilfe bitten!

So trieben Annette und Levin abermals für Jahre vollständig auseinander.

14

Annette hatte, nachdem ‚Der Große Sankt Bernhard‘ abgeschlossen war, sogleich eine neue Arbeit begonnen. Auf die Rückseite des letzten Manuskriptblattes vom ‚Sankt Bernhard‘ schrieb sie den Anfang zu dem Epos ‚Des Arztes Vermächtnis‘ nieder. Der Leitgedanke zu diesem Werk muß demnach schon fertig in ihr gelegen haben: das Geständnis eines sterbenden Vaters an seinen Sohn, in dem er sich von einem grauenhaften Erlebnis zu befreien sucht, um in Frieden sterben zu können.

Sehr deutlich ist die Parallele auch dieses Werkes mit der Ballade ‚Der Mutter Wiederkehr‘. Hier wie dort ist das Geständnis des für die Seinen Entschwundenen aufgeschrieben und wird nur mit Zögern entgegengenommen:

Im ‚Vermächtnis‘ heißt es vom Sohn, dem die Papiere übergeben sind:

> *Er löst gedankenvoll das Band*
> *Am Blatt, wo, regelloser Spur,*
> *Ach! eine Hand, zu teuer nur,*
> *Vertraut gestörter Seele Leiden,*
> *Die Wahr und Falsch nicht konnte scheiden.*
> *Und will er – soll er – dringen ein*
> *In ein Geheimnis, das nicht sein?*

Und in ‚Der Mutter Wiederkehr‘:

> *Dem ward in der Früh ein Brief gebracht,*
> *Und dann ein Schlüsselchen noch;*
> *‚Ich will nicht lesen‘, hat er gedacht*

Und zögerte, las dann doch
Den Brief, in letzter Stunde geschrieben
Von meines unglücklichen Vaters Hand,
Der fest im Herzen mir ist geblieben,
Obwohl mein Bruder ihn einst verbrannt.

In beiden Epen ist es ein Sohn, der von der Nachricht, die der Vater ihm hinterläßt, wie verstört ist, nicht anders wie Annette nach dem Tod ihres Vaters wie verstört war.

Der Held im Epos ‚Des Arztes Vermächtnis‘ wurde in seiner Jugend mit verbundenen Augen in eine Räuberhöhle geführt und hier, sowie bei seiner Rückkehr, von dem Bedrohlichen und Verbrecherischen, das er erfuhr, so bis in die innerste Seele erschreckt, daß er sein Leben lang – wie er es im Vermächtnis beschreibt – von den entsetzlichen Erinnerungen bis zu Spukerscheinungen und Halluzinationen verfolgt wurde, die ihn schließlich an den Rand des Wahnsinns bringen.

Das, was der Arzt erlebt hat, war für einen jungen, gesunden Menschen nicht so überaus furchtbar, daß sein Verstand davon hätte zerrüttet werden müssen. Man darf deshalb annehmen, daß die Gründe zu dem tödlichen Erschrecken erfunden sind, das Erschrecken selber und seine vernichtende Wirkung aber einer wahren Erfahrung entsprechen.

Alles, was Annette von Droste geschrieben hat, ist ja von ihrem persönlichen Erleben durchtränkt, und da sollte sie in diesen Jahren, da der Tod ihr so vertraut wurde, eine Geschichte mit Anhang, die den Tod zum Inhalt hat, erfunden haben, nur um sich zu beschäftigen? Sie durfte allerdings nicht von einem Spukerlebnis, oder erschreckenden Halluzinationen ihres Vaters, wenn er wirklich seelisch daran erkrankt war, schreiben, aber in ein erdachtes Erlebnis transponiert, konnte sie sich von einer Erinnerung entlasten, die sie selber fast den Verstand kostete.

Es stehen seltsame Verse im ‚Vermächtnis‘, deren Deutung Annette sicherlich nicht wünschte, und doch gab sie selber den Hinweis auf eine Wahrheit, die diesem düsteren Epos zugrunde liegt durch die Ähnlichkeit zweier Verspaare im ‚Vermächtnis‘

und in ‚Der Mutter Wiederkehr‘, die beide auf den Tod von Annettens Vater zu deuten scheinen:

> Es war ein bitter, o ein hart Geschick,
> Was mich betraf in Jugendmut und Glück.

Und das andere Mal:

> Doch ist es ein bitter, ein schwer Gericht
> Und treibt mich von Hof und Haus.

In der Widmung an Sibylla Mertens, die bisher über diesem Epos mit besonderem Interesse gewacht hatte, sagt Annette, daß es sich ‚schauernd dem kranken Haupt entwand‘. Hatte dieses ‚erkrankte Haupt‘ in Wirklichkeit tief erschreckenden Dingen beigewohnt? Daß Annette an das Erscheinen von Verstorbenen wie an eine lebendige Erfahrung glaubt, geht aus ihrem ‚Geistlichen Lied‘: ‚Am dritten Sonntage nach Pfingsten‘, hervor. Dort gesteht sie ihre tiefe Enttäuschung, daß weder der Vater noch Ferdinand oder ein anderer ihrer lieben Verstorbenen sich bemüht, mit ihr, die doch so heiß darum gebeten hat, in Verbindung zu treten:

> Wie brünstig flehend
> Hab’ ich so oft in mancher Nacht
> An meine Toten mich gewandt,
> Wie manchen Stundenschlag bewacht,
> Wenn grau und wirbelnd lag das Land!
> Und nicht ein Zeichen ward mir je,
> Kein Knistern in des Lagers Näh’,
> Kein Schimmer längs den Wänden gehend.
>
> Hab ich’s gefunden
> Doch hart und lieblos manches Mal,
> Daß das, dem ich so heiß geneigt,
> Nicht einen Laut für meine Qual,
> Kein Zeichen hatte los und leicht.
> An ihrer Statt, so dünkte mich,
> Würd’ alles, alles wagen ich,
> Zu lindern des Geliebten Wunden.

Wie tief Annette selber mit dem Inhalt des Epos: ‚Des Arztes Vermächtnis‘ verbunden ist, zeigt die Tatsache, daß sie selber wie ein Schatten durch ihr Werk geht. ‚Die rätselhafte Frau‘ hat man diese Gestalt genannt, die nur in loser Verbindung mit der Geschichte steht, es sei denn, daß die Art ihres Verschwindens das Schuldbewußtsein des Arztes motivieren muß, – sie ist Trägerin von Erlebnissen, die Annette einst an den Rand des Wahnsinns brachten; für die Beschreibung der Frau benutzt Annette Worte, wie sie sie im ‚Geistlichen Jahr‘ auf sich selber anwandte; dieser Frau, mit den erloschenen Augen, die nicht vom Wahnsinn, sondern von ‚Schlimmerem‘ erdrückt ist, nämlich von einer Schuld.

Auch die Schuld, die das Mädchen auf sich geladen hat, wird angedeutet: das Spiel mit zwei Männern: dem Bräutigam und dessen Freund. Sogar Annettens typische Handbewegung, die Locke zu rücken, diese Geste, die auch in der Ballade: ‚Das Fräulein von Rodenschild‘, einem Abbild Annettens, beschrieben wird, eine Geste, die auch Levin Schücking in einer Darstellung benutzt, findet sich auf die Frauengestalt im ‚Vermächtnis‘ angewendet; desgleichen geistern Erinnerungen an die Kölner Maskenbälle, an das Atlaskleid, von dem sie einmal an Jenny schrieb, durch die Verse. Und Annettens Art, mehr zu ‚verneinen‘ als zu gewähren, die Männer höchstens ‚zu dulden‘ und nur Härte und Hohn für sie zu haben, wird beschrieben; es wird auch gesagt, die rätselhafte Frau sei ‚eine unglückselige Braut‘ gewesen, nicht eine unglückliche, sondern eine unglückselige, die zwischen zwei Männern stand, bis das Unheil über alle drei hereinbrach.

Annette hat dieses Geschehen nur in einer dunklen, wie verwischten Zeichnung angedeutet. Als der junge Arzt in der Räuberhöhle das Mädchen, das er vom Sehen kannte, endeckt, beginnt die Episode mit den Worten:

> *Neben mir*
> *Sitzt eine Frau, das Auge wie von Stein,*
> *Auf den gewendet, der dem öden Sein,*
> *Es scheint, mit sich zugleich sie wird entrücken.*

Im Antlitz lag so tiefer Seelenschlaf,
Wie nie bei Kranken ich noch Irren traf;
Die Stirn – ein Gletscher klar im Alpental,
Durchkältend uns mit dem gefrornen Strahl;
Dies Auge, seltsam regungslos und doch,
Erloschen gleich, voll toten Lichtes noch.

Und etwas weiterhin sagt der Arzt von der Erstorbenheit des Mädchens:

Wie Steingebilde, übers Grab gestellt,
An jenes mahnt, was unter ihm zerfällt,
. . . . . .
Nur wenig minder Totes war mir nah,
Im dunklen Blick, so überreich gewesen,
Doch eins noch war aus jener Zeit zu lesen:
Verhärtet Dulden – ob vom Haß getrennt? –
Zu tief versenkt lag in dem tiefen Blau.
Ich sah, und daß ich's tat in d e m Moment,
Bezeugt, wie seltsam fesselnd diese Frau.

Am Schluß des Epos wird das Mädchen von den Männern aus der Hölle in einen Abgrund gestürzt. Der junge Arzt ist, ungesehen, Zeuge dieser Tat, die er zwar nur hört, nicht sieht. Er schweigt sein Leben lang über dieses Verbrechen, aber daß er schweigt, anstatt das unschuldige Opfer zu rächen, ist es, was dem Arzt für alle Zeiten die Seelenruhe nimmt.

Dreimal hat Annette dieses Verschweigen fremder Schuld beschrieben. Zuerst im ,Vermächtnis', dann in ,Der Mutter Wiederkehr' und schließlich im ,Kurt von Spiegel', wo der Angelpunkt der Ballade lautet:

O frommer Bischof, wie war dir zu Mut,
Als rauchend am Anger unschuldiges Blut
Verklagte, verklagte dein zögerndes Schweigen!

Wohl nie wird man genau wissen, was das dreifache Beklagen des erschreckten und des feigen Schweigens über fremde Schuld in Annettens Werk bedeutet, aber daß der Grund dazu sie bis an die Wurzel ihres Lebens traf, das hat sie der Nachwelt zu sehen erlaubt.

Während Annette in schwereren Kämpfen, als ihre Umgebung es ahnte, mit ihren unvollendeten Werken rang, bemühte sich Jenny mit der Zähigkeit der liebenden Frau sehr sachte, nach und nach, den Widerstand ihrer Mutter gegen die Ehe mit dem Freiherrn Joseph von Laßberg zu zermürben.

Wie es ihr schließlich gelang, ist der Welt nicht aufbewahrt worden, aber es kam der glückselige Tag, endlich, endlich nach drei kostbaren Jahren, die beide Liebende nicht mehr zu verschenken gehabt, an dem Therese, immer noch grollend und Unheil prophezeiend, einen etwas zerzausten mütterlichen Segen aus ihrem Herzen hervorkramte und ihn über das erleichterte ‚junge Paar' ergoß.

Im Sommer 1834 wurde in Schloß Hülshoff bei Werner und Line die Hochzeit gefeiert. Jenny wurde in diesem Jahre vierzig und Laßberg, der sich über sein Alter nicht aussprach, muß siebenundsechzig gewesen sein. Nach den Feierlichkeiten folgte eine umständliche Abschiedsreise von Gut zu Gut und Schloß zu Schloß, die Wochen erforderte.

Annette und Jenny hatten schon Abschied genommen, einen Abschied, so schmerzlich, als zerrisse man ihnen das Herz. Wenn die Schwester wenigstens gleich in die Ferne gezogen wäre, aber noch weilte sie in der Heimat. Es dünkte Annette fast unerträglich, sie in der Nähe zu wissen, ohne noch einmal mit ihr sprechen zu können. Für Jahre würden sie einander nicht mehr sehen, wenn sie sich überhaupt je wiedersahen.

Ja, nun war Annette mit ihrer Mutter allein. Am 22. Oktober 1834 schrieb sie an Jenny, die seit drei Tagen fort war:

‚Ich habe in diesen Tagen oft gedacht, ob es wohl gut wäre, daß ich mitginge nach Bökendorf, um die harten Augenblicke in Hülshoff zu erneuern, es ist Gottes Wille nicht, denn seit gestern regnet's in Strömen. Ich muß mich dreingeben und einsehen, daß es so am besten ist, aber es ist hart, daß ich Dich noch so lange in der Nähe weiß und doch nicht zu Dir kommen kann. Ich hoffe, es geht Dir gut; ich bin gewiß davon, denn Laßberg ist sehr gut; sage ihm doch auch, wie sehr ich das anerkenne und daß, wenn Du einmal so weit fort mußt, ich Dich mit niemandem lieber gehen lasse wie mit ihm. Uns hier ist es noch was einsam, das kannst Du denken, aber das viele Reden und Schreiben darüber nützt nichts.

Mama sorgt sehr für Deine Blumen, ich glaube, sie wird sich daran attachieren und höchstens die Doubletten fortgeben. Sollte ihr Eifer nachlassen, so nehme ich sie an mich, denn hier bleiben sollen sie. Meine Alte sitzt neben mir und sagt mir allerlei, was ich Dir schreiben soll, unter anderm, daß Du doch nicht bei der Nacht fahren möchtest und Dich vor dem Wasser hüten, auch unterwegs ein Tuch um den Kopf binden, und daß sie ein schönes Gebet gefunden von Maria und Joseph, was sie jeden Abend für Dich und Laßberg beten wollte. Sie ist sehr gut, und so besorgt um Euch wie ein altes Huhn, was seine jungen Enten auf dem Teiche sieht.

Wilmsen meint auch, er kann nichts Beßres tun, als alle fingerlang durch Dreck und Regen dransteigen kommen. Mama macht er desperat, mich nicht.

Mein Gott, der Wagen ist angespannt, und ich bin noch nüchtern und nicht angekleidet. Du wirst mit der nächsten Post wieder einen Brief von mir bekommen, dann schicke ich Dir auch Auszüge aus dem ‚Sankt Bernhard‘ und ‚Des Arztes Vermächtnis‘, die Dein guter Laßberg ja besorgen will. Grüße ihn tausendmal aufs herzlichste. Adieu, mein liebes Herz, bis morgen, dann schreibe ich Dir wieder. Es ist jetzt noch so nah! Adieu, ich denke mehr an Dich, wie Du glaubst – immer – den ganzen Tag – adieu.

Deine Nette‘

Annette hatte ja geglaubt, ihre geliebte Jenny für Jahre, vielleicht nie mehr sehen zu sollen, denn die Schweiz schien so fern wie Honolulu, und nun mußte sie es erleben, daß ihre Mutter, kaum, daß Laßbergs endgültig aus Westfalen abgereist waren, Pläne für eine Schweizer Reise entwarf.

Therese empfand nämlich eine unüberwindliche Sehnsucht nach ihrer Ältesten, und Jenny ihrerseits schrieb Briefe über Briefe voll bittersten Heimwehs nach Rüschhaus. Nun wollte Therese, sobald der Winter vorüber war, nach Eppishausen aufbrechen.

Annette war bei aller Liebe zu ihrer Schwester völlig entsetzt über diesen Plan. Seitdem die Aufregungen über Jennys Hangen und Bangen, die endliche Verehelichung und Abreise überwunden waren, hatte sie sich ernstlich an die Ausarbeitung ihrer beiden großen Epen gemacht.

Schlüter, den sie nun häufig besuchte, stand ihr getreulich zur Seite. Diese sanfte Freundschaft beglückte Annette sehr, und nun sollte sie alles stehen und liegen lassen, um in einer ganz fremden Umgebung, losgerissen von ihrer Scholle, umherzutreiben. Nein, sie wollte nicht reisen, sie ging nicht fort von ihrem Arbeitstisch, aus ihrem Schneckenhaus und fort von dem kleinen, vertrauten Münster; sie sagte es ihrer Mutter, ihren Verwandten, ihren Freunden, da war nun aber jeder vor Verblüffung wie an den Kopf geschlagen:

Wie, verstand man recht? So launisch war Nette? Jetzt endlich, wo das Tor in die Welt sich auftut, nach der sie früher so stürmisch verlangte, jetzt will sie in ihrem stillen Winkel bleiben?

Schlüter drängt: Eine Reise in die Schweiz, gnädiges Fräulein, verstehen Sie doch! Welch eine Bereicherung! Vielleicht kann der Anblick der Schneeberge Sie noch zu vorteilhaften Korrekturen am ‚Großen St. Bernhard‘ veranlassen.

Das ganze literarische Kränzchen drängt; die Mutter befiehlt, Jenny schreibt flehende Briefe, der Bruder ärgert sich, die unzähligen Verwandten geben neckische Aufmunterungen, bis Annette mit ihren gefürchteten scharfen Antworten um sich sticht. Nun bekommt die Mutter Herzzustände, Schlüterchen blinkert erschrocken mit den blinden Augen, Thereschen bekreuzigt sich, Junkmann, ihr großer Verehrer, Dichter und Student in Berlin, eine aufgeregte Persönlichkeit, stößt Bosheiten aus, die Verwandten werden ironisch, – da gibt Annette nach, um Ruhe zu haben; was macht es schon aus, ob sie sich einmal mehr im Leben der Umwelt fügt.

Die Reisevorbereitungen ziehen sich aber bis in den frühen Sommer 1835 hin, denn man würde selbstverständlich viele Monate, vielleicht ein Jahr lang abwesend sein. Wenn Therese von Droste endlich das Abreisedatum festsetzte und sich auf die aller-letzte definitive Verwandtentournée begab, so hatte eine Nach-richt aus Eppishausen das Verdienst, eine Nachricht, die Therese ebenso peinlich wie besorgniserregend empfand: Jenny war ‚ge-segnet‘. Ein Mann in Laßbergs Jahren hatte einfach keine Kin-der mehr zu bekommen! Und Jenny mit ihren vierzig Jahren würde bei einer Geburt zwischen Leben und Tod schweben; es drängte Therese bei ihrer Tochter zu sein.

Annette ist immer noch nicht mit der Reise ausgesöhnt, so muß Schlüterchen am 4. Juni (1835) in einem langen Brief lesen:

‚Die Zeit verrinnt, jeden Abend wundere ich mich, daß wieder ein Tag dahin und die Stunde meiner Abreise mir um einen gro-ßen Schritt näher getreten ist, und ich zittre vor dem Augenblick, wo der Schlagbaum niederfällt zwischen mir und so manchem, was mir teuer ist, für eine Zeit, über die ich nicht hinauszurech-nen wage.

Wahrlich, lieber, bester Herzens-Schlüter und Herzens-Theres-chen, und liebste Mutter Schlüter, wollt Ihr mich denn gar nicht mehr sehen? Es ist jetzt still und lieblich hier, der Garten so voll Blumen, Duft und Nachtigallen, ich bin so ganz allein, – eine gu-te Tafel kann ich Euch nicht geben, aber Ihr sollt doch satt wer-den. Kommt ja!

... Seitdem mein Bruder ein umlärmter und umschrieener Fa-milienvater geworden ist (Line war zudem wieder einmal in den Wochen), hat er einen unbilligen Haß auf alle Einsiedler gewor-fen und hält die Einsamkeit für das größte aller Erdenübel. Ich nicht, – vielmehr habe ich mich in den sieben Jahren, die ich hier nun verklausnert, mit großer Einseitigkeit ergeben. So geht's: erst aufgeblasen, dann eingeschrumpft; doch ich muß aufhören, denn ich beginne ungerecht zu werden, und zwar gegen einen mir nur allzu werten Gegenstand, gegen mich selbst; dies ist wohl das sicherste Zeichen, daß ich heute mal wieder eine ange-laufene Brille trage. Dieser Brief ist nicht viel wert, doch soll ihm ein besserer auf dem Fuße folgen ... Ich bin sehr bewegt, aber nicht fröhlich; die Gedanken und Bilder strömen mir zu, aber sie sind wie scheu gewordene Pferde, die nur um so unerbittlicher dahinrasseln, je kräftiger und kühner ihre angeborene Natur ist. Ich bin sehr leidend gewesen, und jetzt, seit zwei Tagen mit einem Male ganz wohl, aber ungemein aufgeregt und nervenschwach und großer Phantasie, Gefühls- und Gedankenspannung nicht nur fähig, sondern gezwungen dazu; gebe ich mich hin, so treibt's mich um wie der Strudel ein Boot, oder wie der Wind die Heuflocken treibt; will ich ruhen, so summen und gaukeln die Bilder vor mir wie Mückenschwärme.

Wollte ich jetzt dichten, so würde es vielleicht das Beste, was ich zu leisten vermag; indessen besser ist's ich mache die Augen zu und versuche zu schlafen. Adieu und gute Nacht, mein herzlieber Freund! Gute Nacht, gute Nacht!

Annette'

Im nächsten Brief schreibt Annette schon von der nahegerückten Abreise. Ist es wirklich Eppishausen, das sie so fürchtet, ist es nicht vielmehr die Reiseroute, die sie über Arnswaldts und Straubes Wohnort führt, über Kassel und Hannover? Es ist Sitte, daß man in allen größeren Städten eine gehörige Station macht; Arnswaldt ist zudem inzwischen als Annas Gatte ihr Onkel geworden; sie muß ihn sehen; und in Hannover könnte sie Heinrich Straube begegnen, diesem Mann, dem sie nie, niemals hat das erklärende und versöhnende Wort sagen dürfen.

Fünfzehn Jahre ... und die alte Wunde droht in neuer Qual aufzubrechen. Ihrem lieben Schlüter gesteht sie – und es ist die einzige Briefstelle Annettens, die auf die Katastrophe ihres Lebens hinweist –:

‚Der Anfang dieser Reise ist ermüdend, aber er ist nichts gegen die Fortsetzung. Ich gehe großen Erschütterungen entgegen, Gott helfe sie mir würdig bestehen. Ich scheue vor Hannover! Noch mehr vor Kassel!‘

Die Ihren sind erbarmungslos; sie ist der ‚Hofspaßmacher‘, wie ihre Mutter sagt, so muß sie bei den zahllosen Abschiedsbesuchen ‚auftreten‘.

‚Wie es mir geht?‘ beantwortet sie eine Frage Schlüters: ‚Wie

jemandem, dem man kaum so viel Zeit läßt zu fühlen, daß ihm
unwohl ist. Ich bin zwischen lauter Verwandten und sehr nahen
Bekannten und bin mit einigen derselben lange nicht zusammen
gewesen. Man hat mich gestern abend fast bis zur Ohnmacht
singen und reden lassen, die übergroße Aufregung ließ mich nachher nicht schlafen.

... Grüßen Sie Junkmann so freundlich als je von mir, und sagen Sie ihm, daß ich ihn der Verabredung gemäß am nächsten
Dienstag nach meiner Zurückkunft in Rüschhaus erwarte, das
heißt wenn ich dann noch lebe, was mir wahrlich gestern und
heute ernstlich zweifelhaft geworden ist.'

Und dann reist Annette und kommt lebend über ihren Kalva-
rienberg bis in das fremde Land zu ihrer guten Jenny und dem
netten, fröhlichen Laßberg.

15

Jenny und Laßberg sind die Freundlichkeit und Gastlichkeit in
Person. Annette ist gerührt über die Sorgfalt, mit der man jeder ihrer Gewohnheiten entgegenkommt, und doch fehlt ihr in
Eppishausen der vertraute Rahmen. Sie versuchte zwar, sich
durch ihre Dichterarbeit ein eigenes Leben zu sichern, aber man
zwang sie immer wieder unter den Leuten zu erscheinen, die in
Eppishausen aus und ein gingen. Sie war ,das ältere Fräulein', das
wenigstens dazu gut war, die Gäste zu unterhalten.

Annette wußte stets ihren Mißmut zu bezwingen und nie
ohne die Maske der Liebenswürdigkeit und des Frohmutes zu erscheinen. Man fand das Freifräulein von Droste charmant, aber
welche Persönlichkeit sich hinter der immer fröhlichen Miene verbarg, ahnte niemand. Vielleicht Freund Schlüter, obgleich auch
dieser viele Jahre später zugeben mußte, daß er das Geheimnis-
volle in seiner Freundin nie begriffen hatte.

An ihren lieben Blinden geht Annettens erster Brief aus der
Fremde, ein Brief, der mit gutem Recht als Perle unter Annettens
Prosawerken stehen darf.

Clemens August von Droste-Hülshoff,
der Vater der Dichterin.

Therese Luise von Droste-Hülshoff,
Mutter der Dichterin.

Sie beginnt diese lange Epistel am 22. Oktober 1835 und beendet sie am 19. November.

‚Hätte ich Ihnen früher schreiben können, teuerster meiner Freundeʼ, beginnt sie, ‚ich hätte es getan, aber grade *Ihnen* kann ich nicht zu jeder Stunde schreiben, und Sie dürfen sich immerhin für etwas halten, wenn ich sage, für Sie ist mir noch keine Stunde passend gewesen. Ich habe mich indessen mit allerlei umhergeschlagen, viel Ausflüge in die Gegend, viel Besuche aus dem Haus und viele ins Haus, abwechselnd den anmutigen Gast und die erfreute dienstfertige Wirtin gemacht, aus dem Geräusch in Abspannung, aus der Abspannung wieder in die Zerstreuung. Glauben Sie mir, es gehört was dazu, bis man jedem sein Recht widerfahren lassen und alles Pläsier ausgestanden hat, wozu man prädestiniert worden. Aber jetzt bin ich, so Gott will, ins Standquartier eingerückt, und wahrlich, das Plätzchen ist nicht übel, namentlich das, was ich in diesem Augenblicke einnehme. Wollen Sie es kennen? Es ist das Fenster eines altertümlichen Gebäudes am Berge, aber nicht gar hoch; die Kirchturmspitze des Dorfes drunten könnte uns den Wein aus dem Keller stehlen. Wäre sie nicht so christlich erzogen, wer weiß was geschäh? Also, das Dorf grade unter dem Fenster, fast unmittelbar daran stoßend ein zweites, dann ein drittes, viertes, bis zu einem siebenten, alle so nah, daß ich die Häuser zähle (versteht sich mit der Lorgnette), und unsre gute, alte Burg drin wie das kleine Wien in seinen großen Vorstädten, sans comparaison. Mitten durchs Tal eine Chaussee, auf der es ärger rappelt und klappert als auf der besten in ganz Westfalen; denn Sie müssen wissen, daß hier halb satt essen und Ellbogen dör de Maue bei weitem nicht so untrügliche Zeichen der Armut sind, als Wasser trinken und zu Fuß gehn. Besser ohne Brot als ohne Most, und das muß ein vom Schicksal Verlassener sein, für den weder der Himmel eine Rosinante, noch der Wagner ein Karriölchen geschaffen hat. Wer dies nicht kennt und obendrein kurzsichtig ist, wie ich, meint, das ganze Volk bestehe aus reichen Leuten.

Doch, um nicht den Faden zu verlieren, ferner über die Chaussee hinaus die lieblichsten mit Laubholz bewachsenen Gebirge, und, wie's im Liede heißt: Auf jedem Gipfel ein Schlößchen, ein Dörfchen aus jeder Schlucht. Von diesem Fenster sehe ich ihrer dreißig; gezählt habe ich sie nicht, und auch jetzt nicht Lust dazu, aber glaubwürdige Leute sagen es; das ist lieblich, das ist schön anzusehn! vor allem beim Sonnenschein; ja, selbst Sturm und Nebel können so viel Leben und Fröhlichkeit nicht zugrunde richten. Drum bin ich bei heitrer, geselliger Stimmung nirgends lieber als in diesem Zimmer, welches schon an sich so hell und heiter ist und angefüllt mit den zierlichsten Dingen, Muscheln, Schnitzeleien in Holz, Elfenbein, geschnittenen Steinen, Münzen et cet. Wenn ich nun sehe, wie die Meinigen so alles um mich versammelt haben, was mich freut und unterhält, da zweifle ich kaum, daß man auch alle diese Dörfer und blanken Schlößchen mir zuliebe gebaut hat, und nur zu meiner Unterhaltung sich dieses Menschenspiel auf der Chaussee treibt, grade nah genug, um deutlich vom Auge unterschieden, fern genug, um nicht störend zu werden.

Aber es gibt eine Stelle, die mir noch lieber ist, und der Winter muß es sehr arg treiben, soll ich sie nicht jeden Tag begrüßen, wenigstens einmal; bis jetzt habe ich den größten Teil der gestohlenen Zeit dort verlebt. Hören Sie! Neben dem Hause liegt ein herrlicher Wald mit Anlagen, die nur eben so viel von der Kunst geborgt haben, um das Unbequeme zu entfernen; lauter alte Buchen, herrliche hohe Laubgewölbe, mit Vögeln von allen Farben und Zungen, hier und dort Felsstücke zum Ausruhen, eine Menge lebendiger Quellen, die sich sammeln zu artigen Teichen, auf denen genug und zum Überfluß weiße Wasserrosen schwimmen, die man bei uns so sorgfältig zieht. Das alles bildet ein unschätzbares Ganzes, d. h. eben für uns unschätzbar, die wir gern spazierengehen, aber ungern den Berg hinabgaloppieren. Dieser Wald aber wird nur durch eine schöne und tiefe Schlucht vom Hause getrennt, worüber eine Brücke führt, die sich wahrlich nicht schlecht ausnimmt. Sie denken, dieses sei der geliebte Ort; keineswegs! Ich beschreibe seine Vorzüge nur, um ihm mit desto größerem Glanz den Hals zu brechen, wenn ich hinzufüge, daß ich ihn hundertmal unter die Erde gewünscht habe zu den alten muffigen Stämmen, die drüben bei Zielschlatt im Torfmoore liegen; denn was er verbirgt, ist mir lieber, als alles, was er geben kann. Ach! lieber keinen Wald, keinen Spaziergang außer der Chaussee und unter den Obstbäumen, mit denen das Tal bestreut ist; und dafür meine lieben Alpen, mein Säntis, mein Glärnisch, meine Tiroler Gebirge! Und meinen schönen, klaren See mit seinen Segeln! Sehn Sie, das alles käme uns zu, brächte der Wald uns nicht drum; nun seh ich es zwar auch mitunter, aber nicht so oft ich will, z. B. nicht eben jetzt, wo ich fünf Groschen drum gäbe; ich sehe es nur an dem Plätzchen, wovon ich schon so lange geredet und Sie noch immer nicht hingeführt habe.

Es ist ein Gartenhäuschen an der höchsten Stelle des Waldes, wo sich die Aussicht ins Tal öffnet. Zwei Wege gibt's dorthin, einen steil und dornicht, wie den der Tugend, und ihn pfleg ich zu gehn oder vielmehr zu klettern; denn er bringt mich in drei Minuten hinauf, wenn auch keuchend und halbtot; der andre gleicht dem der Sünde, breit und gemächlich, deshalb verschmähe ich ihn auch, zumal da er die Eigenschaft besitzt, eine Viertelstunde lang zu sein. Sie mögen gewählt haben, wen Sie wollen, wir sind jetzt jedenfalls oben. Ja, mein teurer, teurer Freund! Wir sind oben; dieses ist der Platz, wo ich immer bei Ihnen bin und Sie bei mir. Ich glaube mit Wahrheit sagen zu können, ich war nie droben ohne Sie. Es ist ein einsamer Fleck Erde, sehr reizend und sehr großartig. Ich sitze nur bei rauher Luft im Rebhäuschen, sonst davor unter einer großen Trauerweide, ganz versteckt durch die Reben, mit denen der Abhang bis ins Tal besetzt ist. Das Tal selbst schmal und leer, die Gebirge gegenüber sehr nah und mit Nadelholz bedeckt, was sie schwarz und starr aussehn läßt; so nun Berg über Berg, ein kolossales Amphitheater, und zuletzt die Häupter der Alpen mit ihrem ewigen Schnee. Links die Länge des Tals vom Bodensee geschlossen (d. h. die Perspektive, der See selbst ist zwei Stunden von hier), dessen Spiegel im Sonnenscheine mich blendet, und der überhaupt mit seinen bewegten Wimpeln und freundlichen Uferstädtchen hinüberleuchtet, wie das Tageslicht in einen Grotteneingang. Es ist seltsam, wie die Klarheit der Atmosphäre jeden Gegenstand heranrückt; ich bedarf hier nur einer guten Lorgnette, um meilenweit zu sehn, und dasselbe leisten andere mit freien Augen. In Hülshoff habe ich den Spiegel eines nicht fünf Minuten entfernten, großen Teiches nie deutlicher gesehn (von meinem Zimmer aus), als hier am Rebenhäuschen den eine Meile fernen See, auf dem ich jedes Segel zähle, ja sogar in dem Städtchen Lindau am jenseitigen Ufer einzelne Gebäude unterscheide. Die Alpenhäupter nun gar, denen nicht viel mehr Luft als keine geblieben, scheinen oft so nah, daß man nur sogleich hinangehn möchte. Ich unterscheide jede Schlucht am Säntis so genau, daß ich meine, wenn ein Gemsjäger daraus hervorträte, ich müsse es sehn, und doch sind's sechs gute Stunden bergauf, bergab bis zum Fuße dieses alten Herrn und zu seinem Gipfel – nun, ich weiß nicht, aber wohl weiß ich, daß noch vor wenigen Wochen ein Engländer, dem seine eigensinnige Geliebte zum Gegenpfand ihres Herzens eine Eisscholle vom Gipfel des Säntis abverlangte, fast darüber zugrunde gegangen ist. Dreimal haben die Schwierigkeiten ihn zurückgetrieben, zum vierten Male hat er nicht nachgelassen und jeden Schritt nur vorwärtsgesetzt. Zum Glücke hat er unten im Tale Freunde zurückgelassen; so sind Alpenjäger aufgeboten, und unser Held hat den Rückweg auf einer Tragbahre gemacht, besinnungslos. Ob nun die Dame ihre Forderung aufgegeben hat oder er die Dame, weiß der Himmel, meine Kenntnisse sind hier zu Ende. Sie sehen indessen, daß mein Liebling und tägliches vis-à-vis keinen Spaß macht und sich wenigstens ebenso ungern am Barte zupfen läßt, als der weiland Sultan von Babylon, oberonischen Andenkens.

Doch um wieder aus den Eisregionen zu kommen, von meiner Bank unter der Weide aus durchstöbre ich jede Schlucht, besteige ich jede Klippe, zwar nur in Gedanken, aber was so nah und deutlich erscheint, davon hat man schon so genug und glaubt nichts Neues gewinnen zu können durch Annäherung. Hier träume ich oft lange, komme oft recht verklammt zurück, denn die Abende werden allmählich frisch; aber hier droben ist meine Heimat, hier geht alles an mir vorüber, was ich nur in meinem Herzen habe mitnehmen können. Vieles, vieles! Wenn ich den ganzen Tag mit andern Vorstellungen bin gefüttert worden, hier mache ich mein eignes Schatzkästlein auf und reiche Ihnen, mein teurer Freund, von hier aus die Hand über so manche Stadt, so manchen Berg und den breiten Rhein. Den Tag hindurch ist noch Leben im Tal, aber wenn es dämmert, wenn die Tiefe um eins so tief, die Höhe um eins so hoch wird, der Fichtenwald dasteht wie die eigentliche Finsternis und nur die weißen, kalten Massen droben wie Gespenster herableuchten, glauben Sie mir, Schlüter, das flache Land bietet keinen Begriff für die Einsamkeit solcher Augenblicke – öde und gewaltig –, der Tod in seiner großartigsten Gestalt.

d. 3. November

Es sind wieder mehr als acht Tage vergangen, in denen ich meine eigne Lebensordnung habe aus den Augen setzen müssen, um der andrer zu folgen. So wird mir's öfters zuteil und ich trage es ungeduldiger als billig; denn wem wird es nicht ebenso? und noch öfter? Gewiß! Wenige haben mehr freie Zeit und nachsichtigere Hausgenossen. Drum geht mir's wie der Geiß in Campens Kinderbibliothek, der es zu wohl im Stall war, und tritt mal ein kurzer Zeitraum ein, der mich spüren läßt, daß man nicht die Freuden geselliger Verhältnisse so hinnehmen kann, ohne einen Teil der Kosten zu tragen, wahrlich, Schlüter, dann bin ich unausstehlich, wie Sie mich noch gar nicht kennen. Z.B. da gibt es hier nun sehr liebe Leute, eine Familie Grafen von Thurn. Der Graf, ein alter, grundehrlicher, über die Maßen gutmütiger Mann, seine unverheiratete Schwester, ganz von gleichem Schlage, und – der einzige Gegenstand ihrer beiderseitigen Sorgfalt – eine schöne, gute, kluge und sehr gefühlvolle Tochter von etwa 25 Jahren. Sie bewohnen, zwei Stunden von hier, einen der schönsten Punkte des Landes, und verschiedene Umstände haben uns in Verhältnisse zu ihnen gesetzt, die denen der Verwandtschaft oder langjähriger Freundschaft fast gleichkommen; sie sind aber, begreiflich, die einzigen, denen wir derartige Rücksichten schuldig sind. Kommen sonst Besuche, da kann ich es halten, wie ich will: erscheinen, fortbleiben, alles, wie es mir der Geist einbläst, Zerstreuung und Einsamkeit, wie ich nur auf dem Finger pfeife.

Ein wahres geistiges Schlaraffenleben, zwar erst seit einigen Wochen im Schwange, aber doch lange genug, um mich aus dem Grunde zu verderben; denn die bösen Gewohnheiten wuchern bei mir aus dem Samen und aus der Wurzel. In Rüschhaus habe ich Tag für Tag die Besuche empfangen, Berichte der Dienstboten angehört und mich meiner Mutter sehr wiederholtem Anrufen persönlich gestellt. In der Tat, ich war dessen so gewohnt, daß ich nicht muckste, in der Hälfte eines Verses abzubrechen, was mich manchen guten Gedanken oder manchen eben gefundenen Reim gekostet hat. Ja! damals war ich brav, aber jetzt? Mein teurer, nachsichtsvoller Freund, ich glaube, alle Ihre Geduld ging aus, hörten Sie mich so unfreundlich und ungastlich lamentieren, als z. B. vor acht Tagen, wo die guten Thurns kamen, wahrhaftig mit so freundlichem Herzen, mich zur Weinlese auf ihrem schönen Gute abzuholen. Ich hätte früher den Vorschlag mit beiden Händen ergriffen, und jetzt? Vorgestern wär es mir schon recht gewesen, gestern auch, morgen wieder, aber heute wollte ich gerade diesen Brief vollenden, und ich mußte mich zusammennehmen, um nicht wie ein maulendes Kind zu erscheinen.

d. 9ten

Nein, es ist zu arg, wie ich mit Ihnen verfahre, mein frommer, geliebter Freund. Aber ich will Ihnen sagen, wie es derweil zugegangen ist, dann ist meine Entschuldigung gemacht. Vorerst war ich acht Tage lang bei Thurns (bin aber schon seit sechs Tagen zurück), dann – doch dort müssen Sie vorläufig noch verweilen, dort sind mir ein paar artige Begebenheiten zugestoßen; was ich sonst noch zu meinem Vorteile zu sagen habe, soll schon noch kommen. Ich habe auf diesem Gute (Berg) eben wie hier die meiste Zeit am Fenster zugebracht; man sieht die Alpen wie auf unserm Rebhügel. Dort sah ich zuerst das Alpenglühen, nämlich dieses Brennen in dunklem Rosenrot beim Sonnenauf- und -untergang, was sie glühendem Eisen gleichmacht, und, so häufig die Dichter damit um sich werfen, doch nur bei der selten zutreffenden Vereinigung gewisser Wolkenlagen und Beschaffenheit der Luft stattfindet. Eine dunkel lagernde Wolkenmasse, in der sich die Sonnenstrahlen brechen, gehört allemal mit dazu, aber noch sonst vieles. Nun hören Sie: ich sah, daß eine tüchtige Regenbank in Nordwest stand und behielt desto unverrückter meine lieben Alpen im Auge, die noch zum Greifen hell vor mir lagen; die Sonne, zum Untergang bereit, stand dem Gewölk nah und gab eine seltsam gebrochne, aber reizende Beleuchtung. Ich sah nach den Bergen, die recht hell glänzten, aber weiß wie gewöhnlich, als wenn die Sonne sonst auf den Schnee scheint – hatte kein Arg aus einer allmählich lebhafteren, gelblichen, dann rötlichen Färbung, bis sie mit einem Male anfing sich zu steigern, rosenrot, dunkelrot, blaurot, immer schneller, immer tiefer, ich war außer mir und hätte in die Knie sinken mögen; ich war allein und mochte niemand rufen aus Furcht, etwas zu versäumen. Nun zogen die Wolken an das Gebirge. Die feurigen Inseln schwammen in einem schwarzen Meere. Jetzt stieg das Gewölk, alles ward finster, ich machte mein Fenster zu, steckte den Kopf in die Sofapolster und mochte vorläufig nichts anderes sehn noch hören.

Ein anderes Mal sah ich eine Schneewolke über die Alpen ziehn, während wir hellen Sonnenschein hatten; sie schleifte sich wie ein schleppendes Gewand von Gipfel zu Gipfel, nahm jeden Berg einzeln unter ihren Mantel und ließ ihn bis zum Fuße weiß zurück; sie zog mit unglaublicher Schnelligkeit in einer halben Stunde viele Meilen weit, es nahm sich vortrefflich aus. Sie sehen, die Schweizernatur macht mitunter die Honneurs ihres Landes sehr artig und führt ergötzliche Nationalschauspiele auf für die Fremden an den Fenstern.

Nun noch ein liebliches kleines Abenteuer vom Schlosse Berg, ganz anderer Art, wobei mir beinahe angenehm schauerlich zumute wurde, in Beziehung auf einen recht gut geschriebenen Geisterroman ‚Der Überzählige‘, den ich erst vor einigen Tagen gelesen und in dem eine ähnliche Szene stattfindet. Also ‚Schon tönt die Glocke Mitternacht!‘ Nein, so spät war es nicht, aber doch etwa halb elf. Wir saßen nach dem Abendessen noch beisammen, der alte Graf Thurn, seine Schwester Emilie, seine Tochter Emma und ich. Vor uns auf dem Tische lagen allerlei alte Sächelchen, mit denen der gute Papa Thurn mich soeben beschenkt hatte; ein Calatravaorden, derselbe, dessen Kopie auf einem mehr als hundertjährigen Familiengemälde vorkam; eine Bügeltasche mit Schloß und Kette, stark genug, einen jungen Ochsen anzulegen. Die Tasche selbst von schwerer Seide, dreingewirkt aus Gold das älteste Thurnische Wappen, aus jener Zeit, wo sie noch unter dem Namen de la Torre Mailand beherrschten, bevor sie den Viscontis weichen mußten; ein sehr schön gemaltes kleines Bild und dergleichen mehr. Alles kam aus Schiebladen, die vielleicht seit 60 Jahren nicht geöffnet waren, der Modergeruch verbreitete sich im ganzen Zimmer und mir war fast, als berühre ich die wunderbar konservierten Glieder der Verstorbenen. Der alte Graf hielt ein schlichtes Kästchen von Elfenbein in der Hand, aus dem noch allerlei zum Vorschein kam; endlich war es leer. Nun, sagte er, damit Sie die kleinen Dinger nicht verlieren, so schenke ich Ihnen das Kästchen dazu; es ist zwar weder etwas Schönes noch Merkwürdiges dran; indessen mag es doch ein paar hundert Jahre alt sein, ich wenigstens habe es schon über vierzig Jahre; als ich ein Kind war, hatte es mein Vater, und ich erinnere mich, daß er sagte, er habe es von seinem Großvater, der es ihm auch schon als ein altes Kästchen mit, ich weiß nicht was, drinne gegeben habe; so können Sie es auch unter die Antiquitäten rechnen. Hierbei schlug er den Deckel so fest zu, daß ich gleich nachher ihn nicht aufzubringen vermochte; ich meistere und drücke dran, eigentlich nur zum Zeitvertreibe; mit einem Male fliegt es gewaltsam auf, und zwei wunderschöne Miniaturbilder liegen vor mir, das eine im Deckel, das andere gegenüber im Grunde des Kästchens. Emma und ich hatten uns, in der Erinnerung an den ‚Überzähligen‘, beide erschreckt, daß wir blaß geworden waren. Weniger entsetzt, aber mehr verwundert waren die beiden alten Geschwister, die mit Gewißheit sagen konnten, daß seit wenigstens 130 Jahren niemand mehr um das Dasein dieser Gemälde gewußt hatte. Der alte Graf, dem das Kistchen früherhin zwanzig Jahre als Bonbonniere gedient, sah aus, als glaube er an Hexen. Es fand sich, daß ich mit meinem ungeschickten Meistern und Brechen die Feder getroffen, welche den Schieber vor den Gemälden bewegte. Die Bilder stellen zwei vollkommen erhaltene Porträts dar, einen jungen Mann und ein Mädchen, beide im Alter von etwa sechzehn Jahren, beide von großer Schönheit und einander so ähnlich, daß man sie für Geschwister, wo nicht gar für Zwillinge, halten muß. Beide haben runde, feine Gesichtchen, einen Teint von seltener Zartheit, die schönsten und größten dunkelblauen Augen, etwas aufgestutzte Näschen, hingegen wieder einen Mund und Kinn von wahrhaft idealer Lieblichkeit. Wäre der junge Mann ein Mädchen, so würde er die schönere von den beiden Schwestern sein, so aber lassen sich diese zarten Formen kaum mit der Jugend entschuldigen; das Mädchen ist schwarz gekleidet, mit ungeheuren hängenden Ärmeln, aus denen die schönen runden Arme und Händchen allerliebst herauskommen; dann eine weiße Schürze, ein weißes durchsichtiges Halstuch und ein sehr klares Häubchen, unter dem einige braune Löckchen hervorsehen. So sitzt sie in einem ungeheuren Sessel von dunkelrotem Sammet, etwas selbstgefällig, noch mehr ängstlich, ganz wie das arme Ding dem Maler mag gesessen haben, und reicht mit dem einen Händchen einen Brief durchs offene Fenster, während die andre ein Körbchen mit Brezeln auf ihrem Schoße festhält. Der junge Mensch sieht nun vollends aus wie ein maskierter Amor. Soeben tritt er aus der Tür seines Hauses, mit der possierlichsten und dabei anmutigsten Prätension und einem Anfluge von wirklicher Würde, der sich späterhin recht vorteilhaft mag ausgebildet haben; eine ungeheure Allongeperücke läßt sein Gesicht hervorschauen wie ein Engelsköpfchen aus den Wolken; seine zarte, aufgeschossene Figur streckt sich in einer endlos langen goldgestickten braunen Weste und dito Rock; in der einen Hand hält er eine offene Tabakdose, die andere hat er trotzig in die Seite gestemmt. Die Farben sind frisch, wie eben aus dem Pinsel.

Das Kistchen ist mir geblieben, und ich betrachte es bis jetzt täglich mit den seltsamsten Gefühlen. Mein Gott! was ist die Zeit! was ist ehemals, jetzt und dereinst! (ich meine irdisch gerechnet). Die Bilder sind nicht grade so ausgezeichnet gut gemalt, aber sie kopieren das Leben bis zur ängstlichen Täuschung, ich habe es früher nie so gesehn; Emma Thurn behauptet, sie schlügen die Augen auf und nieder. Man ist gezwungen zu denken, sie seien nur eben erst nebst dem Maler zur Tür hinausgegangen, gleich voll der allerfrischesten Lebensessenz und des allerfestesten Köhlerglaubens an einen Himmel voll Geigen; man sieht recht, wie froh sie ihrer Schönheit waren und ihrer guten Kleider, vor allem der Knabe seiner köstlichen Perücke, welche ihm die Eltern ohne Zweifel eigens hierzu machen ließen – und wo sind jetzt ihre Knochen? Sollte man wohl noch einige Stäubchen zusammenlesen können?

Sie erinnern mich an ein sehr liebliches und ihnen ganz ähnliches Geschöpf, Lorchen Dalwig, die ich im vorigen Jahre in Belgien sah, ihr erster Ausflug, seit sie, vor vier Wochen, die Pension verlassen. Man kann sich nichts Anmutigeres und Frischeres denken; jede freie Minute wurde zu einer kleinen Tanz- oder Musikübung verwendet, denn wir waren schon im Spätsommer, und auf den Winter sollte sie in die Welt eingeführt werden. Ihre Augen funkelten schon vor Erwartung und die ihrer Eltern nicht minder. Aber nicht zwei Monate nachher erhielt ich eine Todesanzeige. Das Nervenfieber hatte sie fortgenommen. Nun möchte ich immer wissen, ob jene zwei frischen Blumen auch so geknickt sind, wie ich sie da vor mir sehe, oder ob sie zuvor verdorrten und unkenntlich wurden; für meine Träumereien verweile ich am liebsten bei der ersten Vorstellung. Mir macht das jugendliche Porträt eines gealterten Originals nur selten andre als unangenehme Eindrücke. Es ist nicht das Verfallen der äußeren Form, sondern das der innern. Wessen Persönlichkeit entwickelt sich wohl so voran, daß sie zu allen Zeiten demselben Individuum gleich ansprechend wäre? Bei Alten, denen ich Zutrauen und Ehrfurcht zolle, mag ich nicht daran erinnert werden, daß es eine Zeit gab, wo ich ihnen beides würde geweigert haben. Bei solchen, denen alles verlorengegangen ist, was die Jugend Edleres hatte, betrübt's mich zu sehn, daß man so gut ausgestattet sein und doch zuletzt so verkommen kann; selten, selten darf man denken: das ist grade die Blüte, die man nach der Frucht voraussetzen mußte.

Doch Reflexionen können Sie selber machen, die brauche ich nicht aus der Schweiz zu schicken; aber, liebster Freund, ich weiß Ihnen eben nichts Besseres zu geben:

Daß wir von einem Erdbeben profitiert haben, werden Sie aus den Zeitungen lesen, aber das haben Sie nicht geträumt in jener Nacht, daß ich, Ihre sehr liebe Freundin, Ihr eigentliches Herzblatt, gemeint habe, ein Mörder liege unter meiner Bettstatt und bemühe sich jetzt grade drunter wegzurutschen, um mir in der nächsten Minute das Schermesser durch den Hals zu ziehn. Doch, ernstlich, etwas Ähnliches dachte ich und in derselben Stunde viele mit mir; denn die Erschütterung war sehr heftig, überall klirrten die Fenster, und an manchen Orten fielen Gläser und Flaschen um; auch seltsames Geräusch und Geknall wie von fernen Kanonenschüssen hörte man; da war ich aber noch halb im Schlafe und meinte, es falle von der Kelter im Nebenhause einer der schweren Steine, womit man sie beladet, oder ein Traubenwächter schieße in den benachbarten Weinbergen; dergleichen war ich über Nacht schon gewohnt. Ja, reisen ist doch zu etwas gut. Wo hätte ich zu Rüschhaus ein Erdbeben hernehmen sollen? Nun also, die guten Thurns hatten so viel zu meinem Vergnügen herbeigeschafft, ein Erdbeben, ein Alpenglühen, eine höchst malerische Schneewolke, zwei gespenstige Porträts und sonst noch eine Menge angenehmer Gegenstände, Geschenke, freundliche Worte und Blicke et cet. Ich hätte ihnen auch gern etwas zuliebe getan; da gab mir denn Emma unter den Fuß, den Papa werde nichts mehr freuen als ein Gedicht auf sein liebes Schloß Berg. O weh! das war eine harte Nuß. Was ich soll, das mag ich nie (wieder eine schlimme Eigenschaft, die Ihnen noch unbekannt war); indessen ich machte gute Miene zum bösen Spiel; aber nun wurde mir das Schema vorgelegt. Kennen Sie das Lied: ‚Mein Herr Maler, will er wohl mich abkonterfeien?' Doch falls Sie es nicht kennen, hören Sie, was man einem Menschen zumuten kann. Zwölf Kantone sollte ich namentlich anführen, ohngefähr ebensoviele Hauptgebirge, ohngefähr doppeltsoviele Hauptorte, die Namen von vier Königreichen, von verschiedenen Gewässern, und die Zahl aller übrigen Orte, welche die Aussicht darbietet. Dem guten alten Herren war es seit Jahren ein schwerer Ärger, so manches Gedicht zu lesen auf die schönen Punkte der Umgegend, und niemals eins auf sein liebes Berg; nun aber mal die Reihe an ihn kam, wollte er den Leuten auch nichts schenken; kein drei Ellen breites Flüßchen, kein Dörfchen von sechs Häusern. Ich aber sagte mit Wilhelm Tell: ,Fordere, was menschlich ist!' und machte ihm begreiflich, daß Zahlen sich weit besser in einer Rechnung ausnehmen als in einem Gedicht. Er begriff's nur halb, gab nur wenig nach, und ich hatte gelobt, das Machwerk dem ,St. Bernhard' und ,Arztes Vermächtnis' beidrucken zu lassen, folglich war es nicht ohne Einfluß für mein erstes Auftreten. Eine üble Klemme! Die Zufriedenheit meines lieben, frommen prosaischen Wirts war mir doch lieber als mein poetischer Ruf, indessen ganz einerlei war es mir um diesen auch nicht, und sehn Sie, so lächerlich es Ihnen scheinen mag, dies hat eine große, große Lücke in diesem Brief veranlaßt. Jeden Morgen überfiel mich das Bewußtsein meiner schwierigen und unerfüllten Verbindlichkeit, ich konnte eben an nichts andres denken, war zu keinem vernünftigen Dinge aufgelegt. Kurz, ich tat wohl, mir diesen Stein um jeden Preis zuerst abzuwälzen. Viktoria! es ist geschehn, und was das beste ist, Prosa und Poesie haben noch einen ziemlich guten Akkord miteinander getroffen; wenn der Graf Thurn ein Auge zudrückt und das Publikum auch eins, so wird es schon gehn. Ich schicke Ihnen das Zwitterprodukt dieses Mal nicht, denn ich hebe, meinem Versprechen gemäß, für Sie auf, was ich schreibe. Viel ist es noch nicht, aber doch etwas, und es bringt mir viel Genuß, für Sie zu arbeiten.

Lieber, teuerster Freund, ich fürchte, Sie denken wenig an mich, weil Sie noch immer keinen Brief von mir haben; es wäre aber recht schlecht von Ihnen, da ich Ihrer so oft und so herzlich gedenke. Sprechen Sie doch zuweilen von mir mit der lieben Mutter und meinem Thereschen. Ich fürchte immer, ich komme während meiner Abwesenheit auf den Umschlag zu stehn.

Mich verlangt nach Haus. Ein liebes, befreundetes Menschenantlitz ist doch werter als tausend Gebirge, und wäre aller Schnee drauf Silberstaub und jede Eisscholle ein zentnerschwerer Kristall. Ich werde nicht ärgerlich sein, die braunen münstrischen Heiden wieder zu sehn, und noch weniger die gute Stadt Münster, und noch weniger den Schlüter. Ich denke auch oft an den Junkmann, wie es ihm geht mit seiner verdrießlichen Geschichte. Indessen, da mein Vetter Asseburg und mehrere andere, die mit ihm im gleichen Falle waren, jetzt aller Unannehmlichkeiten enthoben sind, so hoffe ich das gleiche von Junkmann. Grüßen Sie ihn herzlich von mir! Schreibt er fleißig? Ich meine sowohl Briefe als Poesien.

Hier im Hause gibt's ganze Ladungen von Minneliedern, und drunter mehrere starke Hefte mit den Melodien dazu, aber nicht ein so schönes als ,Der grüne Rock' oder selbst seine Gesellen, die übrige Garderobe. Mein Schwager lebt in nichts anderm, und erst jetzt wird mir die seltsame Orthographie seiner Briefe klar. Er hat sich in der Tat im schriftlichen Stile unsrer heutigen Redeformen teilweise entwöhnt, ich glaube unwillkürlich, und man trifft überall auf Spuren des Nibelungenliedes, des Lohengrin, des Eggenliedes et cet. Häufig liest er des Abends eine Stunde lang vor, ,von Helden lobbebären, von grozer Arebeit' und was dahin gehört. Ich vernehme mit Rührung, wie der Lohengrin in seinem Schwanenkahne den Rhein hinunter abfährt, der Kaiser dann ,pellet sam ein Rint vor Weinen, da der Lohengrine abegink', des Ritters Gemahlin ohnmächtig wird, und ,die Zähn sie ihr uffbrachen mit einem Klotze'. Ja, ja, lassen Sie nur recht tiefe Seufzer fahren, daß Ihnen das alles verlorengeht! Aber wahrlich, wären Sie hier, keine Silbe sollte Ihnen erlassen werden, Sie sollten Leid und Freud mit mir teilen, wie es einem getreuen Freunde zukommt, dafür stehe ich Ihnen. Übrigens, ohne Scherz geredet, ist mein Schwager der beste Mann von der Welt; seine Liebe zu meiner Schwester ist so groß und von solcher Art, wie kein menschliches mangelhattes Wesen sie fordern, aber dennoch das Herz sie geben kann, und übrigens ist er angenehm, geistreich, sehr gelehrt; kurz ihm fehlt nichts, sondern er hat nur etwas zuviel, nämlich zuviel Manuskripte und Inkunabeln, und zuviel Lust sie vorzulesen; gegen uns, die Mutter und mich ist er die Aufmerksamkeit selbst.

NB. Mein ‚St. Bernhard' und sein Kompagnon werden sich noch in diesem Jahre den Kritikern stellen. Es ist gut, daß andre Leute für mich handeln, ich selbst weiß doch allzuwenig mir zu helfen. Bald bin ich schüchtern, bald zuversichtlich, und beides ohne Grund; Ehrgeiz habe ich wenig, Trägheit im Übermaß. Aber nun hören Sie, wie es ging. In Bonn bei der Frau Mertens hoffte ich die einzige zugleich leserliche und richtige Abschrift der Gedichte zu finden. Sie werden sich erinnern, daß ich dieselben schon vor länger als einem Jahre dorthin schickte; es war die zum Druck bestimmte und sollte nur vorher durchgesehn werden, von dem Professor D'Alton, der Frau Schopenhauer und der Mertens selbst; denn man wird stumpf durch zu öfteres Überlesen. Das erste Schreiben der Mertens darüber war entzückter, als ich es mit meinen Verdiensten reimen konnte, und seitdem auch keine Silbe weiter. Ich habe mich schon bei Ihnen deshalb beklagt. Was fand ich in Bonn? Nichts! Nämlich die Frau Mertens abgereist nach Italien, wo sie ein rundes Jahr zu bleiben gedenkt; mein Manuskript unsichtbar geworden; entweder mitgenommen, oder verliehen oder verlegt; weder ihr Mann, noch ihre Töchter, noch ihre Freunde meinten andres, als daß es seit wenigstens einem halben Jahre wieder in meinen Händen sei. D'Alton sowohl als die Schopenhauer hatten mir ellenlange Briefe geschrieben, vollkommene Abhandlungen; der von D'Alton soll sogar drei Bogen stark gewesen sein, aber alles war der Mertens anvertraut, und sie hat eins mit dem andern Gott weiß wohin getan. So waren die Bemerkungen dieser sehr geschmackvollen Literatoren für mich verloren, denn obgleich ich das fuchsige Buch bei mir hatte, fehlte mir die Zeit, es mit ihnen neuerdings durchzulesen, und die Erinnerung vergegenwärtigte ihnen jetzt, nach Jahresfrist, nur noch Bruchstücke; doch war ihr Urteil im ganzen so günstig gewesen, als ich es wünschen konnte; sie hatten mich dringend zur Herausgabe ermahnt und täglich der Ankündigung entgegengesehn. Was war zu machen! Weder den D'Alton noch die Schopenhauer mochte ich um Besorgung meines Geschäfts angehn, da ersterer kein Schriftsteller und ganz ohne Konnexionen mit Buchhändlern, letztere eben mit ihrem

Verleger gänzlich zerfallen und selbst augenblicklich ratlos ist. Ich ergab mich in den Willen Gottes und sah mein Werk schon an als bloß geschrieben zu meiner eignen Beschäftigung auf dem Lande. Es gibt nichts Entmutigenderes, als diese langen Klagereden der Schriftsteller längs dem Rhein über ihre gegenwärtige Stellung zur Lesewelt und den Buchhändlern. Nur wenige finden einen Verleger, die meisten lassen ihre Werke vorläufig liegen oder ruinieren sich durch Herausgabe auf eigne Kosten; der ungeheure Vorteil aus den Übersetzungen soll an allem schuld sein. Ich glaubte es gern, und mein Selbstvertrauen gewann nicht dabei. Doch was sein soll, schickt sich wohl. Ich habe einen Verleger, und zwar einen bedeutenden, und ganz ohne eignes Zutun, nicht eben um meiner Vortrefflichkeit willen; aber es hat sich so gemacht, daß mir die Sache aus freien Stücken ist angeboten worden, aus persönlichem Wohlwollen, um mir die Freude zu machen, auch wohl aus Neugier, um zu erfahren, wie das Publikum die Verse aufnimmt. Ich soll die Bedingungen selbst machen, sie werden aber nur in einigen Freiexemplaren bestehen. Die Zeit der Herausgabe hängt von meiner eignen Betriebsamkeit ab; sobald ich eine Abschrift nach meinem Wunsche besorgt habe, wird der Verleger nicht säumen. Freilich habe ich bereits vier Monate verstreichen lassen, ohne Hand anzulegen, aber jetzt soll es das erste sein, woran ich gehe, vielleicht morgen schon. Zur Ostermesse ist's wohl zu spät; aber ich denke zu Michaelis; man wünscht auch einige kleinere Gedichte, die zuerst das Buch einleiten und nachher die beiden größeren Stücke trennen sollen; ich finde das wohl passend, habe aber kaum zwei oder drei, die ich dazu wählen möchte. So muß ich mich wirklich entschließen, den guten Pegasus zu satteln in diesem schlechten unpoetischen Wetter, wo alles voll Schnee liegt und selbst mein lieber Rebhügel nichts darbietet, als zahllose dürre Stöcke und ein weites molliges Nebelmeer, was trotz der Herrlichkeiten, die es in sich schließt, doch keine bessere Physiognomie hat als unser Heiderauch.

Ja, lieber Schlüter, Sie müssen nicht denken, daß wir heute erst den Neunten haben, sondern den Achtzehnten, so unzählige

Male bin ich unterbrochen worden, noch an diesem Morgen durch einen armen jungen Menschen, der seines Unglücks kein Ende weiß, weil er sich für ein Genie hält und Mittellosigkeit ihn zwingt, Handwerker zu werden. Könnte ich ihm einen andern Weg öffnen, ich tät es nicht, sein Talent scheint mir bei weitem nicht ausreichend. Besser ein satter Handwerker als ein mittelmäßiger halbverhungerter Maler oder Poet. Und nichts schrecklicher, als den Weg vor sich versinken sehen und nicht umkehren können; also ist's resolviert, die Sache muß in statu quo bleiben, aber der arme Schelm dauert mich doch! Ich habe schon gesagt, daß hier alles voll Schnee liegt. Allerheiligentag fiel der erste, ging jedoch wieder fort, aber seit zehn Tagen haben wir eine bleibende Decke, die jede Nacht fester wird und sich nach und nach bis zu anderthalb Schuhhöhe rekrutiert hat. In unserm guten Münsterlande geht doch alles gemäßigter zu, Hitze und Kälte; ich wette, dort gibt's heute noch keinen Schnee, vielleicht noch nach acht Tagen nicht, wenn dieser Brief ankömmt. Mir fällt ein, ich will Ihnen doch ein ganz kleines Gedicht hersetzen, was ich gestern bereits dem anzuwerbenden Hofstaate der beiden größeren als Grundstein gelegt habe; es heißt ‚Die rechte Stunde' und klingt wie folgt:

> *Im muntern Saal, beim Kerzenlicht,*
> *Wenn alle Lippen sprühen Funken,*
> *Und gar vom Sonnenscheine trunken,*
> *Wenn jeder Finger Blumen bricht;*
> *Und vollends an geliebtem Munde,*
> *Wenn die Natur in Flammen schwimmt,*
> *Das ist sie nicht, die rechte Stunde,*
> *Die dir der Genius bestimmt.*
>
> *Doch wenn so Tag als Lust versank,*
> *Dann wirst du schon ein Plätzchen wissen,*
> *Vielleicht in deines Sofas Kissen,*
> *Vielleicht auf einer Gartenbank;*
> *Dann klingt's wie halb verstandne Weise,*
> *Wie halbverwischter Farbenguß*

Verrinnt's um dich, und leise, leise
Berührt dich dann dein Genius.

Was sagen Sie dazu? Mich dünkt, es ist weder schön noch häßlich, aber was man so untadelig nennt, und deshalb ein besserer Füllstein als einige andre, nur ungern von mir ausgemerzte, deren einzelne Schönheiten zu vieles Krasse oder Schwache nicht aufwiegen konnten. Ich wollte, Sie wären bei uns, Schlüter, das ist mein Morgen- und mein Abendseufzer. Daß Sie mir fehlen würden, und zwar sehr, wußte ich voraus, aber ich rechnete doch auf irgendein Wesen, dessen Beschäftigungen, Ansichten und Geschmack dem meinigen einigermaßen entsprächen; aber außer den Thurnschen Damen betritt kein Frauenzimmer dies Haus, nur Männer von einem Schlage, Altertümler, die in meines Schwagers muffigen Manuskripten wühlen möchten, sehr gelehrte, sehr geachtete, ja sehr berühmte Leute in ihrem Fach; aber langweilig wie der bittre Tod, schimmlig, rostig, prosaisch wie eine Pferdebürste; verhärtete Verächter aller neueren Kunst und Literatur. Mir ist zuweilen, als wandle ich zwischen trocknen Bohnenhülsen und höre nichts als das dürre Rappeln und Knistern um mich her, und solche Patrone können nicht enden; vier Stunden muß man mit ihnen zu Tisch sitzen und unaufhörlich wird das leere Stroh gedroschen! Nein, Schlüter, ich bin gewiß nicht unbillig und verachte keine Wissenschaft, weil sie mir fremd ist; aber dieses Feld ist zu beschränkt und abgegrast; das Distelfressen kann nicht ausbleiben. Was zum Henker ist daran gelegen, ob vor dreihundert Jahren der unbedeutende Prior eines Klosters, was nie in der Geschichte vorkommt, Ottwin oder Godwin geheißen, und doch sehe ich, daß dergleichen Dinge viel graue Haare und bittre Herzen machen.

d. 19ten

Heute endlich wird dieser Brief zur Post kommen. Es ist wohl die höchste Zeit und mir dennoch leid. Es war mir, als sei ich bei Ihnen, das ist nun für's erste vorüber; denn was ich auch sonst für Sie niederschreibe, so weiß ich doch, Sie bekommen es erst späterhin. Vielleicht ist's aber auch gut so und gibt mehr Lust zu diesen andern Schreibereien, die doch auch zunächst für Sie bestimmt sind. Manches ganz und gar und allein für Sie. Heute ist mein Namenstag. Sie denken wohl nicht daran, oder vielmehr wissen es nicht, weil man mich Annette nennt; mein eigentlicher Name ist aber Elisabeth – Anna Elisabeth – und aus dem Anna hat man Annette gemacht. Ich wollte, Sie wüßten dieses heute, gewiß würden Sie für mich beten. Gedenken Sie wohl der Vereinbarung, die wir getroffen für die letzte Abendstunde? Ich habe es nicht vergessen, wo können sich Freunde auch besser begrüßen als vor Gott! Es liegt eine große Freude darin. Hören Sie, bestes Herz, ich habe gestern recht ungeduldig und ungezogen geschrieben über brave, kenntnisreiche Leute, deren Beschäftigungen nie schädlich und gewiß oft nützlich sind. Wie manche gerechten Ansprüche mögen dadurch ins Helle gestellt, wie manche Ungerechtigkeit entkräftet worden sein! Wer sich scheut, die Spreu zu durchsuchen, der wird das darin verschüttete Korn nicht finden. Mein Münzensammeln ist für andre ebenso langweilig und kann nie nützlich in die Gegenwart eingreifen.

NB. Ich kann nicht verschweigen, daß mein Schwager mir heute sehr schöne Silbermünzen geschenkt hat; eine herrliche, große, vollkommen erhaltene griechische von Mazedonien und zehn römische Konsularmünzen. Überhaupt haben meine Sammlungen hier manchen schönen Zuwachs erhalten, Münzen, Mineralien, Versteinerungen, einen großen Beutel mit vierhundert römischen Kupfermünzen habe ich selber gekauft et cet. Das Papier hat sein Ende erreicht. Grüßen Sie die lieben Ihrigen tausendmal von mir, den Vater, den Onkel Fritz, die liebe, liebe Mutter und mein Herzens-Thereschen zweitausendmal, und laßt mich allesamt Euer Gemüt so für mich gestimmt wiederfinden, wie ich es verlassen habe. Nicht wahr, wir kennen uns zu gut, als daß Entfernung schaden könnte, nicht wahr, Schlüter? Ihre

Annette Droste-Hülshoff'

16

Der Winter 1835 bis 36, den Therese und Annette in Eppishausen verbrachten, war außergewöhnlich kalt; das weitläufige Haus ließ sich nur schwer heizen, und der Schnee lag in diesem Jahre so hoch, daß die Geselligkeit völlig aufhörte. Die Gelehrten, ‚die dürren Hülsen‘, reisten nicht in der schlechten Jahreszeit und zwischen Jennys Haus und den Nachbarschlössern war weder Weg noch Steg zu sehen.

Man war sehr allein und hätte doch gern die Ratschläge anderer Frauen gehört, denn Jennys Befinden verschlechterte sich von Woche zu Woche. Sie war nun einundvierzig Jahre alt und sollte zum erstenmal eine Geburt überstehen.

Laßberg ist voller Unruhe, Therese von Droste gereizt in ihrer kaum beherrschten Angst um das Leben ihrer Tochter. Annette versucht zu beruhigen, aber in der Erstarrung durch Kälte und Langeweile ist sie kaum fähig, mehr als ein sanftes Mitgefühl zu äußern.

Die Spannung und Angst wächst mit dem schwindenden Jahr; dann bricht das neue an, was wird es bringen? Schmerzen, eine unsäglich schwere Geburt, vielleicht den Tod dieser immer freundlichen, liebenswerten Frau?

Laßberg, die Mutter und Annette geben in Gedanken das Kind daran, wenn nur Jenny gerettet wird, obgleich die Qualen der Geburt ohne den natürlichen Lohn auch ein entsetzliches Unglück wären, denn Jenny in ihrer träumerisch-seligen Erwartung eines späten Mutterglücks hat seit Monaten all das Schwere nur unter dem tröstlichen Gedanken ertragen, ein Kind in den Armen zu halten.

Ein Arzt lebt als Gast ständig auf dem Schloß. Und dann kommt der gefürchtete Tag; nein, es sind einige Tage, in denen Jenny auf Tod und Leben um die Krone ihres Lebens ringt, aber sie siegt, sie bleibt am Leben, und ihrem armen gemarterten Leibe hat sich ein, es haben sich ihm zwei gesunde Kinder entrungen.

Zwillinge! Zwei Mägdlein, ist es zu fassen? *Das* hat die Natur von dieser Frau verlangt, für die *ein* Kind auf ihrer absteigenden

Lebensbahn schon eine schwere Bedrohung war, eine Doppelgeburt zu durchkämpfen und zwei Menschlein auf einmal das Dasein zu geben.

Laßberg ist außer sich vor Freude, Rührung und Dankbarkeit und weiß nicht, was er seiner geliebten Frau antun soll, um ihr seine Bewunderung zu zeigen.

Therese von Droste blüht auf vor Stolz über ihre Heldentochter, und Annette begrüßt die kleinen Nichten – sie heißen Laßbergs alten Germanen zur Liebe Hildegard und Hildegund –, in zärtlicher Fröhlichkeit und nennt die eine ‚Bläuchen‘ und die andere ‚Rötelchen‘ nach den großen blauen Augen der einen und dem rötlichen Haarschopf der andern. Zu ihrer Erleichterung sind die Zwillinge vollkommen verschieden, sogar an Größe und Kraft, so daß sie sie unterscheiden kann.

Manchmal bringt ihr die Mutter oder das Kindermädchen eins der Neugeborenen oder beide frühmorgens an ihr Bett; Annette muß über die winzigen Dinger lachen und vergleicht ihre Fingerchen mit den Krallen gefangener Vögelchen, die hatten früher auch einmal so in ihren Händen, die sie darüberschloß, gezuckt und gekribbelt, im übrigen aber sagt sie resigniert: ‚ich habe so gar keine Gabe, Kinder zu halten, wie es ihnen bequem ist, sie schreien sich die kleinen Hälse ab.‘

Im Mai war Jenny endlich so weit hergestellt, daß man eine erste Ausfahrt wagen durfte. Freude und Erwartung waren groß; so lange hatte man Eppishausen und seinen Park nicht verlassen können, aber jetzt muß man hinaus auf das Land; die unzähligen Obstbäume des Thurgaus stehen in voller Blüte, die Wiesen sind strahlend vergoldet von Löwenzahn oder schäumen über von Schierlingsdolden. Der Bodensee gleicht ausgebreiteter blauer Seide, der Säntis strahlt noch tief herunter im Winterschnee, aber die Vorberge mit Wäldern, viel Wiesenland und frischen Äckern, hier beschattet, dort besonnt, leuchten vom hellsten bis zum tiefsten Grün.

Hinaus, oh, hinaus! Therese, Jenny, Annette und Laßberg, sie sind alle froh und zukunftselig gestimmt, aber der Himmel hatte es noch nicht beschlossen, diese kleine Menschengruppe, die schon so Schweres durchgemacht, aus dem Unglück zu entlassen. Kaum war die Fahrt angetreten, da gehen die Pferde durch, der Wagen stürzt um und vorbei ist alle Freude.

Laßberg hatte beide Hüftknochen gebrochen, auch Jenny war schwer verletzt; Annette so unglücklich gefallen, daß sie nicht stehen und gehen konnte, nur Therese kam mit einem Nervenschock davon. Laßberg und Jenny mußten in ein Wirtshaus getragen werden und dort bleiben, weil sie sich für lange Zeit nicht rühren durften. Annette lag in Eppishausen, nur Therese, rüstig und unerschrocken wie immer, hatte die Folgen des Schrecks abgeschüttelt und wanderte zwischen den Krankenlagern hin und her.

Im August (1836) schrieb Annette an ihren Onkel Karl von Haxthausen über ‚die Numismatik, unsere beiderseitige regierende Frau‘, in deren Dienst sie allerlei Einkäufe gemacht hatte, einen langen Brief und gibt daneben ein Résumé über die verflossene schwere Zeit:

‚Wir haben viel ausgestanden in diesem Jahr! Obgleich niemand schuld daran ist, denn Laßberg und Jenny haben zu unserer Erheiterung getan, was sie konnten, und unter andern Umständen würden wir uns vielleicht hier sehr wohl befunden haben. Aber vorerst hast Du kaum Begriff von der Öde eines hiesigen Winters, wenigstens wie wir ihn erlebt haben – fast sechs Monate lang Schnee, schon im Oktober lag er einigemal so tief, daß man nicht wußte, wie man die Weinlese bewerkstelligen solle. Von der Mitte November an blieb er liegen, ohne einen Tag Tauwetter bis hoch im März, und noch fast durch den ganzen April war es den einen Tag grün und den andern weiß. Das schlimmste war ein Nebel, aus dem man Brei hätte kochen können, der gar nicht fortging, und ich kann ohne Übertreibung sagen, daß ich das unmittelbar vor uns liegende Dorf mehrere Monate lang nur gehört, aber nicht gesehn habe, den ganzen Tag klingelten Schlitten und bellten Hunde, die nebenher liefen, und Mama sagte ein ums andre Mal ‚Lappland‘! Auch unser gutes flackerndes Feuer in Kaminen und Öfen vermißten wir sehr, denn die Kachelöfen haben doch etwas sehr Ödes, wenigstens in einem so großen Hause, was von so wenigen Leuten bewohnt wird, wo abends alles mäuschenstill sitzt und liest oder seinen trübseligen Gedanken nachhängt.

Denn Du mußt wissen, lieber Onkel, daß das Befinden unsrer Jenny den ganzen Winter sehr bedenklich war; Mama sowohl als ich haben heimlich das Schlimmste befürchtet, und wir durften es uns doch nicht merken lassen. So saß denn jeder über seinen Gedanken zu brüten; nein, es war eine erbärmliche Zeit! Nachher gab es zuerst viel Last und Pflege mit Jenny und den zwei Ankömmlingen, und gerade als die arme Jenny den allerersten Ausflug wagen wollte, betraf uns das Unglück mit dem Umwerfen. Ich habe das Mal zwar auch viel abgekriegt und spüre die Folgen zuweilen noch, aber es kömmt mir doch wie nichts vor, wenn ich den armen Laßberg so an seinen Krücken herumschleichen sehe und täglich mehr die Hoffnung verliere, daß er sie je wird ganz fortlegen können. Jetzt ist er seit einigen Tagen im Bade zu Baden im Aargau, wo er zwölf Bäder nehmen und dann zurückkehren wird.

Das sind denn so die Unterbrechungen unsrer Einsamkeit, aber was ist zu machen! Es ist alles unmittelbar vom Himmel geschicktes Unglück, und Eppishausen an und für sich bleibt (im Sommer wenigstens) ein höchst reizender Aufenthalt. Jenny weiß nicht, was sie einem zuliebe tun soll; Laßberg gibt sich auch die größte Mühe, und falls dieser nur wiederhergestellt wird, hoffe ich nochmal, bei einem zweiten Besuche, unter besseren Umständen, die vergnügtesten Tage hier zuzubringen. Die Kinder sind zart, und das eine gradezu schwächlich, aber sonst so niedlich und freundlich, wie man es nur von noch nicht halbjährigen Kindern erwarten kann.

Wir, nämlich Mama und ich, mit noch vier anderen, haben vor vierzehn Tagen eine kleine Bergreise gemacht, in die Appenzeller Alpen, wo wir fleißig Milch getrunken, Alpenrosen gepflückt und mitten im August an Schneefeldern gestanden haben. Das Merkwürdigste aber ist, daß wir binnen vier Tagen drei verschiedene Kutscher gehabt haben, wovon uns der erste umwarf, der zweite ein noch ungebrauchtes und der dritte ein kolleriges Pferd vorspannte, so daß wir dreimal in die größte Lebensgefahr geraten sind. Es gibt überhaupt nichts Elenderes als einen Schweizer Kutscher, grenzenlos ungeschickt, furchtsam wie alte Weiber und doch aus Habsucht das Unvernünftigste unternehmend; sie verstehen die Kunst, Dich auf der ebensten Chaussee auf die Seite zu legen; jeden Stein, jedes etwas tiefe Wagengleis wissen sie dazu zu benutzen. Sie kennen sich auch selbst darin und krüppeln wenigstens die Hälfte jedes Weges mit angelegtem Radschuh, daß man vor Ungeduld aus der Haut fahren möchte, und doch ist der Eigennutz so groß bei ihnen, daß Du nicht erwarten darfst, wenn Du einen Kutscher um vier Pferde ansprichst, daß er Dir gestehn werde, er habe nur zwei, sondern um den Verdienst nicht zu versäumen, nimmt er lieber die ersten besten zwei Fohlen von der Weide und setzt ohne Bedenken sowohl seinen als Deinen Hals dran. Es geht auch keine Woche hin, daß man nicht von Unglücksfällen hörte, und Du magst fragen, wen Du willst, jeder ist schon vielmals umgeworfen und hat auch mitunter Schaden genommen, wäre es auch nur ein zerschlagener Kopf oder geschundenes Bein, aber die Leute meinen, das gehöre so dazu.

Ich habe hier viele Mineralien bekommen, mehr als ich mitnehmen kann, aber im ganzen wenig Besonderes. Du glaubst nicht, wie gering hier der Verkehr ist in allen Dingen, die nicht eigentlich Handelsartikel sind, und wie schwer es wird, etwas aus entfernteren Kantonen zu erhalten. Ich kann in Bonn, ja selbst Münster eher zehn Kristalle vom St. Gotthard bekommen, als hier einen, ja, es gibt hiesige, nicht sehr bemittelte Mineralogen, denen dies noch nicht gelungen. So dachte ich auch hier, im Vaterlande der Kristalle, Granaten, Rauchtopase, allerlei kleine Geschmeide daraus, sowohl für mich als andre mitzunehmen; aber wo ich danach fragte, machten die Leute ein Gesicht, als ob ich einen gebratenen Engel verlangte. Am Ende hieß es: Dergleichen müssen Sie im Preußischen suchen, bei Elberfeld, da gibt es Schleifereien, hier im Lande verarbeitet man nichts der Art. Kurz! was Dir nicht gerade vor der Nase wächst, danach darfst Du nicht fragen und hast eher Gelegenheit, in Hildesheim etwas aus

Rom, als hier aus dem Kanton Wallis, Uri et cet. zu bekommen. Dennoch habe ich allerlei zusammengebracht, aber mühsam! Ich denke, bester Onkel, Dir jedenfalls die Früchte meines Fleißes noch in diesem Jahre zeigen zu können, selbst wenn die Bökendorfer Reise zu Wasser werden sollte; dann kommst Du doch zu uns, nicht wahr?

Deine Nette'

Annette sehnt sich krank nach ihrem Münsterland, wo sie jeden Bewohner kennt und jeder sie, wo ihre lieben Toten noch unvergessen sind; Hülshoff möchte sie wiedersehen, das alte, graue Weiherschloß und ihre kleinen Zimmer in Rüschhaus, wo Marie Kathrin so schmerzlich auf sie wartet; hier in der Schweiz versteht sie weder die Sprache noch die Art der Leute und niemand grüßt sie erfreut und vertraut.

In ihrem Heimweh hat sie sich von Anfang an in eine unbegründete Abneigung gegen die Schweiz hineingesteigert; – jedes fremde Land wäre ihr ein ungeliebtes geworden –, aber sie ist hier im Thurgau und alles scheint ihr verkehrt, sogar der glühende Abendhimmel dünkt sie krank und fieberhaft.

Wie oft, wenn es dunkel wird und alle im Hause schlafen, ist der Anblick der gestirnten Nacht ihr Trost, denn gerade so wie über Eppishausen strahlen die bekannten Sternbilder über der Heide.

In einer der klarsten und schönsten Nächte sieht sie alles, alles genau vor sich, was ihr so unendlich lieb ist, und sie spricht aus ihrem wachen Traum:

Du Vaterhaus, mit deinen Türmen,
Vom stillen Weiher eingewiegt,
Wo ich in meines Lebens Stürmen
So oft erlegen und gesiegt;
Ihr breiten, laubgewölbten Hallen,
Die jung und fröhlich mich gesehn,
Wo ewig meine Seufzer wallen
Und meines Fußes Spuren stehn.

......
Und Grüße, Grüße, Dach, wo nimmer
Die treuste Seele mein vergißt
Und jetzt bei ihres Lämpchens Schimmer
Für mich den Abendsegen liest,
Wo bei des Hahnes erstem Krähen
Sie matt die graue Wimper streicht
Und einmal noch vor Schlafengehen
An mein verlaßnes Lager schleicht.

Ich möcht euch alle an mich schließen,
Ich fühl euch alle um mich her,
Ich möchte mich in euch ergießen,
Gleich siechem Bache in das Meer.
Oh, wüßtet ihr, wie krank gerötet,
Wie fieberhaft ein Äther brennt,
Wo keine Seele für uns betet
Und keiner unsre Toten kennt.

Endlich, endlich, im Herbst 1836, nach einem Jahr des Heimwehs, kommt Annette zurück in ihre Heimat. Die Schweiz ist ihr bis zuletzt fremd geblieben, dieses Land, wo sie ‚keine Nachtigall und keine Liebe fand‘. Aus ihrem Erdreich gehoben und in einen fremden Boden gepflanzt, mußte es ihr ergehen wie Jennys Blumen, die, aus Hülshoff mitgenommen, in der andern Erde nicht fortkommen wollten.

Aber es war gut gewesen, die Heimat einmal von weither zu betrachten; wie auf einem Bilde hatte sie alle ihre Eigenheiten, ihre Vorzüge und Nachteile, die Besonderheit der Menschen, die große Vergangenheit und das Wirken der Geister über der roten Erde haarscharf gesehen.

In Eppishausen, angesichts des Säntis, des riesigen Sees, der fetten Weiden, die hügelauf und hügelab sich spannten, und der reichen Dörfer – friedliches Kuhgeläute in der Luft –, hatte sie manches Lied gedichtet, aber ohne innere Befriedigung; viel lieber hatte sie darauf gehört, wenn Laßberg vom Streit der protestantischen und katholischen Kantone erzählte. Im Laufe der Monate war ihr Interesse an diesem zähen Kampf immer mehr erwacht, so daß sie nicht umhin konnte, Vergleiche mit Westfalen zu ziehen, auf dessen Boden im Dreißigjährigen Krieg die gleichen Kämpfe so blutig ausgetragen wurden.

Wie war es doch mit Christian von Braunschweig gewesen, dem abtrünnigen Bischof von Halberstadt, der von Tilly bei Stadtlon geschlagen wurde und nach England floh? ... ‚Der tolle Christian‘, wie war es doch mit ihm gewesen?

Auf der Rückreise von Eppishausen blieb Annette die Wintermonate hindurch in Bonn bei der Witwe ihres lieben Clemens. Dort stöberte sie unter seinen Geschichtswerken, las über Christian, sein Wüten und Brandschatzen in Niederdeutschland. Was für ein Kerl! Was für eine wilde Natur!

Es kam ihr auch viel von der ältesten Geschichte Westfalens in die Hand, der Zeit, als die Römer bis zum Teutoburger Wald vorstießen und den Heidengöttern noch geopfert wurde. Oder sie fand dicke Folianten über die Kreuzzugsepoche, in der ihre, und ihrer Verwandten Vorfahren die gleichen Schlösser verließen, um ins Morgenland zu fahren, zwischen denen sie jetzt ihr Leben zubrachte, da packte die Gewaltigkeit der Weltgeschichte, die sie in der Jugend gar nicht interessiert hatte, sie bis in das innerste Wesen, und Westfalen, dieses kleine Stückchen von Europa, erschien ihr wie eine Bühne, auf der sich manches entscheidende Stück abgespielt hatte.

Am stärksten aber hielt sie die Gestalt des tollen Christian gefangen; doch sprach sie mit niemandem von den Ideen, die sich in ihrem Kopfe drängten, nicht einmal mit Schlüterchen, der sanfter und pietistischer geworden denn je und nichts als geistliche Lieder von ihr verlangte.

Er war, während Annette in der Schweiz weilte, mit dem Verleger Hüffer in Verbindung getreten, um mit ihm herauszugeben, was er ihr hatte entreißen können, denn Annette gab sich nie mit ihren Werken zufrieden und wollte sie immer noch einmal, und ein letztes Mal überarbeiten; sie ahnte ein Können in sich, das aber noch gefesselt lag ... wie sollte sie es befreien, wie nur?

Schlüterchen schrieb ihr gleich nach der Heimkehr:

Auf, o Nettchen, und schreib und tunk in die Tinte die Feder,
Wohlgeschnitten und gut, und eilend gefertigt die Abschrift!
Denn wir werden gedruckt, der Tag der Vollendung, er nahet.

Ja, das war der Ton, in dem ihre Liebsten mit ihr sprachen:
Auf, o Nettchen, und schreib und tunk in die Tinte die Feder;
sie konnte ihn nicht mehr hören! Nach dem Jahr, da sie überall
Gast gewesen war, hatte sie über und über genug davon, ‚Nettchen‘ zu sein, die bestellte Gedichte für alle Gelegenheiten machte, unbedingt kleine Lustspiele schreiben sollte und vorsingen
mußte; sie war nachgerade in kriegerischer Stimmung!

In Eppishausen hatte sie etwas geschrieben, das hieß: ‚Des alten Pfarrers Woche‘; der gute Wilmsen hatte wieder einmal Porträt gestanden. Von diesem Werkchen meinte Schlüter nun, es
sei die beste ihrer Arbeiten.

Ja, dieses Werkchen von sieben Gedichten entsprach dem Geschmack der Familie Schlüter; es war durchaus geeignet, Mama
Schlüter, die von einer so kindlichen Güte war, daß sie auch dem
leibhaftigen Teufel seine Schlechtigkeit nicht glaubte, die Stimme vor Rührung zittern zu machen, wenn sie daraus vorlas, während in Thereselchen das Verlangen nach einem trauten Heim
entstand.

Schlüterchen, von dem Annette einmal sagt, er habe ‚nicht
gerade etwas von einem Tieger‘, Schlüterchen konnte, die blinden Augen geschlossen, mit schiefem Kopf und gefalteten Händen befriedigt zuhören, und erst Annettens Mutter! Hier war ein
Gedicht, das sie ohne entschuldigende Kommentare einem Da-
menkreis zum besten geben konnte.

Solche Erfolge vermochten Annette in Zorn zu versetzen. Gewiß, sie hatte diese sanfte Idylle für den Geschmack ihrer Mutter
gedichtet, aber es reute sie schon; sie wollte nichts mehr davon
hören und sehen! Es zuckte ihr in den Fingern, etwas Starkes,
Wildes zu schreiben, so rauh und grausam wie die Natur ihres
Landes, wenn die Winterszeit alle Farben ausgelöscht, und das

struppige Heideland mit ein paar kahlen Bäumen unter dem düstergrauen Himmel ein gewaltiges Schwarz-Weiß-Gemälde war.

Schlüter war es höchst unbehaglich, wenn Annette in eine Stimmung der verzweifelten Aufsässigkeit geriet. Er sagte dann, sie solle häufiger vom Rüschhaus nach Münster kommen und keine der Kränzchennachmittage versäumen.

Ja, das Kränzchen! Dieser sanft debattierende, bescheidene, zufriedene und äußerst nachsichtige Kreis! Man sieht Annette irritiert mit ihren Fingern auf Schlüters Sofatisch hämmern. Es verkehrten dort lauter liebe Menschen, und die junge Rätin Rüdiger, bei der man sich meistens versammelte, diese schöne, zärtliche Elise, war ein erfreulicher Anziehungspunkt, aber ... das literarische Geschwätz um den summenden Teekessel ging Annette im Grunde gewaltig auf die Nerven.

Dabei war *sie* das gefeierte Zentrum, von Elise schwärmerisch verehrt, von deren Mutter, der bekannten Schriftstellerin, Elise von Hohenhausen, mit Bestimmtheit als kommende Größe bezeichnet, von einem alten, skurrilen Emigranten mit galanten Schmeicheleien überschüttet, von der Schlüterschen Familie als ihr kostbares Eigentum dem übrigen Kränzchen nur geliehen, vom ‚Tantchen‘ Hohenhausen, einem kleinen alten Fräulein und verschämtem Talent, demütig angestaunt.

Nein, das Kränzchen war kein Boden für Annettens gefesselten Geist; ein wenig lebendiger wurde das geistige Leben, als Junkmann, soeben aus der Hausvogtei in Berlin entlassen, für längere Zeit nach Münster kam. Junkmann, schön, schwärmerisch, romantisch, dabei ewig von eingebildetem Unglück gequält, machte ‚Elegische Gedichte‘, sehnte sich krank nach Thereschen, seiner Braut, aber hatte nicht den Mut, sie, die auch nicht jünger wurde, den bürgerlich-ängstlichen Schlüters zu entreißen, besaß er doch weder ein festes Einkommen noch eine gute Gesundheit.

Annette selber führte im Laufe der dreißiger Jahre ein neues Mitglied in das literarische Kränzchen ein: den Maler Sprick, arm an Geld, reich an Kindern, ‚eine sanfte, gemütliche Natur‘, von der Annette sich geduldig wieder und wieder malen ließ, jedes Porträt zu zwei Louisdor.

Lauter harmlose, ungeniale Leute. Da war es fast ein Glück, daß eine weibliche Gestalt unter sie treten sollte, die wie der Hecht im Karpfenteich alles durcheinanderbrachte. ‚Die Bornstedt‘, eine wahre Teufelin, eine Eris, die mit Zankäpfeln um sich warf, eine hysterische Schwärmerin, aber eine Schriftstellerin, die gedruckt wurde; von Annette teils mit Ärger, teils in Mitleid und sehr oft mit Humor und Ironie betrachtet.

Es gab im Laufe der Zeit immer neue ‚Bornstedtiaden‘. Geduldet, gefürchtet, gehaßt, bemitleidet, huscht die unselige Dichterin, seitdem sie im Kränzchen zu Münster die Hauptrolle an sich gerissen hat und Annette begönnern möchte, wie ein böser Kobold durch die große Sphäre, in der Annette im Begriff ist, sich mächtig zu entfalten.

Und doch ist sie allwöchentlich im Kränzchen nichts anderes als die witzige, humorvoll Unterhaltende, an deren sprühendem Wesen sich jeder für eine Woche lang erfrischt; Schlüter konnte sich sogar an Annettens Einfällen und Geschichten gesund lachen.

Aber was wußten alle diese lieben guten Menschen, vor denen sie die Fröhliche, Unbefangene spielte, von ihren schlaflosen Nächten, da sie mit ihrem Geschick haderte, weil es sie zwang, für dieses eine Leben, das sie besaß, immer, immer eine andere zu sein, als sie im Innern war, sie zwang, unter dieser Wattierung von weiblicher Zurückhaltung und Sittigkeit einen Vulkan an Lebenshunger zu bergen.

Oh, wäre sie ein Mann, sie würde das Leben an sich reißen, handeln, geben, sich ausgießen in ihrem Reichtum, aber sie mußte warten, annehmen, ein ‚danke‘ lächeln, wo sie hätte mit der Faust auf den Tisch schlagen mögen: zum Donnerwetter, *so* bin ich, und ihr sollt mich nehmen, wie ich bin! ... Einmal sein, statt scheinen!

Wenn sie krank war, und sie war ja immer krank, so nur aus Mangel an Lebendigkeit. Das erzwungene Absterben fern der Welt durch Jahre und Jahre war wie schleichendes Gift in ihrem

Leib. Sie war doch beschaffen wie jeder Mensch, ja, manchmal schien es ihr, sie hätte mehr Leben erhalten als ein anderer, und sie durfte nicht leben, mußte den Quell, der alles Sein und Werden hervorbringt, zuschütten und strahlend lächeln zu diesem Mord an ihr selber.

Und dennoch blieb die Sehnsucht wach, ein ‚Du‘ zu finden, sich in einem andern Wesen aufzugeben und den andern ganz in sich zu bergen, dieses hohe wunderbare Glück des Einswerdens mit einem geliebten Menschen für alle Tage bis an den Tod zu finden, diese Sehnsucht ruhte nie in ihr. Aber, was sie suchte, war nicht der Geliebte oder die Geliebte, sie suchte nach dem Gefährten, nach dem zweiten Ich.

Es braucht doch jeder Mensch dieses zweite Ich. Nichts furchtbarer als das Wissen, niemandem ganz zu gehören, niemanden ganz zu besitzen. Dieses Sorgen füreinander, das Durchdringen der Gedanken, der Felsengrund des Vertrauens in jeder Not und jeder Schuld, diese heilige Verschmolzenheit in Güte und Verstehen, an der erotische Freuden abgleiten wie spritzende Wassertropfen, dieses Wunder war es, nach dem Annettens glühende Seele verlangte.

Und sie verdorrte in der Einsamkeit ihres Herzens. Was nützten ihr liebende Verwandte, Freunde, interessierte Bekannte, man kam zusammen, man lief wieder auseinander, und das Herz zog sich nach jeder dieser Begegnungen nur desto schmerzvoller zusammen. Allein, ganz und zutiefst allein zu bleiben, das war das Schicksal dieser wundersam reinen und stolzen und flammendlebendigen Frau.

Mit nahezu vierzig Jahren konnte Annette keine Hoffnung mehr hegen, ‚die Pyramide ihres Daseins zu vollenden‘, wie Goethe es ausgedrückt hatte; ein Torso würde ihr Leben bleiben. Oh, grausam war ihre Zeit, die sie zu leblosem Verzichte zwang.

Und war nicht dieser Verzicht schuld daran, daß sie zu keiner wahren Leistung gelangte? So viele begonnene Werke lagen da; hin und wieder arbeitete sie an ihnen, aber im Grunde war es ihr so lang wie breit, ob irgend etwas je vollendet wurde. Im ‚Geistlichen Jahr‘ stehen die Verse, die dieser Zeit entstammen könnten:

Berühre mich, denn ich bin tot
Und meine Werke sind nur Leichen!
. . . . . .

Hauch über mich ...
Und laß die dumpfen Nebel weichen!

17

Dieser Winter war eine dunkle, angstvolle Zeit. In der ganzen Umgegend wütete die Seuche; es gab Dörfer, in denen wöchentlich zehn und zwölf Menschen starben; in Rüschhaus zitterte man, daß Line, die Herrin von Hülshoff, die ihr achtes Kind erwartete, von der Krankheit ergriffen werden könnte. Werner, der seine Schwester Annette fast anderthalb Jahre nicht gesehen hatte, begrüßte sie nur flüchtig von der Türschwelle aus.

Die schlechte Jahreszeit wollte nicht weichen; noch Ende März schneite es, und doch, – es war die Heimat. Oh, dieser geliebte Flecken Erde! Als Annette zum erstenmal Haus und Garten hinter sich ließ, sah sie sich in Entzücken auf dem braunen Lande um, das tief im Winterschlafe lag; die Bäume waren noch kahl, verblaßt die Gräser und Kräuter, und in der Luft war es totenstill, denn noch kein Vogelruf durchbrach die majestätische Ruhe dieser unendlich weit ausgebreiteten Ebene. Wie liebte sie doch diese flache Gegend, wie hatte sie sich zwischen den Bergen nach dem Anblick gesehnt, wenn der Himmelskreis sich rundum stützte auf das platte Land!

Ja, nun war sie wieder zu Hause, saß in der Dämmerung lange ohne Licht, auf ihr schwarzes Kanapee gekauert, sann und sann und rief die Bilder herbei, die sie brauchte, um das Werk, das sich in ihr regte, zu gestalten ... Bilder von Krieg und Kampf, von Listen und Grausamkeit.

Die heutige friedliche Epoche gab ihr keine Beispiele; kleinlicher Parteienhader konnte ihr nicht genügen, aber früher einmal, als sie Kind gewesen, ja, bis zu ihrem siebenzehnten Lebensjahr, da hatte die Muse der Geschichte ein erregendes Stück aufgeführt.

Annette in ihrem fast dunklen Zimmer, im Ohre das Schnurren des Spinnrades ihrer alten Amme – es war das gleiche Geräusch, das ihre Kinderträume begleitet hatte –, erinnerte sich an die Not der napoleonischen Zeit und meinte wieder die aufgeregten Stimmen ihrer männlichen Verwandten zu hören. Auch damals tönte der Name eines Herzogs von Braunschweig an ihr Ohr.

Das war 1809 gewesen, als eine allgemeine Erhebung vorbereitet wurde. Viele ihrer Verwandten hatten dem Geheimbund zur Befreiung des Vaterlandes angehört. Wie stolz war die Mutter auf ihre wilden Paderborner Landsleute gewesen, und auch des Vaters Stimme meinte sie zu hören, der eine Vorliebe für Heldentaten hatte, wenn er von seinem Freunde Witzleben erzählte, der das Forstpersonal hinter sich habe, alle diese rauhen Männer, die in jahrelangem Kampf gegen die Walddiebe, die ihnen in ganzen Kolonnen wahre Schlachten zu liefern pflegten, in allen Listen geschult waren.

Und dann war da der Leutnant von Bothmer aus Dörnbergs Bataillon gewesen, der als die gefährdetste Person der ganzen Verschwörung galt; von ihm erzählte man, daß es ihm oblag, die Berichte zwischen Kassel und dem Damenstift Homberg, wo alle Fäden bei den tapferen Frauen zusammenliefen, hin und her zu tragen. Waren es nicht äußerst gefährliche Nachrichten, von denen die Rede gewesen? Und hatte man nicht erzählt, wie der tollkühne Jüngling vor den Spionen Deckung suchte, bis zum Morgengrauen in einem Dickicht ruhend, während die überall umherschleichenden Häscher sich ahnungslos, zum Greifen nah, vor ihm ins Gras warfen, und er dennoch davonkam?

Ja, diese Erinnerungen müssen durch Annettens Kopf gegangen sein, denn zweimal hat sie ein solch haarscharfes Entweichen aus einer fast schon geschlossenen Falle in allen Schwingungen der Erregung geschildert.

Einmal in ,Des Arztes Vermächtnis‘ mit den Worten:

> *... gekauert saß ich da,*
> *Denn plötzlich waren Männertritte nah.*

Und vor mir im Gesträuch es knackt und bricht,
Die Zweige schlagen feucht an mein Gesicht ...
. . . . . .

Mit einem Male hör' ich's seitwärts knistern,
Mir immer näher tappen, klirren, flüstern;
Ich konnte zählen, ihrer waren drei:
Sie strichen mir so dicht am Haar vorbei,
Daß jedes Mantel meine Schläfe rührt.
. . . . . .

Nun kommt in holprigem Galopp ein Hund:
Er will vorüber, nein, er stellt sich, knurrt;
Da kriecht er ins Gebüsch, legt an den Mund
Mir seine Schnauze, schnuppert mir am Gurt;
Doch auf ein fernes Pfeifen trabt er fort,
Läßt mich in kaltem Schweiß gebadet dort
Noch immer an der Erde wie gebannt.

Und nun, da sich Einzelheiten zum ‚Christian von Braunschweig'
gestalten, entsteht der nächtliche Ritt des jungen Tilly, Verse, die
ein Jahr später in abgeschlossener Vollendung also lauten sollten:

Husch, duckt der Lauscher in das Kraut,
Wie eine Boa lag er da. –
Nun Husten – naher Stimmen Laut!
Und – weh! vom Baum nicht spannenlang
Ein Posten just beginnt den Gang ...
Sein Tritt so nah an Albrechts Ohr
Lockt Schweißestropfen kalt hervor ...
. . . . . .

Er fühlt wie über sein Gesicht
Die Schnecke zog den zähen Schlamm,
Still lag er wie ein Heidedamm ...

Am Ende der napoleonischen Ära hatte Annette durch heim-
kehrende Soldaten vom Graus des russischen Feldzuges gehört;
zwar waren nur wenige der aus den Bauernkaten gepreßten Vä-
ter und Söhne heimgekehrt, aber alle, die den Schrecken über-

lebt hatten, erzählten noch jahrelang von den Kämpfen mit den Kosaken, den brennenden Dörfern, den zerschossenen Kirchen, und wie man sie, die Landesunkundigen, in die Sümpfe getrieben hatte. Und gar nach der Völkerschlacht bei Leipzig, da muß Annette mit wahrer Gier gelauscht haben, wenn vom Brüllen der Kanonen, den Attacken und dem Gemetzel, dem Elend der Verwundeten und ihrer Flucht mit zerschossenen Gliedmaßen erzählt wurde, mit der Leidenschaft, in der nur Menschen erzählen können, die das Entsetzliche mit eigenen Augen gesehen und am eigenen Leibe erfahren haben.

Das Jahr schreitet fort, der Frühling bricht herein, und endlich kommt die heiße Jahreszeit. Da verdichten sich Annettens Pläne zur Beschreibung der Schlacht am Loener Bruch, so daß sie von ihrer Schaffensfreude wie von einem inneren Feuer durchglüht ist.

Es gelang ihr, Rüschhaus für kurze Zeit verlassen zu dürfen, um die Gegend des Schlachtfeldes zu besuchen. Sie hat dort gesessen, wo einst Getümmel und Geschrei herrschten, vielleicht auf einem Findlingsblock, allein, wunderbar allein, mit ihrer Phantasie die Bilder des längst Vergangenen heraufbeschwörend. Man möchte glauben, daß es ein heißer Sommertag gewesen, da sie, die Wange auf die Hand gestützt, den Krähen zuschaute, wie sie in den warmen Sandkuhlen badeten, die wie Mottenfraß in dem blühenden Heideteppich liegen; graue, zerzauste Vögel waren unter dem Schwarm. Mit welcher Hingebung muß Annette sie beobachtet haben, wenn sie einige Jahre später noch in der Rückerinnerung von einer alten Krähenfrau sagen konnte:

Die sich im Sande reckt,
Das Bein lang ausgeschossen,
Ihr eines Aug gefleckt,
Das andre ist geschlossen;
Zweihundert Jahr und mehr,
Gehetzt mit allen Hunden,
Schnarrt sie nun ihre Kunden
Dem jungen Volke her.

Und nun erzählen ihr die Krähen, die uralten weisen Vögel, was auf diesem Schlachtfeld geschehen ist:

An einem Sommertag ...
Da konnte man ein frisch Drommeten hören,
Ein Schwerterklirren und ein Feldgeschrei,
Radschlagen sah man Reuter von den Rossen,
Und die Kanone fuhr ihr Hirn zu Brei!
Entlang die Gleise ist das Blut geflossen,
Granat' und Wachtel liefen kunterbunt
Wie junge Kiebitze am sand'gen Grund.

Ich saß auf einem Galgen, wo das Bruch
Man überschauen konnte recht mit Fug;
. . . . . .
Mir stieg der Rauch in Ohr und Kehl', ich schwang
Mich auf, und nach der Qualm in Strömen drang;
Entlang die Heide fuhr ich mit Gekrächze.
Am Grunde, welch Geschrei, Geschnaub', Geächze,
Die Rosse wälzten sich und zappelten,
Todwunde zuckten auf, Landsknecht' und Reuter
Knirschten den Sand, da näher trappelten
Schwadronen, manche krochen winselnd weiter,
Und mancher hat noch einen Stich versucht,
Als über ihn der Bayer weggeflucht.

Noch lange haben sie getobt, geknallt,
Ich hatte mich geflüchtet in den Wald;
Doch als die Sonne färbt der Föhren Spalten,
Ha, welch ein köstlich Mahl ward da gehalten!
Kein Geier schmaust, kein Weihe je so reich!
In achzehn Schwärmen fuhren wir herunter,
Das gab ein Hacken, Picken, Leich' auf Leich' –
Allein der Halberstadt war nicht darunter:
Nicht kam er heut, noch sonst mir zu Gesicht,
Wer ihn gefressen hat, ich weiß es nicht.

Manches Männergedicht klingt weich und zahm gegen diese Wortschleuder, und nicht minder wuchtig ist die Beschreibung des Gemetzels im Loener Bruch, wie Annette sie später für ihr Epos niederschrieb. Man meint einen unverfälschten Bericht über das Erliegen gegen die Kosakenangriffe zu hören, wenn sie mit der Stimme des Chronisten von den zu Tode erschöpften Soldaten erzählt:

> Sie taten, was ein Mensch vermag,
> Vom Rosse sinkend, im Verbluten,
> Die Finger, steif in Todesnahn,
> Noch suchten des Pistoles Hahn,
> Sie stießen mit der Partisan,
> Am Grund auf blutgen Stümpfen liegend
> Und wimmernd sich im Moose schmiegend,
> Des Schwertes Spitze suchten sie
> Zu bohren in der Rosse Knie.
>
> Da plötzlich wie ein Ebertroß,
> Der knirschend vor dem Jäger rennt,
> Heran der Sparsche Landsknecht schoß;
> Und hinterdrein auf flüchtgem Roß
> Das Herberstorfsche Regiment,
> Die Säbel hoch im Sonnenblitze,
> Den Albrecht Tilly an der Spitze.
> Und ein Gemetzel nun begann,
> So trieb es nie ein braver Mann
> Gen Feinde unbewehrt und wund;
> Man sah sie knien auf den Grund,
> Die Hände faltend um Pardon:
> Ein Klingenhieb, geschärft durch Hohn,
> Die Antwort drauf – und Kolbenschlag
> Half Partisan und Schwerte nach.
> Kroatenmesser, scharf gewetzt,
> Auch hielten ihre Ernte jetzt:
> Wie Reisebündel, Kopf an Kopf
> Sah schwanken man vom Sattelknopf
> An Lederriemen oder Strick;

Und glücklich, wen der Tod beschlich,
Eh übern Hals die Schneide strich.

Wohl einigen die Flucht gelang;
Doch seitwärts nach dem Moore drang
Des Feindes Nahn; und wem das Glück
Die feste Stelle gab im Moor,
Der kam am Ende wohl hervor,
Ein hilflos Wrack für Lebenstag,
Das betteln oder stehlen mag.
Doch mancher an des Schlundes Rand
Noch hat zum Kampfe sich gewandt
Und zog mit letzter Kraftgewalt
Den blutgen Feind vom sichern Halt;
Dann wütig kämpfend in dem Schlamm,
Sie rangen wie zwei Wasserschlangen,
Die sich in grimmer Lieb umfangen.
Zuletzt nur noch des Helmes Kamm
Sah aus den Binsen, und der Schlund
Schloß zuckend seinen schwarzen Mund.

Was wird Schlüterchen zu solchen Versen sagen, was die Mutter, die eine tödliche Scheu vor der Meinung der Welt besitzt, was ihr Bruder Werner, der immer vor der Zensur und einem politischen Mißkredit für die Familie zittert, was ihre liebe Male Hassenpflug, ‚die ganz Traum und Romantik‘ ist? Oder gar die Bornstedt, der Schwarmgeist, der sich zuerst Annette in stürmischer Liebe an die Brust geworfen hat, aber unter ihrer kühlen Ablehnung ein lästerliches Mundwerk zu zeigen beginnt?

Es ist gleichgültig, ganz gleichgültig, was ihre Umgebung denkt und was sie zu zetern findet; niemals wird sie, Annette, sich dem Geschmack der Zeit und dem Drohen der Zeit unterwerfen. Eine Dichtung ist kein journalistisches Machwerk; sie entsteht, wächst und muß geboren werden.

18

In dieser Zeit, da Annette mit ihren Kämpfen und Überlegungen so sehr allein stand, nahte sich Katharina Schückings Sohn zum drittenmal ihrer Lebenssphäre; ahnungslos wanderten sie beide der entscheidenden Höhe ihres Daseins entgegen.

Levin Schücking hatte sich Jahr um Jahr durch sein Studium hindurchgehungert und hindurchgerungen; endlich stand er am Ende seiner Mühen. Das Schlußexamen sollte die grausam harte Zeit mit der befreienden Genugtuung abschließen, ein gemachter Jurist zu sein und wie andere junge Männer zu Stellung und Erwerb zu kommen.

Er war der Armut so müde und dieses Nichtsseins! Er wollte reich werden, beneidet sein! Er hatte mehr Geist und Können als manche seiner Freunde zusammengenommen, davon war er überzeugt; er mußte nur einmal den Fuß auf der Leiter haben. Vor dem letzten großen Examen fürchtete er sich nicht, aber dann geschah etwas Unfaßliches, ein Schlag fiel auf ihn nieder, an den er nie gedacht: Durch ein Kabinettschreiben des Königs von Preußen wurde er vom Examen ausgeschlossen; als ‚Ausländer‘ wurde er abgewiesen. Als Ausländer? In der eigenen Heimat? Aber man eröffnete ihm, daß er durch die Grenzverschiebungen der letzten Jahre Hannoveraner geworden sei; der Zipfel des Münsterlandes, in dem seine Wiege gestanden, gehörte nicht mehr zum preußischen Münsterland. So war er ein Fremdling geworden, der in der alten Heimat keine Rechte mehr besaß.

Eine Linie auf der Landkarte sollte der Strich durch seine Zukunft sein? Waren denn die Träume von der Freiheit des Individuums, von den Menschenrechten, der Selbstbestimmung schon ausgeträumt, und sollte die Welt rückwärts rollen unter das kaum abgeschüttelte Joch, Wut und Ohnmacht hinter sich lassend?

Am Tag, da er den blauen Brief erhalten, wanderte Levin mit der Unglücksbotschaft auf der Promenade in Münster hin und her, hin und her, nichts sehend, nichts hörend; zuerst wie rasend, dann völlig vernichtet. So waren alle die Jahre der Not vergebens durchlitten. O die Grausamkeit dieser kleinlichen Politik, die Zähigkeit des Bureaukratismus! Wie er die Menschen haßte, dieses feige, dumme Geschlecht!

Was nun? Was beginnen? Nichts konnte er tun, gar nichts! Viele Jahre später hat Levin Schücking seinem Sohn die Bank gezeigt, auf der er damals am dunkelsten Tag seines Lebens niedergesunken war, bis in die Dunkelheit vor sich hinbrütend und nach einer Todesart suchend, die ihn zu erlösen vermöchte.

Aber Levin war keine kleine Natur; so nahm er in jener Nacht den Fehdehandschuh des Schicksals auf und beschloß, den Kampf von vorne zu beginnen; zu welchem Zweck, zu welchem Ende, er wußte es nicht, die ganze Welt schien gegen ihn zu sein, aber dann überkam ihn der Galgenhumor: oh, er würde es diesen alten Zöpfen schon zeigen, daß er auch ohne sie einmal auf des Lebens Wogen tanzen würde. Ein Zeitungsschreiber wollte er werden, die Wahrheit sagen, und wenn sie an der Bitterkeit seiner Worte gelb und grün würden!

Aber bis er nicht irgendeine einträgliche Arbeit erobert hatte, würde er sich niemandem zeigen, niemandem, auch nicht dieser eigenartigen Nixe, dem Freifräulein von Droste, der er sich triumphierend als Doktor der Rechte hatte präsentieren wollen. Er mußte Geld verdienen, durch Hilfsstunden an Gymnasiasten, oder er könnte junge Kaufleute im Englischen oder Französischen unterrichten; er wollte nicht wie ein halbverhungerter Student herumlaufen; neue Kleider brauchte er, schöne Kleider, wie die Mode sie vorschrieb; seine früheren Mitschüler und Bekannten sollten nicht mitleidig über ihn lächeln.

Und es gelang Levin, ein Tenue zu erwerben, in dem er bestechend hübsch und vornehm aussah: enge, gestreifte, hellgraue Hosen mit einem Sprungband unter dem Schuh, eine weitoffne kleinkarierte Weste über einem gefältelten weißen Hemd, um den Hals eine hohe, lose geschlungene schwarze Halsbinde und, als wichtigstes Stück, ein langschößiger, moosgrüner Rock mit einer Taille, die in ihrer Schlankheit manche Dame in Neid versetzen konnte. Helle Handschuhe und ein Spazierstock mußten auf alle Fälle erstanden werden. Am teuersten war die Anschaffung eines Zylinders, aber auch das gelang Levin, dank einer Woche der Tag- und Nachtarbeit. Der Hut war ein Kunstwerk und stammte aus dem eleganten Köln: hoch, hellgrau mit kleinem geraden Rand.

Seine dunklen gewellten Haare trug er nun über die Schläfen gekämmt und ein weicher Haarkranz wuchs ihm unter emsiger Pflege um Wangen und Kinn. Er war dreiundzwanzigjährig und wollte nicht mehr wie ein Knabe aussehen.

In dieser Weise, schön angetan, die Manieren des Dandys in voller Sicherheit beherrschend – denn Levin war der geborene Aristokrat –, findet er eines Tages Aufnahme im literarischen Kränzchen, und hier sieht Annette ihn wieder.

Levin Schücking, der als schüchterner Gymnasiast vor ihr gesessen, Levin, der im Schmerz um seine Mutter in ihren Armen geschluchzt hatte, Levin, Kathinkas Sohn! Sie möchte sich freuen, aber zunächst ärgert sie sich gehörig über diesen jungen Dandy; sie selber ist die Einfachheit in Person, kann Pose und Blendwerk nicht leiden, und es dauert Wochen, bis ihr die Menschenkenntnis dazu verhilft, den Grund, aus dem der junge Mann diesen bestechenden Rahmen gewählt hat, zu verstehen und ihn als Entschuldigung gelten zu lassen.

Sie will alles von Levins Studienjahren wissen, und als sie mehr erraten als vernommen hat und nun merkt, daß er immer noch wie ein Ertrinkender um sein Leben kämpft, lächelt sie über seine jugendlichen Eitelkeiten; im Grunde ist er ‚ein moralischer gescheiter und sogar gelehrter Jüngling‘; mit der Zeit wird er auch männlicher werden. Wehe, wenn Levin in ‚sein lapsiges, weibisches Wesen‘ verfällt, dann meint Annette, es sei aus und fertig mit jeder Sympathie, und sie möchte die Hände in ihrem Bemühen sinken lassen, ihm eine Stelle als Hauslehrer zu verschaffen.

An ihre Mutter, die in Eppishausen war, schrieb Annette am 24. Oktober (1837):

‚Es ist jetzt ein Sohn der Katharina Busch in Münster. Er ist in einer üblen Lage. Sein Vater, der immer ein mauvais sujet war und bloß seiner Frau zuliebe noch nicht abgesetzt war, ist es jetzt wirklich und auf dem Punkte, nach Amerika zu gehen. Levin will ihn nicht begleiten, weil er für das, was er gelernt hat, dort kein Brot finden würde. So sitzt er in Münster, wartet auf Gottes Barmherzigkeit und gibt seine letzten Groschen aus, aber was soll er machen? Er läuft genug um eine Stelle als Hofmeister, ist aber schon zweimal abgefahren, erst bei Erbdrosten und dann bei Westphalens.

Es ist betrübt, er soll sehr brav sein und ausgezeichnete Kenntnisse besitzen, aber er sieht aus und hat Manieren wie ein Stutzer.'

So scharf war Annettens Urteil in Wahrheit wohl nicht mehr, aber schon beginnt die Verschleierung ihrer noch kaum begonnenen freundschaftlichen Gefühle für diesen jungen Mann, denn sie weiß, mit welcher Ängstlichkeit ihre Mutter über jedem Schritt, jeder Neigung, jeder Laune ihrer Tochter wacht. Wie hatte Annette nicht Sibylla Mertens und Adele Schopenhauer, über die manches Geschwätz in Bonn umgegangen war, verteidigen müssen. Zuhanden der Familie schrieb sie einmal von Adele Schopenhauer, sie sei ‚honett und anständig und gar nicht verliebter Natur, sondern wolle bloß für interessant passieren bei Damen so gut wie bei Herren, und man solle nicht glauben, daß Adele Annette durch Liebeserklärungen bestochen habe.'

Annette weiß, mit welcher Geschwindigkeit jede Neuigkeit über ihr Tun und Lassen unter den Verwandten kreist, und wie alles und jedes entstellt wird. Eine Freundschaft zwischen ihr und Levin würde die längst erhoffte große Sensation sein, denn sie, ein Mitglied dieses festen Familienverbandes, hat, wie man hört, die Absicht vor die Öffentlichkeit zu treten; nun muß sie es sich gefallen lassen, daß jeder ihrer Schritte mit tödlicher Angst vor Kompromittierung bewacht wird, und Therese wird gehörig von allen Seiten gezwickt und geplagt, ein scharfes Auge auf ihre sonderbare Tochter zu haben.

In diesem Herbst ist Therese von Droste, nachgerade mit der Leichtigkeit eines Postillions, nach Eppishausen gefahren; Annette sollte die ganze Zeit ihrer Abwesenheit in Hülshoff bei Werner und Line zubringen, und nur mit aller Macht ihrer liebenswürdigen Überredungskunst hat Annette die Erlaubnis errungen, zeitweilig, aber ganz still, in Rüschhaus zu weilen.

In ihrer herrlichen Unbekümmertheit schreibt sie am 5. September (1837) an Sophie von Haxthausen aus Rüschhaus:

‚Ich sitze hier seit vierzehn Tagen ganz, ganz still, daß man es ja nicht in Münster merkt; denn nur unter dieser Bedingung hat Mama mir erlaubt, hierzubleiben. Sie fürchtete Unkosten und Klatscherei; ich weiß nicht, was am meisten. So meint jedermann, ich sei für gewöhnlich in Hülshoff, wo ich es aber, die Wahrheit zu sagen, nur wenige Tage aushalten konnte.

Der Lärm, nein ich sage zu wenig, das Geheul, das Gebrüll der Kinder könnte den stärksten Menschen verrückt machen, wieviel mehr mich mit meinem armseligen Ohrweh. Der arme Werner mit seinem kranken Kopf kann es trotz aller blinden Liebe drunten nicht mehr aushalten, und muß er mal unten sein, so macht er ein Gesicht wie Laurentius auf dem Roste. Linchen aber scheint alles für die schönste Musik zu halten.

Wenn die Kinder einen Augenblick still sind, klatscht sie in die Hände, ruft: ‚Hallo! voran!‘ und fängt selber an, den Hals weit offen, zu kreischen, als ob sie geschlachtet würde. Kurz, ich trollte mich baldmöglichst.‘

Oder vertreiben sie Werners unvorsichtige Spekulationen und viel zu groß angelegten Neuerungen? Wenn man ihre besorgten Worte darüber liest, könnte man bedauern, daß nicht sie mit ihrem klaren, klugen Verstand das Haupt der Familie war.

Oder sind es weder die schreienden Kinder, noch der unkaufmännische Bruder, die sie nach Rüschhaus zurückgetrieben haben? Im Grunde ist es wohl der junge sprühende Geist, der in ihrer Nähe aufgetaucht ist und sie wie ein erfrischender Quell entzückt. Von Monat zu Monat vertieft sich diese seltsame und fruchttragende Freundschaft, die unter keinem Namen zu fassen ist.

Annette ist siebenzehn Jahre älter als Levin, und wenn er nach den Worten seiner verstorbenen Mutter, Kathinka Schücking, ‚ein mißratenes Mädchen‘ ist, so verkörpert Annette die männliche Überlegenheit in Frauengestalt. Nach dem ersten gereizten Hinundher von Anziehung und Abstoßung hat sich eine Freundschaft gebildet, in der Annette der ältere Freund und Levin der jugendlich Begeisterte ist; sie, der erziehende, mitreißende Teil, er – wie Levin selber sagt –, zärtlich, anschmiegsam und dankbar, wenn man ihn der Initiative enthebt und für ihn handelt'.

Fast zwei Jahre lang sollte dieses, von Annette mit Belustigung angesehene Mentor- und Schülerverhältnis bestehen bleiben, denn der Panzer um ihr innerstes Wesen war zu hart, zu dicht, als daß er vor der spielerischen Verehrung eines Mannes von vierundzwanzig Jahren auch nur eine Fuge gezeigt hätte. Annettens Seele war wie im Winterschlaf, es brauchte einer kräftigen Sonne, um die Eisdecke über den verborgenen Quellen aufzutauen.

Noch ist die Freundschaft mit Schlüter das tiefere Gefühl. Der blinde Professor hat die geistlichen Lieder immer bei sich, um sie mit dem Rest seines Augenlichtes wieder und wieder zu lesen. Schon, als Annette sie ihm vor drei Jahren gegeben, muß er verstanden haben, daß eine seelische Katastrophe diesen schmerzzerrissenen Versen ihr kaum verständliches Leben gab.

Er mag Annette in seiner schonenden Art manches gefragt und sie ihm – kurz vor der Abreise nach Eppishausen – ihr Herz eröffnet haben, ihm, diesem vom Leiden früh gereiften Manne.

Es ist ein Ehrenkranz für Schlüter, daß er der einzige Mensch in Annettens Umgebung ist, vor dem sie den Mund aufzutun vermochte, um ihn wissen zu lassen, was ihr vor bald zwanzig Jahren Mut und Kraft gebrochen hatte. Nur deshalb konnte sie ihm in ihrem Brief vom Frühling 1835 gestehen, daß sie vor Hannover und Kassel zurückscheute wie vor einer furchtbaren Prüfung.

Und jetzt – es ist der Sommer des Jahres 1838 gekommen, da Schlüter auf die Vollendung des ‚Geistlichen Jahres' drängt –, jetzt überredet er Annette in all seiner liebevollen Freundschaft, den Ort ihres Grames und ihrer Schuld noch einmal zu besuchen und dort, in der Umgebung, die sie fürchtet wie loderndes Feuer, dem Gewesenen ins Auge zu sehen, das Alte zu begraben, sich zu lösen von der Vergangenheit und neu zu beginnen.

Annette hörte auf Schlüters Rat und ging nach Bökendorf. Sie hatte das geliebte Haus nach den schrecklichen Tagen sechs

Jahre lang gemieden, dann war sie hin und wieder dort gewesen, aber den weiteren Park und die einstigen Spazierwege hatte sie nicht sehen wollen. Dieses Mal rafft sie all ihren Mut und ihre Vernunft zusammen, dringt in die entlegenen Teile des Gartens ein und steht plötzlich hinter der Rückwand jener Taxushecke, die von drei Seiten eine Bank umgibt.

Nur wenige Schritte, und sie würde auf der andern Seite vor der besonnten Bank stehen. Nein, sie kann ihre Füße nicht zwingen, weiter zu gehen, sie kann es nicht! Nur streicht sie mit zittriger Hand über die stachlichte dunkle Fläche.

Später dann, in ihrem einsamen Zimmer, nimmt sie das erste Stück Papier, das ihr in die Hand kommt, und schreibt Verse darauf, so wie sie ihr aus dem Herzen bluten:

> *Ich stehe gern vor dir,*
> *Du Fläche schwarz und rauh,*
> *Du schartiges Visier*
> *Vor meines Liebsten Brau,*
> *Gern mag ich vor dir stehen,*
> *Wie vor grundiertem Tuch,*
> *Und drübergleiten sehen*
> *Den bleichen Krönungszug;*
>
> *Als mein die Krone hier,*
> *Von Händen, die nun kalt;*
> *Als man gesungen mir*
> *In Weisen, die nun alt;*
> *Vorhang am Heiligtume,*
> *Mein Paradiesestor,*
> *Dahinter alles Blume,*
> *Und alles Dorn davor!*
>
> *Denn jenseits weiß ich sie,*
> *Die grüne Gartenbank,*
> *Wo ich das Leben früh*
> *Mit glühen Lippen trank,*
> *Als mich mein Haar umwallte*
> *Noch golden wie ein Strahl,*

Als noch mein Ruf erschallte,
Ein Hornstoß, durch das Tal.

Das zarte Efeureis,
So Liebe pflegte dort,
Sechs Schritte – und ich weiß,
Ich weiß dann, daß es fort.
So will ich immer schleichen
Nur an ein dunkles Tuch
Und achtzehn Jahre streichen
Aus meinem Lebensbuch.

Du starrtest damals schon
So düster treu wie heut,
Du, unsrer Liebe Thron
Und Wächter manche Zeit;
Man sagt, daß Schlaf, ein schlimmer,
Dir aus den Nadeln raucht –
Ach, wacher war ich nimmer,
Als rings von dir umhaucht!

Nun aber bin ich matt
Und möcht' an deinem Saum
Vergleiten, wie ein Blatt,
Geweht vom nächsten Baum;
Du lockst mich wie ein Hafen,
Wo alle Stürme stumm:
Oh, schlafen möcht' ich, schlafen,
Bis meine Zeit herum!

Der Opfergang war umsonst gewesen: sie kann und will nicht
am ‚Geistlichen Jahr' arbeiten, und erscheinen darf das Fragment
nie und nimmer; vielleicht, daß das Leben selber ihr durch Glück
oder Schmerz zur Vollendung verhilft.

Dafür erlaubt sie Schlüter, mit Hüffer in Münster den viel be-
sprochenen Band Gedichte von ihr herauszugeben. Die Säntis-
lieder, die drei großen Epen, eine Ballade, einige der geistlichen
Lieder und was Schlüter im weiteren für wert hält, den Druck zu

sehen, aber wohl verstanden nur, falls ihre Mutter einverstanden ist.

In ihrem Brief vom 9. Februar (1838), in dem sie der Mutter von der Gefangennahme ihres Verwandten, des Erzbischofs Droste zu Vischering in Münster geschrieben, hatte sie noch einen Passus über die literarischen Pläne hinzugefügt, mit denen Schlüter sie seit Jahren bedrängte:

‚Ich habe jetzt ein größeres Gedicht geschrieben von der Größe wie das ‚Hospiz auf dem St. Bernhard‘. Es heißt ‚Die Schlacht im Loener Bruch‘ und besingt die Schlacht bei Stadtlon, wo Christian von Braunschweig die Jacke voll kriegt. Man findet es besser als meine übrigen Schreibereien, und ich habe einen sehr artigen Brief von Hüffer bekommen, der um den Verlag bittet, ich habe ihm denselben auch zugesagt, falls ich es herausgebe.

Ich schrieb dies an Adele Schopenhauer und bekam gleich die Antwort, sie habe einen Verleger für mich in Jena, es war aber zu spät. Wenn es herauskömmt, so muß es bei Hüffer sein, und ich habe noch einen Grund dafür, es wäre mir nämlich unerträglich, wenn ein Buchhändler hinterher sagte, er hätte Schaden an meinen Sachen gehabt und es nur aus Gefälligkeit für mich übernommen, und das hätte bei Dumont in Köln und bei dem Jenenser sein können, da sie ja nie eine Zeile von mir gelesen hatten und gewiß nur Braun und Adele zu Gefallen es übernehmen wollten.

Hüffer aber hat es vorher gelesen und dann ganz von selbst den Antrag gemacht, und so kann er mir nichts vorwerfen, wie es auch ausfällt. Bitte, liebe Mama, antworte mir doch gleich, ob Du nichts gegen die Herausgabe hast, denn Hüffer hätte es gern gleich zur Ostermesse.

Sag Laßberg aber bitte nichts davon, das würde ihm ganz verrückt vorkommen. Ich will nur eine ganz kleine Auflage von 500 Exemplaren gestatten, aber dann auch für die erste Auflage kein Honorar nehmen. Zu Freiexemplaren habe ich auch keine rechte Lust, es ist mir immer so lächerlich gewesen, wenn ein Schriftsteller sein eigenes Werk verschenkt. Die Leute müssen dann freundlich tun und das Ding herausstreichen, das verbittert ihnen das ganze Geschenk.

Und dann sind so viele, die gar keinen Sinn für dergleichen haben ... Freiexemplare wären für mich eine wahre Last, bei jedem müßte ich einen Brief schreiben, ich kann nicht ohne Schaudern daran denken! Nein, ich mag keine.

Bitte, antworte mir doch gleich, ob Du etwas gegen die Herausgabe hast, denn bis Ostern ist kaum noch Zeit einen Vers zu drucken, und ich bringe den Verlegern einen großen Schaden, wenn sie es nicht auf die Leipziger Messe liefern können.

Einen fremden Namen möcht' ich nicht annehmen, entweder ganz ohne Namen oder mit den Anfangsbuchstaben A. v. D.'

Wenn Annette in ihrem vierzigsten Lebensjahr ihre Mutter noch um Erlaubnis bittet, ihre Gedichte veröffentlichen zu dürfen, so ist das keine Unselbständigkeit, sondern Dank an die Mutter, die einmal vor aller Welt zu ihr gestanden war; Annette hätte es jetzt nicht übers Herz gebracht, sie nochmals in die quälende Lage zu bringen, um ihrer Tochter willen, die öffentliche Kritik der Welt zu erdulden.

Therese gab zögernd ihre Einwilligung und nur unter der Bedingung, daß Annette darüber wache, nicht mit vollem Namen genannt zu werden. Annette Elisabeth v. D... H..., das genüge!

19

Im Hochsommer des Jahres 1838 erschien der lang besprochene und umständlich bearbeitete Gedichtband in der Aschendorffschen Buchhandlung in Münster. Ein hübsches weißes Bändchen von 220 Seiten. Ein sehr fein gezeichneter Rand umgab den Titel:

Gedichte von Annette Elisabeth v. D... H...

Es enthielt die drei Epen: ,Das Hospiz auf dem Großen St. Bernhard', ,Des Arztes Vermächtnis' und ,Die Schlacht im Loener Bruch'. Dann folgen Gedichte vermischten Inhalts, die Ballade ,Der Graf von Thal', ein Fragment zum ,Großen St. Bernhard' und schließlich ‚Geistliche Lieder', mit der Bemerkung in Klammern: ‚Proben aus einem größeren Ganzen'.

Schlüter und Junkmann hatten die Auswahl getroffen und sehr ängstlich nur jene Lieder gewählt, die nicht von Annettens Glaubensnöten sprachen, und schon gar nicht alle jene erschütternden Verse, aus denen ihre Verzweiflung über ihre allereigensten Bedrängnisse herauszulesen waren. Nur das Lied vom verdorrten Feigenbaum war aufgenommen worden, ein Zeichen, daß Schlüter in ihm nicht herausgelesen hatte, was Annette als ihre Schicksalsmelodie hineinverwoben hatte.

‚Des alten Pfarrers Woche', dieses harmlos-freundliche Idyll, das den guten Wilmsen verherrlichte und von Therese von Droste, den Tanten und Kusinen so gern gelesen wurde, war fortgelassen, vielleicht erschien es Schlüter gar zu sanft im Vergleich mit Annettens Epen. Aber auch das so wahr empfundene Gedicht ‚Die rechte Stunde' war nicht aufgenommen. Hatte Schlüterchen an jenen Zeilen Anstoß genommen:

Und vollends an geliebtem Munde
Wenn die Natur in Flammen schwimmt?

Wahrscheinlich. Denn es ging durchaus nicht an, daß ein vierzigjähriges Freifräulein eingestand, daß es einmal von leidenschaftlichen Küssen hatte reden hören, wenn nicht sogar schlimmere Vermutungen aufkommen sollten.

Schlüters Vorsicht war nicht verkehrt gewesen. Als Annette in diesem Sommer in Bökendorf weilte, geschah ihr zum zweitenmal im Leben am gleichen Ort der gleiche grausame Schmerz: sie mußte sich von ihren Verwandten offen verhöhnen lassen.

Der Gedichtband hatte, bevor sie ihn noch gesehen, schon die Runde unter den Onkeln und Tanten und Vettern und Basen gemacht und nichts als spöttische Ablehnung hervorgerufen.

Annette hatte in ihrer Bescheidenheit auf keinen großen Erfolg gerechnet, daß man sie aber ungeniert verspotten würde, darauf war sie nicht vorbereitet gewesen. Sie bewahrte nach außen ihre überlegene Fassung, in einem Brief aus dieser Zeit ertönt aber der Aufschrei: o wäre ich doch tot!

Annette von Droste-Hülshoff,
Gemälde von Hermann Sprick aus dem
Jahre 1838.

Jenny von Droste-Hülshoff,
Schwester der Dichterin.

Doch dann erscheinen gute Kritiken in den Zeitungen, und Annettens Ruf hebt sich wieder in den Augen der Familie. Therese von Droste muß im Anfang gedacht haben, sie hätte mit ihren Warnungen recht behalten, und wird schwer unter den Sticheleien der Familie gelitten haben, aber als dann die öffentliche Anerkennung vor aller Augen kam, wird ihr Stolz auf Annette frisch erblüht sein.

Trotz der günstigen Kritiken wollte das Büchlein sich jedoch nicht verkaufen. Fünfhundert Exemplare waren gedruckt worden und es sollte Jahre dauern, bis achtzig Stück verkauft waren.

Es war eine stachlige Zeit für Annette. Im Januar 1839 schrieb sie an Jenny, die in ihrer liebevollen Teilnahme alles vom Erscheinen des Gedichtbandes wissen wollte:

‚Mit meinem Buch ging es mir zuerst ganz schlecht. Ich war in Bökendorf mit Sophie und Fritz allein, als es herauskam, hörte nichts darüber und wollte absichtlich mich auch nicht erkundigen. Da kömmt mit einem Male ein ganzer Brast Exemplare von der Fürstenberg an alles, was in Hinnenburg lebt ...

Ferdinand Galen gibt die erste Stimme, erklärt alles für reinen Plunder, für unverständlich, konfus und begreift nicht, wie eine scheinbar vernünftige Person solches Zeug habe schreiben können. Nun tun alle die Mäuler auf und begreifen alle miteinander nicht, wie ich mich habe so blamieren können.

Sophie, die, wie Du weißt, nur zu viel Wert auf der Leute Urteil legt, und einen mitunter gern etwas demütigt, war unfreundlich genug, mir alles haarklein wiederzuerzählen, und war in der ersten Zeit ganz wunderlich gegen mich, als ob sie sich meiner schämte. Mir war schlecht zumute, denn obgleich ich nichts auf der Hinnenburger Urteil gab und auf Ferdinands noch weniger (der erst einige Tage zuvor von Goethe gesagt hatte, er sei ein Dummkopf und in *einer* Zeile von Schillers ‚Freude, schöner Götterfunken‘ mehr enthalten sei, als in allem, was Goethe geschrieben, vorzüglich sei sein Lied vom Fischer der Gipfel des Erbärmlichen, was denn der Inhalt sei? – ein gemeiner barfüßiger Kerl, der auf die langweiligste Weise so lange ins Wasser gucke, bis er hereinplumpe etc.), obschon nun, wie gesagt, das Urteil eines solchen Kritikers mich wenig rühren konnte, so mußte ich doch zwischen diesen Leuten leben, die mich bald auf feine, bald auf plumpe Weise verhöhnten und aufziehn wollten.

Sophie war auch wie in den Schwanz gekniffen und legte gar keinen Wert darauf, daß nach und nach andere Nachrichten aus Münster kamen, sondern sagte jedesmal: Es ist ein Glück für Dich, daß Du diesen Leuten besseres Urteil zutraust, als allen Hinneburgern und Ferdinand Galen. Onkel Fritz war der einzige, den dies gar nicht rührte, und dem das Buch auf seine eigene Hand gefiel; doch wünschte ich mich tausendmal von dort weg.

Hier angekommen, fand ich das Blatt gewendet. Die Gedichte wurden hier zwar nur wenig gelesen, da die meisten sich scheuen, an so endlose Zahl Verse zu gehen, aber die es gelesen hatten, erhoben es, ich muß selbst nach meiner Überzeugung sagen, weit über den Wert. Es waren bereits, als ich ankam, drei Rezensionen heraus. Eine zwar von einem Freunde, Lutterbeck, die andern aber von Gutzkow im ‚Telegraphen‘ und von einem Ungenannten im ‚Sonntagsblatte‘, und alle drei bliesen so enorm, daß mir ängstlich darüber wurde; denn es nutzt nichts, über sein Verdienst erhoben zu werden; es reizt andere nur zum Widerspruche und kömmt gewöhnlich ein Eimer kaltes Wasser hintennach.

Jetzt schreibt mir Adele Schopenhauer, der ich ein Exemplar geschickt, daß es in Jena großen Beifall finde; sie müsse ihr Exemplar immer ausleihen, und der Buchhändler, Friedrich Frommann, bei dem schon viel Nachfrage deshalb gewesen, habe es bei Hüffer bestellt; gegenwärtig schrieben Wolff und Kühne jeder eine Rezension darüber, mit der ich würde zufrieden sein können, da sie wüßte, daß beide sehr dafür eingenommen wären, obgleich ich keine so allgemeine Lobhudelei erwarten dürfe wie im ‚Telegraphen‘, sondern Lob, Tadel und völlige Anerkennung, was mir gewiß auch das liebste sein würde. Was will ich mehr? Es ist fast zu viel für den Anfang, und ich fürchte, das schlimme Ende kommt nach.

In Kassel haben es Hassenpflug, Malchen Hassenpflug und Jakob Grimm gelesen. Ersterem hat es gar nicht, Malchen nur teilweise und Jakob sehr gefallen. Malchen schrieb mir seine eigenen Worte, die Gedichte seien sehr gewandt in der Sprache, voll feiner Züge, und vom Anfang bis zum Ende durchaus originell.

Lege es mir nicht für Eitelkeit aus, daß ich Dir das alles so wiederschreibe. Wen sollte es denn interessieren und freuen, wenn es Dich nicht freut? Ich habe doch noch Verdruß und Verlegenheit genug, denn jetzt, wo das Ding einen guten Fortgang hat, interessieren sich alle dafür, auch die Bökendorfer, und jeder Narr maßt sich eine Stimme an über das, was ich zunächst schreiben soll, und zwar mit einer Heftigkeit, daß ich denke, sie prügeln mich, wenn ich es anders mache.'

Nein, Annette ist skeptisch geworden, sowohl gegen gute, wie gegen schlechte Kritiken; nur ein Urteil freut sie von Herzen: Levin Schückings klare, verständige Worte, die den Kern der Gedichte, ihr Wollen und ihr Können so treffend bezeichnen. Er weiß, was sie in dem Epos ‚Die Schlacht im Loener Bruch‘ geleistet hat: eine Männerarbeit, hart, sauber, geradelinig und von springlebendigem Temperament durchpulst.

Das Urteil dieses jungen Mannes, dessen Überlegenheit über all die mittleren Geister ihres Kreises sie sofort gespürt, muß ihr eine erregende Freude gewesen sein, und es scheint, daß eine Sehnsucht nach Gemeinschaft mit seinem verstehenden Geist in ihr erwachte. Es hatte sie schon lange ungeduldig gemacht, Levin immer nur als eine der Damen vom Kränzchen begegnen zu dürfen, in diesem Kreis, der ihr trotz all der lieben Menschen so entsetzlich auf die Nerven geht.

Es ist ihr eine wahre Erholung, wenn Levin, dem altväterischen, vorsichtig Bewahrten gegenüber vor Ungeduld zerspringt und dann sprühend von witzigen Paradoxen das zarte Kränzchen erschreckt; genau so, wie sie, Annette, über die Wichtigtuerei dieser kleinen ‚Heckenschriftsteller-Gesellschaft‘ aus der Haut fahrend, in derber Sprache ihre milden Mitdichter und Dichterinnen betrübt.

Ja, sie muß über Levin lachen, über diesen hübschen, geistreichen Kerl, der wie ein Frühlingswind den Staub aufwirbelt.
So verfaßt sie eines Tages ein Gedicht mit dem Titel ‚Der Teetisch‘, in dem sich ihre ganze Gereiztheit gegen die stillzufrie-
dene und doch so eifrig schwätzende Gesellschaft entlädt. Die
redende Person, die im Anfang des Gedichtes zu Annette, die
als ein Mann und ‚Lieber‘ angeredet wird, spricht, ist niemand
anderes als Levin.

Es scheint demnach, daß er in Rüschhaus war und mit Annette
ein Wortgefecht über Zauber- und Liebestränke und die Hexen-
geschichten der Amme hatte, denn es beginnt mit den Versen:

> *Leugnen willst du Zaubertränke,*
> *Lachst mir höhnisch in die Zähne,*
> *Wenn Isoldens ich gedenke,*
> *Wenn Gudrunens ich erwähne?*
>
> *Und was deine kluge Amme*
> *In der Dämmrung dir vertraute,*
> *Von Schneewittchen und der Flamme,*
> *Die den Hexenschwaden braute;*
>
> *Alles will dir nicht genügen,*
> *Überweiser Mückensieber?*

Annette ist der überweise Mückensieber, denn wahrscheinlich
hat sie in ihrem Realismus Levins Vorliebe für altdeutsche Romantik zerpflückt, so daß er ihr in ironischem Ernst die Gesellschaft des Kränzchens, wo sie endlich unter ernste Dichter geraten wird, mit den Worten empfiehlt:

> *Nun, so laß die Feder liegen,*
> *Schieb dich in den Zirkel, Lieber,*
>
> *Wo des zopfigen Chinesen*
> *Trank im Silberkessel zischet,*
> *Sein Aroma auserlesen*
> *Mit des Patschuls Düften mischet;*

und nun beschreibt Annette eine der aufregenden Sitzungen:

Wo ein schöner Geist, den Bogen
Feingefältelt in der Tasche,
Lauscht, wie in den Redewogen
Er das Steuer sich erhasche;

Wo in zarten Händen hörbar
Blanke Nadelstäbe knittern
Und die Herren stramm und ehrbar
Breiten ihrer Weisheit Flittern.

. . . . . .

Von der rosenfarbnen Rolle
Liest er seine Zauberreime,
Verse, zart wie Seidenwolle,
Süß wie Jungfernhonigseime.

,Ting, tang, tong', – das steigt und sinket,
Welch Gesäusel, welches Zischen!
Wie ein irres Hündlein hinket
Noch ein deutsches Wort dazwischen.

Und die süßen Damen lächeln,
Leise schaukelnde Pagoden;
Wie sie nicken, wie sie fächeln,
Wie der Knäuel hüpft am Boden!

. . . . . .

Tiefe Stille im Gemache –
Trän' im Auge – Kummermiene –
Und wie Glöckchen an dem Dache
Spielt die siedende Maschine;

Alle die gesenkten Köpfe
Blinzelnd nach des Tisches Mitten,
Wo die Brezeln stehn, wie Zöpfe,
In Verzweiflung abgeschnitten;

Suche sacht nach deinem Hute,
Freund, entschleiche unserm Lesen,

Sonst, ich schwör's bei meinem Blute,
Zaubern sie dich zum Chinesen.

. . . . . .

Im Sommer 1839 sollte Münster, an dessen literarischem Himmel Sterne und Sternchen leuchteten, den Besuch eines Kometen erhalten, der soeben über Deutschland aufgeflammt war: Ferdinand Freiligrath, neunundzwanzigjährig, von gemütlichem, aber heftig wallendem Temperament, einer der Weltreisenden in Gedanken, der vom Kontorstuhl in Amsterdam die Schiffe hatte kommen und gehen sehen, die die Ozeane befuhren, Freiligrath, ein Westfale von Geburt, erschien in Münster!

Es war ein Jahr, nach dem er harmlose Bürger mit seinen Gedichten in die Wüste, auf das Weltmeer, zu den Türken vor Belgrad, zwischen pestkranke Matrosen, zu den napoleonischen Grenadieren vor die Pyramiden und Gott weiß wohin führte und nun die schöngedruckten Bändchen mit Goldschnitt all den behaglichen Herren und Damen in ihrem Biedermeierleben Schauer des Entsetzens, des Staunens und der Wonne an – zum Glück weitentfernten Abenteuern verschaffte.

Er war der Held des Tages, trug selber eine Löwenmähne; und eilte in seinem engeren Vaterland von Ort zu Ort, weil er den Auftrag bekommen hatte, für das Sammelwerk: ‚Das malerische und romantische Deutschland' den noch fehlenden Abschnitt über Westfalen zu schreiben.

Strahlend, gutmütig, wohlgenährt und überschwenglich platzte er eines Tages in Levin Schückings einfaches Studierstübchen: Umarmung, Begeisterung schon in der ersten Minute der Bekanntschaft, und Levin – von Ferdinand ‚Kerl' genannt – wird zum Mitarbeiter am ‚malerischen und romantischen Westfalen' erhoben. Welche Ehre, welche Aussicht für die Zukunft ... Mitarbeiter und Freund des Götterlieblings Ferdinand Freiligrath! Die Liebe wirft hohe Wellen; Arm in Arm wandern die Musensöhne durch Münster, die alte würdige Stadt des Westfälischen Friedens als Glanzpunkt ihres Werkes in Augenschein nehmend.

Levin ist wie elektrisiert; das Kränzchen muß von seiner Eroberung wissen; das Kränzchen soll Ferdinand einen würdigen Empfang bereiten; zittern sollen sie alle vor Freude und Stolz, daß der gefeierte Jüngling des weiten Vaterlandes unter ihnen erscheint!

Kaum hat das Kränzchen von seinem Glück erfahren, so ist es auch schon wie ein aufgestörter Ameisenhaufen ... ‚Wüstenkönig ist der Löwe, wenn er sein Gebiet durcheilt‘, zitiert die Bornstedt mit aufwärtsgekehrten Augäpfeln; Schlüter spricht mit dumpfer Stimme von dem schauerlichen Hospitalschiff. Thereschen deckte inzwischen mit Elise Rüdiger einen festlichen Teetisch, und irgendwo wurde eine Flasche Wein bereitgestellt, denn es war bekannt, daß Ferdinand ohne Alkohol unglücklich war wie ein Fisch auf dem Trocknen. Das Tantchen, der vielredende Rat Carvacchi, Junkmann, der Melancholiker, und wer nur immer zum Kränzchen gehörte, hatte keinen andern Gedanken, als die Berühmtheit mit Geist und Munterkeit zu empfangen, denn Schücking hatte erzählt, Freiligrath sei recht verwöhnt von den Huldigungen des Publikums; das Freifräulein von Droste habe er ihm als Lockspeise für sein Erscheinen in Elisens Teezirkel in den schönsten Farben vor die Sinne gemalt, und nun bitte, eine Bereitschaft wie die der zehn klugen Jungfrauen!

An diesem Tag des Empfanges knistert in Elisens Salon die Atmosphäre vor Spannung. Der Teekessel summt, das silberne Körbchen mit frischen Brezeln steht in der Mitte des Tisches, jeder hält seine geistreichen Einfälle und Komplimente schußbereit, aber die Hauptpersonen fehlen noch: Annette, Freiligrath und Levin.

Die Zeit vergeht. Die Stimmung sinkt. Bis die Uhr acht schlägt, und die Stunde des Kränzchens unwiederbringlich vorüber gezogen ist, hat die Flut der Begeisterung sich in eine bedenkliche Ebbe verwandelt. Annette ist überhaupt nicht erschienen, und Levin trifft sehr kleinlaut ein, als die Dichterversammlung im Aufbruch begriffen ist: Freiligrath hätte in seinem Gasthof einen so guten Tropfen entdeckt, daß er darüber Zeit, Kränzchen, Literatur und sogar das gepriesene Fräulein von Droste vergessen habe.

Schlüterchen ist traurig, ehrlich betrübt über so viel Unzuverlässigkeit; die Bornstedt braut Gift in ihrem Herzen, das Tantchen spricht ein stilles Gebet für den Unglücklichen, der auf die Wege des Lasters geraten ist, Thereschen findet Entschuldigung über Entschuldigung für den großen Mann, sowie für Annette, die sicher durch Kopfschmerzen gehindert wurde.

Aber Annette hatte keine Kopfschmerzen gehabt, sondern eine derbe Abneigung dagegen empfunden, sich für einen jungen Mann, mochte er noch so berühmt sein, nach Münster kommandieren zu lassen; sie war an dem Tage ‚dunsch‘ und wollte nicht kommen, so schrieb sie an Jenny am 7. Juli 1839.

Das Kränzchen erblickte Freiligrath nie, aber Levin traf seinen neuen Freund bald nach dem peinlichen Tag auf einem Gut in der Nähe von Barmen, wo große Pläne für das Westfalenbuch entwickelt werden sollten, aber dann wurde nur geschwärmt, getrunken, gesungen, und als Levin heimkehrte, hatte er noch kaum eine Überschrift zu den Kapiteln, geschweige denn die Illustrationen des Malers Schlickum zu sehen bekommen.

In Münster angekommen, hörte er, daß Annette fort sei, bei ihrem Onkel Fritz von Haxthausen in Abbenburg. Schlüter hatte einen langen Brief von dort erhalten. Nach der Sitte des Kränzchens wird man Teile des Briefes vorgelesen haben, so wahrscheinlich auch die Beschreibung des Steineklopfens. Annette erzählte nämlich, daß sie aus Gesundheitsrücksichten ins Freie sollte um Versteinerungen loszuklopfen, nicht die geringste Lust dazu verspürte und wie es früher damit gewesen sei.

‚Ich habe dies Steineklopfen mit Passion betrieben, solange es eigentlich niemand recht war; heimlich fortgestohlen habe ich mich, um im Steinbruch zu pickern, Essen und Trinken habe ich darüber vergessen, und nun muß man mich treiben wie den Esel zur Mühle.‘

Und selbstverständlich wird auch vorgelesen, was Annette von ihren literarischen Plänen schreibt. Da ist eine Arbeit, die sie ganz in Atem hält: eine Novelle, die von einer halbvergessenen Mordgeschichte im Paderbörnischen handelt. Jetzt in Abbenburg hat sie einen Auszug aus den alten Akten wiedergelesen, es sind die gleichen Akten, die August von Haxthausen schon vor zwanzig Jahren in der ‚Wünschelrute‘, der Zeitschrift eines gewissen Straube, herausgegeben hatte.

Für einmal fällt der Name Straube; nur in Klammern: Herr Straube aus Kassel, als bedeute er nichts für Annette. Wie in einer Ideenassoziation kommt sie gleich darauf auf die geistlichen Lieder und ruft Schlüter zu:

‚Wollte Gott, ich könnte die Lieder herausgeben, es wäre gewiß das Nützlichste, was ich mein Lebtag leisten kann, und das damit verbundene Opfer wollte ich nicht scheuen, hätte ich nur an mich zu denken, aber es geht nicht.‘

Der Passus über die ‚Geistlichen Lieder‘ interessiert Schlüter sicherlich mehr als der über die obskure Mordgeschichte, und doch schrieb Annette hier, selber noch ahnungslos, von einer der Meisternovellen der Weltliteratur, und sie sollte ihrer, Annette von Drostes, Feder entstammen.

Levin spitzte sicherlich die Ohren besonders bei jener Briefstelle, in der Annette Volk und Gegend im Paderbörnischen als wild und romantisch beschreibt ... Wie, wenn seine Freundin bei dem kommenden Werk Freiligraths über Westfalen helfen würde? Aber sie müßte ihre eigenen Pläne liegen lassen, wird sie dazu geneigt sein?

Annette ist über alle Maßen hilfsbereit; er hat es erfahren. Durch ihre Freundin, Amalie Hassenpflug, versucht sie gerade jetzt für Levin eine Sekretärstelle bei dem früheren Minister Hassenpflug zu erhalten. Wird es ihr glücken? Niemand pflegt so tatkräftig für ihn einzustehen wie sie, wenn sie ihn auch schelten konnte wie kein Mensch auf der Welt.

Nein, Annette hat mit Hassenpflug kein Glück gehabt; Levin erfährt es zu seiner grenzenlosen Enttäuschung nach wenigen Wochen, und zugleich, daß auch Elise Rüdigers Gatte ihm zu keinem Broterwerb helfen kann. Da gerät Levin in Verzweiflung, läßt alle seine Schuler fahren, will Münster nicht mehr sehen und folgt Freiligraths Lockruf:

‚Komm an den Rhein, Kerl! Ich denke hier mit 180 bis 200 Talern jährlich ganz famos herumzukommen. In dem Hause, von dem ich die ganze, fünf Zimmer umfassende Mansarde inne habe, wohnt außer mir niemand. Zehnmal am Tage saust der Dampfer, mit grünen Schleiern flaggend, unter meinen Fenstern vorbei: man ist so einsam und doch so in der Welt.'

20

Nun war Levin in Unkel bei Freiligrath; schmerzte es Annette, war es ihr eine Erleichterung? Niemandem wird sie ihre Gedanken darüber verraten haben, und doch steht sie in diesem Sommer und Herbst des Jahres 1839 in einer seelischen Krise, die sie bei aller Beherrschung nicht ganz verbergen kann. Es scheint, als habe ein Ahnen kommender Kämpfe sie in eine Unruhe versetzt, die sie längst überwunden glaubte.

Nur einmal entfährt ihr das Wort von dem ‚heimlich schweren Druck, der auf ihr lastet', und wieder verströmen sich die drängenden Gefühle in Liedern für das ‚Geistliche Jahr', denn Seele und Körper leiden fast so stark wie zur Zeit der Katastrophe mit Straube.

Therese beobachtet ihre Tochter in wachsender Sorge; was ist mit ihr geschehen? Sie war im Winter so fröhlich wie seit Jahren nicht mehr, und jetzt von einer Düsterkeit, daß sie für ihren Verstand fürchtet und in ihrer Angst und Liebe zu Nette in einem Brief an Jenny äußert, sie wollte fast, ihr Kind würde vor ihr abgerufen, damit sie es nie allein lassen müsse.

Schlüter weiß auch nicht, was er aus Annettens seltsam verstörtem Wesen machen soll; sie hat ihm einige ihrer neuen geistlichen Lieder gegeben, und nun schreibt er in seiner schier kindlichen Unwissenheit über Annettens titanisches Wesen die lauwarmen Ermahnungsworte:

‚Ich möchte etwas dazu beitragen, Ihre Lage, die ich ganz mitfühle, auch nur in etwas zu erleichtern und Ihnen die leibliche und geistige Verfassung wiederzugeben, in welcher Sie mich erfreuen, mehr um Ihret- als um meinetwillen.

Sie sagen, Fräulein, manches Wort, das tief aus dem Leben geschöpft, einschneidend wahr, fatal und fast unerträglich und eine

Saat von peinlichen Gedanken ist, soll es ans Grübeln gehen. Erhebung ist oft die einzige Rettung.'

Was weiß Schlüterchen von ‚den wilden Quellen', die Annette schon unter dem Eise brausen hört, von der trunkenen Ekstase der Lebenssehnsucht, die einzelnen der Ihren nicht verborgen blieb? Was von den Glaubenskämpfen, die von neuem über sie hereingebrochen sind?

Sie tut Schlüter den Gefallen und vertieft sich in die ersten fünfundzwanzig ihrer geistlichen Lieder, die in ihrer jugendlichen Schrift auf vergilbtem Papier vor ihr liegen, nachdem sie sie unter einem Wust von Schreibereien hervorgesucht hat.

Das ist eine schmerzliche Arbeit; zu viel grausame Erinnerungen steigen ihr aus den vergilbten Manuskriptblättern entgegen; sie kann und mag nicht viel daran ändern. Was sie geschrieben, ist tiefste Erfahrung. Genügt es nicht, daß sie sich mit den heutigen Stunden des Unglaubens herumschlagen muß? Sie hat der Kämpfe genug! Ringt sie doch mit Gott um Hilfe gegen die Bedrohung durch ihr leidenschaftliches Blut. Aber ist denn das Sehnen nach Liebesumfangen eine Sünde? Sie sagt zu Christus, der doch die Ehe geheiligt hat:

> *Du Milder, der die Taufe der Begierde*
> *So gnädiglich*
> *Besiegelt mit Sakramentes Würde ...*

und wieder wie zu Straubes Zeiten liegt es wie ein Stein auf ihrem Gewissen, daß sie ihr Weibesdasein nicht zu erfüllen gesucht; hat Gott sie deshalb verworfen, daß sie ihn nicht mehr erreichen kann? Sie hat sich nie zur Ehe entschließen können, sooft sich von ferne eine Möglichkeit zeigte; noch vor wenigen Jahren hatte man sie über ihren Kopf weg mit einem ältlichen Gutsbesitzer verlobt, aber ihr Widerstand hatte den Armen schnell entmutigt, nein, sie hatte es nie vermocht, sich zur Ehe zu zwingen, und doch hing ihr Herz in seinen tiefsten Tiefen an jenem Lebensquell, der Leib und Seele gleichermaßen gesund erhält.

Sie schreibt die Worte nieder, die ihre Nächsten niemals verstehen werden:

> Und muß mir zum Gericht gereichen
> Die Lebenspflanze mir gesellt,
> Die ich versäumte sondergleichen
> Und dürrem Holze gleichgestellt:
> So ist sie in der Sünden Bann,
> Des Geistes schwindelnden Getrieben
> Mein heimlich Kleinod doch geblieben,
> Und angstvoll hängt mein Herz daran.

In dieser Zeit sieht Annette sich ein einziges Mal in ihren Gedichten als Weib und ruft in ihrer Verwirrung aus:

> O Herr, ich bin ein schwach und wirres Weib,
> Und stärker als die Seele ist der Leib!

Noch am achtzehnten Sonntage nach Pfingsten, bedrängt von Zweifel und Unmut über sich selber, hatte Annette ausgerufen:

> Wohl mag es töricht sein,
> Dem höchsten Gott zu Ehren
> Zu liegen wie ein Stein
> Und jeder Regung wehren;
> Doch eitlen Lüsten fügen
> Der Sinne kirrend Bund –
> O besser zehnfach liegen
> Wie eine Scholl am Grund.

Aber dann ist es, allem innern Widerstand zum Trotz, der Lebenssonne gelungen, das Eis in ihrem Herzen mit Gewalt zu brechen und wie ein Jubellied, in völlig anderm Rhythmus erklingt es:

> Ob ich dich liebe, Gott, es ist
> Mir unbewußt.
> Oft mein' ich, daß nur du es bist,
> Was diese Brust
> In aller andern Liebe Schein
> Und dämmerndem Verlangen
> Wie eine Sühnungsfackel rein
> Hält gnadenvoll umfangen.

Wenn zu dem Edelsten der Geist
Sich frei erhebt,
Was als Gedanke ihn umkreist
Und dennoch lebt,
Unsichtbar, wesenlos doch nicht,
Fern, dennoch allerwegen,
Wes Spur aus Menschenauge spricht
Und aus der Träne Segen:

Dann bin ich wohlgetröstet, und
Gebet entsteigt
So zuversichtlich meinem Mund,
Als sei gereicht
In fremder mir und deiner Lieb',
– Wer hat es je ergründet? –
All was des Sehnens würdig blieb'
Und deinen Odem kündet.

Doch fühl' ich dann zu andrer Zeit,
Wie Haar dem Haupt
Der finstren Erde mich geweiht,
Fast machtberaubt;
Wenn in dem Freunde mich entzückt
Selbst wie ein Reiz: das Fehlen; –
Die Schwächen, an mein Herz gedrückt,
Mir keiner dürfte stehlen!

‚In aller andern Liebe Schein‘, sagt Annette; ‚In fremder und in deiner Lieb‘. Ja, war denn die Liebe über Annette hereingebrochen? Besitzt sie einen Freund, an dem selbst die Mängel sie entzücken, dessen Schwächen sie an ihr Herz drückt, damit man ihr keine davon stehle, weil sie ihn so liebt wie er ist und sie ihn nicht anders haben will?

Aber dann hält sie doch wieder inne in ihrem seligen Dahinschreiten; – wenn sie auf einem Wege wäre, sich zu verlieren, sich einem Taumel hinzugeben, der ihr nicht ansteht? Oh, sie ist keine Heilige; sie kennt ihn nur zu gut, den Kampf gegen das

Locken der Sinne. So brechen jetzt am Ende dieses frohen Liedes die erschreckten Worte aus ihr hervor:

> *Gleich einer kalten Wolke fährt*
> *Es über mich,*
> *Wie dem Damokles unterm Schwert*
> *Die Wange blich;*
> *Wie einem, der an Ufers Rand*
> *Sich spiegelt, lächelt, trinket,*
> *Wenn sacht entschlüpft der falsche Sand*
> *Und seine Stätte sinket.*
>
> *O Retter, Retter, der auch für*
> *Die Toren litt,*
> *Erscheine, eh die Welle mir*
> *Zum Haupte glitt!*
> *Greif aus mit deiner starken Hand,*
> *Noch kämpf' ich gen die Wogen;*
> *So manchen hast du ja ans Land*
> *Aus tiefem Schlamm gezogen!*
>
> *Hab' ich dem Schlamme mich entwirrt*
> *So ganz und recht,*
> *Dann erst zu deinem Bildnis wird*
> *Die Sehnsucht echt;*
> *Dann darf ich lieben stark, gesund,*
> *Ohn' alle Schmach und Hehle,*
> *Aus meines ganzen Herzens Grund*
> *Und meiner ganzen Seele.*

Es gibt Beschreibungen von Annettens rauschhaftem und gequältem Zustand dieses Sommers, die eine junge Hausgenossin auf einem der Verwandtengüter hinterlassen hat; nach ihren Worten ist Annette von langen Spaziergängen durch Regen und Sturm, die Kleider von Dornen zerrissen, heimgekommen, oder sie habe mit Blumen und Bäumen laute Zwiegespräche geführt und Nächte hindurch laut deklamiert und mit sich selber gesprochen.

Annette muß in dem Zustand gewesen sein, der in den Heiligengeschichten ‚die Versuchung durch den Teufel' genannt wird; aber je schwerer die Anfechtungen, je verehrungswerter der Sieger, und Annette hatte gesiegt, nach einer stürmischen Seelenkrisis, voll und ganz gesiegt. So konnte sie im Dezember dieses Jahres 1839 abermals einen Teil ihres problematischen Werkes: ‚Das geistliche Jahr' abschließen, denn ihre Seele hatte eine bewußte Wendung der Sonne zu genommen.

Ja, es ist deutlich, daß sie Klarheit über sich selber errungen hatte, war es ihr doch wie einem Krieger ergangen, der in der Schlacht zu Boden geworfen, wieder aufgesprungen ist und nun mit gesteigertem Mut und glühendem Lebensdrang weiterkämpft, stark, strahlend, triumphierend im Glauben an den Sieg.

Zwar hatte sie noch im Sommer geglaubt, ‚mit dem letzten Federstrich am ‚Geistlichen Jahr' würde das irdische Jahr wohl alle seine wilden Quellen wieder über sie strömen lassen', aber sie hatte damals noch nicht gewußt, welcher Segen an ihr geschah: sie war jetzt sehr ruhig, sehr abgeklärt.

Eine ungünstige Kritik ihres Gedichtbandes legte sie ‚ohne den mindesten Eindruck aus der Hand'. Wie weit hinter ihr lag schon die Aufregung um dieses Werklein; mit festen Schritten ging sie auf einem höheren, neuen Weg dahin und sah voller Mut und Freude dem entgegen, was unabwendbar kommen mußte: eine Freundschaft, so blühend und hell wie ein sommerlicher Garten, die Verbundenheit mit Levin.

Er war es gewesen, der in Gutzkows ‚Telegraph' die begeisterte und kluge Kritik ihres Gedichtbandes geschrieben hatte, aber es war nicht das Lob vor der Öffentlichkeit, was Annette zu seinen Gunsten bestochen hatte; es lag tiefer: sie fühlte in Levins Verständnis für die herbe, unbekümmerte Sprache, für ihre Gedanken und ihren Wesensausdruck die Anerkennung ihrer Art; er nahm sie wie sie war, er begegnete ihr als dem gleichberechtigten Geist; hier, vor Levin durfte sie für einmal ‚sein statt scheinen'!

Welche Befreiung das für sie bedeutete, welche Möglichkeit, sich aufzutun, sich zu äußern, ja, zu erblühen, das ahnte er nicht;

warum sollte er es auch wissen; es war genug des Glücks, daß sie es klar erkannte, wie Geist zu Geist finden mußte.

In dieser Zeit, da Annette sich zur Klarheit durchkämpfte, war Levin ihr fern; unbeeinflußt, ganz allein hatte sie sich einen neuen starken Felsengrund des bewußten und reinen Handelns erobert; sie weiß, was sie tut, und daß es richtig und gut ist, was sie tut.

‚Er lächelt, seine Seele wird gesund‘ oder: ‚Wenn frischer Geist in frischem Körper wie ein Adler kreist‘, – solche Worte gleiten ihr nun in die Feder. Und im Urvertrauen der menschlichen Kreatur, die sich sündig weiß, und doch von Gott gesegnet, spricht sie wie mit gefalteten Händen:

> *Und dennoch kann das Mark gesund*
> *Und himmelwärts*
> *Kann treiben seinen Zweig des Baumes Herz.*

Levin weilte bis Ende Oktober zum drittenmal mit Freiligrath auf Karl Simrocks Landgut am Rhein. Wieder hatte man für die westfälischen Beiträge arbeiten wollen, aber viel Trunkenheit, Liebeleien und Ausgelassenheit bringen das versprochene Werk völlig in Vergessenheit.

Der Verleger Sosier hatte jedoch schon Abonnenten geworben, Geld einkassiert und alle Wunder aus Freiligraths Feder versprochen, aber nicht eine Zeile erscheint bei ihm.

Da setzt der ergrimmte Verleger sich auf den Rheindampfer und steht eines Tages zornbebend vor Freiligraths Türschwelle, aber der, in einer Hand das gefüllte Glas, unbekümmert singend und beide Arme zum Willkomm ausbreitend, empfängt den zornmütigen Sosier wie den Engel des Herrn, worauf Sosier, der ja auch Rheinländer war, seine Wut vergaß und sich selig unter die feiernden Jünglinge mischte.

Bei Mondschein, über dem strömenden Rhein, verspricht Freiligrath alles, was Sosier verlangt. Befriedigt fährt der Herr Verleger am andern Tage ab und – Ferdinand trinkt und festet weiter.

Levin kehrte Ende Oktober nach Münster zurück; sein erster Weg war nach Rüschhaus, und mit Simrocks neuestem Gedicht, das er soeben von ihm erlernt, tritt er Annette strahlend entgegen:

An den Rhein, an den Rhein, zieh nicht an den Rhein
Mein Sohn, ich rate dir gut,
Da geht dir das Leben so lieblich ein,
Da blüht dir zu freudig der Mut —

Und dann erzählte er seiner Freundin von dem wilden Treiben bei Ferdinand, selber noch im Rausch befangen; er erzählt auch von Sosiers Zorn und Freiligraths gänzlicher Mißachtung der Arbeit.

Annette schlägt die Hände über dem Kopf zusammen über solche ‚Verwilderung‘, und es jammert sie, daß ein Genie wie Freiligrath seiner Muse untreu wird und in Schwelgerei und Faulheit sein Bestes verliert.

Aber wenn sie so mit einem Auge weint, so lacht sie mit dem andern. Ihr immer wacher Humor erfaßt bei dem Überdenken der Lage zwischen dem weinseligen Dichter und dem, von seinen Lesern bedrängten Verleger sofort die ganze Komik; sie läßt sich alles von Levin erzählen, sie wollen sich beide totlachen, mischen ihre eigenen Dinge und noch die des Kränzchens mit in das Komplott, und dann, dann tut Annette endlich das, was man so oft von ihr verlangt hat: sie entwirft ein Lustspiel.

‚Perdu‘ nennt sie es und meint die Komik des gesprochenen Wortes, wie es zwischen ihr und Levin so leicht hin und her flog, ohne Mühe zu Papier bringen zu können, aber das war ein Irrtum. Das Niederschreiben tötet nur zu leicht den Humor, der sich auf dem Mienenspiel, dem Lachen, Zwischenrufen und Andeutungen wie auf glitzernden Wellen bewegt, auch sah Annette bald, daß bei all ihrem angeborenen Witz Thalia nicht ihre Muse war.

Im Grunde hatte sie es ja gewußt; so läßt sie das begonnene Stück, das nichts als Verstimmung bei den karikierten Personen hervorzurufen droht, wieder liegen und ist eigentlich recht froh, nach einem mißglückten Versuch für alle Zeiten vom Komischen befreit zu sein. In erneuter Hingabe versenkt sie sich in ihre Novelle über Friedrich Mergel, der den Juden erschlug und Sklave in Algerien wurde, und in ihrem neuen befreiten Geisteszustand gelingt ihr ein Meisterwerk der Weltliteratur; aber noch gibt sie es nicht her, oh, noch lange nicht.

21

Und dann bricht der herrliche Frühling des Jahres 1840 herein. Levin kommt und geht. Er hat später geschrieben, daß er Annette nicht älter gefunden als zur Zeit, da sie ihn wie eine Mutter getröstet hatte, und daß sie ihm wie ein zeitloses Wesen erschienen sei. Hingerissen stand er vor ihrem Geist und ihrer Überlegenheit; er fragte sie um ihren Rat beim eignen Schaffen; er war offen und vertraut, überschüttete sie mit seinen frohgemuten Huldigungen, und obgleich Annette keine Spur von Eitelkeit besaß, muß es sie, die immer mißkannt und belächelt worden war, mit unbeschreiblicher Freude durchwärmt haben, endlich einmal begriffen und in offner Bewunderung eine Dichterin genannt zu werden.

Und sie wiederum freute sich bei jeder Begegnung mehr an seinem so gar nicht banalen Wesen, an seinem Wissen und seinem kritischen Verstand. Zu ihrer Erleichterung war er nicht mehr der geckenhafte Jüngling, der sich einen imponierenden Rahmen zu verschaffen suchte, – sie hatte ihn aber auch gehörig ausgescholten und er hatte ihr zeitweilig bitter gegrollt. Nein, jetzt war seine beste Natur durchgebrochen.

Elise Rüdiger sagt in ihren Memoiren von dem Levin dieser Zeit, in den sie verliebter war, als es für eine jungverheiratete Frau gut war:

‚Er konnte in seinem studentischen Sammetrock, ein kleidsames Barett in den lockigen Haaren, Verse improvisierend, wohl an einen Troubadour erinnern.'

Daß Elise und Levin sich auf einem gefährlichen Weg befanden, hatte Annette sehr bald gesehen und mit kluger fester Hand die beiden jungen Leute aufgerüttelt, damit sie kein Unglück anrichteten. Niemals hätte sie – auch wenn es nicht Levin und Elise gewesen wären, die vor ihren Augen einem großen Unrecht entgegentaumelten – in ihrem Gefühl für Reinheit und Sitte schweigen können und wollen, aber hier mag ihr Herz in tödlichem Schrecken mitgesprochen haben.

Sie war nicht geneigt, ihr Glück kampflos preiszugeben. Spätere Beurteiler dieser Zeit haben gerührt von Annettens frommem Eifer gesprochen, mit dem sie um das Seelenheil der beiden Verirrten gerungen habe. Gewiß, Annette besaß eine tiefe Frömmigkeit, aber in dieser Lage, wo es um Tod und Leben ihres endlich errungenen Glückes ging, hat sie vor allem mit ihrer Intelligenz und der überlegenen Haltung ihres Charakters, vielleicht sogar mit dem Instinkt für ihre dichterische Aufgabe, um den Freund gekämpft, der ihr Leben und Können bedeutete.

Elise zerfloß in Tränen der Reue und nahm Annettens Mittlerrolle zwischen ihr und Levin widerspruchslos hin, und Levin, der, wie er selber sagte, stets den überragenden Geist bei seinen Mitmenschen suchte, gab sich aufs neue dem schier unwirklichen Zauber von Annettens Persönlichkeit hin; und so geschickt, so vorsichtig und mit so viel Herz hatte sie gehandelt, daß eine schöne Freundschaft auch weiterhin Levin und die junge Rätin Rüdiger verband; kein böses Wort war gefallen, keine Verstimmung eingetreten, so daß Elisens Anteilnahme an Levins Schicksal für alle Zeiten ein gemeinsamer Garten der Freude für sie und Annette bleiben sollte.

Es war eine selten lebhafte und beglückende Zeit, die das stille Rüschhaus in diesem Frühling erlebte. Adele Schopenhauer ist vom 18. Mai bis zum 6. Juni dort; Junkmann erscheint auch oft als Begleiter von Schlüter und Thereselchen, und selbstverständlich Elise Rüdiger.

Annettens Mutter hat eine Vorliebe für Junkmann und nimmt ihn unter ihren besonderen Schutz; sie ist völlig unberechenbar in ihren Neigungen und Abneigungen. Der schwärmerische, romantische, problematische und oft tiefmelancholische Junkmann gefällt ihr ausnehmend, und sie unterhält sich mit ihm, als hätte nie ein Mann besser zu ihrer harten, realistischen Art gepaßt. Annette schreibt einmal an Schlüter, ihre Mutter unterhalte sich so gut mit Junkmann, daß sie es kaum übers Herz bringen könne, sie zu unterbrechen.

Zu ihrem Leidwesen mag ihre Mutter Levin dagegen durchaus nicht leiden, trotz seines jetzt so unbefangenen und liebenswürdigen Wesens, aber sie duldet ihn.

Über Adele, von der doch so viel Geschwätz umging, muß sie herzlich lachen, denn das große knochige, so trostlos häßliche Mädchen ist von einer erfrischenden und selbstherrlichen Originalität. Alle andern nimmt Therese in Bausch und Bogen als Statisten, die zu Annettens gesundem Frohmut beitragen.

Denn Therese von Droste, in all ihrer schroffen Strenge, lebt auf, wenn ihre geliebte Nette glücklich ist, im Grunde ist ja sie der Inhalt ihres Lebens. Werner und Line mit ihren unzähligen Kindern, von denen einige so schwindsüchtig und rachitisch sind, daß sie nicht leben und nicht sterben können, sind eine ständige Sorgenwolke an ihrem Horizont; über Jenny und Laßberg kann sie sich entsetzlich aufregen, so daß sie ,Apprehensionen' bekommt. Da hat sie neulich als letzte erfahren, was längst auf den Schlössern die Runde gemacht hat, daß Jenny ,gesegnet' sei! Zwar hat sie zu ihrer Erleichterung bei einer genauen Nachfrage vernommen, daß ihre Tochter infolge eines Mißgeschicks nun hoffentlich von weiterem Kindersegen verschont bleibe.

Dieser Laßberg – er ist älter wie sie, Therese – lebt in die Zukunft hinein wie ein Jüngling und kauft die riesige alte Dagobertsburg über Meersburg am Bodensee. Sollen Jenny und die kleinen Mädchen denn nach einigen Jahren mit diesem schwerfälligen, erdrückend großen Besitz zurückbleiben? Natürlich wird sie, Therese, ihren betagten Schwiegersohn überleben und muß dann ihrer Tochter zur Seite stehen.

Nein, Nette macht ihr in diesem Frühling am meisten Freude von all ihren Kindern. Das Dichten scheint sie nach der mißglückten Herausgabe ihrer Epen aufgegeben zu haben; Gott sei Lob und Dank! Im Herbst wird sie mit ihr nach Meersburg reisen, um Jenny als Herrin der ältesten Burg Deutschlands zu bewundern.

Annette verspürt jedoch nicht die geringste Lust, Rüschhaus zu verlassen, aber vorläufig schweigt sie. Ihre Mutter darf um alles in der Welt nicht an ihrer Freundschaft mit Levin Anstoß nehmen, sonst zwingt sie sie, an ihrer Seite zu bleiben. Annette ist äußerst vorsichtig und hütet sich, in Gegenwart ihrer Mutter, Levin das vertraute Du zu sagen; auch alle Briefe, die zwischen ihr und dem Freunde hin und her gehen, führen das formelle ‚Sie‘, denn Annette wußte, daß ihre Mutter, dank ihrer elterlichen Vollmacht, ohne Skrupel jeden Brief, den ihre Tochter erhielt, öffnen würde, falls es sie gelüstete, den Inhalt zu kennen.

Auch das Wort ‚Mütterchen‘, das Levin häufig für seine geliebte Freundin benutzte, war nicht nur ein Kosename, sondern eine Maske für die Welt und bedeutet keineswegs ein Mutter- und Sohn-Verhältnis.

Ein geistreicher Beurteiler dieser ungewöhnlichen Liebe zwischen Annette von Droste und Levin Schücking sagt, daß die Dichterin ihrer Seele das mütterliche Verhältnis ‚abliste‘. In diesem Wort liegt die sehr richtige Gewißheit, daß Annette selber von ihrer mütterlichen Rolle niemals überzeugt war. Ein Versenken in ihre Gedichte an Levin, diese von tiefster Liebe durchbluteten Verse, zeigen keinen Funken von ‚Mütterlichkeit‘.

Annette täuschte indessen mit der Maske der Mütterlichkeit weder Therese von Droste, noch Adele Schopenhauer. Ihre Mutter fühlte sich sogar äußerst beunruhigt von dieser sogenannten Freundschaft, die sie im Grunde für Verliebtheit hielt, und Adele wischte ebenfalls ‚Mütterlichkeit‘, wie ‚Freundschaft‘ mit einem ungläubigen Lächeln beiseite.

In ihrer Jugend, zur Zeit der Romantik, da die unbefangene Freundschaft zum gleichen Geschlecht ihre Triumphe feierte, und es eine Reihe berühmter Freundespaare gab, hatte Adele der Welt ihren leidenschaftlichen Kummer nicht verborgen, als ihre angebetete Ottilie Goethes Sohn, August, heiratete; später hat sie sich mit ganzer Seele Sibylla Mertens hingegeben. Adele schenkte der geistigen Gemeinschaft zwischen zwei Männern oder zwei Frauen den reinsten Glauben, aber mit skeptischen Augen betrachtete auch sie die Freundschaft zwischen Annette und Levin.

Freundschaft zwischen einem Mann und einer Frau? Nein, sie glaubte ihr nicht. Vor dem Abschied von Rüschhaus, als sie Annette und Levin zwei Frühlingswochen hindurch beobachtet hatte, zeichnete sie den Freunden ein symbolisches Bildchen: zwei Kinder, die einen geflügelten, entschwebenden Stern zu erhaschen versuchen.

Adele ging traurig nach Jena zurück. Wohl wußte sie, daß Annette, diese außergewöhnliche Frau, von heiliger Überzeugung erfüllt war, die höchste Stufe der Liebe erreicht zu haben, aber Levin war ein junger Mann, den keine andern als die natürlichsten Gefühle bewegten. Er konnte wohl eine schwärmerische Liebe zu einer Frau empfinden, die älter und bedeutender war als er; ihre Neigung mußte seinem jugendlichen Selbstbewußtsein schmeicheln, aber wehe, wenn ein hübsches Mädchen seinen Weg kreuzen würde, das ihm gefiel und das in ihm den überlegenen Mann erblickte!

Adele fürchtete für Annettens Glückseligkeit, die sie wie aus einem Kerker in die Helligkeit geführt hatte; über kurz oder lang mußte sie einen grausamen Sturz in die Wirklichkeit tun.

Aber noch ist Annette glücklich. Wie der Friede des endlichen Geborgenseins klingen ihre Worte an Schlüter:

‚Ich war gestern abend bis zehn im Garten, Sie glauben nicht wie mild es war, wie duftig, dabei so sternklar wie im Winter; ich saß auf der Bank am Hause, ließ mir von den Nachtigallen vorsingen, von der Luft zuwehen und war ganz und gar sybaritisch gestimmt.‘

Dann bricht der Brief ab; Levin ist gekommen und erst zwei Tage später, als er nach Rüschhaus zurückkehrt, vollendet sie den Brief in sehr herzlicher, angeregter Stimmung und kündet Schlüter an, Schücking würde ihn mit nach Münster nehmen.

Oh, sie genießt den Frühling, den Sommer mit Levin, und er sucht jede Gelegenheit, zu ihr hinauszuwandern, aber dann wächst die Drohung an Annettens Himmel: die Reise an den Bodensee, monatelanges Fernsein von Rüschhaus; nein, sie will nicht fort. Wenn sie doch allein zurückbleiben könnte, aber so viel Glück wird der Himmel ihr nicht schenken; die Mutter wird nicht reisen, wenn sie, Annette, nicht mit ihr fährt. Die Unruhe über die nächste Zukunft martert Annettens zarte Nerven; sie darf die Mutter nicht ermuntern, allein zu fahren; sie würde Verdacht schöpfen und Annette keinen Tag mehr sich selbst überlassen.

Warum will Annette denn nicht an den schönen Bodensee reisen, das Schloß sehen, zu dem die Menschen von weit her pilgern? Jenny schreibt entrüstete Briefe; Therese drängt ihre Tochter. Annette ist am Ende ihrer Beherrschung; immer neue Entschuldigungen sinnt sie aus, und was muß nicht alles als Grund herhalten: ihre schwache Kasse, die kranken Kinder in Hülshoff, die sie pflegen müsse, ihre schlechte Gesundheit, die kein langes Fahren erlaube, ihre festen Gewohnheiten im Essen und Trinken, die sie als Gast ihrer Schwester durchbrechen müßte, ganz am Ende und sehr scheu wurden auch ihre literarischen Arbeiten angeführt, die sie in einem ruhigen Winter vollenden wolle, aber dieser Grund verfing gar nicht. Daß sie vor allem mit Levin sein Buch über Westfalen schreiben und ihm eine Reihe von Balladen, die sie schon im Kopf hatte, dazugeben wollte, das hatte sie vorsichtigerweise gar nicht erwähnt.

Die kranken Kinder in Hülshoff, die Tuberkulose und Rachitis hatten und eine immerwährende Gefährdung für Annettens anfällige Gesundheit waren, nun wohl, sie zu pflegen war ein Grund, den man nicht von der Hand weisen durfte, vor allem, weil die Herrin von Hülshoff ihr zehntes Kind erwartete. Wenn Annette in Hülshoff unter dem Schutze ihres Bruders leben würde, so mochte sie in Gottes Namen zu Hause bleiben.

Am 22. August (1840) schrieb Annette an Jenny, ihre Mutter habe sich endlich beruhigt und zürne ihr nicht mehr; und mit einem erleichterten Seufzer zwischen den Zeilen kündigt sie die Abreise in acht Tagen an, aber Therese kann und kann sich nicht entschließen; es fehlt ihr an der richtigen Begleitung ... wird es überhaupt je zur Reise kommen? Der wunderschöne Sommer vergeht, der Traum der schönen gemeinsamen Abende schwindet.

Levin ist, um die Atmosphäre von Konfliktstoff zu reinigen, wieder einmal zu Freiligrath gefahren. Von dort schreibt er ,an sein heimatlichstes Herz', an Annette, am 12. September 1840:

‚O schreiben Sie mir einmal, liebes Fräulein, ich harre mit Schmerzen auf einige Zeilen – wegen der Schweiz! Der Westfälische Friede ist geschlossen –, ich schreibe den Text, Freiligrath gedenkt einige Gedichte dazu zu liefern, und weil ich ihm erzählt habe, daß Sie so viele Stoffe wüßten, hofft er durch mich einige von Ihnen zu erfahren ... Ich denke nicht vor dem fünfundzwanzigsten wieder zu kommen, wenn ich nicht Contre-Ordre von Ihnen bekomme.

Ich freue mich auf die ‚Dichter, Verleger und Blaustrümpfe‘! Denken Sie auch ein bißchen an mein Westfalen. Ich lege den Anfang einer Kritik, die Freiligrath einmal angefangen hat über Ihre Gedichte zu schreiben, bei; ich wollte, daß Sie einmal den prächtigen lieben Poeten sähen. Er hat hier eine Popularität ohne Grenzen.

Responde, precor, solum quod deficit adhuc ad omnis curae defectum est ut mihi dicas quomodo sim

tuus Lebuinus‘

Bei Freiligrath ist wieder das bewegte ‚dolce far niente‘, der Freund ist herzlicher, seliger denn je vorher, denn er hat eine Braut gefunden, das Mädchen aller Mädchen: ‚Kerl, ich bin ungeheuer glücklich‘, hatte er Anfang September an Levin geschrieben. In mir jubelt’s und singt’s und jauchzt es. Solch ein Mädchen gibt’s nicht mehr.‘

Daß Ferdinand in seiner Verliebtheit das ‚romantische Westfalen‘ begraben hat, ist begreiflich; nun soll Levin ernsthaft an die Arbeit gehen und alles allein machen. Mit Annette zusammen, denkt er, und ist ungeduldig, nach Münster zurückzukehren, aber Annette ist noch nicht allein; so begleitete Levin seinen lieben Ferdinand rheinabwärts bis nach Frankfurt; der Freund war auf dem Wege zu Cotta in Stuttgart, aber vorher wollte er sich in den Frankfurter literarischen Kreisen umsehen. Er hatte bei aller Harmlosigkeit und Gemütlichkeit ein ungeheures Bedürfnis, sich feiern zu lassen, worin die Welt ihn ja auch verwöhnt hatte. So wollte er nun als großer Mann auftreten und Levin, der selber gern eine Rolle spielte, ließ sich mitreißen.

Auf der Reise nach Frankfurt genossen die Freunde zum erstenmal in ihrem Leben ‚den erregenden Genuß, auf einer Eisenbahn zu fahren‘. In hoher Stimmung kamen sie in Frankfurt an und wurden auch, wie Freiligrath es gehofft, in einer Gesellschaft von Berühmtheiten aufgenommen. Liszt war der strahlende Mittelpunkt, auch Görres war dort und mancher andere scharfe Geist.

`Hier war nichts von altdeutscher Gemütlichkeit und teutonischer Derbheit zu gewahren; ein sehr feingeschliffener Witz und ein anmutiger Esprit schwebten wie ein leichtes Spiel zwischen den Anwesenden. Freiligrath war wie auf den Mund geschlagen und auch Schücking kam nicht zu Worte.

Als die jungen Männer wieder allein in ihrem Gasthof sind, bricht bei Freiligrath die unbeherrschte Natur durch, und er wütet gegen ,die Bande', vor der er schweigend dagesessen! Im tiefen Schatten war er gestanden, er, Ferdinand Freiligrath, der Dichter, der in aller Munde ist!

Levin erzählt in seinen Lebenserinnerungen, wie er den tobenden Freund zu seiner Zerstreuung in den Dom geführt habe, und hier sei Ferdinand, angesichts einer mittelalterlichen Skulptur aus Mitleid mit sich selber in Tränen ausgebrochen. Und auch jener Brief an Levin ist auf die Nachwelt gekommen, in dem Freiligrath nach der Trennung in Frankfurt in die geflügelten Worte ausbricht:

,Ich habe dich sehr, sehr lieb, Levin ... wir hatten uns in dem kleinlichen, miserablen Literaturtreiben von Mainz und Frankfurt als stolze Einsiedler ans Herz gedrückt, und ich war weich genug gewesen, mir die Tränen des Zorns und der Wehmut, die mir das Unwesen eines Abends entpreßte, von deinem Freundesmund fortküssen zu lassen ... Warum edles Herz, redliche Mannesbrust ...' und so fort.

Nun war Levin aber schon durch den Verkehr mit Annette gegen jedes falsche Pathos, gegen jede Schwärmerei gefeit, so vermochte er Freiligrath mit kühler Kritik zu beurteilen. Die revolutionäre Gewaltsamkeit in seinen Gedichten nannte er ,Mangel an Einsicht in historische Gesetze', und als Ferdinand auch weiterhin vor Wonne über seinen Brautstand noch mehr aus den Fugen zu gehen drohte, verzichtete er ganz und gar auf Ferdinands Hilfe und Ratschläge für ,Das malerische und romantische Westfalen'; übrigens durfte Levin heimkehren, wie er es gehofft, am 25. September; denn mit unerwarteter Plötzlichkeit reiste Therese am dreiundzwanzigsten des Monats ab. Annette kann noch rasch einen Brief an Jenny hinwerfen und ihn mitgeben, dann ist sie allein.

22

Oh, die Ruhe! Oh, das herrliche Alleinsein mit Levin! Und es ist reifer, voller Herbst; Annette blickt wie eine Erwachende um sich und sieht, daß die Welt ein Gefäß voll goldenen Reichtums ist. Ja, was wurde ihr denn geschenkt? Jetzt, da ihre Sonne schon zu sinken beginnt? Freundschaft, Vertrautheit, eine lebenspendende Gemeinschaft!

Tief ergriffen steht sie vor einem Glück, an das sie nicht mehr geglaubt. Aber es ist wahr! Da ist dieser junge Mensch, ein fünfundzwanzigjähriger Mann, der nach Jahren der rauhesten Not wie ein kräftiger Baum in Blüten ausgebrochen ist; ihr hingegeben wie der Sonne, die seine Früchte zur Vollendung bringen soll. Ein Geist, sprühend von Gedanken und Ideen, das schöne Antlitz von einem Lachen überglänzt, das sie emporgerissen hat aus ihrer Düsternis; ein Herz, so warm, so zärtlich, so hungrig nach Liebe, gerade wie ihr eigenes erfrorenes Herz. Aber es ist ja nicht mehr erfroren!

Wenn sie in diesen Oktobertagen, lange schon bevor Levin kommt, unter den rieselnden goldenen Blättern auf der geliebten Bank am Parkrand sitzt und auf ihn wartet, dann lauscht sie in sich hinein. Etwas ist anders in ihr geworden, eine Felsenlast hat sich gehoben, leicht und froh ist ihr dadrinnen, wo es sie Jahre und Jahre wie in einen eisernen Ring geklammert hielt. Ist so das Leben? Ist so das Erwachen zum Menschsein, zur Ganzheit? Mußte sie bis zur Neige ihres Daseins warten, um der Gruft ihrer tödlichen Einsamkeit entsteigen zu dürfen, aufgerufen, an der Hand ergriffen von einem Bruderwesen, das sein Glück in ihrer Liebe sieht? Levin war Geist von ihrem Geist, der im tiefsten Blut verbundene Gefährte, der gleichen Erde entstammend; den gleichen Himmel, die gleichen Lüfte liebend, die gleichen Heiden und Moore.

Einmal schreibt ihre Hand wie im Staunen nieder:

> *Wie war mein Dasein abgeschlossen,*
> *Als ich im grünumhegten Haus*

Durch Lerchenschlag und Fichtensprossen
Noch träumt in den Azur hinaus.

......

Wohl sah ich freundliche Gestalten
Am Horizont vorüberfliehn;
Ich konnte heiße Hände halten
Und heiße Lippen an mich ziehn;

......

Ich fühlte ihres Hauches Fächeln
Und war doch keine Blume süß;
Ich sah der Liebe Engel lächeln
Und hatte doch kein Paradies.

......

Verschlossen blieb ich, eingeschlossen
In meiner Träume Zauberturm,
Die Blitze waren mir Genossen
Und Liebesstimme mir der Sturm.

Dem Wald ließ ich ein Lied erschallen,
Wie nie vor einem Menschenohr,
Und meine Träne ließ ich fallen,
Die heiße, in den Blumenflor.

......

Wie ist das anders nun geworden,
Seit ich ins Auge dir geblickt!
Wie ist nun jeder Welle Borden
Ein Menschenbildnis eingedrückt!

Wie fühl' ich allen warmen Händen
Nun ihre leisen Pulse nach,
Und jedem Blick sein scheues Wenden,
Und jeder schweren Brust ihr Ach!

Und alle Pfade möcht' ich fragen:
Wo zieht ihr hin? Wo ist das Haus,
In dem lebend'ge Herzen schlagen,
Lebend'ger Odem schwillt hinaus?

Entzünden möcht' ich alle Kerzen
Und rufen jedem müden Sein:
Auf ist mein Paradies im Herzen,
Zieht alle, alle nun hinein!

Vierzig Jahre früher war einer der Größten seiner Zeit gerade
wie Annette von Droste durch die Liebe zum Leben erweckt
worden: Hölderlin hatte, als er der Gruft seiner Schwermut ent-
stiegen war, sein Triumphlied an Diotima angestimmt:

Lange tot und tiefverschlossen,
Grüßt mein Herz die schöne Welt,
Seine Zweige blühn und sprossen,
Neu von Lebenskraft geschwellt.
Oh! ich kehre noch ins Leben,
Wie heraus in Luft und Licht,
Meiner Blumen selig Streben
Aus der dürren Hülse bricht.
. . . . . .
Diotima! Selig Wesen!
Herrliche, durch die mein Geist
Von des Lebens Angst genesen
Götterjugend sich verheißt!
. . . . . .
Dich zu finden, warf ich wieder,
Warf ich meinen trägen Kahn
Von dem toten Porte wieder
In den blauen Ozean.
. . . . . .

Man hat oft der Wissenschaft zuliebe das menschliche Erleben der Großen aller Zeiten bagatellisieren und den frücht-
schweren Baum des Werkes ohne die Wurzeln und ihr Erdreich
betrachten wollen, und doch wächst jedes künstlerische Werk auf
einer außergewöhnlich starken Befähigung zu Glück und Leid.

In dem Liebesverständnis zwischen Annette von Droste und
Levin Schücking war Annette die tiefer und stärker Liebende, sie

vermochte erhaben über ihre Körperlichkeit, das höchste Wohl-
befinden im Geiste, die aufgehobenen Grenzen zwischen Mensch
und Mensch zu schaffen, denn hinter der Maske der Mütterlichkeit, die sie zu wählen beliebte, glühte eine Freundschafts-Liebe
von einer Kraft und letzten Schönheit, von einer mystischen
Übergeschlechtlichkeit, wie sie von Platon als höchste Stufe des
Glücks gepriesen, aber in zweitausend Jahren nur von wenigen
Menschen als lebendige Wahrheit erlebt wurde.

Dante, Michelangelo, Shakespeare, Goethe, Hölderlin wußten
um diese Wahrheit und – neben Sappho und Heloise – wohl als
einzige Frau, Annette von Droste. Wenn sie ihre Liebe zu dem
jüngeren und weicheren Wesen Freundschaft nannte, so war es
keine Selbsttäuschung. Die Grundwogen ihrer sinnlichen Liebe
hielt sie gebändigt, erlaubte aber ihrem Geist in vollem Bewußtsein, ruhigen Gewissens und uneingeschränkt, das Du ihres Wesens in übermenschlicher Leidenschaft zu umfassen. Sie war der
gebende Teil, der ältere Freund.

Levin war klug und begriff diese Dioskurenliebe, wie Annette
sie sah, und nahm sie, da er so viel jünger war, freudig an. Er hat
einmal – im Dezember 1840 – die vielsagenden Worte an Annette
geschrieben:

‚Wissen Sie, was mir jetzt Freude macht? Daß ich nicht größer und massiger bin, was früher mich immer ärgerte ... wenn
ich größer wäre, glaub ich, könnt ich nicht so gut Ihr Junge sein ...
Es ist wunderbar mit unserer Ähnlichkeit! Ich will's Ihnen erklären: es ist erstens die westfälische, zweitens vielleicht auch etwas von Dichternatur in mir, drittens aber der lebhafte Wunsch
meiner Mutter, eine Tochter zu haben und dabei hat sie wahrscheinlich an Sie gedacht und sich ein Mädchen wie Nette Hülshoff ausgemalt.

Das allein erklärt die Sache und zudem etwas Weibliches, Geduldiges, Anschmiegsames in meiner Natur, was mich unter meinen Freunden immer die philisterhaften Charaktere und Gesin-
nungsfesten hat aussuchen lassen, die gewöhnlich sehr beschränkt,
aber durch markiertes festes Wesen sich auszeichneten. Mit Junkmann zum Beispiel komme ich gar nicht aus, der ist mir viel zu

weiblich, nicht Mann genug. Sie dagegen haben einen männlich klaren, ordnenden Verstand bekommen, einen Geist, der mit dem weiblichen Interesse für das Einzelne den männlichen Aufschwung zum Ganzen verbindet.'

Pollux und Kastor waren Levin und sie, so hat Annette es später in einem ihrer herrlichsten Gedichte ausgedrückt, und dieser Freundschaft, dieser Wurzel zu schönster geistiger Fruchtbarkeit, brauchte Annette sich trotz ihrer vorgeschrittenen Jahre nicht zu schämen. So verging denn der Herbst in einem Aufwärtssteigen zu immer freieren und blühenderen Höhen des Glücks, als sei es Frühling, und auch als die rauhe Jahreszeit kam, konnte sie das Reifen in diesen zwei begnadeten Menschen nicht stören. Alle Quellen des Könnens waren in Annette sowohl wie in Levin entfesselt.

Der kleine Ferdinand in Hülshoff war in dieser Zeit kränker und kränker geworden, und Annette mußte ihr Wort wahr machen, ihn zu pflegen; so kam eine Trennung, die Levin und Annette nicht glücklich machte, aber sie konnten korrespondieren, soviel sie mochten, allerdings mit dem vorsichtigen ,Sie‘, denn man wußte ja nie, in wessen Hände die Briefe fallen konnten, doch werden sie die formelle Anrede beim Lesen in das vertraute ,Du‘ übersetzt haben.

Hin und wieder schleicht sich aber doch ein Du ein. In wunderbarer Frische steigt das Hin und Her von Klagen und Trösten, von Empfangen und Geben aus den Briefen hervor. Als der kleine Ferdinand gestorben ist, schreibt Levin an Annette:

,Es ist acht – nun sind Sie doch allein, mein liebes, liebes Mütterchen, daß ich etwas mit Ihnen plaudern kann – ich wollte, es könnte Sie so aufrichten, wie ich es möchte. Es ist heute Ihr Namenstag, ich denke deshalb auch, Sie sind heute in einer Stimmung, die so ernst und großartig ist, daß alles Unangenehme um Sie her nicht mehr auf Sie wirken kann, daß es zu Ihrer Höhe nicht hinauf kann.

Soll ich Ihnen Glück zu Ihrem Namenstage wünschen? Das würde sich schön machen, egoistisch von mir, der sich selber damit Glück wünschte. Soll ich Ihnen etwas schenken? Ich habe kaum den Mut – doch, einige vertrocknete Blumen, womit es also zusammenhängt: sie sind gestern schon aus dem Schloßgarten geholt, ich wollte heute morgen sie Ihnen schicken – expreß, da hörte ich von der Bornstedt, daß Ihr armer kleiner Ferdinand tot ist, und da hatte ich keinen Mut mehr. Ich bin so bange, daß Sie sich zu sehr abäschern und plagen als die einzige Person, die den Kopf frei behält in jeder Lage.

Um Gottes willen, Mütterchen, Sie sollen sich etwas mehr schonen, meinetwillen schon, darf ich das nicht fordern? Und weil ich mich immer mehr anlasse, als hätte ich die Literatur im Münsterlande allein gepachtet, so verbiete ich Ihnen hiermit, irgend etwas zu schreiben, außer Briefen an mich.'

Und nun kommt ein Passus, in dem Levin, der schon auf dem Wege ist, ein ausgezeichneter Journalist zu werden, und ein sehr ‚liberal‘ denkender Mensch dazu, sich ganz unter dem konservativen, aristokratischen Einfluß Annettens zeigt; gerade wie eine liebende Frau vermag er nicht anders zu denken, als das angebetete Wesen denkt, wenn es auch seiner eigenen Art durchaus nicht entspricht.

‚Ich schicke Ihnen einen Brief von Gutzkow mit. Seinen Telegraph habe ich aber keine Lust zu nehmen. Ich bin zu aristokratisch dazu, mich in die sanskülottische Demagogie des Journalismus zu begeben ... Der Telegraph ist ein Organ von allerhand ultraliberalen Ansichten, die ich nicht als Redacteur gutheißen und in die Welt senden mag ... Kurz, ich bin zu gut zum Journalisten, und als solcher könnt ich mir nicht mehr denken, als Sie, mein Mütterchen, sein könnten.'

Dann spricht Levin zum ersten-, aber nicht zum letztenmal den Wunsch aus, mit Annette zusammen in einem Kreis von Gleichgesinnten zu leben:

‚Können wir nicht zusammen nach dem Rhein, oder nach Berlin etwa, wo die Grimms hinziehen und Hassenpflug?‘

Und welche Hingegebenheit klingt aus Levins Briefen dieser Zeit, wenn er in zärtlicher Sehnsucht fortfährt:

‚Bin müde, Mütterchen, erzählen Sie mir etwas; ich will die Augen zumachen und hören, wie Sie sprechen, oder von Ihnen träumen. Gestern nacht träumte ich von Ihnen, Sie saßen und schrieben, hinter zwei Wachskerzen wie die weiße Frau. Mütterchen, lieb Mütterchen, ich habe gewiß im Schlafe Sie gesehen und bin magnetisch bei Ihnen gewesen, während Sie an mich geschrieben haben. Bekomme ich das morgen? Gottes Segen über Sie, mein armes geplagtes Mütterchen.

Annette schickt auch weiterhin von Hülshoff, mitten aus der Trauer und dem Trubel, allerlei Anregungen für die Westfalen-Hefte und dann – Gedichte. Levin war der erste ihrer Zeitgenossen, der es sah und begriff, daß Annette eine große Dichterin war. Wie im Spiel hatte er sie aufgefordert, mit ihm an dem Werk ,Das malerische und romantische Westfalen' zu arbeiten; sie hatte ja gesagt, als hätte sie ihr Leben lang nichts anderes getan, als kulturgeschichtliche Bücher zu schreiben; und nun, da sie nach Rüschhaus zurückgekehrt war, sandte sie ihm Material und Anregungen aller Art, oder sie half korrigieren und schob den einen oder andern Absatz zwischen Levins Text, aber was die Bückersche, die Botenfrau, zu ihm nach Münster trug, Balladen, – erst eine, dann die zweite, dann eine dritte, bis es schließlich sechzehn waren, das verblüffte ihn über alle Maßen, und er scheute sich nicht, Ferdinand zu gestehen, daß Annette von Droste sie beide, Levin Schücking und Ferdinand Freiligrath, ,in die Tasche steckte'. Nun verlangt er immer häufiger ihre Kritik, er will von ihr lernen.

,Sagen Sie mir auch, liebes Mütterchen', schreibt er ihr zu Wintersanfang (1841), ,was meinen Versen noch fehlt, mir schadt's nicht; nur ein Genie kann irre gemacht werden; ich habe nur Talent, und das ist wie Wachs und läßt sich bilden, biegen, das Genie ist Kristall und bricht.

Noch einmal adieu, Mütterchen, morgen und übermorgen erzähle ich Ihnen wieder was. Rüschhaus? Verschollenheit? Lieb Mütterchen!'

Und ein nächstes Mal, als Annette die Ballade ,Kurt von Spiegel', die alles andere als schmeichelhaft für die Familie Spiegel war, zurückziehen möchte, wehrt er sich für diese starken, eindrucksvollen Verse:

‚O Mütterchen, nun nehmen Sie mir die Wevelsburg nicht wieder, was kümmern uns die Spiegel? Das ist auch gar nicht aristokratisch von Ihnen, daß Sie meinen, die Spiegel kränke das. Einen echten Aristokraten kränkt es nie, wenn schon in früheren Jahrhunderten sein Name vorkommt, es sei unter welchen Umständen es wolle. So sind die Spiegel stolz darauf, daß der Kurt ein Marschalk war, und daß die Leute davon lesen und sagen, es ist doch 'ne alte Familie, die Spiegel.

Sehen Sie, Mütterchen, das begreifen Sie nicht, weil Sie eigentlich gar keine Aristokratin sind, sondern eine Monokratin.

. . . . . .

Vor Ihren Balladen habe ich so viel Respekt. Denken Sie, auf Ihre Verheißung von mehreren noch, hab' ich, um mehr Raum dafür zu haben, auf der Stelle ein eigenes langes Gedicht mit großartig kräftigen Zügen im Manuskript durchgestrichen. Mehr kann ein Poet des 19ten Jahrhunderts doch nicht tun, und ich weiß auch nicht, ob ich dies über mich vermocht hätte, wenn der Tieck oder der Lenau sich erboten hätten, den Raum zu füllen.

Sehen Sie Mütterchen, das kommt daher; ich habe Sie zwar so lieb, daß ich leichter als andere Menschen geneigt bin, Ihre Gedichte schlecht zu finden – gerade weil ich meine, was Sie machten, müßte immer gleich ein Wunder an Fürtrefflichkeit sein. Aber trotzdem glaube ich, daß unter unsern Zeitgenossen niemand mehr ist, der eigentlich klassisch schreiben kann, Sie allein ausgenommen. Bei allen Dichtern unsrer Zeit fühle ich ein Dilettantenhaftes, hier und da Mattes, Gemachtes, Freiligrath und Lenau nicht ausgenommen.

Das ist nie bei Ihren Sachen der Fall: was Sie schreiben, gehört in das Ganze, wie jede einzelne Zacke in einen Dom. Und dann ist noch etwas mit Ihren Gedichten. Les' ich eins vom Freiligrath, vom Dingelstedt, so ist's etwa, als wenn ich etwas läse, was ich mir ebenbürtig fühle, – es kann mich wohl überraschen, aber nicht den Eindruck des Tiefen und Gediegenen, mit wunderbarer Intuition auf einem fremden Felde gepflückten machen, was Poesien von Shakespeare, W. Scott und von Ihnen für mich haben. Ich muß dabei bleiben, sie sind klassisch, Ihre Gedichte.

Ihre Sachen sind mir, was dem Menschen, der sich nie erkühnt hat, einen Vers zu machen, Gedichte überhaupt sind, wunderbare Sachen, von deren Entstehen er keinen Begriff hat, und von denen er zu glauben geneigt ist, sie werden wie die Kinder aus dem Brunnen geholt.

... Was ich aber sagen wollte, Mütterchen, so was Schönes wie die ‚Vorgeschichte‘, das in seiner Art ebenso vollendet ist wie ein Werk von Shakespeare, macht sich nicht ohne Mühe. Shakespeare hat unendlich ausgearbeitet und gefeilt. Wenn Sie mir auch einwerfen, aber ich habe die Vorgeschichte in zwei Stunden gemacht, so täuschen Sie sich selbst.

Der Zeitraum mag nur zwei Stunden lang gewesen sein, aber in dieser kurzen Zeit sind Sie so intensiv lebendig gewesen, daß Ihr Leben in diesen zwei Stunden so gut wie ein Leben von acht Tagen in weniger angeregter Stimmung war ... Deshalb müssen Sie mit mehr Muße die Sache überlegen, wenden, feilen, liebes Mütterchen, und ich bin überzeugt, Sie schaffen in jedem neuen Gedicht eine Art von ganz exklusiver Poesie, die Ihnen niemand nachmacht, ein Meisterstück.

Liebes Mütterchen, nun habe ich wieder auf meine dumme Art einen dummen Streich gemacht, daß ich Ihnen das alles geschrieben habe. Jetzt werden Sie sagen: Der Tebelholmer, wenn ich dem kleinen Pferd noch eine Zeile schreibe, da es statt zu danken, kritisiert. ... In Eile sag ich Ihnen noch tausend Dank für Ihr Paket von diesem Morgen und antworte nächstens ausführlich. Heut will ich Ihnen nur noch sagen, wie lieb ich Sie habe und wie gut Sie sind. Noch einmal adieu, liebes Mütterchen, den Grimm will ich ganz schön wahren.‘

Levin sah in der Tat in Annettens kräftiger Ausdrucksweise eine echt männliche Dichtkunst und manchmal muß ihn eine Angst überkommen haben, ob die Welt ihren ungenierten Realismus auch hinnehmen würde. Schon ihrer Mutter und der weiteren Familie wegen durfte man ihren Namen nicht unter gewagte Dinge wie diese setzen, wo sie sagt, daß man ‚den Wicht an den Haaren vom Bügel riß', oder wo sie vom giftigen Hauch des Mondes spricht, ,der aufbohrt der Seele Schleusen', wo man doch von einem zarten Fräulein erwarten durfte, daß sie den Mond mit einer Fliederlaube, vergehendem Atem und errötenden Wangen in Verbindung brachte. Oder jenes drastische Wort: ,Überm Rade liegt ein Leib, an dem sich weiden Kräh' und Made.' Und über das treffende Bild: ,wimmelnd rennt das Tausendbein' hat Levin sicher hell aufgelacht.

Manchmal muß er doch wieder kritisieren, denn er ist ja Literat von Beruf und Annette eine Autodidaktin. Eine Dichterin darf doch nicht sagen:

> *... so und so*
> *An der Sohle wetzt er die Schneide.*

So und so ... ist doch kein poetischer Ausdruck, und wann käme je ein gnädiges Fräulein mit rauhen Männern zusammen, die ihr Messer an der Stiefelsohle wetzen? Levin weiß wirklich nicht, wie er alle diese Aussprüche verantworten soll.

Aber Annette donnert ihn an, er sei ein Philister, sie mache keine Zuckerwasser- und Vergißmeinnichtgedichte, er könne ja die Bornstedt anstellen für ihn zu dichten, oder das Tantchen Hohenhausen, keine Silbe erlaube sie ihm zu ändern. Dafür hält sie nicht daran, daß sie als Verfasserin der Balladen genannt wird; sie kennt keinen Ehrgeiz und keine Eitelkeit, das Werk ist ihr Glück; sie dichtet um des Dichtens willen, was die Menschen sagen und meinen, gilt ihr gleich, wenn nur Levin sich an ihrem Schaffen erfreut. O ja, er freut sich, mehr und mehr. Wenn zum Beispiel ihr süßes Zusammenleben in so manchen Versen verwoben ist. In der Ballade ,Der Graue' stehen zwei Linien:

> *Es war tief in die Nacht hinein,*
> *Und draußen heulte noch der Sturm.*

Genau diese Worte hatte sie einmal benutzt, und er sie in einem Briefe daran erinnert und ihr damals geschrieben: ,Wenn wir doch wieder zusammen sagen könnten: ,Es war tief in die Nacht hinein und draußen heulte noch der Sturm', so wäre das in den mannigfachsten Beziehungen sehr ersprießlich.'

Aber nicht nur die jetzige glückliche Zeit geht in Annettens Balladen ein, nein ihr ganzes Leben und dazu die blutige Geschichte des westfälischen Adels, alles ersteht wie in einem Zauberspiegel vor ihrem geistigen Auge:

Schloß Hülshoff, wo sie den Abendstern gerade über dem steinernen Ritter am Tor aufsteigen sah, ihre kindliche Angst vor der Fledermaus, wenn sie zur Dämmerstunde in das Zimmer blinzte, oder ihr eigenes Spukerlebnis, da sie sich als junges Mädchen in der Osternacht selber gesehen hatte.

Und wie meisterhaft waren die Worte gewählt, wenn es galt, die eine oder andere Stimmung hervorzubringen. Wenn die Geister des westfälischen Adels beisammensitzen, dann meint man das spukhafte Getriebe zu hören:

> *Sie blättern und rispeln im grauen Breviere,*
> *Und zuckend krümmen die Finger sich.*
> *Und unten im Saale, da knöcheln frisch*
> *Schaumburger Grafen um Leut' und Land,*
> *Graf Simon schüttelt den Becher risch*
> *Und reibt mitunter die knisternde Hand;*
> *Ein Knappe nahet, er surret leise –*
> *Ha, welches Gesumse im weiten Kreise,*
> *Wie hundert Schwärme an Klippenrand!*

Die schönste der Balladen schien Levin aber doch die ,Vorgeschichte' zu sein; jenes Erlebnis des Freiherrn von Kerckerinck, der zu Ende des vergangenen Jahrhunderts seine eigene Abfahrt zur Bestattung im Mondschein erblickt und gezittert hatte, ob die Wappen auf den Trauerdecken der Pferde ihm verraten würden, ob die Erscheinung seinen oder seines jungen Sohnes Tod bedeuteten.

Wenn Levin den Anfang der Ballade, die er auswendig wußte, vor sich hinsprach, dann sah er Annette, die Nixe, die Sibylle vor sich, denn sie hatte wohl an sich selber gedacht, als sie die Worte niederschrieb:

Kennst du die Blassen im Heideland,
Mit blonden flächsenen Haaren?
Mit Augen so klar, wie an Weihers Rand
Die Blitze der Welle fahren?
Oh, sprich ein Gebet, inbrünstig, echt,
Für die Seher der Nacht, das gequälte Geschlecht.

Und dann folgt die Beschreibung der Spukgeschichte:

So klar die Lüfte, am Äther rein
Träumt nicht die zarteste Flocke,
Der Vollmond lagert den blauen Schein
Auf des schlafenden Freiherrn Locke,
Hernieder bohrend in kalter Kraft
Die Vampirzunge, des Strahles Schaft.

Der Schläfer stöhnt, ein Traum voll Not
Scheint seine Sinne zu quälen,
Es zuckt die Wimper, ein leises Rot
Will über die Wange sich stehlen;
Schau, wie er woget und rudert und fährt,
Wie einer, so gegen den Strom sich wehrt.

Nun zuckt er auf – ob ihm geträumt,
Nicht kann er sich dessen entsinnen –
Ihn fröstelt, fröstelt, ob's drinnen schäumt,
Wie Fluten zum Strudel rinnen;
Was ihn geängstet, er weiß es auch:
Es war des Mondes giftiger Hauch.

O Fluch der Heide, gleich Ahasver
Unterm Nachtgestirne zu kreisen!
Wenn seiner Strahlen züngelndes Meer
Aufbohret der Seele Schleusen,
Und der Prophet, ein verzweifelnd Wild,
Kämpft gegen das mählich steigende Bild.

Im Mantel schaudernd mißt das Parkett
Der Freiherr die Läng' und Breite,
Und wo am Boden ein Schimmer steht,

Weitaus er beuget zur Seite,
Er hat einen Willen und hat eine Kraft,
Die sollen nicht liegen in Blutes Haft.

Es will ihn krallen, es saugt ihn an,
Wo Glanz die Scheiben umgleitet,
Doch langsam weichend, Spann' um Spann',
Wie ein wunder Edelhirsch schreitet,
In immer engerem Kreis gehetzt,
Des Lagers Pfosten ergreift er zuletzt.

Da steht er keuchend, sinnt und sinnt,
Die müde Seele zu laben,
Denkt an sein liebes, einziges Kind,
Seinen zarten, schwächlichen Knaben,
Ob dessen Leben des Vaters Gebet
Wie eine zitternde Flamme steht.

Hat er des Kleinen Stammbaum doch
Gestellt an des Lagers Ende,
Nach dem Abendkusse und Segen noch
Drüber brünstig zu falten die Hände;
Im Monde flimmernd das Pergament
Zeigt Schild an Schilder, schier ohne End'.

Rechtsab des eigenen Blutes Gezweig,
Die alten freiherrlichen Wappen,
Drei Rosen im Silberfelde bleich,
Zwei Wölfe, schildhaltende Knappen.
Wo Ros' an Rose sich breitet und blüht,
Wie überm Fürsten der Baldachin glüht.

Und links der milden Mutter Geschlecht,
Der Frommen in Grabeszellen,
Wo Pfeil' an Pfeile, wie im Gefecht
Durch blaue Lüfte sich schnellen.
Der Freiherr seufzt, die Stirn gesenkt,
Und – steht am Fenster, bevor er's denkt.

Gefangen! Gefangen im kalten Strahl!
In dem Nebelnetze gefangen!
Und fest gedrückt an der Scheib' Oval,
Wie Tropfen am Glase hangen,
Verfallen sein klares Nixenaug'
Der Heidequal in des Mondes Hauch.

Welch ein Gewimmel! – er muß es sehn,
Ein Gemurmel! er muß es hören,
Wie eine Säule, so muß er stehn,
Kann sich nicht regen noch kehren.
Es summt im Hofe ein dunkler Hauf,
Und einzelne Laute dringen hinauf.

Hei! eine Fackel! sie tanzt umher,
Sich neigend, steigend in Bogen,
Und nickend, zündend, ein Flammenheer
Hat den weiten Estrich umzogen.
All' schwarze Gestalten im Trauerflor,
Die Fackeln schwingen und halten empor.

Und alle gereihet am Mauerrand,
Der Freiherr kennet sie alle;
Der hat ihm so oft die Büchse gespannt,
Der pflegte die Ross' im Stalle,
Und der so lustig die Flasche leert,
Den hat er siebenzehn Jahre genährt.

Nun auch der würdige Kastellan,
Die breite Pleureuse am Hute,
Den sieht er langsam, schlurfend nahn,
Wie eine gebrochene Rute;
Noch deckt das Pflaster die dürre Hand,
Versengt erst gestern an Herdes Brand.

Ha, nun das Roß! aus des Stalles Tür,
In schwarzem Behang und Flore;
Oh, ist's Achill, das getreue Tier?

Oder ist's seines Knaben Medore?
Er starret, starrt und sieht nun auch,
Wie es hinkt, vernagelt nach altem Brauch.

Entlang der Mauer das Musikchor,
In Krepp gehüllt die Posaunen,
Haucht prüfend leise Kadenzen hervor,
Wie träumende Winde raunen;
Dann alles still: O Angst! O Qual!
Es tritt der Sarg aus des Schlosses Portal.

Wie prahlen die Wappen, farbig grell
Am schwarzen Sammet der Decke.
Ha! Ros' an Rose, der Todesquell
Hat gespritzet blutige Flecke!
Der Freiherr klammert das Gitter an:
‚Die andere Seite!' stöhnet er dann.

Da langsam wenden die Träger, blank
Mit dem Monde die Schilder kosen.
‚Oh' – seufzt der Freiherr – ‚Gott sei Dank!
Kein Pfeil, kein Pfeil, nur Rosen!'
Dann hat er die Lampe still entfacht
Und schreibt sein Testament in der Nacht.

23

Viel Schnee fiel in diesem Winter 1840/41. Rüschhaus lag wie ein Märchenschloß, unerreichbar für Fußgänger inmitten der glitzernden Helle. Weißüberzogen stand das Geäste der Bäume gegen den blauen Himmel; jeder Busch, jedes Gras hatte im Rauhreif seine Alltäglichkeit verloren; sogar der kleine Wassergraben schimmerte wie kostbares Zinn, und wenn die Sonne unterging, zerriß der Himmel in gelbe, rote und grünliche Streifen, als habe er den Tag über eine ungeahnte Zauberwelt verhüllt. Aber das Dunkel kam schnell; blaue Schatten sanken zwischen die Schneehaufen zu seiten des freigehaltenen Weges, unter die Büsche und auf die schneebedeckten tiefen Simse, außerhalb der kleinen Fenster von Annettens Zimmer.

Dann verließ sie ihren Platz, von dem aus sie dem Spiel der Dämmerung zugeschaut hatte, und begann an den Balladen zu arbeiten. Ach, es war kaum eine Arbeit zu nennen; die Geschichten lagen in ihr, und Worte, Reime, Rhythmus fielen ihr zu, so leicht wie der Schnee vom Himmel. Sie arbeitete ja für Levin und konnte den Tag kaum erwarten, bis er wieder zu ihr hinauskam – denn Levin kämpfte sich auch durch den tiefsten Schnee –, bis sie ihm und er ihr vorlesen würde, was die Woche über entstanden war.

Der Dienstag war immer noch der glückliche Tag. Solange es hell war, gingen sie ein Stück weit hinaus in die Heide, in der Vertrautheit der Liebenden über alles plaudernd, was die letzten sechs Tage ihnen gebracht, oder sie schauten über das flache Land hinaus wie Zuschauer, vor deren entzückten Blicken sich ein schönes Schauspiel entrollt, denn es lebte dieses Land in all seiner großen Ruhe: da war ein Krähenschwarm, der von den windzerzausten Kiefern herüberstrich, ein Hase jagte im Zickzack über den Schnee, oder es glitt die weiße Last von einem Tannenast, so daß er zurückschnellend eine dünne glitzernde Wolke in die Luft warf, und von hochher klang der Schrei eines Falken. Ja, sie liebten beide diesen Zipfel Westfalens, diese starke, geheimnisreiche Landschaft.

Aber bei Dunkelwerden kehrten sie heim. Es konnte geschehen, daß dann ein scharfer Wind über die Heide strich, der für Annettens Lunge gefährlich war; dann nahm Levin sie am Arm und sagte auf Plattdeutsch in seiner zärtlichen Sorge:

‚To, to, to, Mödeiken; ajas nich still stohn, dat is niks, un den Mund tohollen, süs verfrürt die dat Hert in nen Live!‘

Jahre später hat Annette dieses liebe Wort aufgeschrieben, das ihr von einem Hauch glückseliger Erinnerung umspielt blieb.

Waren sie endlich zu Hause, so mußte Annette sich gleich in die Ecke ihres riesigen schwarzen Kanapees kauern, Levin zog ihr die feuchten Schuhe aus und legte Holzkloben auf das offene Feuer, ging in die riesige Küche mit dem Rauchfang über dem offnen Feuer, zu dem Annette aus einem Schiebefensterchen aus ihrem Zimmer hinuntersehen konnte, rührte Pfannkuchenteig an und briet seine Lieblingsspeise, er holte auch Brot und Butter und Schinken und deckte den Tisch neben Annettens Kanapee. Manchmal stand sie auf und half ihm, aber ungeschickt. Er neckte sie dann, und sie lachten, weil er die weiblichen Arbeiten so viel besser verrichtet als sie.

Manche Verschiedenheit lag zwischen ihnen, aber im Traum dieses stillen Winters übersahen sie alle und jede. Vergessen war der Unterschied der Jahre, vergessen, daß Levin allem Neuen der Zeit zudrängte, und Annette an den Traditionen ihres Lebenskreises festhielt, daß er mit kritischen Gedanken seinen Glauben zerpflückte, und sie sich immer tiefer vor dem Göttlichen neigte; sie wollten keinen Gegensatz sehen.

In diesen geisterhaften Abendstunden, wenn nur der Schein des Feuers leuchtete – denn man mußte Kerzen sparen –, dann erzählte Annette. Levin, zu ihren Füßen, in der andern Ecke des Sofas sitzend, hörte ,mit einem Gemisch von Staunen, Bewunderung, Ergötzen und liebender Verehrung zu, in ihr merkwürdiges Sibyllenantlitz schauend'. Die Stimme seiner Freundin kam zu ihm, einmal sich überstürzend und dann wieder stockend, rauh und tief tönend; vom Unerklärlichen, vom Übergreifen der Geisterwelt in das irdische Treiben sprach sie. Von Dingen, die ihre Vorfahren erlebt oder die ihre Eltern, sie selber, Bauern der Umgegend und das Gesinde bezeugen konnten.

Dann überlief es Levin eisig, und er erschauerte, denn nur zu gut wußte er, daß Annette keine Märchen erzählte, lief doch auch in seinen Adern das Blut des ,geplagten Geschlechts'.

Als alter Mann hat Levin von diesen Stunden geschrieben: ,Es wurde bei unsern Plaudereien Abend, es wurde Nacht, und nun wiederholte sich oft ein Phänomen, welches etwas Spukhaftes hatte. Unter dem Zimmer von Annette befand sich das Gesindezimmer, worin in den Abendstunden die Beschließerin und die Hausmägde ihre Spinnräder drehten, während Hermann, der Knecht, und Trimm, der schwarze Haushund, ihnen Gesellschaft leisteten. Das Schnarren der Räder, das Wechseln der Stimmen war den ganzen Abend hindurch in dem darüberliegenden Zimmer deutlich vernehmbar.

Gegen sieben Uhr verstummte es, die Leute nahmen ihre Abendmahlzeit ein und rüsteten sich dann zur Ruhe zu gehen – aber seltsam, wenn sie sich längst zurückgezogen hatten, wenn nach und nach eine immer tiefere Stille, ein lautloses Schweigen in die Räume gezogen war, begann das Räderschnurren, das dumpfe Stimmenwechseln von neuem.'

Annettens übergroß geweitete Augen schauten bei diesen Gehörhalluzinationen, die sie an andere, viel stärkere Spukerlebnisse erinnerten, in eine Welt, die sie schmerzhaft anzog, die sie aber nach einer Weile in einen Zustand der Erschöpfung fallen ließ. Dann neigte Levin sich zu ihr, sie tröstend zu umfangen, und sie lehnten Stirn an Stirn; eine symbolische Haltung dieser Liebenden im Geist. Stirn an Stirn, den Blick nahe ineinander gesenkt, als könnten sie so ihre Seelen sehen und ergreifen.

Es gibt ein Wort von Annette: ‚flüsternd wie der Hauch im Ried an eines Freundes Locke neigen'. Und Levin schreibt ‚wie Stirn an Stirn die Geisteraugen ineinanderblitzen', oder Annette ruft schmerzhaft die Worte aus: ‚warum an deine klare Stirn gelegt mir schwere Tropfen aus den Augen fallen'.

Von einem unsagbaren Zauber aber waren die Abende, an denen Annette sang, ihre eigenen Lieder, die wie Minnelieder waren: ‚Gott grüß mir die im grünen Rock', das sie so oft und oft hatte singen müssen, oder fremde Kompositionen; einmal war es etwas Neues, das Levin noch nie gehört; hatte Annette es erst jetzt gedichtet, improvisierte sie die zarte einfache Melodie, die auch einem Volkslied gehören konnte? Der mittlere Vers hieß:

> *Gleich wie der Mond ins Wasser schaut hinein,*
> *Und gleich wie die Sonne im Wald gibt güldenen Schein,*
> *Also sich verborgen bei mir die Liebe findt,*
> *Alle meine Gedanken, die sind bei dir mein Kind.*

Und der Schluß klang wie eine ängstliche Bitte durch die immer leiser werdenden Töne:

Trau nicht den falschen Zungen, was sie dir blasen ein,
Alle meine Gedanken, sie sind bei dir allein.

Oh, diese tiefe, beseelte Stimme, das Bild seiner Freundin an ihrem alten Klavier, das nur noch leichte Harfentöne hervorzubringen vermochte, es konnte Levin zu Tränen rühren, dazu der niedrige, fast dunkle Raum, in dem der Feuerschein auf den blonden Haaren und über die weißen Hände dieser seltsamen Frau spielte, diese Stimme, die wie von weither aus einem Land der Schmerzen zu ihm drang, es war ihm oft, als hielte ihn ein Traum gefangen.

Konnte es denn wahr sein? Hier war er, weitab der Welt, im ungestörten Beisammensein mit einem geliebten Wesen, dem an innerem Reichtum kein anderes glich – die menschgewordene Muse; und sie liebte ihn und zog ihn auf ihre Höhe, und so rein, so stark, so glühend lebensvoll war die Verschwendung ihres Geistes.

Kein Maß seiner Verehrung war groß genug, als daß er es ihr hätte zu Füßen legen mögen. Er gehörte ihr, als ihr Freund, ihr Bruder, ihr Kind, wenn sie wollte: und er sagte es ihr, daß er sie liebe.

Levin ist von Annettens immer neu hervorsprudelnden Werken wie aufgestört bis in die innerste Seele, und gerade wie in ihr bricht nun auch in ihm ein Quell zu Tage, und er muß schreiben. Nicht nur das Buch über Westfalen, nein, Romane, Geschichten, und auch ihm steht das lebendige Leben zu Gevatter. Seine erste Heldin ist Annette, und er ist der Held.

Manche der leidenschaftlichen Gespräche, die Annette mit ihm über ihre Freundschaft geführt, nimmt er Wort für Wort in seinen Roman auf. Da sagt zum Beispiel die Heldin:

,Ich will für dich sorgen wie eine Verwandte, ich will dich liebhaben wie einen Bruder, ich will eine geistige Stütze haben, denn meine Umgebung reicht nicht für mich aus. Meine Gedanken gehen darüber hinaus und bewegen sich in einem Felde, das nur du auch betrittst. Ich will jemanden haben, der mein ist und dem ich wie einem geduldigen Kamele aufpacken kann, was an Liebe und Wärme, an Drang zu beschützen und zu leiten in mir über-sprudelt.'

Und nun kommt ein echt Annettescher Satz:

,Aber wenn du Kamel deshalb glaubst, ich wäre verliebt in dich, so bist du ein verdorbener Mensch, der von einem reinen und edlen Verhältnis keinen Begriff hat!'

Levin hatte Annette als etwa achtundzwanzigjähriges Mäd-chen dargestellt und sich selber als einen ganz jungen Mann, ein hübsches Bild. Wenn es doch in Wahrheit so wäre! Oft in diesem glücklichen Winter und frühen Frühling muß Annette den Schat-ten ihrer tiefverborgenen Angst über ihr strahlendes Glück ha-ben ziehen sehen, die Angst vor dem Abgrund, den ihre so ver-schiedenen Lebensalter schufen; denn bei allem Glauben an das innere, das unsichtbare Bild ihrer Freundschaft – sie war eine Frau, und Levin war ein Mann; sie alterte, und er war jung; sie vermochte ihre reine Freundschaft unter die Sterne zu erheben, er mußte eines Tages ein junges Weib suchen, das er mit allen Sinnen liebte, nein, sie konnte nicht umhin, die Zukunft zu sehen:

Sich selber gar gebückt und klein,
Geschwächten Auges, am ererbten Schrein
Sorgfältig ordnen staubge Liebespfande.

Aber dann brach der Frühling in seiner ganzen Fülle über das Land herein, sie mochte nicht mehr an das Alter denken und war geneigt zu glauben, daß ihre Freundschaft im Geist über alles Fremde, das sich herzudrängen könnte, siegen müsse.

Frühling, das unbegreifliche Wunder! Denn werden auch Er-de, Mensch und Baum von Jahr zu Jahr älter, einmal, für wenige Wochen taucht alles Leben in den Jungbrunnen des Frühlings. Wie waren die Tage nun wieder von Vogelgezwitscher, von lan-gem Tagesschein und warmen Winden umspielt.

Wenn Annette auf der Bank am Parkrand wartete, schaute sie wohl entzückt zu den Primeln hinüber, die auf hohen Stengeln schwankten, und zu den Veilchen, die breite Lilamuster in das frische Grün der kleinen Wiese zeichneten, wie war das Wasser des Baches so hoch gestiegen, so daß die Dotterblumen, schwer von Saft herniederhängend, von den Wellen schief gerissen wurden, und dort wuchs eine Narzisse – eine einzelne hatte sich aus dem Garten hierher verirrt–, sie spiegelte ihr Gesicht selbstentzückt wie ihr hoher Ahn im ziehenden Wasser.

Jahr für Jahr hatte sie dieses gleiche Schauspiel verfolgt, sich an den warmen Frühlingslüften gefreut und an den täglich neu erblühten Blumen – und doch:

> *Ich fühlte ihres Hauches Fächeln,*
> *Und war doch keine Blume süß.*

Aber jetzt, jetzt war die Natur belebt, und sie lebte mit ihr!

Noch im Alter hat Levin sich erinnert, wie der Anblick ihn entzückte, wenn er Annette wartend auf der Bank gewahrte, wo sie in der Ekstase ihrer Freude ihre langen blonden Locken dem Winde zum Spiel überließ.

In diesem Frühling des Jahres 1841 war Annette so gesund wie seit Jahren nicht mehr. So leicht war ihr Schritt und so froh ihr Lachen, wenn sie mit Levin durch die Heide ging, zu den Fichten hinüber oder zum hellgrünen Waldesrand. Und irgendwo muß ein Stückchen Wiese gewesen sein, mit wehendem Gras, auf dem Annette sich gerne niederließ.

So viele ihrer Gedichte sagen vom Ruhen im Moose, im Heidekraut, vom Hingestrecktsein nah, nah an der Erde; im Kummer, im Träumen und im Grübeln, so oft, so oft stürzte sie wie in ausgebreitete Arme an die Brust der mütterlichen Erde. Und auch jetzt, auf dem Gipfel ihrer Glückseligkeit schmiegt sie sich in das warme, duftende Gras, als sinke sie unter in einen See, tief hinunter bis auf den Grund. Levin sitzt neben ihr, auf die geschlossenen Augen und den schönen Mund herniederschauend, und er plaudert und malt schöne Zukunftsbilder vor sie hin:

Vielleicht könnten sie doch, trotz Annettens Bedenken, mit Freiligrath und dessen Frau, mit Sibylla Mertens, Adele Schopenhauer und andern Freunden am Rhein in einer freien Künstlergemeinschaft leben. Annette müsse sich losreißen aus ihrem Familienkreis; sie wollten zusammen leben, immer, immer! Wie in einer Oase der Geistigkeit würden sie fern dem banalen Alltag arbeiten und unendlich glücklich sein.

Annette hört und lächelt; sie will nicht widersprechen, was immer kommen mag; ihr Suchen hat Ruhe gefunden, und Verse entstehen in ihrem Herzen, jetzt empfunden, aber erst später niedergeschrieben, und werden, ohne daß sie es ahnt, zu einer der Perlen auf der Perlenschnur der vollendetsten Poesie, die je aus einem Menschenherzen kam:

> Süße Ruh', süßer Taumel im Gras,
> Von des Krautes Arome umhaucht,
> Tiefe Flut, tief, tief trunkne Flut,
> Wenn die Wolk' am Azure verraucht,
> Wenn mir aufs müde, schwimmende Haupt
> Süßes Lachen gaukelt herab,
> Liebe Stimme säuselt und träuft
> Wie die Lindenblüt' auf ein Grab.
>
> Wenn im Busen die Toten dann,
> Jede Leiche sich streckt und regt,
> Leise, leise den Odem zieht,
> Die geschlossne Wimper bewegt,
> Tote Lieb, tote Lust, tote Zeit,
> All die Schätze, im Schutt verwühlt,
> Sich berühren mit schüchternem Klang
> Gleich den Glöckchen, vom Winde umspielt.
>
> Stunden, flücht'ger ihr als der Kuß
> Eines Strahls auf den trauernden See,
> Als des ziehenden Vogels Lied,
> Das mir nieder perlt aus der Höh',
> Als des schillernden Käfers Blitz,
> Wenn den Sonnenpfad er durcheilt,
> Als der heiße Druck einer Hand,
> Die zum letzten Male verweilt.
>
> Dennoch, Himmel, immer nur
> Dieses Eine mir: für das Lied

Jedes freien Vogels im Blau
Eine Seele, die mit ihm zieht,
Nur für jeden kärglichen Strahl
Meinen farbig schillernden Saum,
Jeder warmen Hand meinen Druck, ·
Und für jedes Glück meinen Traum.

Ja, Annette hat Frieden gemacht mit toter Lieb, toter Lust und toter Zeit; sie hat das Eiland erreicht, von dem nichts mehr sie vertreiben soll. Ohne Bitterkeit schaut sie auf das wüste Meer, das sie endlich an Land geschleudert, auf die Insel der wunderbarsten Gemeinsamkeit, auf der sie mit Levin geborgen ist für alle, alle Zeit, mit dem Freund ihrer Seele, ihrem andern Ich, diesem jungen Leben, das die Zeit für sie anhält, das ihr gehört und dem sie sich ganz geweiht.

24

Über den Azur ihres Traumes mit Levin sind im Winter und Frühling manche schwere Wolken gezogen; immer wieder mußte Annette nach Hülshoff wandern, um Bruder und Schwägerin beizustehen. Line sah, wie fast jedes Jahr, einer Niederkunft entgegen und mußte geschont werden, während das liebste ihrer Kinder, die kleine anmutige Anna, dem Ende ihres kurzen Lebens entgegenzugehen schien.

Auch mehrere der andern Kinder waren krank, und Line kam im Februar zu früh mit einem Söhnchen nieder, aber beide blieben am Leben. Doch gerade in diesen gefährdetsten Tagen fand man den treuen alten Wilmsen tot in seinem Bette auf, und Annette mußte ihrer Schwägerin, in Abwesenheit ihres Mannes, verheimlichen, daß der Tod abermals unter ihrem Dach eingezogen war.

Das ganze Haus brauchte Annettens Ruhe und unerschütterliches Sorgen, denn auch Werner muß sie zur Seite stehen. Er, der neben den Ängsten um seine Liebsten in tiefen Geldnöten steckte, war am Ende seiner Nervenkraft; er möchte, daß die Mutter endlich heimkehrt; von ihr läßt er sich lieber aufrichten und Ratschläge erteilen als von Annette, deren Überlegenheit ihm verhaßt ist.

Levin wußte, was seine geliebte Freundin in dieser Zeit zu leisten hatte, aber die Arbeiten am romantischen Westfalen durften trotz aller Familiennöte nicht unterbrochen werden. Die ersten Lieferungen sind schon erschienen, die nächsten haben pausenlos zu folgen; oft arbeitet Annette die Nächte hindurch; es wird Levin Angst um die Gesundheit seines ‚Elfenmütterchens‘, wie er sie gerne nennt, und er schickt ihr einmal in gar kritischen Tagen durch Extraboten den Brief:

‚Liebes, liebes Mütterchen, um Gottes willen, plagen Sie sich nicht so, das muß ich Ihnen heute noch sagen und hoffe, daß Sie diese Zeilen morgen früh bekommen. Mit dem, was Sie mir aufschreiben wollen, hat's jedenfalls Zeit bis Sie Zeit haben, ich bin bange, Sie machen sich krank mit Ihren nächtlichen Arbeiten, und das könnte ich mir nie vergeben, wenn ich mit schuld daran wäre.

Schreiben Sie mir, wenn Sie so viel zu tun haben, nur die eine Linie, daß Sie mich noch lieb haben und zuweilen an mich denken, aber plagen dürfen Sie sich so nicht mehr!

Ich schicke Ihnen hier Nr. 4 und 5 von den Heften des Malerischen und romantischen ... um die vielen Abschweifungen schelten Sie mich nicht, ich bereue sie jetzt schon. Adieu, Mütterchen, es ist bald halbzwei, ich muß zu Tisch.

Ihr treues Pferd

Im Juni wird Annette von den Hülshoffer Sorgen befreit, ihre Mutter ist zurückgekehrt. Werner sei ihr schluchzend um den Hals gefallen, schreibt sie an Jenny.

An Jenny, die Gute, die noch in diesem Sommer mit ihren Kindern nach Rüschhaus kommen soll, um dann im Herbst zusammen mit der Mutter, Annette, einer Kammerjungfer und den Kindern nach Meersburg zurückzukehren.

Therese von Droste ist voller Geschäftigkeit, Jennys Besuch mit den Zwillingen vorzubereiten.

,Mama läuft zu ihrem Vergnügen zweimal an *einem* Tage nach Nienberge', schreibt Annette an Jenny, ,die Hülshoffer Kinder fand sie nicht ganz so liebenswürdig und schön mehr wie früher, Du hast sie mit Deinen Kindern verwöhnt, an die sie Tag und Nacht denkt und sich allerlei Pläsiers für sie aussinnt. Du kannst nicht glauben, wie sie alles darauf berechnet. Eine unserer Kühe wollte grade kalben, da sagte sie, sie wolle das Junge aufziehen, wenn es auch ein Ochse wäre, damit die Kinder doch ein Kälbchen fänden. Das ist für sie, die das unnütz fressende Vieh so haßt, sehr viel.

Ich wollte doch auch das meinige tun, und habe ein klein dreifarbig Kätzchen gekauft, da wir selber keine Jungen hatten. Wer uns aber alle übertrifft, das ist meine Alte, die platterdings keinen andern Gedanken mehr hat; sie macht eine Matte nach der andern, auch ganz kleine runde mit Henkelchen, ,up de Kinner ehre Nachtpöttkes'. Gott gebe, daß das Wetter sich nur einigermaßen macht!'

Annette und ihre Mutter müssen auch eine ausgedehnte Besuchstournee zwischen neun Gütern und Schlössern ausarbeiten, immer neue Briefe schreiben, Daten festlegen und dann doch den einen Aufenthalt gegen den andern austauschen. Jenny will alle achtzig Verwandten sehen, und alle achtzig Verwandten wollen Jenny sehen, vorzüglich auch die Zwillinge, denen natürlich keine andern Kinder gleichen.

Schon seit Monaten war von dem Laßbergischen Besuch allüberall die Rede. Man konnte sich nicht genug darüber wundern, daß Jenny, eine Frau von Mitte der Vierziger, da ihre Basen schon Enkel wiegten, mit Kindern erscheinen sollte, die noch nicht das Abc kannten; Jenny, die einen Gatten besaß, der über siebenzig Jahre alt und eine Berühmtheit in ganz Deutschland und darüber hinaus war, Jenny, neuerdings Besitzerin der schönsten Burg, von der man je gehört.

Dieses ungewöhnliche Glied ihrer weitverzweigten Familie würde im Juli eintreffen und – erzählen! Zuhören sollte sie auch; da war das Thema der Heiraten, der Kinder, der Positionen der Männer, dann die Nachwehen der Bischofsaffäre, das Schicksal des Ministers Hassenpflug ... Monate würden nicht ausreichen, alles zu besprechen!

Ob Annette ihre Schwester auf der Besuchstournee begleiten würde? Man war gespannt, endlich Näheres von diesem Levin Schücking zu hören, den sie protegierte und als Sekretär oder Hofmeister unterzubringen versuchte. Dichtete Nette noch? Und bestand denn gar keine Aussicht mehr auf Verheiratung? Es gab verschiedene ältere Witwer, denen sie die Wirtschaft führen und einen behaglichen Lebensabend schaffen könnte, aber Nette war wunderlich; mit Spott und Widerwillen wehrte sie sich gegen die Witwer innerhalb der Familie, ,die plötzlich alle ein Auge auf sie geworfen hatten, sie wisse nicht, warum', so hatte Annette sich in einem Brief ausgedrückt, der natürlich die Runde gemacht hatte.

Man konnte nie genug von Nettchen hören; die arme Therese hatte ein rechtes Kreuz mit dieser Tochter! Wenn man nur daran dachte, daß vor kurzem ein gewisser Engel, der für den Hamburger Telegraphen schrieb, die Unverfrorenheit gehabt hatte, in einer Beschreibung Münsters zu sagen: wie man eine Stadt so wenig beachten könne, wo man vielleicht Levin Schücking und Annette von Droste-Hülshoff unter den Bogenhallen begegnen könne!

Schücking, einen bürgerlichen Zeitungsschreiber und Sprachenlehrer in einem Atemzug mit dem Reichsfreifräulein von Droste! Man mußte Jenny sagen, daß sie ihrer Schwester riet, diese Beziehung abzubrechen.

Ach, von dieser Geschichte hatte Annette schon Kummer genug gehabt; der gleiche Mann, namens Engel, hatte sich dann des weiteren sehr lobend über Annettens Gedichte ausgesprochen, da fand nun aber die Bornstedt Gelegenheit, einen gehörigen Klatsch über Annette und Levin in die Welt zu setzen, und diese klärt August von Haxthausen über die Geschichte der Zeitungsrezension auf:

,Die Bornstedt ist furios darüber', schreibt sie, ,und hat behauptet, der Mensch sei von Levin dazu gekriegt, sonst hätte er statt *meiner* wohl *sie* genannt, denn sie habe viel geschrieben und einen Namen in der Literatur, meine paar Brocken aber kenne kein Mensch.'

Das ist leider wahr. Annette fügt, von ihrem Gedichtbändchen sprechend, hinzu:

‚Hier liest es keine Seele, meine ältesten Freunde und eigenen Verwandten haben noch nicht hinein-gesehen.‘

Fast hätte Annette noch einen gewaltigen Ärger obendrein gehabt; auch darüber schreibt sie an August:

‚Daß Mäxchen Stapel mir den Streich hat spielen wollen, Gedichte, die er als Gymnasiast gemacht hat, unter dem Namen A. v. D. herauszugeben (unter dem schönen Vorwande, sein simpler Bruder August solle für den Dichter gelten), wirst du vielleicht schon von Sophie gehört haben. Zum Glück ist er von allen Verlegern zurückgewiesen worden. Das wäre sonst eine schöne Sauce gewesen!‘

Wie tödlich die Klatschereien der Bornstedt ihr schaden könnten, gesteht Annette ihrer lieben Elise Rüdiger:

‚Ich gestehe Ihnen, daß ich neulich arg gereizt war durch die Aussicht auf einen fatalen Klatsch, bei dem für mich mehr auf dem Spiel stand, als Sie wohl in dem Augenblick übersahen, nämlich nicht nur das Aufgeben eines mir sehr werten Verhältnisses, sondern auch meine ganze, so mühsam erkämpfte Freiheit.‘

Immer ist Annette in Gefahr, daß ihre Mutter aus Angst vor den Leuten ihren Paradiesgarten ausrodet, so kann sie sich nicht anders helfen als mit einem raffinierten Versteckspiel. Welch eine trübselige Rolle ist sie zu mimen gezwungen und ist doch erfüllt und erhoben von der höchsten Weisheit über den Sinn der Freundschaft.

Im gleichen Brief, in dem sie Elise Rüdiger von dem leidigen Klatsch berichtet, klagt sie in ihrer knappen, klaren Art, daß sie nicht einmal mit ihrem eigenen Geschlecht befreundet sein dürfe, von einer Freundschaft mit dem andern Geschlecht gar nicht zu reden:

‚... Jeder findet es natürlich und animiert uns dazu, die Verwandten zu besuchen, dagegen bedarf es bei Freunden gleichen Geschlechts dringender Gründe, und bei Freunden des andern Geschlechts gibt es gar keine. So kann eine Trennung von zehn Meilen eine lebenslängliche werden. Sie fühlen wohl, daß ich in

Beziehung auf Levin rede, und ich drücke mich so klar und unumwunden aus, weil mir zuweilen scheint, als dächten Sie, ich betrachte diese schöne Anhänglichkeit wie einen Blumenkranz, an dessen Duft und Farben man sich eine Weile erfreut und ihn dann gleichgültig beiseite legt, wenn uns scheint, daß er anfängt zu welken, oder auch nur, wenn wir uns satt daran gesehen haben. Levin kann auf mich rechnen als eine Freundin fürs Leben und für jede Lage des Lebens, besonders, seit mir die sehr seltene Überzeugung geworden ist, daß sein Gefühl nicht an der ärgsten aller Freundschaftsklippen scheitert, sondern in voller Kraft und Reinheit daneben hersegelt.‘

Bei diesen Worten denkt Annette wohl an das Abgleiten in die erotische Liebe; – nach der Behauptung der Welt – der unvermeidliche letzte Akt jeder Freundschaft zwischen einem Manne und einer Frau.

Inzwischen hatte Jenny ihrerseits Brief über Brief gesandt, fiebernd in der Vorfreude, die große Familie samt ihren aufregenden Neuigkeiten in sich aufzusaugen.

Es wurde Juli; Jenny traf ein, mit ihr die Zwillinge, Hildegard und Hildegund, und ... sie hatten Keuchhusten! Das war ein Schlag, bei dem man sich vergeblich fragte, was das Schicksal sich eigentlich dabei gedacht hatte.

Die Reichsfreifrau Jenny von Laßberg, geborene Freiin von Droste-Hülshoff, hatte den Himmel seit Monaten um eine gesegnete Reise angefleht, und nun dies: Keuchhusten! Absperrung im kleinen Rüschhaus, tödliche Angst aller Verwandten vor Anstekkung, denn auf den Schlössern lebten Alte, Junge und die Kinder beieinander.

Während also in Rüschhaus Jenny ihre Kinder und ihre Enttäuschung pflegte, bemühte sich Annette umsichtig und energisch, wenn auch unter strengster Verschwiegenheit von Jenny ihrer Mutter gegenüber, für Levin die Stellung eines Bibliothekars bei ihrem Schwager Laßberg zu erhalten.

Jenny wußte schon seit Monaten um Annettens Wunsch und war darüber unterrichtet, daß Levin das Alt-Provenzalische beherrschte, natürlich auch Althochdeutsch und Mittelhochdeutsch, von seinen guten lateinischen und griechischen Kenntnissen gar nicht zu reden; er war wirklich die beste Hilfe für Laßberg, die er nur finden konnte, aber Annettens Freund mit ihr zugleich auf der Meersburg, wie würde die Mutter es aufnehmen? In gutem Glauben, oder mit einem scharfen Lachen des Besserwissens?

Solange als möglich mußte der Anschein gewahrt bleiben, daß Laßberg selber auf die überraschende Idee gekommen war, diesen, ihm gänzlich unbekannten Schücking zum Katalogisieren seiner Manuskripte und Bücherschätze in Lohn und Brot zu nehmen. Wenn die Mutter es vorzeitig erfuhr, so würde sie Annette unfehlbar nach Meersburg begleiten, während sie jetzt die Absicht hatte, den Winter über in Westfalen zu bleiben, um sich Werner und seinen Kindern zu widmen.

Annettens Schlachtplan, der ja keiner Bosheit entsprang, wurde wider Erwarten von keiner Seite durchkreuzt; er *sollte* wohl gelingen; daß er es tat, hat der Welt die größte Dichterin geschenkt.

Ende September dieses Jahres 1841 machte sich Annette mit Jenny, den Kindern und Bedienung zum erstenmal auf die lange Reise vom Nordosten Deutschlands bis in seine südwestlichste Ecke nach Meersburg bei Konstanz am Bodensee, eine Reise, die von nun an in ihrem Hin und Her zu Annettens Leben gehören sollte. Es war stets eine lange und mühsame Fahrt; per Wagen, zu Schiff und per Bahn; ein Martyrium für Annettens Kopf, der das Rütteln und Schütteln nicht vertrug, und ein Martyrium auch für ihr Gemüt, das Ruhe und Stille gewohnt war und nichts so sehr haßte wie die Betriebsamkeit und den Lärm der Welt. Aber schließlich nimmt jede Prüfung ein Ende, und die Vorfreude, Levin sehr bald schon bei sich zu haben, wird Annette manchen schweren Reisetag versüßt haben.

Endlich, an einem strahlenden Herbsttag hielt der Reisewagen, der langsam vom unteren bis zum oberen Meersburg aufwärtsgeschwankt war, zu Füßen der Treppe des fürstbischöflichen Palais, die der Brücke zur Burg schräg gegenüberliegt.

Laßberg war seiner geliebten Jenny ein Stück weit entgegengereist, so war des Plauderns, Fragens und Erzählens kein Ende gewesen. Annette, eingezwängt zwischen den Kindern, hatte vor Kopfschmerzen und Schwindel nur mit Mühe hinaussehen können in die glühende Herbstlandschaft; dann war der See gekommen, man hatte sie gerüttelt, jetzt müsse sie aufschauen, aber ein Blick auf die glitzernde Fläche, und sie hatte die Augen wieder schließen müssen; nur liegen, nur ruhen, keine Stimmen mehr hören. Dann aber stand der rumpelnde Wagen; Laßberg hatte ihr herausgeholfen und sie gestützt, bis sie nicht mehr schwankte. Dann bekümmerte er sich um Frau und Kinder, gab dem Kutscher Anweisungen und sprach mit der herbeigeeilten Dienerschaft über die Verteilung des Gepäcks; so war Annette einen Augenblick sich selber überlassen; sie stand und schaute; vergessen war der Schmerz, der ihren Kopf zu sprengen gedroht, vergessen die tödliche Ermüdung der Reise. Ihre großen hellen Augen nahmen ein Bild auf, das ihr den Atem verschlug in seiner gewaltigen Schönheit und noch lange nachtönen sollte in Briefen und Werken.

Vor dem tiefblauen Himmel erhoben sich uraltgraue Türme wie versteinerte Riesen, zu dieser Tageszeit der Sonne abgekehrt wie die hohe dunkle Tanne und der Efeu, der das Mauerwerk aufwärtskletterte; auch das mächtige, vorgebaute Torhaus lag im Schatten, aber es stand weit offen und zeigte, als die Reisegesellschaft vorwärtsschritt, am andern Ende seiner überwölbten Dunkelheit, flimmernd wie ein gefaßtes Juwel, ein fernes leuchtendes Bild: den Durchblick auf Jennys Garten.

Hier, zur Linken, sah man von der Zugbrücke aus einen Fetzen See, und wandte Annette die Augen nach rechts, so erhaschte ihr Blick einige eng aneinandergebaute Häuser, Fachwerk, dessen Steingrund glühendrot im Sonnenuntergang erschien.

Sie hörte viele Worte der Erklärung an ihr Ohr dringen; einen Augenblick blieben sie alle auf der Brücke stehen und schauten hinunter in die Schlucht, in der ein riesiges stilles Mühlrad stand, dann befand man sich im Torhaus, und nun zogen die Kinder sie an beiden Händen in den Burggarten.

Jenny eilte ihnen voran mit dem Eifer einer Mutter, die sich überzeugen muß, ob ihre Kinder auch alle wohl und am Leben sind. O ja, die Zinien und die Astern, die Helianthus und die Chrysanthemen, die Balsaminen und die Rudbeckia, alles glühte und blühte von Farben und Frische, denn noch hatte der Herbst in dieser milden Gegend weder Sturm noch starke Regen gebracht; es war warm wie im Spätsommer.

Annette hielt sich mit beiden Händen an einer der Zinnen auf der Mauer, die den Burggarten gegen den tiefen Abgrund stützte. Unter ihr lag das Städtchen am breiten, weitgedehnten See und drüben das dunstige Schweizer Ufer, überragt von der himmelstürmenden Bastion der Berge, strahlend weiß im Neuschnee, wie sie sie von Eppishausen her kannte. Laßberg nannte ihr den Säntis, den sie vor drei Jahren besungen hatte, und die Kurfirsten, den Mürtschenstock und den Glärnisch, er nannte auch noch, im Stolz seiner Aussicht, als hätte er sie mitgekauft, eine Reihe von andern Bergen, die im Dunst dieses Herbsttages gar nicht zu sehen waren.

So bald kam Annette nicht frei; noch eine lange Stunde ging über sie hin: Mäntel und Hüte abnehmen, Teetrinken, Jennys Zimmer bewundern, immer wieder an die Fenster treten, Laßbergs Bibliothek, – Handschriften, rasch hervorgezogen; die Kinderzimmer, ein Klavier, freundliche Dienstboten, die ein unverständliches Deutsch sprachen und Annette zuhörten, als spräche sie chinesisch, endlich ein langer Weg zurück durch den Garten, nun war man wieder in der Torhalle; jetzt nach links, und man stand vor einem der dicken Türme. Die Tür zu ebner Erde war offen, es war der Eingang zur Kapelle, darüber liege ihr Turmzimmer, sagte Jenny.

Ein runder Raum, rote Wände, tiefe Fensternischen. Von dieser sähe sie über den See zu den Bergen und von jener auf eine Zacke des uralten Dagobertsturm, der im Zentrum der Burg alle übrigen Türme und Dächer überragte.

Dann war sie allein. Aber bei aller Müdigkeit hob wohl eine Woge des Entzückens über die zeitlose Schönheit dieses Ortes sie zu dem Bewußtsein empor: hier, hier unter dem Wehen eines Jahrtausends würde sie aufklingen wie eine Harfe, an deren Saiten die Geister unzähliger Generationen rührten. Annette hat später erzählt, daß man sie in ein Zimmer einquartiert habe, das für seinen Spuk berühmt war, aber Jenny wußte ja, daß ihre Schwester keine Furcht vor dem Übersinnlichen kannte.

Ach, käme Levin doch bald, daß er diese unsagbar belebte Atmosphäre mit ihr teile, sie wußte es, hier wartete ein niegeahntes Glück auf sie.

25

Und es kommt ein Oktoberabend, nach Tagen und Tagen, an denen Annette beim Erwachen gedacht, ob heute die Stunde schlagen werde, da er vor ihr stehen und sie das geliebte Gesicht wieder sehen werde, und mit späten Stunden, an denen die Hoffnung die Flügel gefaltet, weil er immer noch nicht erschienen war.

Aber an diesem Abend, da der Regen an ihre Fenster klatschte, und der Sturm um die Türme pfiff, als sie sich schon bereitete, zur Ruhe zu gehen, klopfte unten ein später Gast an das Tor.

Im Alter schrieb Levin von diesen Minuten des Harrens, wo ihm der Sturm den Mantel von den Schultern reißen wollte, von einem Torhüter, so düster blickend wie Charon, von einem wild-kläffenden Hund, der vor ihm zurückgerissen wurde, und vom Flackerlicht in der offnen, überwölbten Vorhalle, durch die der Sturm fuhr: Hellebarden, Feuerlöscheimer, ein Heiligenbild; eine Tafel mit einem Beil über einer ausgestreckten Hand und der Unterschrift: Burgfrieden, leuchten auf und versinken wieder im Dunkel.

Schief geneigt gegen den Sturm führt ihn der Torwart über offnes Gelände, eine äußere Treppe aufwärts, in dunkle kalte Gänge, aber dann ist Licht und Wärme um ihn. Die Hausfrau und ,der alte Ritter' begrüßen ihn, man wird Annette benachrichtigen; wenn sie nicht schon schläft, könnte sie sich noch von ihrem Turm herüberbemühen.

Und wenn Annette den Schlaf der Toten geschlafen hätte, bei der Meldung der Dienstmagd: Herr Schücking ist eingetroffen, ob das gnädige Fräulein ... springt sie auf: meine Schuhe, meinen

Mantel, den Spitzenschal für den Kopf, rasch, und nun hinüber, durch das Fauchen des Sturms; er benimmt Annette den Atem, und das Herz schlägt ihr wie toll vor Freude.

Ohne ein Wort, nach Luft ringend, steht sie endlich auf der Schwelle des Wohnzimmers, die Hand auf die Brust gedrückt, den Blick der strahlend geweiteten Augen auf Levin gerichtet. Die Treppen, es sind die Treppen sagt sie, um dem Erstaunen ihres Schwagers die Spitze zu brechen, und so klingt es in Levins ‚Lebenserinnerungen' nach: ‚Annette kam schweratmend, wie immer, wenn es galt Treppen zu ersteigen, aus ihren Gemächern herüber.'

Wiedersehen, – sie bewahren beide ihre Fassung, kaum ein flüchtiger Druck der Hände, kein Du, ein formelles Hin und Her der üblichen Worte über die Reise, die Unterkünfte, das schlechte Wetter, Ermunterung Jennys zuzugreifen, was man bei diesem verspäteten Abendessen vorsetzen kann, und dann ein rasches Gutenachtsagen.

Ein Diener geht mit der flackernden Laterne voran; Levin führt Annette, wie·die Höflichkeit es verlangt, aber hat er ihren Arm in einem stummen Gruß herzlich an sich gedrückt? Gewiß, und sicherlich sind ein paar rasche vertraute Worte hin und her gegangen.

Annette ist in ihren Turm hinaufgestiegen; Levin führt der Diener an einer windgeschützten Mauer entlang, eine offne Halle nimmt ihn auf, zur Rechten geht es aufwärts, ebenfalls in einen Turm; ein Vorzimmer, dann ein rundes Gelaß; es brennen Kerzen, ein Ofen gibt noch schwache Wärme und ein riesiges, uraltes Bett mit vier Pfosten erwartet ihn.

Levin, den Kenner der alten Zeit, den Schwärmer für ein romantisches Mittelalter, alleingelassen, muß der Reiz dieses Raumes bei aller Müdigkeit wie in einen Zauberkreis gebannt haben; man sieht ihn, wie er seine schmale Gelehrtenhand an die Stirn legt und sich fragt, ob er wache oder schon träume. Er soll als Burginsasse in diesem ewigalten Gemäuer leben, und nicht als Tourist mit staunenden Augen für eine Stunde hineinschauen und wieder fortgehen müssen in das banale moderne Leben, wie es ihm am Rhein erging, wenn er sich mit Ferdinand am Zauber alter Burgen berauschte?

Wie hatte Laßberg gesagt? Im siebenten Jahrhundert sei vom fast sagenhaften Frankenkönig Dagobert ein Turm errichtet worden, der nur mit Leitern zugänglich war, dann hatten die kommenden Geschlechter Wohnräume und eine Schildmauer darangesetzt. Karls des Großen Ahn, Karl Martell, solle hier gehaust haben, Laßberg hatte Levin versprochen, ihm sein Zeichen, den eingemeißelten Hammer zu zeigen. Später hätten die Welfen den Pallas gebaut, so sei die Burg gewachsen und gewachsen durch ein Jahrtausend. Im Dunkel war sie Levin so groß wie eine kleine Stadt erschienen.

Hatte der alte Ritter nicht auch die Hohenstaufen genannt? Gewiß, er täuschte sich nicht: der junge blonde Konradin, der letzte Hohenstaufe, hätte auf seiner Todesfahrt nach Italien in diesen gleichen Mauern als Neffe des Bischofs von Konstanz verweilt.

War es zu fassen? Das gleiche Tor, an das er, Levin Schücking, heute in dieser Sturmesnacht gepocht hatte, war damals vor sechshundert Jahren dem Kaisersproß und den Rittern, die ihn als glänzendes Gefolge umgaben, geöffnet worden.

Erging es Levin, der endlich, übererregt, sein Bett aufsuchte, wie so manchem Schläfer, der vor ihm in diesem Turmzimmer genächtigt hatte, daß er sich fragte: wer mochte sich in diesem runden Zimmer zur Nacht bereitet, wer in diesem riesigen Bett geruht haben?

Ja, wer mochte hier das Schwert vom Gurt gelöst und es dort auf die Truhe gelegt haben? Wer hatte an diesem geschnitzten Holzblock die hohen Reiterstiefel von den Füßen gezogen? Vielleicht hatte einmal ein Lederwams mit breitem Spitzenkragen dort über dem hochlehnigen Stuhl aus der Zeit des Dreißigjährigen Krieges gelegen.

Oder hat Levin die Kerze gehoben, um das Gemälde des Maltesergenerals zu betrachten, oder den Kalender der Konstanzer Fürstbischöfe, der immer noch die Tage der galanten Zeit des achtzehnten Jahrhunderts verkündete?

Das Herz muß ihm schwer geschlagen haben unter dem Ansturm der Bilder, beim Berühren der Möbel aus mehreren Zeitaltern, von denen noch ein knisterndes Leben auszugehen schien. Daß er den Schlaf in dieser ersten Nacht nicht finden konnte, hat er für seine Kindeskinder aufgeschrieben, so unvergeßlich waren diese Stunden, in denen Wirklichkeit und Phantasie sich zu einem Traum verdichteten, der sich zwischen die gewundenen Pfosten drängte und sich unter dem geschnitzten Dach seines Bettes zusammenballte, um ihn, diesen Zufallsgast, schier zu ersticken.

Dieser Oktober des Jahres 1841 muß sich nach der stürmischen Ankunftsnacht Levins in der ganzen Schönheit gezeigt haben, die Land und See und Berge zur Jahresneige ihren einzigartigen Zauber verleihen, denn in Annettens Briefen, die in die Heimat gingen, war viel vom Entzücken ihres Freundes die Rede, der angesichts des Zaubers dieser Tage kaum den Entschluß finden konnte, sich mit Laßbergs verstaubten Schätzen in dem großen düsteren Bibliotheksaal einzusperren; auch sind Annettens Gedichte, die diesem Herbst entstammen, erfüllt von der Trunkenheit durch Sonne, Farben, Trauben, Wein und freier Natur. Und gar ihre späteren Briefe! Immer wieder schweifen ihre Gedanken zurück in diesen goldenen, frohen, überreichen Herbst, der ihr den steilen Aufstieg zu einem niegeahnten Gipfel ihres Lebens brachte.

Man weiß wie es war, vom Morgen an, da Levin zwischen den Pfosten seines alten Bettes erwachte, und er, hinausschauend aus dem Fenster, vor dem am gestrigen späten Abend Regenböen herniedergingen, im strahlend blauen See die Insel Mainau in zarten Morgennebeln schwimmen sah.

Die nächsten Stunden gehörten Laßberg, der mit aller Umständlichkeit des Alters und der Gründlichkeit des Gelehrten seinen Bibliothekar in die Arbeit der nächsten Wochen einführte. Er hatte zu katalogisieren, altfranzösische Texte zu übersetzen, die Werke nach ihrer Entstehungszeit und der Sprache, in der sie verfaßt waren, zu ordnen, die kostbarsten Stücke ausführlich zu beschreiben und in verschließbare Schränke zu versorgen, und was der Arbeiten mehr waren.

Aus Levin Schückings ‚Lebenserinnerungen‘ spricht noch zur Zeit, da er sie als alter Mann niederschrieb, die Verblüffung und schier atemlose Bewunderung vor dem Reichtum an Schätzen, die vom Kulturleben ganz Europas zeugten.

Einige Tage lang muß er wie benommen vor seiner Aufgabe gesessen sein, mit seinen lebendigen Händen diese Zeugen toter Zeiten berühren zu sollen; zu einer ernsten Arbeit konnte er sich im Anfang nicht entschließen, und wenn dann Annette ihn noch besuchte, sich über seine Schulter beugte und sie gemeinsam die Inkunabeln, die Pergamente, die Breviere, die Klosterschriften und die Nibelungenhandschrift mit ihren köstlichen naiven Bildern betrachteten, dann schwindelte ihn, und er eilte ins Freie, an den See hinunter oder in den Wald, über die Wiesen und durch die Rebberge, und Annette, die in dieser Zeit schlank und rank war und so leicht ging, wie selten in ihrem Leben, begleitete ihn.

Die Weinernte war vorüber, an den Stöcken vergilbte das Laub, die Wälder färbten sich täglich tiefer ins Bräunliche und Kupferfarbene. Die vielen Obstbäume standen wie dunkle Mosaikbilder vor dem leuchtend grünen und lilagesprenkelten Wiesengrund, denn das kurze Gras hatte sich noch einmal im Regen verjüngt und die Herbstzeitlosen führten auf dem weichen Teppich ihr kurzes, verspätetes Blumenleben.

Beide, Annette und Levin, liebten außer der belebten Natur nichts so sehr wie Steine; Steine, an denen urzeitliches Leben haftete, oder Steine, von Menschenhänden aufgetürmt, die das Dasein von Generationen ausströmten. Wie manche Stunde verbrachten sie mit dem Durchstreifen der alten Burg; man kam nie an ein Ende und konnte sich in den unzähligen Gängen und Treppen, Höfen und Sälen, die unbenutzt blieben, verirren.

Wie dieses Mauerwerk aus Findlingssteinen, die nicht von Menschen aufgeschichtet schienen, Annette immer wieder mit einem Schauer der Ehrfurcht erfüllte! Sie legte gern ihre zarten, weißen Hände an die gewaltigen rohen Blöcke aus Granit und Porphyr. Mehr als drei Ellen dick war die Mauer der Dürnitz, das war ein niedriger Saal aus dem siebenten Jahrhundert mit einem offnen Abzugskanal für den Rauch des offnen Feuers, das man auf dem Steinboden entzündete. Zwölfhundert Jahre waren vergangen, seit die Glut die Steine unter ihren und Levins Füßen geschwärzt hatte. Wie lang war die Spanne Zeit an der Geschichte Europas gemessen, wie sekundenkurz, wenn man an den Gang der Jahrmillionen dachte, die diese Blöcke zugeschliffen und hierhergeschoben hatten.

Es war eine Erleichterung, und das frohe Lachen kam ihnen zurück, wenn sie durch den Wehrgang zur Waffenschmiede eilten, in ihrer Phantasie das klingende Hämmern vernehmend, mit dem die schartigen Schwerter vom letzten Kampf neu hergerichtet wurden. Hier war die riesige, rußige Esse mit dem Blasebalg.

Licht und freundlich – aber wie schlicht – war der Rittersaal, der in der Blütezeit der Gotik ein kultiviertes, sogar preziöses Leben unter den Herren und Damen gesehen, gerade so wie es auf den Miniaturen des Codex C abgebildet war.

Levin konnte wie außer sich vor Entzücken sein; in einem Brief Annettens an Elise Rüdiger erzählt sie ihrer Freundin davon:

‚Die vielen seltenen Bücher machen ihm große Freude, und die Gegend, der Bodensee, die Alpen, die alte Burg mit ihren Türmen, Wendelstiegen, ganzen Reihen von unterirdischen Gefängnisgewölben, wo die Gefangenen ihre Namen und alte Sprüche mit spitzen Steinen in die Felswand gekratzt haben, und nicht weniger als fünf verfallenen Gängen in dem Berg, deren Ausgang uns unbekannt ist, haben ihm einen unbeschreiblichen Eindruck gemacht.

Wir hatten anfangs alle Mühe, ihn von Unternehmungen auf die Berggänge, die bis unter den Spiegel des Bodensees führen sollen, abzuhalten, seit er aber eins der Löcher mit einem Steinwurf sondiert und erst auf Turmtiefe Grund gefunden hat, ist ihm die Lust vergangen, und er will, wie er sagt, seinen besten und einzigen Hals doch lieber nicht riskieren.

Am Strande spaziert er, – das heißt in Begleitung Annettens, und es bleibt ihre größte gemeinsame Freude, – täglich eine Stunde und freut sich wie ein Kind, wenn die Wellen ihm entgegenbranden und spritzen und über dicken hohen Wolkenschichten die Kuppen der Alpen wie Ossians Geister hervorschaun.‘

Das Seeufer war auch Annettens Freude. Die Muscheln, die sie bei diesen Spaziergängen in Wind und Wetter sammelten, kleine wertlose Dinger, aber Symbole ihrer glücklichen Zeit, hütete Annette durch Jahre wie ihre kostbarsten Stücke, und Levin schickte ihr aus andern Gegenden Schächtelchen voll der gleichen Muscheln als Erinnerungszeichen an ihre frohesten Stunden.

Auch als der November kam, verloren See und Land und Berge sowie die anmutige kleine Stadt, das Bischofspalais und die Burg nichts von ihrem Reiz, alles und alles klang zusammen zu einem Freudenlied, in dem sie und Levin eine Strophe waren. Wie war die Welt so schön, wie war das Leben frei und festlich, ein Lebensstrom, der nicht eher verrauschen konnte, als bis er in das Meer der Ewigkeit mündete.

Jeden Tag muß Annette es von neuem wie ein Geschenk empfunden haben, mit einem geliebten Freund ungestört vereint zu sein, von Schönheit und Geist umgeben wie von dieser leichten Luft, in der sie ohne Mühe atmete. Wohin waren die Krankheiten, die sie zu Zeiten der Äquinoktien überfielen? Hier war ihr Kopf frei von Schmerzen, die Brust spürte keinen Druck, vorüber waren die Schwindelanfälle und die Übelkeiten, und das Herz schlug ruhig und stetig und nachts nahte ihr der Schlaf eher noch, als sie ihn rief.

Und die Quellen ihres großen Könnens, die so lange unter dem Geröll von mancherlei Leid und Verzicht ungenützt in die Tiefe gesickert waren, begannen endlich in dieser Befreiung durch das Glück zu sprudeln und zu rauschen.

26

Es kam nun bald so, daß Annette jeden Nachmittag die Burg, allein fortgehend, verließ, um am Strand oder über Meersburg im Walde spazieren zu gehen, denn so nachsichtig Jenny die Freundschaft ihrer Schwester mit Levin betrachtete und so unbefangen Laßberg seine Schwägerin mit dem ‚Seelenfreund‘ zu necken liebte, der Gedanke an tägliche gemeinsame Spaziergänge war doch eine gar zu große Last für ihrer beider Verantwortungsgefühl. Allzuviel Freiheit des Benehmens hätte Jenny niemals ihrer Mutter gegenüber rechtfertigen können, und Annette wollte ihre Schwester nicht in Verlegenheit bringen, so traf sie Levin erst am Eingang des Waldes oder unten am Strand.

Die Komödie der Ahnungslosigkeit über Levins Engagement auf der Meersburg, die Jenny und Annette vor ihrer Mutter mit so viel Angst und Eifer gespielt hatten, war nämlich völlig mißglückt. Während Annette noch am 26. Oktober in ungenierter Heuchelei an ihre Mutter schrieb:

‚Soeben sagt mir Jenny, daß ich dir schreiben solle, daß Schükking hier ist. Es ist richtig, in ihrem Brief konnte es noch nicht stehen. Laßberg hat ihm nach Darmstadt, wo er sich gerade bei Freiligrath aufhielt, geschrieben, um einen Katalog von seiner Bibliothek zu machen. Laßberg ist ganz von selbst auf den Einfall gekommen, da er sich schon längst, nach seiner geheimnisvollen Weise ganz im stillen, nach einem Menschen umgesehen, der bei den nötigen Kenntnissen keine großen Forderungen mache und ihn nicht im Hause geniere; so habe ich nichts von dem Plane gewußt, bis er zur Ausführung kommen sollte, habe mich aber recht gefreut, Schücking zu sehen, der vor etwa zehn Tagen angekommen und den ganzen Tag so fleißig bei der Arbeit ist, daß Laßberg ihn lobt.

Wir sehen ihn selten, außer bei Tische, da er in den freien Stunden an seinen eigenen Schriftstellereien arbeitet oder auch ins Museum geht, die Zeitungen zu lesen.‘

Das war für einen furchtlosen und wahrheitsliebenden Menschen wie Annette eine starke Leistung und zeigt, daß sie bereit war, mit Zähnen und Krallen um ihr Glück zu kämpfen, denn das wußte sie: war einmal ihre Mutter für den Ruf der Tochter in Sorge geraten, so würde sie keine Gewalt scheuen, sie von ihrem Freunde zu trennen. Annette fühlt, was für sie auf dem Spiel steht, und weiß: die Mutter ist die Stärkere. So kämpft sie nun, wie sie kann.

Aber von ihrer Mutter ist seit der Abreise kein Wort gekommen. Es ging ihr beim Abschied in Rüschhaus nicht gut, doch ist von Werner Nachricht eingetroffen; der hätte ihr geschrieben, wenn Grund zur Sorge bestünde, denn die Schreckensbotschaft, die seine eigenste Familie betrifft und die Annette schwer treffen muß, verschweigt er nicht, den gefürchteten Tod seines Töchterchens Anna, das Annette so nahegestanden.

Warum schweigt die Mutter? Annette weiß, daß die Bornstedt sich mit ihrer Schwägerin Line angefreundet hat und ihre Klatschereien nun brühwarm nach Hülshoff zu tragen pflegt. Hat sie von Levins Berufung gehört, und hat sie Unheil angerichtet? Was ist geschehen?

Neben ihrem strahlenden Glück mit Levin geht der drohende Schatten des Zornes ihrer Mutter einher; Annette in ihrer Gerechtigkeit wird sich gesagt haben, daß Lügen immer noch kurze Beine haben und es ihr recht geschieht, wenn sie sich jetzt in der eigenen Falle gefangen hat. Sie schreibt einmal an Elise, wie sie früh, bevor irgend jemand von den Ihren erwacht, schon dem Postboten auflauert, ob er einen Brief aus Rüschhaus oder Hülshoff bringt, und auch in einem Gedicht ‚Der Brief aus der Heimat‘ spricht Annette von diesem verzweifelten Warten:

> *Seit Wochen weckte sie der Lampe Schein,*
> *Hat bebend an der Stiege sie gelauscht;*
> *Wenn plötzlich am Gemäuer knackt der Schrein,*
> *Ein Fensterladen auf im Winde rauscht –*
> *Es kömmt, es naht, die Sorgen sind geendet!*
> *Sie hat gefragt, sie hat sich abgewendet,*
> *Und schloß sich dann in ihre Kammer ein.*
>
> *Kein Lebenszeichen von der liebsten Hand,*
> *Von jener, die sie sorglich hat gelenkt,*
> *Als sie zum erstenmal zu festem Stand*
> *Die zarten Kinderfüßchen hat gesenkt;*
> *Versprengter Tropfen von der Quelle Rande,*
> *Harrt sie vergebens in dem fremden Lande;*
> *Die Tage schleichen hin, die Woche schwand.*

Im Gedicht sagt Annette, es sei die Sorge um die Gesundheit der Mutter, die sie fast von Sinnen bringt, aber es ist wohl mehr die Sorge um den Verlust von Theresens Liebe, die zu ihrem Leben gehört wie die Luft zum Atmen, und wenn sie diese Liebe verloren hätte, dann würde auch ihr Glück mit Levin gewaltsam zerschlagen werden, denn Therese von Droste konnte in einen gewaltigen Zorn geraten.

Und schließlich war es genau so, wie Annette es gefürchtet hatte.

Am 14. Dezember (1841) schreibt sie an Elise Rüdiger:

,Die Bornstedt hat die bewußte Klatscherei, die ganz unzweifelhaft von ihr ausgegangen ist, auch schon nach Hülshoff getragen. Mama schreibt: ,Daß Schücking bei euch ist, wußte ich schon durch die Hülshoffer, denen es die Bornstedt, die gleich nach Annas Tode auf acht Tage hingefahren war, erzählt hatte. Wie mag diese die Sache wohl ansehen? Ich fürchte, wie ein verabredetes Rendez-vous; das wäre doch sehr traurig. Ich kann dieses nur wie eine sehr milde Art, mir beizubringen, was die Bornstedt *wirklich* gesagt hat, ansehn, und zugleich diese Milde nur meiner Abwesenheit und der Furcht, meine Genesung durch Ärger rückgängig zu machen, zuschreiben, wär' ich gesund und in Rüschhaus, so hätte es gewiß sehr harte Szenen gesetzt, deren Resultat unfehlbar unerfreulich und trennend gewesen wär', und noch weiß ich nicht, ob nicht ernste Beschränkungen meiner warten, wenn ich zurückkomme. Diese Person ist doch eine wahre Pest für Münster!'

Annette hatte sich aber wieder einmal in ihrer Mutter Therese getäuscht; nie rechnete sie genug mit der Großzügigkeit, dem Verstand und der verborgenen Zärtlichkeit dieser ungewöhnlichen Frau. Wenn Therese auch in ihrer Sorge vor Geschwätz über ihre Tochter anfangs aufzubrausen pflegte und wie ein Argus immer ein Auge offen hielt, so war sie durchaus fähig, einzusehen – wenn auch zu ihrem Mißvergnügen –, wo sie schweigend zurücktreten mußte.

Annettens Liebe zu ihrer Mutter ist nach der Zeit in Meersburg noch sichtbarlich gewachsen und zeugt von ihrer rückhaltlosen Bewunderung vor Theresens nicht wankender Gerechtigkeit und unbestechlicher Menschlichkeit.

Nach dem ersten Schrecken über die lakonische Ankündigung

ihrer Mutter, sie habe das Spiel ihrer Töchter längst durchschaut, scheint keinerlei Bedrohung mehr von der Heimat nach Meersburg gedrungen zu sein, so konnte nun Annette, von jedem Druck befreit, sich ihrer schönen Zeit mit Levin hingeben. Wie tief und unverwischbar die Furche war, die das schmerzlich schöne Glück in Annettens Wesen grub, haben die Ihren nie erfahren, denn das stärkste Licht, das sich in Gedichte an Levin ergoß, hat dieser auf Annettens inständige Bitte bis in sein Alter vor der Welt verborgen.

Ja, jetzt endlich war sie frei, beschwingt, wie um Jahre verjüngt, nicht nur äußerlich, nein, auch im Gemüt. Denn jetzt, Arm in Arm mit dem Freunde auf den Höhen über Meersburg dahinwandernd, die Zunge gelöst, das Herz offen, den Geist schweifen lassend wie der Falke dort oben in der blauen Luft, jetzt endlich durfte sie sein, wie sie war, und brauchte nicht mehr das Wesen zu scheinen, das sie im Leben darzustellen hatte.

Wie ein seliger Schrei klingt ihr Wort aus dieser Zeit: ,So großes Kleinod, einmal sein statt gelten!'

Levin wollte Annette indessen gar nicht anders haben, als sie im täglichen Leben erschien, aber was wußte seine Jugend und Unerfahrenheit von ihrem verborgenen Wesen? Er hat sie bewundert, geliebt und verehrt, und sein Bedürfnis nach Hingabe drückte sich in einer Zärtlichkeit aus, die Annette in ihrem Liebesverlangen von Jahrzehnten in dem Glauben gesunden ließ, von nun an einen unaustrinkbaren Becher der Erquickung zu besitzen.

Freiligrath, der voller Eifer über dieser blühenden Freundschaft wachte, schrieb nach einiger Zeit von der Abgötterei, die eines mit dem andern trieb. Aber es war nicht ,Abgotterei', was Levin und Annette aneinander fesselte, es war das Entzücken zweier Menschen, die miteinander ,zufrieden' waren; sie wollten sich nicht anders haben, waren sie doch in eine Harmonie eingegangen, die ein so seltenes Geschenk an die Menschen ist.

Annette war sich klar über die Art ihres Glücks, aber Levin wußte damals und bis an sein Lebensende nicht, wie groß die Zeit seines Lebens war, die ihm in diesem Meersburger Winter geschenkt wurde. Er hat später wie in Erstaunen geschrieben, daß ihn Gefühle bewegten, über die er sich nicht recht klar war.

Nein, er sah nach Art der Jugend nicht klar, aber er ließ sich entzückt von seinen erhobenen Gefühlen treiben. Annette, in ihrem himmelstürmenden Idealismus, sah auch ihrerseits nicht klar, denn sie schloß von ihren lebensstarken, echten Gefühlen auf Levins Empfindungen; hatten sie nicht nach altem mystischen Glauben ihre Wesen vertauscht, und mußte er nicht wie sie erschüttert vor dem Geschenk dieser geistigen Liebe stehen? Daß sie stärker liebte als Levin, das war ihr hingegen kein Geheimnis, aber es hemmte den triumphalen Aufschwung ihres Geistes keineswegs. In diesem stolz-gelassenen Wissen ist sie die Führende, aber ebenso in dem Wissen um den einen ewigdrohenden Schatten: dem Bewußtsein, Levin um Jahre vorauszusein.

Es entstand in dieser Zeit ein Gedicht: ‚Der zu früh geborene Dichter‘; darin spricht Annette wie immer von sich als von einem Mann und beschreibt zuerst ihre verfrühte Geburt, danach ihr bescheidenes, bedrängtes und verhöhntes Dichten bis zum gegenwärtigen Zeitpunkt:

> *So ward denn eine werte Zeit*
> *Vertrödelt und verstammelt,*
> *Lichtblonde Liederlein juchheit*
> *Und Weidenduft gesammelt;*
> *Wohl fielen Tränen in den Flaum*
> *Und schimmerten am Raine,*
> *Erfaßte ihn der glühe Traum*
> *Von einem Palmenhaine.*
>
> *Und als das Leben ausgebrannt*
> *Und fühlte sich vergehen,*
> *Da sollt’ wie Moses er das Land*
> *Der Gottverheißung sehen:*
> *Er sah, er sah sie Schaft an Schaft*
> *Die heil’gen Kronen tragen*
> *Und drunter all die frische Kraft*
> *Der edlen Sprossen ragen.*

Aber jetzt endlich soll auch ihre Lyra, gleich den jungen Kräften um sie her, ‚den Blitz durch die Smaragden senden'. Und doch bricht die bittre Wahrheit wieder über sie herein: sie ist alt, zu alt, um neben der Jugendkraft zu kämpfen, und der Seufzer entringt sich ihr:

> *Ach, arme Frist, an solchem Schaft*
> *Mit mattem Fuß zu klimmen;*
> *Die Sehne seiner Jugendkraft,*
> *Vermag er sie zu stimmen?*
> *Und bald erseufzt er: ‚Hin ist hin!*
> *Vertrödelt ist verloren!*
> *Die Scholle winkt, weh mir, ich bin*
> *Zu früh, zu früh geboren!'*

Man hat gesagt, daß dieses Gedicht aus dem Schmerz Annettens entstand, nicht zur jungen Dichtergeneration zu gehören, andrerseits ist es bekannt, welch heftige Ablehnung sie gegen das junge, revolutionäre, alle Tradition bekämpfende Deutschland empfand, auch hat sie sich in ihrem Dichten und Schreiben nie nach Vorbildern umgeschaut oder versucht, sich irgendeiner Strömung anzuschließen; sie war durchaus einzeln und wußte es; so ist dieses Gedicht wohl eher eine Umschreibung des nie ruhenden Stachels: Levin, für dich bin ich zu früh geboren; durch ‚einen frevlen Witz des Geschicks' sind wir an Jahren so sehr auseinandergerückt, daß einzig der schwindelnde Bau einer übergeschlechtlichen Freundschaft unsere Liebe retten kann.

Schon in der ersten Zeit, da Levin wie verzaubert durch diese Meersburger Welt schritt und ihre Glücksgefühle Tag um Tag noch höher aufrauschten, muß sie ihn zur Schenke über dem See geführt haben; denn Levin kam ja im Oktober, sie saßen aber, wie Annette es beschreibt, noch im Freien auf der hinausgebauten Plattform vor ‚Figels Häuschen' und aßen Trauben.

Vielleicht war es an einem der letzten warmen Tage des Jahres; sie sind fröhlich und lachen miteinander, haben ihren Spaß an dem zwergenhaft kleinen Wirt und plaudern von den Dingen ihres Lebens. Annette muß Levin erzählt haben, wie sie als fünf-

293

zehnjähriges Mädchen schwärmerisch verliebt in seine Mutter gewesen sei und ein schrecklich schlechtes Gewissen über diese ‚Untreue‘ gegen die Ihren gehabt habe. Und weiter wird sie im Innern gedacht haben: und der Sohn dieser Jugendfreundin sitzt mir gegenüber und wir sind Liebende!

In dieser Sekunde mag ihr der bittere Gedanke an den ‚frevlen Witz‘ des Schicksals gekommen sein, daß sie, Annette, eine Frau von vierundvierzig Jahren einem Jüngling von achtundzwanzig Jahren verbunden war. Nie wird ein Mensch weder sie noch ihn begreifen. Einen Augenblick mag sie gedankenverloren auf die Schüssel mit überreifen Trauben gestarrt haben; eine Beere war geplatzt, und der Saft tropfte heraus wie Tränen ... die letzten Trauben des Jahres; jede Nacht konnte der Frost eintreten.

Levin hat wohl fröhlich fortgeplaudert; nein, auch Annette wollte in dieser schönen Stunde keinen Schatten sehen, und sie lenkte das Gespräch auf diesen herrlich klaren Tag, an dem man die jenseitige Alpenkette bis in jede Schrunde erkennen konnte, – aber der Schatten auf ihrer Seele blieb: sie ist alt im alten Gemäuer, Levin jung wie eine Schwalbe im Frühling, er glaubt an den immer neuen Wechsel zum Besseren, sie ringt schon mit dem Ahnen zu abermaligem Verlieren, – aber davon soll Levin nichts merken, sie will ihm eine fröhliche Gefährtin sein.

Als sie schon Abschied genommen vom kleinen Wirt, bleibt Annette jedoch noch einmal stehen: ‚Levin gib mir einen Bogen Papier, einen Schreibstift‘, und sie setzt sich nochmals auf die Holzbank und schreibt mit fliegender Hand sieben Verse nieder:

> *Ist's nicht ein heitrer Ort, mein junger Freund,*
> *Das kleine Haus, das schier vom Hange gleitet,*
> *Wo so possierlich uns der Wirt erscheint,*
> *So übermächtig sich die Landschaft breitet;*
> *Wo uns ergötzt im neckischen Kontrast*
> *Das Wurzelmännchen mit verschmitzter Miene,*
> *Das wie ein Aal sich schlingt und kugelt fast,*
> *Im Angesicht der stolzen Alpenbühne?*

Sitz nieder! – Trauben! – und behend erscheint
Zopfwedelnd der geschäftige Pygmäe;
O sieh, wie die verletzte Beere weint
Blutige Tränen um des Reifes Nähe;
Frisch, greif in die kristallne Schale, frisch!
Die saftigen Rubine glühn und locken;
Schon fühl ich an des Herbstes reichem Tisch
Den kargen Winter nahn auf leisen Socken.

Das sind dir Hieroglyphen, junges Blut,
Und ich, ich will an deiner lieben Seite
Froh schlürfen meiner Neige letztes Gut,
Schau her, schau drüben in die Näh und Weite;
Wie uns zur Seite sich der Felsen bäumt,
Als könnten wir mit Händen ihn ergreifen,
Wie uns zu Füßen das Gewässer schäumt,
Als könnten wir im Schwunge drüber streifen!

Hörst du das Alphorn überm blauen See?
So klar die Luft, mich dünkt, ich seh den Hirten
Heimzügeln von der duftbesäumten Höh' –
War's nicht, als ob die Rinderglocken schwirrten?
Dort, wo die Schlucht in das Gestein sich drängt –
Mich dünkt, ich seh den kecken Jäger schleichen;
Wenn eine Gemse an der Klippe hängt,
Gewiß, mein Auge müßte sie erreichen.

Trink aus! – Die Alpen liegen stundenweit,
Nur nah die Burg, uns heimisches Gemäuer,
Wo Träume lagern lang verschollner Zeit,
Seltsame Mär' und zorn'ge Abenteuer.
Wohl ziemt es mir, in Räumen schwer und grau,
Zu grübeln über dunkler Taten Reste;
Doch du, Levin, schaust aus dem grimmen Bau
Wie eine Schwalbe aus dem Mauerneste.

Sieh drunten auf dem See im Abendrot
Die Taucherente hin und wider schlüpfend;

Nun sinkt sie nieder wie des Netzes Lot,
Nun wieder aufwärts mit den Wellen hüpfend;
Seltsames Spiel, recht wie ein Lebenslauf!
Wir beide schaun gespannten Blickes nieder;
Du flüsterst lächelnd: immer kömmt sie auf! –
Und ich, ich denke: immer sinkt sie wieder!

Noch einen Blick dem segensreichen Land,
Den Hügeln, Auen, üpp'gem Wellenrauschen.
Und heimwärts dann, wo von der Zinne Rand
Freundliche Augen userm Pfade lauschen;
Brich auf! – da haspelt in behendem Lauf
Das Wirtlein Abschied wedelnd uns entgegen:
‚Geruh'ge Nacht – steh'ns nit zu zeitig auf!'
Das ist der lust'gen Schwaben Abendsegen.

Levin hat später selber von dieser Stunde bei dem kleinen be-
zopften Wirt erzählt und daß Annette ihr in dem Gedicht ‚Die
Schenke am See' ein Denkmal gesetzt habe. Es war eine begnadete Stunde; das Konzept zu Annettens Gedicht zeigt nur wenige Korrekturen, denn Levin hatte unwissentlich aus dem Stein
ihrer Beherrschtheit einen hellen Funken geschlagen, und in der
Burg angelangt, scheint das innere Feuer in Annette noch fort-
gelodert zu haben, denn auf die Rückseite zum letzten Manuskriptblatt zur ‚Schenke am See', schrieb sie die Strophen über
ihr zärtliches Erlebnis mit Kathinka, Levins Mutter, nieder, so
wie sie es ihm in Figls Häuschen erzählt hatte.

27

Laßberg war kein strenger Meister für Levin; er freute sich,
wenn sein Bibliothekar ihm gute und präzise Arbeit leistete,
aber im übrigen ließ er ihn umherschweifen, so viel er wollte,
hatte er doch eine stille Sympathie für diesen jungen Mann, der
seine Schwägerin Nette so leidenschaftlich zu verehren schien.
Er, Laßberg, hatte ja selber einst seine Fürstin, die älter gewesen

war als er, heiß geliebt; wie konnte er da nicht mit Wohlwollen, fast mit väterlicher Liebe zuschauen, wie hier ein hoffnungsvoller Gelehrter, denn das war Levin in Laßbergs Augen, in liebender Begeisterung an einer Freundin hing, die ihm weit voraus war an Jahren.

Nur hätte Laßberg seinem lieben Schücking einen andern Gegenstand seiner Verehrung gewünscht; bei aller Vortrefflichkeit seiner Schwägerin – auch ihr Witz, ihre Liebenswürdigkeit in Ehren –, aber ihre Gedichte waren trostloses Dilettantenwerk, in einem Deutsch verfaßt, das von Provinzialismen strotzte, voll gänzlich undichterischer Ausdrücke, kurz, es war keine Poesie, was sie hervorbrachte.

Er überließ seine gute Schwägerin deshalb lieber den zahlreichen Damenbekanntschaften seiner Frau, aber zog Levin heran, wenn berühmte Gelehrte und Dichter seine Sammlung besuchten.

Einmal kam Ludwig Uhland, der ein fanatischer Verehrer des Mittelalters war. Levin geriet außer sich vor Entzücken, mit einem Dichter, den die junge Generation in den Himmel erhob, an einem Tisch zu sitzen und mit ihm über Literatur debattieren zu dürfen ... Uhland, dessen Ruhm an den Schillers grenzte, Uhland, der gefeierte Privatdozent über ‚Ältere deutsche Poesie‘. Hier saß er bei Tisch, mit ihm, mit Annette, mit den kleinen Mädchen und war linkisch und verlegen wie ein Dorfschulmeister, aber was für ein lieber, guter Mensch!

Auch Annette beobachtete den berühmten Mann, schwieg aber wohlweislich, wenn die Herren sich über Poesie ausließen, im besondern über die, von Uhland neuerweckte Nibelungenstrophe, oder über seine berühmten Balladen: ‚Graf Eberhard im Rauschebart‘, ‚Bertran de Born‘, ‚Des Sängers Fluch‘, ‚Schwäbische Kunde‘ und die vielen andern. Annette in ihrer Bescheidenheit gab sich nicht Rechenschaft, daß sie Uhland im Geiste näher stand als alle Anwesenden zusammengenommen, noch ahnte irgend jemand an dieser Tafelrunde, daß Annette von Drostes Werk in den Augen der Nachwelt sogar an Kraft, Echtheit und Realistik Uhlands zarte Poesie noch überflügeln und von zeit-

loser Bedeutung sein sollte. An Elise Rüdiger schrieb Annette
am 29. Oktober (1841):

,Unter den letzten angenehmen Bekanntschaften zeichnet sich
Uhland aus, der mehrere Tage hier war und, was mich sehr
freute, von Schücking bereits wußte, zu ihm in die Bibliothek
ging und ihn als Bruder in Apollo begrüßte. Schücking ist so
rayonnant darüber, daß er gleich ein Gedicht auf Uhland gemacht hat ...' Und wieder auf Uhland: ,dessen Äußeres keineswegs
vorteilhaft ist und der doch gefällt, wiederum durch große Bescheidenheit, Einfachheit und einen überwiegenden Zug von
Güte, sonst ist er häßlich, seine Gestalt stämmig, fast gemein,
feuerrotes Gesicht, und dazu stammelt er, was ihn so verlegen
macht, daß er zuweilen aus Angst von einem Fuße auf den andern springt, aber plötzlich fährt ein geistiges Blitzen über sein
Gesicht oder ein unbeschreiblicher Zug von Milde und Teilnahme, daß man ihm gern die Hand drücken möchte, wenn man
nicht dächte, es bringe ihn in die größte Verlegenheit.

Er und Laßberg haben sich sehr lieb, und beide sprangen auf
die komischste Weise im Zimmer umher, als sie sich begrüßten,
dann ging es bald an gelehrte Gespräche, in die Bibliothek etc.,
und wir Frauenzimmer kamen gar nicht in Betracht, hatten aber
doch mitunter das Zuhören.'

Ja, die Frauen wurden vom Gespräch der Männer ausgeschlos-
sen und nur unter Laßbergs Neckereien konnte Annette im ,Mu-
seum' der Stadt Meersburg zu Levin gehen, um dort mit ihm
Zeitungen und Zeitschriften zu durchblättern, in denen außer
Arbeiten von Schücking hin und wieder auch Gedichte aus ihrer
Feder erschienen, und doch wohnte die Muse der Dichtkunst in
Person auf der hohen Burg, der ,Götterburg', wie Uhland sie
nannte, in ihrem einsamen Turm, und Laßberg und Jenny, die
Kinder und die Freunde Gaugreben, Fürstenberg, Salm, die Mit-
glieder des sigmaringischen und badischen Hofes, die Honora-
tioren von Meersburg und Konstanz, der Bischof Wessenberg
und andere hohe Geistliche ahnten nicht, was sich unter ihren
Augen vollzog: das Werden der größten Dichterin Deutschlands.

Wie war es möglich, daß die Umwelt nicht fühlte und sah, was hinter der hohen, faltenlosen Stirn der Frau vor sich ging, die ohne einen Anflug von Eitelkeit, mit der Schlichtheit des wahrhaft großen Menschen ihre kostbarsten Kräfte und manche fruchtbare Stunde dem gesellschaftlichen Hin und Her und dem häuslichen Leben opferte? Und doch müssen Annettens große blaue Augen von innerer Begeisterung heller gestrahlt haben denn je vorher, und aus dem Lächeln ihres Mundes, das in seiner schmerzlichen Weisheit so viele Menschen zu entzücken pflegte, hätte die Welt um sie her erraten können, daß sie, einer Heiligen gleich, in den Zustand der Begnadung eingegangen war.

Zu Annettens Zeiten hatten die Männer den Frauen gegenüber einen ungewöhnlichen Mangel an Hellsichtigkeit und Levin Schücking, trotz psychologischen Verständnisses für die Menschen im allgemeinen, besonders wenig; er war sowohl seiner Freundin Annette wie später seiner Braut Luise gegenüber merkwürdig blind.

Nur so konnte die Version der ,Dichterwette', wie Levin ein entscheidendes Gespräch mit Annette auslegte, in das Urteil der Nachwelt eingehen. Ja, es geschah so etwas wie der Abschluß einer Wette, nachdem er seiner Freundin ,in langen ästhetischen Auseinandersetzungen' klar gemacht hatte, daß es ,geraumer Zeit bedürfen würde, um mit einer Sammlung lyrischer Gedichte vor die Welt treten zu können, weil eben die lyrischen Stimmungen und Empfindungen nicht alle Tage kommen und eine neue Blüte treiben, sondern nur von Zeit zu Zeit, wenn einmal irgendein Sturm oder eine Strömung unser Leben ergreift und den schlummernden Meeresspiegel des Gemüts ins Wogen und Wellenschlagen bringt'.

Und dann fährt dieser junge Mann und hochgebildete Literat amüsiert, aber ahnungslos fort:

,Das Fräulein hörte mir dann meist mit einem spöttischen Lächeln um ihren kleinen, anmutigen Mund zu.'

Ja, der Mensch Annette, dieses in Schmerzen und Entsagung gereifte Wesen, dieser männliche Geist in einen weiblichen Körper gesperrt, diese große Wissende, sie konnte nicht anders als zu der kurzsichtigen Gelehrsamkeit dieses unerfahrenen Jünglings lächeln. ‚Was aus ihren Augen mich anblickte‘, fährt Levin dann fort, ‚sah weit mehr wie gutmütiger Spott über die ästhetische Doktrin, die ich entwickelte, aus, denn als Einverständnis damit‘.

Hat Annette wohl den Kopf geschüttelt über Levins Blindheit? Es *hatte* ja ein Sturm ihr Leben ergriffen, der schlummernde Meeresspiegel ihres Gemütes *schlug* ja hohe Wogen; sie habe zum Schluß den Kopf hoffärtig in den Nacken geworfen, sagt Levin, und ihm eine Wette angeboten, in den nächsten Wochen einen ganzen Band lyrischer Gedichte zu schreiben. Und Levin glaubt dieser Wette!

Annette aber wußte, daß sie dem sprudelnden Quell, den das harmonische Verschmelzen mit einem zweiten Wesen befreit hatte, nur die Fassung erbauen mußte, und sie konnte Becher nach Becher hervorheben des klarsten, gehaltvollsten Brunnenwassers.

Das gnädige Fräulein gewann seine Wette!

In ihrem Turmzimmer, in das kein Laut von außen drang, wie schwebend über der Kapelle, die so oft ihre Gebete und den seligsten Dank für das Geschenk ihrer Liebe gehört, den Blick nur selten aussendend in die Weite des Sees und der Berge, flossen ihr die Strophen ewigschöner Gedichte in die Feder.

Wenn sie einmal in tiefem Sinnen verharrte, sah ihr inneres Auge die Heimat um sich her erstehen, die ganze Jugend mit dem Übermaß an Eindrücken drängte sich dann in ihr empor: da war dieses Grauen vor den übersinnlichen Mächten, verwoben mit der dämonischen Lust an allem Außernatürlichen, Geisterhaften, dieses rätselhafte Eingreifen in das Leben der schlichten Heidemenschen und die Demut vor der Gewalt der Elemente, das Begreifen aber auch ihrer tiefsten Geheimnisse. Als eine ‚Eingeweihte‘ empfand Annette ihr Wissen um Dinge, die durch das Herz der großen Natur und das Herz der so kleinen Menschen gingen. Sie wußte zwar nicht, daß ihre Hand die einer großen Dichterin war, und sie in diesen stillen Herbst- und Winterstunden, in dieser erst goldenen und dann silbern gedämpften Zeit, ein unvergängliches Werk entstehen ließ.

Aber davon war sie in ihrer hellen Klugheit überzeugt, daß

ihr der Himmel einen Auftrag gegeben hatte und somit die heilige Verpflichtung – ob von der Welt verstanden oder unverstanden, gelobt oder getadelt –, mit ‚der Zaubermacht des Wortes' den geistigen Besitz aller Menschen, die die deutsche Sprache reden, zu bereichern.

Wenn sie nach Stunden der höchsten Besessenheit, erschöpft, aber strahlenden Auges bei Levin in der Bibliothek erschien und ihm die frisch beschriebenen Blätter auf seine vergilbten Pergamente legte, wie einen Blütenzweig auf einen altersgrauen Stein, dann war sein Freundesherz hell entzückt. Oder hatte sie abends spät, nachdem das Familienleben mit Puffspiel, Vorlesen, Handarbeiten und Gesprächen über andere Leute endlich aufgehoben war, noch bei Kerzenlicht in ihrem Zimmer geschrieben, so ließ die Sehnsucht, Levin in das Glück ihres Schaffens einzuweihen, ihr oft keine Ruhe, und war die Nacht noch so kalt und stürmisch, sie warf ihren wattierten Mantel über die Schultern, ergriff ihre Manuskriptblätter, das Windlicht und huschte wie ein Geist an der klotzigen, unendlich hohen Mauer des Pallas die Nordbastion entlang in die offne, überwölbte Halle vor Levins Turm und eilte zu ihm, dem einzig geliebten Menschen, hinauf.

Levin sprang dann wohl von seiner späten Arbeit auf, nahm ihr den regennassen Mantel ab, den Spitzenschleier von den Haaren und führte sie zu seinem großen Stuhl mit der hohen, steilen Lehne. Das Licht rückte er nahe neben sie, setzte sich ihr gegenüber ins Halbdunkel, betrachtete das geliebte Antlitz, das, gezeichnet vom Leben und von den Jahren, dennoch wie ein schönes Bild vor dem dunklen Gobelingrund der gepolsterten Stuhllehne aufleuchtete, und wartete, daß sie begann.

Vielleicht hatten sie an diesem Tag beim Spaziergehen die Herbstfeuer gesehen, in denen die Weinbauern die alten Rebenpflanzen verbrannten, und es waren in Annette halbvergessene Bilder aus der Heimat aufgetaucht: das dunkle Moor und die nächtliche Heide, und Hirtenknaben, die sich in dieser kalten Herbstzeit ein wärmendes Feuer entzündet hatten; und sie sangen, diese Knaben, sie erinnerte sich gut, die Stimmen wurden weit, weit über die Steppe getragen, als sängen sie über dem Was-

ser. Levin kannte die gleichen Bilder, den gleichen uralten Gesang
und sie las ihm vor:

> *Dunkel, Dunkel im Moor,*
> *Über der Heide Nacht,*
> *Nur das rieselnde Rohr*
> *Neben der Mühle wacht,*
> *Und an des Rades Speichen*
> *Schwellende Tropfen schleichen.*
>
> *Unke kauert im Sumpf,*
> *Igel im Grase duckt,*
> *In dem modernden Stumpf*
> *Schlafend die Kröte zuckt,*
> *Und am sandigen Hange*
> *Rollt sich fester die Schlange.*
>
> *Was glimmt dort hinterm Ginster*
> *Und bildet lichte Scheiben?*
> *Nun wirft es Funkenflinster,*
> *Die löschend niederstäuben;*
> *Nun wieder alles dunkel —*
> *Ich hör' des Stahles Picken,*
> *Ein Knistern, ein Gefunkel,*
> *Und auf die Flammen zücken.*
>
> *Und Hirtenbuben hocken*
> *Im Kreis' umher, sie strecken*
> *Die Hände, Torfes Brocken*
> *Seh' ich die Lohe lecken;*
> *Da bricht ein starker Knabe*
> *Aus des Gestrüppes Windel*
> *Und schleifet nach im Trabe*
> *Ein wüst Wacholderbündel.*
>
> *Er läßt's am Feuer kippen —*
> *Hei, wie die Buben johlen,*
> *Und mit den Fingern schnippen*
> *Die Funken — Girandolen!*

Wie ihre Zipfelmützen
Am Ohre lustig flattern,
Und wie die Nadeln spritzen,
Und wie die Äste knattern!

Die Flamme sinkt, sie hocken
Aufs neu' umher im Kreise,
Und wieder fliegen Brocken,
Und wieder schwelt es leise;
Glührote Lichter streichen
An Haarbusch und Gesichte,
Und schier Dämonen gleichen
Die kleinen Heidewichte.

Der da, der Unbeschuhte,
Was streckt er in das Dunkel
Den Arm wie eine Rute?
Im Kreise welch Gemunkel?
Sie spähn wie junge Geier
Von ihrer Ginsterschütte:
Ha, noch ein Hirtenfeuer,
Recht an des Dammes Mitte!

Man sieht es eben steigen
Und seine Schimmer breiten,
Den wirren Funkenreigen
Übern Wacholder gleiten;
Die Buben flüstern leise,
Sie räuspern ihre Kehlen,
Und alte Heideweise
Vorzittert durch die Schmelen.

‚Helo, heloe!
Heloe, loe!
Komm du auf unsre Heide,
Wo ich mein Schäflein weide,
Komm, o komm in unser Bruch,
Da gibt's der Blümelein genug! –
Helo, heloe!'

Die Knaben schweigen, lauschen nach dem Tann,
Und leise durch den Ginster zieht's heran:
‚Helo, heloe!
Ich sitze auf dem Walle,
Meine Schäflein schlafen alle,
Komm, o komm in unsern Kamp,
Da wächst das Gras wie Brahm so lang! –
Helo, heloe!
Heloe, loe!'

Am Schluß war Annettens Stimme jung und zart geworden, denn wenn sie in den ersten Strophen wissentlich oder unwissentlich den Geliebten mit tönender Frische zu sich auf ihre Heide rief, so bat sie ihn in dem letzten Vers mit verhallender Bitte:

Komm, o komm in unsern Kamp.

Im Zauber dieser späten Stunden wird Levin nicht kritisiert haben, denn ungetrübt leuchten diese abendlichen Besuche in beider Erinnerung, aber im nüchternen Tageslicht vermochte Levin weniger leicht nur Mensch zu sein, da war seine literarische Gelehrsamkeit nicht fähig, die Größe, die sich ihm, als dem ersten Hörer dieser vollendeten Werke, bot, zu erkennen, und er verfiel dann in sein altes pedantisches Kritisieren.

Da war zunächst die Form der Gedichte, die er beanstandete, auch war er ‚unzufrieden mit einzelnen Wendungen, die ihm gegen den Genius der Sprache zu verstoßen schienen, mit Ausdrükken, die ihm unverständlich, und mit Reimen, die ihn schlecht dünkten'. Auch fand er ‚einzelne Gedichte dunkel und unklar und verlangte eine sorgsame Feile'.

Levin hatte sich ja die Doktrin genannt und bot ‚alle Weisheit auf, um Annette, in der er die naturwüchsige Praxis sah, auf den Pfad der Vernunft zurückzubringen', wie er sich in seinen Lebenserinnerungen ausdrückt. Annette aber ‚wies die Doktrin mit souveräner Frauenlogik zurück'.

Frauenlogik nennt Levin die begnadete Sicherheit des künstlerischen Genies und resigniert stellt er fest, daß all sein gelehrtes Debattieren am ‚Selbstbewußtsein' seiner Freundin abprallt,

Jugendbildnis
der Brüder Wilhelm Grimm und Jakob Grimm,
Lithographie von Ludwig Emil Grimm.

Levin Schücking, Freund der Dichterin.
Portrait.

wie die Regentropfen von dem megalithischen Gemäuer, in dem
er mit seinem literarischen Wissen haust.

Annette liebte Levin wie er war; so lächelte sie nur, ‚ließ sich
aber nicht bewegen von Wendungen und Ausdrücken abzuge-
hen, die ihr am prägnantesten erschienen‘. Einmal verfaßte sie
sogar ein Gedicht: Das Eselein, in dem sie Levin mit ihrem
herrlichen Humor auf seinen Platz stellt; es heißt darin von ihm:

> *Ein edler Jüngling ...*
> *Hinter jedem Ohre ein Federkiel,*
> *Das tät’ ihn wunderbar zieren!*
> *Am Rücken ein Gänseflügelpaar,*
> *Die täten rauschen und wedeln,*
> *Und wißt, seine göttliche Gabe war,*
> *Die schlechte Natur zu veredeln.*
>
> *. . . . . .*
>
> *Einst saß er mit seinem Werkgerät,*
> *Mit Schere, Pinsel und Flasche,*
> *In der eine schwärzliche Lymphe steht,*
> *Mit Spiegel, Feder und Tasche;*
> *Er saß und lauschte, wie in der Näh’*
> *Mein Schimmelchen galoppieret;*
> *Auf dem Finger pfiff er: ‚Pst, Pferdchen, he!‘*
> *Und wacker kam es trottieret.*
>
> *Dann sprach der Edle: ‚Du wärst schon gut,*
> *’ne passable Rosinante,*
> *Nähm’ ich dich ernstlich in meine Hut,*
> *Daß ich den Koller dir bannte;*
> *Ein leiser Traber – ein schmuckes Tier –*
> *Ein unermüdeter Wandrer!*
> *Kurz, wenig wüßt’ ich zu rügen an dir,*
> *Wärst du nur völlig ein andrer.*
>
> *. . . . . .*
>
> *Auch deine Farbe – erbärmlich schlecht!*
> *Nicht blank und dennoch zu lichte,*

Nicht für die romantische Dämmrung recht
Und nicht für die klare Geschichte.

. . . . . .

Und gar dein Schweif, unseliges Vieh!
Der flattert und schlenkert wie Segel,
Ich wette, du meinst dich ein Kraftgenie,
Und scheinst doch andern ein Flegel.'

Am Ende des Gedichtes hat dann Levin, ‚der edle Jüngling', das
arme weiße Rößlein, in dem Annette sich darstellt, mit Pinsel und
Schere gewaltsam zu einem Eselein umgeschafft.

Levin gibt noch in seinem Alter, mit frohem Staunen in diesen
Meersburger Winter zurückschauend, zu, daß Annette auf ihre
eigene Methode mit eisernem Fleiß an ihren Werken feilte und
besserte; nie sei ihr diese Mühe zu groß gewesen, ‚es müßten andere Gründe bestanden haben, aus denen sie Dunkelheiten und
Absonderlichkeiten stehen ließ'.

‚Andere Gründe!' Wahrhaftig! Es war das unfehlbare Dichtergenie, das seine angeborene Sprache besaß und wußte, daß keine
Mode und keine Zeitströmung diese Sprache verwässern durfte.
Levin war ein begabter Literat, von der Romantik zum ‚Jungen
Deutschland' übergegangen und der Vergessenheit bestimmt,
wenn abermals eine neue Richtung junge Talente aufs Feld führte, Annette aber war wie alle echten Dichter zeitlos; sie sprach
die ewiggültige Sprache ‚des Menschen', diese Sprache, von der
jede Zeit sagt: sie ist die unsere, was immer auch daneben als typische Sprache der Epoche einhergehen mag.

Von Annette, diesem begnadeten Wesen, sagte Levin in seiner
überlegenen Männlichkeit ‚das Fräulein', als sei sie irgendeine
weibliche Person, die sich im Dichten versuchte; es gelang ihm
nicht, zu erkennen, daß es angesichts dieses überlegenen Geistes,
der ihn seiner schrankenlosen Geneigtheit würdigte, von keiner
Bedeutung war, ob Gottes Stimme in einem Mann oder in einem
Weibe laut wurde.

Der Mensch Annette von Droste-Hülshoff stand über den Geschlechtern, liebte übergeschlechtlich und war deshalb in dop-

peltem Sinne gesegnet, als ein empfangendes und gebendes Wesen zugleich, das Genie im ewigweiblichen und im herrschend männlichen Sinne.

Aber wer vermag im täglichen Leben durch die körperliche Hülle auch des geliebtesten Menschen hindurchzusehen? So darf man weder Levin für sein gutgemeintes Bemühen um die saubere Reimkunst des Fräuleins von Droste schelten, noch den alten Laßberg dafür, daß er nichts als irritiertes Stirnrunzeln für ‚die Versuche‘ seiner Schwägerin hatte, noch Jenny, die am Abend strickend dem neuesten Werke zuhörte, um dann ängstlich auf stärkere Zurückhaltung, der Leute und der Verwandten wegen, zu drängen.

Annette aber las, unangefochten vom Mückengesumse um ihre Ohren, ‚triumphierend‘, wie Levin Schücking sich ausdrückte, Gedicht über Gedicht vor; sie wußte um den hellen Weg, auf dem sie ging. Als nun aber Jenny und Laßberg gar zu verstört erschienen ob ihrer kühnen Worte in den Heidebildern, die so gar nicht fräuleinhaft klangen, und sie fragten, wie sie auch dazu komme, solche ungehobelte Verse der Öffentlichkeit preisgeben zu wollen, da schmetterte sie ihnen eines Abends im traulichen Familienkreis die stolzen Verse ins Gesicht:

> *Was meinem Kreise mich enttrieb,*
> *Der Kummer friedlichem Gelasse?*
> *Das fragt ihr mich, als sei, ein Dieb,*
> *Ich eingebrochen am Parnasse.*
> *So hört denn, hört, weil ihr gefragt:*
> *Bei der Geburt bin ich geladen,*
> *Mein Recht, so weit der Himmel tagt,*
> *Und meine Macht von Gottes Gnaden.*
>
> *Jetzt, wo hervor der tote Schein*
> *Sich drängt am modervollen Stumpfe,*
> *Wo sich der schönste Blumenrain*
> *Wiegt über dem erstorbnen Sumpfe,*
> *Der Geist, ein blutlos Meteor,*

Entflammt und lischt im Moorgeschwele,
Jetzt ruft die Stunde: Tritt hervor,
Mann oder Weib, lebendge Seele!

Mann oder Weib – lebend'ge Seele; ja, bei Gott, es war gleichgültig, ob sie als Mann oder Weib geschaffen war; ihre lebendige Seele sang und sprach zu den Menschen, sang und sprach, weil sie in Gottes Auftrag zu künden hatte von mancherlei Pflicht. Wie heilig ernst es ihr mit der Macht des Wortes war, sprach sie den Ihren dann im Weiteren vor:

So rief die Zeit, so ward mein Amt
Von Gottes Gnaden mir gegeben,
So mein Beruf mir angestammt,
Im frischen Mut, im warmen Leben;
Ich frage nicht, ob ihr mich nennt,
Nicht frönen mag ich kurzem Ruhme,
Doch wißt, wo die Sahara brennt,
Im Wüstensand steht eine Blume,

Farblos und Duftes bar, nichts weiß
Sie, als den frommen Tau zu hüten
Und dem Verschmachtenden ihn leis
In ihrem Kelche anzubieten.
Vorüber schlüpft die Schlange scheu,
Und Pfeile ihre Blicke regnen,
Vorüber rauscht der stolze Leu,
Allein der Pilger wird sie segnen.

Was bedeutet Annette der Ruhm? Sie will ihn nicht, was gilt es, daß ihr die Jugendschönheit schon genommen; es braucht sie niemand anzusehen, wenn sie die Sendung nur erfüllt, mit ihrem Wort den Weg des Guten zu erhellen!

28

Bis Weihnachten fiel noch kein Schnee, aber es fror Stein und Bein, so glitzerte nun an hellen Sonnentagen die ganze Gegend im Rauhreif wie mit Diamanten besät; die Tage wurden kürzer und kürzer.

Wenn Annette und Levin von ihrem Spaziergang heimkehrten, so standen sie wohl auf der Höhe oberhalb der Burg eine Weile still, um wie vom Rang eines Theaters dem Schauspiel zuzuschauen, das den Sonnenuntergang begleitete: Es war kaum fünf oder vier Uhr, und die Schatten in den Schluchten der nun ganz weißen Berge färbten sich schon saphirblau; die Schneefelder leuchteten glühend auf, immer tiefer wurde das Rot, aber der Schatten kroch langsam aufwärts, so daß es schien, als wische eine mächtige Hand über das Farbenspiel; das Rot erlosch nur zögernd, doch plötzlich standen die Berge da wie Leichen; der Tod war über sie gekommen.

Der Himmel aber, in seiner abendlichen Regie, duldete kein Erschrecken und kein Trauern; er hielt schon andere Farben bereit. Die Alpenkette verwandelte sich rasch zu einer sammetschwarzen haarscharf geschnittenen Silhouette unter einem Firmament, das ein Spiel mit allen Farben anhub: Während im Westen die gelbrote Schleppe der niedersteigenden Sonne verschwand, war das Licht über den Bergen hellgrünes Glas, dann aber drang ein weiches Tiefblau über den ganzen weiten Himmel, und nun, da dieses Zelt gespannt war, erschienen, einem göttlichen Liebespaare gleich, als einzige Sterne, dem noch unsichtbaren Gefolge voranziehend: Jupiter und Venus; nahe beieinander, gemeinsam der Sonne folgend, um bald zu verschwinden.

Jetzt war die Welt eine einzige Dunkelheit, in der das Heer der übrigen Sterne gelassen dahinwandelte. Oh, diese schöne frühe Nacht! Bis Annette und Levin, ganz verstummt im Aufwärtsschauen, auf der Zugbrücke der Burg ankamen – und war es die Zeit dafür –, so erhob sich gerade hinter der östlichen Hügellinie schmal, oder schon gerundet, ein strahlender Mond, nicht der vampirische Mond des Heidelandes, nein, hier erschien er An-

nette wie ,ein sanfter Freund', der die Angst vor der Dunkelheit
zu mildern sucht.

... Die Angst vor der Dunkelheit. Annette in ihrem Glück,
schwebend über dem Erdboden, erschauerte immer wieder trotz
der warmen Helligkeit, die von Levin ausging, vor dem Dunkel
einer Nacht, die sie zu bedrohen schien; sie hätte ihre geheimste
Angst kaum benennen können, denn was sollte eine so große reine Freundschaft gefährden, dieses selbstverständliche Einander-
gehören im Geiste?

Und doch konnte es geschehen, daß Levin ihr scharf und zornig gegenübertrat; wäre es möglich, daß ihre größere Erfahrung
als Mensch und als Dichterin ihn kränkte? Ja, Levin, der in dieser Zeit viel schrieb, Romane und Novellen, die Laßberg ungeniert verurteilte, grollte der alten Generation, und wenn dann
auch Annette Kritik an seinen Werken übte, anstatt ihn als Fach-
mann zu verteidigen, oder wenn ihm sonst aus diesem oder jenem Grunde ihre fortgeschrittenen Jahre zum Bewußtsein kamen, dann packte ihn die Empörung des Mannes, der es nicht
ertrug, einem älteren weiblichen Wesen unterlegen zu sein, und
er zerriß in unbeherrschter Wut den Zauber, mit dem Annettens
Geist ihn zu ihren Füßen gebannt hielt.

Scharfe, unbesonnene Worte drohten alsdann die Harmonie
ihrer Liebe zu trüben. Da war zum Beispiel diese Affäre Herwegh,
die Levin als Tummelplatz für seinen Zorn auserwählte. ,Ein
scharfer Kampf' brach über diesen Mann aus. Vor einem Jahr
hatte Herwegh die ,Geschichte eines Lebendigen' in die Welt hin-
ausgeschleudert, tönende, leidenschaftliche Verse, die der ohne-
hin unruhigen, aufsässigen Jugend vollends den Kopf verdreht
hatten.

Gewiß, man durfte die neue Generation nicht an die Kette legen; Annette liebte die Freiheit wie Levin, aber zügellose Unord-
nung und ein plebejischer Mangel an Haltung waren ihr höchst
zuwider. Und nun war ein Brief Herweghs an Friedrich Wilhelm
IV. von Preußen abgedruckt worden – Levin behauptete gegen
Herweghs Wissen –, in dem dieser in aufsässigen Worten dem
König das Verbot einer neuen Zeitschrift vorwarf.

Es hieß, Herwegh sei des Landes verwiesen und lebe drüben – dort, wo sie das Ufer und die Berge sahen –, in der freien Schweiz. Levin sprach Worte, wie die junge Generation sie mit Recht gegen die Rückständigkeit der Regierung zu schleudern liebte, seine Freundin nannte er eine Reaktionärin, aber Annette – ohne dem Preußenkönig das Wort zu reden, jedoch fest verwurzelt in ihrem lebendigen, so schwer errungenen Glauben, wußte um die magische Kraft des Gehorsams und der fraglosen Demut vor einem höheren Willen, sie fürchtete, daß die Menschheit in Verrohung untersinken müßte, wenn sie einmal die ethische und bürgerliche Disziplin verloren hatte.

Wenn Annette in dieser Überzeugung ganz unzeitgemäß sprach, dann hatte Levin es in der Hand, sie als ‚Fräulein‘ zu verhöhnen, das in einer andern Zeit stehen geblieben war, von der Religion und von Standesgründen aus mit Scheuklappen versehen sei, und so bedenkenlos einen Abgrund zwischen ihnen aufzureißen.

Aber auch in diesen Momenten, da ihr Kostbarstes zu wanken schien, behielt Annette die Führung in der Hand. Da gab es keine weibischen Szenen, kein Schmollen und kindisches Flehen um zärtliche Versöhnung; ruhig und gefaßt, ihren Vorsprung im Alter weniger denn je vergessend, streckt sie Levin, von der wahrhaftigen Wärme ihres Gefühls geleitet, die Hand zur Versöhnung hin. Ja, eines Nachts, als sie die Worte, die tagsüber wie Pfeile hin und her geflogen waren, immer und immer noch einmal wiederholen mußte, schauderte es ihr, daß sie, zwei Freunde, in einer so ungewöhnlichen Liebe vereint, fähig waren, sich so tief zu verletzen.

O nein, sie wären undankbar gegen das Schicksal, wenn sie das Licht verleugnen wollten, das sie gemeinsam umglänzte. Sie muß, sie muß Levin sagen, was sie ihm zu sagen hat: ihrem Dioskur, dessen älterer Freund sie ist, der ihr in der Seele gleicht, weil die gleiche geistige Flamme sie beseelt; Kastor und Pollux sind er und sie, wenn auch das Schicksal *sie* wie in frevlem Witz als Frau gestaltet hat – denn in ihrem Frauentum steht sie dem Freunde ja bei ihrem so verschiedenen Alter unerreichbar fern wie auf einer entlegenen Bergesspitze – und wenn ihre Existenzen sich auch niemals durchdringen können, die Anziehungskraft von einem zum andern vermag kein Unterschied im Geschlecht, keine Verschiedenheit im Alter oder in der Anschauung der Welt und kein Standesunterschied zu zerreißen.

Die Gedanken drängen sich, bis Annette von der ‚göttlichen Raserei' ergriffen ist, ihr Genius treibt sie ... Licht, sie will Licht haben, um sehen zu können, Papier und Schreibstift sind ihr immer nah; sie ist aufgesprungen, hat eine Kerze entzündet, ist in ihr warmes Hauskleid geschlüpft, und nun schreibt und schreibt sie. Als das Licht heruntergebrannt ist, steckt sie ein neues auf den Leuchter, und dann ist es in Worte geformt, was sie am frühen Morgen zu Levin in seinen Turm wird hinübertragen lassen:

Kein Wort, und wär' es scharf wie Stahlesklinge,
Soll trennen, was in tausend Fäden Eins,
So mächtig kein Gedanke, daß er dringe
Vergällend in den Becher reinen Weins;
Das Leben ist so kurz, das Glück so selten,
So großes Kleinod, einmal sein statt gelten!

Hat das Geschick uns, wie in frevlem Witze,
Auf feindlich starre Pole gleich erhöht,
So wisse, dort, dort auf der Scheidung Spitze
Herrscht, König über alle, der Magnet,
Nicht fragt er, ob ihn Fels und Strom gefährde,
Ein Strahl fährt mitten er durchs Herz der Erde.

Blick' in mein Auge – ist es nicht das deine,
Ist nicht mein Zürnen selber deinem gleich?
Du lächelst – und dein Lächeln ist das meine,
An gleicher Lust und gleichem Sinnen reich;
Worüber alle Lippen freundlich scherzen,
Wir fühlen heil'ger es im eignen Herzen.

Pollux und Kastor – wechselnd Glühn und Bleichen,
Des einen Licht geraubt dem andern nur,
Und doch der allerfrömmsten Treue Zeichen. –

So reiche mir die Hand, mein Dioskur!
Und mag erneuern sich die holde Mythe,
Wo überm Helm die Zwillingsflamme glühte.

Levin findet weniger tiefe Worte über die Stunden des Zornes zwischen ihnen; in seinen Lebenserinnerungen geht er rasch über die Schatten hinweg, die sich zwischen ihn und Annette zu drängen vermochten. Er spricht von ‚kleinen Störungen des Friedens‘ und daß sie beide ‚weder rechthaberisch noch herrschsüchtig gewesen seien und ja nicht fürs Römische Reich zu sorgen hatten‘.

Levin durfte allerdings in seinen Lebensbeschreibungen keinen tragischen Ton anschlagen, und zu einer Zeit, da viele der Mitspielenden noch lebten, über Liebe und Liebeszwist zwischen Annette und ihm plaudern, aber seine Art, die Ausdrücke zu wählen, nachdem er Gedichte von seiner Freundin erhalten hatte wie: ‚Kein Wort‘, Gedichte, wie wohl nie ein Mann sie von einer Frau erhielt, zeigen doch, wie anders seine Gefühle im Gegensatz zu den Grundwogen waren, die Annettens Wesen aufwühlten.

Nicht einmal ihre Liebe zu Heinrich Straube, verbunden mit so vielen schmerzlichen Erfahrungen, hatte vermocht, was das Glück der höchsten, reinsten Freundschaft schuf: die Fruchtbarkeit des Genies. Annettens Schaffenskraft in diesem Winter 1841 bis 42 findet kaum ihresgleichen in der Geschichte der Dichtkunst.

Fast fünfzig vollendete schöne Gedichte entstanden: ihr gewesenes Leben in all seinen Phasen, gespiegelt in der Schönheit ihrer beschwingten Sprache. Die sechzehn herrlichen ‚Heidebilder‘, mühelos aus ihrer Feder geflossen, hier am Bodensee, fern der geliebten Heimat. Manche dieser langen Gedichte las sie Levin vor, wenn er abends spät von seinem Turm zu dem ihren herüberkam; er mußte nur die offne Bastion entlang eilen, die Treppe in Annettens Turm hinaufspringen, und er war in ihrem Gespensterzimmer, das ihr als Arbeitskabinett diente.

Andere Verse trug sie, noch glühend von der Berührung ihres Genius, nach dem Abendessen im Familienkreise vor: ‚Der Knabe

im Moor', ‚Die Mergelgrube', ‚Der Hünenstein', ‚Das Haus in
der Heide', ‚Der Heidemann' oder das brausend temperamentvolle Lied von der Jagd.

Hat Laßbergs altes Junkerherz nicht froh geschlagen, bei dem
Gemälde dieses frohen Herbsttages, da die Herren zur Fuchsjagd
ausziehen? Und Levin, der Kenner des Griechischen, hat er die
homerisch anmutenden Strophen zu würdigen gewußt, mit denen Annette das überstürzte Toben der Hunde mit der archa-
ischen Gelassenheit der weidenden Rinderherde unterbricht? Hat
die Luft in Jennys Biedermeiersalon gebebt, wenn Annette mit
ihrer tiefen, unbekümmerten Stimme und dem Können einer geübten Rhetorin vorlas:

......
Da horch, ein Ruf, ein ferner Schall:
‚Hallo! hoho!' so lang gezogen,
Man meint, die Klänge schlagen Wogen
Im Ginsterfeld, und wieder dort:
‚Hallo! hoho!' – am Dickicht fort
Ein zögernd Echo, – alles still!
Man hört der Fliege Angstgeschrill
Im Mettennetz, den Fall der Beere,
Man hört im Kraut des Käfers Gang,
Und dann wie ziehn' der Kranichheere
Kling klang! von ihrer luft'gen Fähre,
Wie ferner Unkenruf: Kling! klang!
Ein Läuten das Gewäld entlang –
Hui schlüpft der Fuchs den Wall hinab –
Er gleitet durch die Binsenspeere
Und zuckelt fürder seinen Trab:
Und aus dem Dickicht, weiß wie Flocken,
Nach stäuben die lebend'gen Glocken,
Radschlagend an des Dammes Hang;
Wie Aale schnellen sie vom Grund,
Und weiter, weiter, Fuchs und Hund. –

Der schwankende Wacholder flüstert,
Die Binse rauscht, die Heide knistert,
Und stäubt Phalänen um die Meute.
Sie jappen, kläffen nach der Beute,
Schaumflocken sprühn aus Nas' und Mund.
Noch hat der Fuchs die rechte Weite,
Gelassen trabt er, schleppt den Schweif,
Zieht in dem Taue dunklen Streif
Und zeigt verächtlich seine Socken.
Doch bald hebt er die Lunte frisch,
Und, wie im Weiher schnellt der Fisch,
Fort setzt er über Kraut und Schmelen,
Wirft mit den Läufen Kies und Staub;
Die Meute mit geschwollnen Kehlen
Ihm nach, wie rasselnd Winterlaub.
Man höret ihre Kiefern knacken,
Wenn fletschend in die Luft sie hacken;
Im weiten Kreise so zum Tann,
Und wieder aus dem Dickicht dann
Ertönt das Glockenspiel der Bracken.

Was bricht dort im Gestrüppe am Revier?
Im holprichten Galopp stampft es den Grund.
Ha! brüllend Herdenvieh! voran der Stier,
Und ihnen nach kläfft ein versprengter Hund.
Schwerfällig poltern sie das Feld entlang,
Das Horn gesenkt, waagrecht des Schweifes Strang,
Und taumeln noch ein paarmal in die Runde,
Eh Posto wird gefaßt im Heidegrunde.
Nun endlich stehn sie, murren noch zurück,
Das Dickicht messend mit verglastem Blick,
Dann sinkt das Haupt, und unter ihrem Zahne
Ein leises Rupfen knirrt im Thymiane;
Unwillig schnauben sie den gelben Rauch,
Das Euter streifend am Wacholderstrauch,
Und peitschen mit dem Schweife in die Wolke

Von summendem Gewürm und Fliegenvolke.
So, langsam schüttelnd den gefüllten Bauch,
Fort grasen sie bis zu dem Heidekolke.

Ein Schuß: ‚Hallo!‘ – ein zweiter Schuß: ‚Hoho!‘
Die Herde stutzt, des Kolkes Spiegel kraust
Ihr Blasen; dann die Hälse streckend, so
Wie in des Dammes Wehr der Strudel saust,
Ziehn sie das Wasser in den Schlund, sie pusten,
Die kranke Sterke schaukelt träg herbei,
Sie schaudert, schüttelt sich in hohlem Husten,
Und dann – ein Schuß, und dann – ein Jubelschrei!

Das grüne Käppchen auf dem Ohr,
Den halben Mond am Lederband,
Trabt aus der Lichtung rasch hervor
Bis mitten in das Heideland
Ein Weidmann ohne Tasch’ und Büchse;
Er schwenkt das Horn, er ballt die Hand,
Dann setzt er an, und tausend Füchse
Sind nicht so kräftig totgeblasen,
Als heut es schmettert übern Rasen.

  ‚Der Schelm ist tot, der Schelm ist tot!
  Laßt uns den Schelm begraben!
  Kriegen ihn die Hunde nicht,
  Dann fressen ihn die Raben.
  Hoho hallo!‘

Da stürmt von allen Seiten es heran,
Die Bracken brechen aus Genist und Tann;
Durch das Gelände sieht in wüsten Reifen
Man johlend sie um den Hornisten schweifen,
Sie ziehen ihr Geheul so hohl und lang,
Daß es verdunkelt der Fanfare Klang,
Doch lauter, lauter schallt die Gloria,
Braust durch den Ginster die Viktoria:

‚Hängt den Schelm, hängt den Schelm!
Hängt ihn an die Weide,
Mir den Balg und dir den Talg,
Dann lachen wir alle beide;
Hängt ihn! Hängt ihn!
Den Schelm, den Schelm! — —‘

Mit meisterhaftem Können ist in den kurzen Zeilen vom Fuchsentod das Halali wiedergegeben; der letzte Vers, zuerst wie ein Hornstoß erklingend, dann verhallend und verstummend in den echohaften Worten: ‚Der Schelm, der Schelm.‘

Hat irgend jemand der ersten Hörer die angeborene Kunst Annettens begriffen? Sie schrieb ihre Gedichte ja, wenn sie wie in Trance geraten war, so rasch hin, wie ihre Hand nur schreiben konnte, so sind die im Ton hochklingenden Worte der Jagdbeschreibung, wenn der Fuchs vor den Hunden zu rennen beginnt, instinktiv benützt, der Ausdruck des Schnellen, Erregten: flüstert, knistert, jappen, kläffen, sprühen, frisch, Kies, Fisch, Kiefern, fletschen, Kreis, Spiel.

Und dann die Urgemächlichkeit der Rinderherde, die noch im Schrecken schwerfällig bleibt; jetzt herrschen die O und U und AU vor: holprichter Galopp, stampft, Grund, poltern, Horn, taumeln, Runde, Posto, murren, Haupt, rupfen, schnauben, Rauch, Strauch, Wolke, summen, Bauch, Kolk, pusten, schaukeln, schaudert, hohler Husten; dann aber das letzte Wort des Rinderzwischenspiels: ‚Jubelschrei‘ als Überleitung zu dem jungen, rasch dahinreitenden Halalibläser.

In diesem Jüngling hat Annette wohl ihren geliebten Bruder Fente gesehen, den sie eben zu dieser Zeit in ihrem Prosafragment: ‚Bei uns zu Lande ...‘ auch als jungen Waidmann mit dem Käppchen auf dem Ohr schildert.

Nein, ihre Zuhörer haben die Meisterschaft wohl kaum empfunden. Für Jenny und Levin waren Annettens Gedichte, die meistens vorgetragen wurden, wenn Laßberg noch bei seiner Kartenpartie saß, ein Vorwand zu kritischer Debatte über die Themen. Annette in ihrer großartigen Bescheidenheit schreibt darüber ohne eine Spur der Empfindlichkeit an ihre Mutter:

‚Jeden Abend um acht, wenn wir schon alle im Speisezimmer sind, Laßberg aber noch seine Partie erst ausspielt, lese ich Jenny und Schücking vor, was ich den Tag geschrieben; sie sind beide sehr zufrieden damit, aber leider von so verschiedenem Geschmacke, daß der eine sich immer über das am meisten freut, was dem andern am wenigsten gelungen scheint, so daß sie mich ganz konfus machen könnten, und ich am Ende doch meinen eigenen Geschmack als letzte Instanz entscheiden lassen muß.‘

29

Im gleichen Brief vom 26./28. Januar (1842) erzählt Annette noch mancherlei von dem frohen harmlosen Leben, wie es sich den Freunden und den Gästen der Meersburg darbot: vom Wetter, von Weihnachten, von Visiten und der Entwicklung der Kinder; es ist die gleiche Hand, die hier für die Mutter zu plaudern weiß, wie die Hand, der ewige Lieder gelingen.

‚Wir haben jetzt seit drei Wochen feste Schneebahn hier, liebste Mama, und die weiße Decke, die nicht wanken und weichen will, erinnert mich doch an die Schweiz, obwohl es nicht sehr kalt dabei ist. Mit meiner Gesundheit geht es immer noch sehr gut; wenn ich bedenke, wie es in den beiden letzten Wintern war, so kann ich mein jetziges Befinden nicht genug rühmen.

Meine Spaziergänge habe ich bis vor acht Tagen regelmäßig fortgesetzt, seitdem ist es aber so glatt geworden, daß ich in einem Tage sieben- bis achtmal gefallen bin; nun habe ich mir die Terrasse vom Fasser reinfegen lassen und spaziere dort täglich einige Stunden.

Wir leben hier so still fort und sind jeder in seiner Art sehr fleißig. Laßberg schreibt seine Manuskripte ab und bringt wirklich dicke Bücher zustande. Jenny plagt sich mit ihren Blumen und mit den Kindern, denen sie Lesen und Schreiben beibringt; ich habe schon einen ganzen Wust geschrieben, August wird sich aber ärgern, wenn er hört, daß es meistens Gedichte sind, von denen ich gegen Ostern wohl einen neuen dicken Band fertig haben werde, während das ‚Westfalen‘ nur langsam voranrückt.

Die Kinder haben mir die schönsten Grüße gegeben an Dich, meine Alte, alle Hülshoffer, besonders Friedrich, und lassen fragen, ob die Köchin noch immer so böse Dinge sagt, daß sie den Hühnern den Hals abschneiden will!

Weihnachten war große Freude hier. Die Kinder wurden so übermäßig beschenkt, daß es mich fast gereute, ihnen auch ein paar sehr hübsche Kleidchen von rotem Kattun gekauft zu haben, die sich ganz in dem Schwarm verlieren. Ein Ehepaar Burckhardt, Millionäre aus Basel, die Laßberg diesen Sommer in Überlingen kennen lernte, schickten für Laßberg eine prächtige Kappe von schwarzem Samt, schwer mit Gold gestickt, für Jenny Pantoffeln mit Gold gestickt, für die Kinder ebenfalls Pantoffeln, auf rotem und blauem Samt mit Silber; ferner für jedes einen Atlasbeutel voll der allerschönsten und teuersten Bonbons und endlich noch zwei Goldmünzen und einen Sedevakanztaler von Zürich, auch für die Kinder.‘

Im weiteren zählt Annette einen ganzen Kramladen von Spielsachen auf, die zum Teil von Laßbergs Söhnen aus erster Ehe kamen, den Brüdern der Zwillinge, die etwa fünfzig Jahre älter waren als ihre Schwesterchen, aber, als echte Edelleute, diese kleinen Nachkömmlinge, die ihnen die Hälfte ihrer Erbschaft nahmen, ohne Bitterkeit liebten und verwöhnten. Annette beschreibt dann auch die schönen und eleganten Geschenke, die sich die Erwachsenen untereinander gaben; Levin war mit ‚viel Tabak‘, einem englischen Perspektiv, einer schwarzen Atlasweste, seidenen Schnupftüchern und einer Zigarrenspitze beschenkt worden; sie schließt dann diese üppige Beschreibung mit dem Stoßseufzer:

‚Du siehst, es ist brillant gegangen. Ich mußte immer an Hülshoff denken, und wie dem armen Werner und Line wohl bei der Bescherung zumute sein würde. Es ist gewiß für die beiden eine traurige Weihnacht gewesen. Mir stand das gute selige Kind auch immer vor Augen, und Jenny und ich haben von fast nichts anderem geredet, wie wir den Christbaum machten.

Ich bin gestern den ganzen Tag vom Physikus Scheppe und seiner Frau in Beschlag genommen worden. Scheppe und ich sind dicke Freunde und haben uns wertvolle Geschenke an Versteinerungen und Schneckenhäusern gemacht, denn er kriecht ebenso wie ich am See und in den Weinbergen umher und ist lange *vor* mir gekrochen, so daß die Meersburger an diese neue Art von Vierfüßlern gewöhnt sind, was mir jetzt gut zustatten kömmt, denn es fällt keinem ein, etwas Besonderes dabei zu finden, die Höflichsten bleiben sogar stehen und geben mir die Stellen an, wo seltene Sorten zu finden sind, und wo der Physikus und Herr Jung auch gesucht hätten.

Wir waren gestern recht munter zusammen und es wurden so viele Gespenstergeschichten erzählt, daß wir vor Grausen kaum nach Hause kommen konnten. Der Physikus war ungläubig, Kessels hingegen gaben die prächtigsten Beiträge, meistens aus eigener Erfahrung, daß einem die Haare zu Berge standen, sie haben unter anderm ein berüchtigtes Spukhaus bewohnt und sind so geplagt worden, daß sie nach drei Monaten ausziehen mußten.

Ich gehe zuweilen zu den guten Klosterfrauen, deren freundliche und verständige Unterhaltung mich sehr anspricht, sonst zu niemandem, denn ich muß jede Minute zu Rate halten, wenn ich diesen Winter was Ordentliches zustande bringen will.

Mit Schücking geht es sehr gut. Laßberg scheint ihn lieb zu haben und unterhält sich bei Tische fast ausschließlich mit ihm, scheint aber auf seine belletristischen Arbeiten keinen großen Wert zu legen. Jenny hat ihn auch gern, weil er fleißig ist und gar keine Last im Hause macht.

Liebste Mama, Du schreibst in Deinem letzten Brief nichts von meiner Alten, ich hoffe doch, daß sie noch am Leben ist? Bitte schreibe doch das nächste Mal von ihr. Hat sie Weihnachten auch etwas bekommen? Sag ihr, daß ich sie herzlich grüße und sie sehr lieb hätte und sie möchte für mich beten.

Heute war ein gelehrter Herr aus Koburg hier, ein Herr Frommann, wie mich dünkt, eine gute, harmlose, gelehrte Seele. Wir haben uns mit den Nibelungen zu Tische gesetzt und sind damit aufgestanden.

Adieu, liebste Mama, tausend Grüße an alle. Ich küsse Deine lieben Hände.

Deine gehorsame Tochter Nette'

Die Frau, die diese liebenswürdig-fröhlichen Familienbriefe schrieb, konnte wahrhaftig von den Ihren nicht in ihrer schmerzlichen Tiefe erkannt werden, und doch trug Annette gerade jetzt ein Werk in ihren Gedanken umher, so düster und schaurig wie keines, das je aus ihrer Feder kam ... in ihren hellsten glückseligsten Jahren entstanden, und zum Abschluß gebracht noch in diesem Jahre 1842.

Das ist das Epos ,Der Spiritus Familiaris des Roßtäuschers'.

Annette hatte ihrer Mutter geschrieben, sie ginge in dieser Zeit oft zu den guten Klosterfrauen, deren Unterhaltung sie beruhigt und bittet, Marie Kathrin solle für sie beten; das sind kleine blasse Funken, die von einem schwelenden inneren Feuer aufsteigen, diesem gleichen Feuer, das einstmals ihr Inneres versengte, als sie Heinrich Straube liebte, nämlich den Einfluß eines Freidenkers, dem ihr Verstand sich nicht zu erwehren wußte.

Jetzt sind es Levins Worte, die ihr das Glück des Glaubens nehmen wollen. Schon vor zwei Jahren hatte er ihr ,Das Leben Jesu' des David Friedrich Strauß gebracht, das eine Wirkung hervorbrachte wie einstmals die Werke Voltaires und Rousseaus im achtzehnten Jahrhundert. Nach einem ersten Versuch hatte Levin ihr nie mehr aus diesem Buche vorlesen dürfen, sie vermied auch Gespräche darüber, aber das Denken konnte Annette sich selber nicht verbieten, und jetzt, in den immer neuen erregten Wortgefechten mit Levin über alles, was diese revolutionäre Zeit brachte, konnte es nicht ausbleiben, daß die Kirche und das Dogma immer wieder im Mittelpunkt ihrer Debatten stand.

Annette verzweifelte schier an sich selber. Was zwang sie denn, über Dinge zu diskutieren, die sie schon vor Jahren mit Heinrich Straube geprüft und gewogen hatte, wohl wissend, daß ihre Kirche solches verbot? Sie wollte doch nicht noch einmal in das Meer des Zweifels und des Unglaubens sinken! Mußte sie denn immer noch gegen die Höllenmacht des Skeptizismus kämpfen, nach der sie damals wie nach dem Schlüssel der Allwissenheit gegriffen hatte, bereit für diesen Schlüssel mit der Fraglosigkeit ihres Glaubens zu bezahlen?

Wie hatte sie gerungen und gebüßt und sich dennoch in all diesen vielen Jahren nie von dem Teufelsgeschenk befreien können. Zeitweilig hatte sie gemeint, jetzt, jetzt endlich habe ich es von mir werfen können, aber dann mußte sie plötzlich wieder fühlen – vielleicht in einem Gespräch mit dem kindlich frommen Schlüter oder mit ihrer lieben, gefühlvollen Elise –, daß Kritik und Zweifel immer noch wie angeschmiedet an ihrer Seele hafteten.

Und jetzt, bei dem verführerischen Hin und Her von Worten mit ihrem geistreichen und skrupellosen jungen Freund drohte ihr neue Gefahr. Da muß Annette, gerade wie damals in Bökendorf, der Vergleich mit dem Märchen aufgetaucht sein, das die Freunde Grimm zu erzählen pflegten, der Geschichte jenes Mannes, der vom Teufel einen bösen Geist in der Phiole annimmt und dadurch zu Macht und Reichtum kommt, seine Seele aber darüber verliert. Und als er das Glück des Glaubens gegen die hohle Macht des Reichtums zurückgewinnen möchte, vermag er sich nicht mehr von der Geisterphiole zu befreien; so oft er sie von sich schleudert, so oft kehrt sie zu ihm zurück.

In dieser Meersburger Zeit, den Monaten eines verborgenen Kampfes, vollendet sich nun das Epos vom Spiritus Familiaris und enthüllt den Schlagschatten, den die Sonne der beglückenden Freundsliebe zu Levin auf Annettens Lebensweg warf. Ein Epos, in dem das Ringen eines schuldbeladenen Menschen um die Rückkehr zur verlorenen Gotteskindschaft in einer visionären Größe dargestellt wird, wie sie kaum je einem Dichter gelang.

Und welche Wucht der Sprache; welches Grauen durchzittert die Verse, wenn Annette die Verzweiflung des von Gott verlassenen Roßtäuschers beschreibt, der die Phiole in einem versteckten Tümpel zu versenken sucht und sich zu seinem Entsetzen dennoch nicht von ihr befreit findet. Das aussprechen zu können, was sich in dem Epos vom Spiritus Familiaris an Seelenkämpfen und Erlösungswillen zusammenballt, bedeutet eine Einsicht Annettens in die Gefährdung des eigenen Ich, die so umfassend ist, daß die Brücke des Vergleiches vom bedrohten Ich rasch hinübergeschlagen war zur Allgemeinheit, zum Volk, dem sie angehörte und zur Zeit, in der sie lebte.

So wurde dieses größte ihrer Epen zu einem prophetischen Bild der europäischen Menschheit, die im Begriffe war, ihre Seele an den Materialismus zu verkaufen.

Weder Levin, der die Entwürfe kannte, noch die Zeitgenossen Annettens, die zwei Jahre später das vollendete Epos lesen konnten, haben die Warnung auch nur von ferne erfaßt; sie waren ja auch im Vorwärtsstürmen begriffen und wußten nicht, was sie taten. Die Dichterin aber, die Sibylle, die Prophetin, sie hüllte sich nach wie vor in das Gewand des unscheinbaren Menschen, der nichts zu sagen hat, im Innern aber wissend, wer sie war.

Dieses Wissen um ihre Mission als Dichterin springt hie und da wie Funken aus Annettens Gedichten und Briefen hervor, aber dann zieht sie doch wieder den verhüllenden Mantel um sich, in der Ruhe des überlegenen Menschen damit rechnend, daß ein halbes oder ganzes Jahrhundert vorüberziehen muß, bevor die Menschheit fähig sein wird zu sagen: Ja, so haben wir gehandelt, gerade so haben wir uns einem teuflischen Geist verschrieben, wir mußten leiden und ringen, wie du es geschildert hast und müssen nun ,den Nagel des Kreuzes' – den Glauben – zu ergreifen suchen, um die Errettung zu einem neuen Leben zu finden.

Außer dem Spiritus Familiaris des Roßtäuschers hatte Annette noch eine Reihe von Arbeiten unter der Hand: da war die Novelle über Friedrich Mergel, den ,Algeriersklaven', die immer noch keinen endgültigen Titel hatte und sich unter den letzten Korrekturen zu einem Meisterwerk rundete; daneben war Annette im Begriff, einen Roman zu schreiben, den sie schon in Rüschhaus begonnen hatte; er sollte ,Bei uns zu Lande auf dem Lande' heißen und das Leben auf den Schlössern in Westfalen beschreiben.

Das Fragment, das auf die Nachwelt gekommen, ist von einer Grazie, einem Humor und einer psychologischen Reife, dazu ein so ausgezeichnetes Porträt ihrer engsten Familie, daß dieser Roman in seiner Vollendung ein Werk der Weltliteratur geworden wäre.

In dem Gefühl ihrer erwachten Kraft, ihres Lebenswillens und ihres Könnens rang sich ihr Dichtergenie gewaltsam los von der ängstlichen Rücksicht, die sie bisher gefesselt hatte; ihr ganzes Wesen bäumte sich gegen die erzwungene Zierlichkeit und Sittsamkeit eines alten Mädchens auf, dem man für jedes starke Wort über den Mund fährt, und sie beneidete die Männer mehr denn je, die ihrer Umwelt den Stempel aufdrücken durften, wenn sie nur stark genug dazu waren.

In dieser Zeit entstand ein Gedicht Annettens, aus dem es hervorbraust wie Verzweiflung, in der sie die Ketten zerreißen und ausbrechen möchte aus ihrer Hülle und sein, die sie eigentlich ist: ein kühnes, tatenfrohes, gefahrenliebendes und kampfbereites Geschöpf. Einmal, in einer Sturmesnacht, hat sie auf dem Altan über dem Burggarten die Wildheit der Natur gesucht, der ihr ganzes Wesen angehört – über ihr der Sturm, unter ihr der tosende See –, um sich einmal zu befreien von der Kleinheit ihres Daseins. Ein Rasen, eine Wut überkommt sie gegen die Weibesrolle, die ihr zu spielen auferlegt ist, mit rascher Hand reißt sie Bänder und Spangen aus dem Haar, läßt den Sturm wie einen Feind und wie einen Geliebten sie in wildem Kampfe zerren und zausen, und so singt sie ihr Trotzlied mit den Elementen um die Wette:

> *Ich steh' auf hohem Balkone am Turm,*
> *Umstrichen vom schreienden Stare,*
> *Und laß' gleich einer Mänade den Sturm*
> *Mir wühlen im flatternden Haare;*
> *O wilder Geselle, o toller Fant,*
> *Ich möchte dich kräftig umschlingen,*
> *Und, Sehne an Sehne, zwei Schritte vom Rand*
> *Auf Tod und Leben dann ringen!*
>
> *Und drunten seh ich am Strand, so frisch*
> *Wie spielende Doggen, die Wellen*
> *Sich tummeln rings mit Geklaff und Gezisch*

Und glänzende Flocken schnellen.
Oh, springen möcht' ich hinein alsbald,
Recht in die tobende Meute,
Und jagen durch den korallenen Wald
Das Walroß, die lustige Beute!

Und drüben seh' ich ein Wimpel wehn
So keck wie eine Standarte,
Seh' auf und nieder den Kiel sich drehn
Von meiner luftigen Warte;
Oh, sitzen möcht ich im kämpfenden Schiff,
Das Steuerruder ergreifen
Und zischend über das brandende Riff
Wie eine Seemöwe streifen.

Wär' ich ein Jäger auf freier Flur,
Ein Stück nur von einem Soldaten,
Wär' ich ein Mann doch mindestens nur,
So würde der Himmel mir raten;
Nun muß ich sitzen so fein und klar,
Gleich einem artigen Kinde,
Und darf nur heimlich lösen mein Haar
Und lassen es flattern im Winde!

,Wär' ich ein Mann doch mindestens nur! ...'

Aber sie war kein Mann und es blieb ihr Los, artig und sittsam mit den Frauen im Schutz und im Schatten der Männer zu leben.

Der Winter geht hin; die Tage werden länger, immer früher kommt die Sonne in Annettens rundes Zimmer; sie freut sich, wenn die Fensternische, die tief in die gewaltig dicke Mauer eingeschnitten ist, sich mit Sonne füllt. Ihre Gesundheit bleibt immerwährend gut, sie spaßt mit den Zwillingen, die sie sehr liebt, neckt Jenny, daß sie nichts Schöneres kenne als ,in der Erde zu kratzen', dafür ersteht der Burggarten aber auch schon im Vorfrühling in entzückender Farbenfreudigkeit. Ohne Ärger nimmt sie an Gesprächen teil, mit denen so viele gute, ordentliche Menschen von allen Arten auf sie eindringen; sie ist wie gefeit, unangreifbar wie der durch das Drachenblut geschützte Held Siegfried aus der Nibelungenhandschrift, von dem Laßberg so gerne spricht.

Sie, Annette, ist im Bad der Liebe, der Freundschaft, des Glücks untergetaucht, aber auch auf ihre Schulter hat die Vorsehung ein Lindenblatt fallen lassen; *eine* verwundbare Stelle trägt auch sie: die Kluft des Altersunterschiedes zwischen ihr und Levin. Immer steht er in jugendlicher Ungeduld, in Erwartung einer strahlenden Zukunft neben ihr; er will in die Welt hinaus, er will weiter, will das Aufundnieder des Lebens erfahren.

Wenn es Annette ziemt, ‚in Räumen schwer und grau‘, über ‚dunkler Tage Resten‘ zu grübeln, so steht es ihm noch bevor, seine Jugendjahre mit holdseligen und ruhmvollen Erlebnissen zu füllen, die ihm dereinst ein reiches Alter gewähren sollen.

Wie in einem Spiegel sieht Annette sich selber in dem jungen ungestümen Freund; gerade so war sie in ihrer Jugend gewesen: die Welt herbeisehnend und doch voll ungewisser Furcht, was alles sie an Schlägen und Schmerzen für sie bereit hielt. Jetzt ist sie über jede Furcht hinausgewachsen. Ach, einmal noch von dieser drängenden, ziehenden Lebensneugier umfangen zu sein, in der alles, alles möglich scheint, und möglich ist.

Kann es denn sein, daß Levin ihr bleibt? Wie könnte sie ihm genügen? Und es kommen Tage, da ihr Mut und Vertrauen entsinken und ihr, wenn sie bei Levin, der so frisch und jung in seinem tausendjährigen Turme sitzt, die Tränen kommen. Wie in stummer Frage wiegt sie dann wohl den Kopf hin und her. Wie kann diese Freundschaft denn möglich sein! Es ist ja alles nur Täuschung!

Und Levin wird gefragt haben: was es denn sei, das sie so traurig mache. Sie vermag nicht zu antworten, aber greift nach dem Manuskriptpapier, auf das sie vor kurzem das Gedicht: ‚kein Wort, und wär es scharf wie Stahlesklinge‘ geschrieben hat, und stumm, ohne zu zögern, ohne zu streichen und überzuschreiben, wirft sie das Gedicht aller Gedichte auf das Papier, für das allein sie unvergessen bleiben würde.

Dann ist sie wohl schnell davongegangen, und Levin, nahe an das Fenster tretend, hat gelesen:

O frage nicht, was mich so tief bewegt,
Seh' ich dein junges Blut so freudig wallen,
Warum, an deine klare Stirn gelegt,
Mir schwere Tropfen aus den Wimpern fallen.

Mir träumte einst, ich sei ein albern Kind,
Sich emsig mühend an des Tisches Borden;
Wie übermächtig die Vokabeln sind,
Die wieder Hieroglyphen mir geworden!

Und als ich dann erwacht, da weint' ich heiß,
Daß mir so klar und nüchtern jetzt zu Mute,
Daß ich so schrankenlos und überweis',
So ohne Furcht vor Schelten und vor Rute.

So, wenn ich schaue in dein Antlitz mild,
Wo tausend frische Lebenskeime walten,
Da ist es mir, als ob Natur mein Bild
Mir aus dem Zauberspiegel vorgehalten;

Und all mein Hoffen, meiner Seele Brand
Und meiner Liebessonne dämmernd Scheinen,
Was noch entschwinden wird und was entschwand,
Das muß ich alles dann in dir beweinen.

Aber der Frühling wird immer herrlicher und mit den strahlenden Tagen und dem frischen warmen Wind verweht Annettens Angst um ihr Glück. Sie weiß es doch, daß die Freundschaft an keine Jahre und an kein Geschlecht gebunden ist; ja, wenn sie jetzt mit Levin in diesen frühen Apriltagen durch den aufbrechenden Lenz dahinwandert, so sind sie in ihrer Zweisamkeit so unendlich glücklich, daß alle Schatten sich zurückziehen.

Auch in ihrer Jugendzeit hätte Annette das tägliche vollere Erblühen der Natur um sie her nicht beseligter empfinden können als jetzt. Welch ein Traum der Schönheit waren ihre Wege die Höhen entlang! Die Alpen noch weiß im Winterschnee; der See hielt sich glatt wie ein Spiegel der Sonne entgegen, und wie an den aufgerichteten Reben schon die Knospen aufbrachen: in einer Mischung von Rosa und grünlichem Perlgrau, so fest in der

Substanz, als seien sie aus Porzellan. Was aber aus den klebrigen braunen Knospen der Buchenzweige hervorkam, diese dünnen Seidenlümpchen, das war so zart, daß man lachen mußte, wenn man diese Kinderei anrührte. Und erst das hochaufschießende Gras der Wiesen, wie jung, wie weich! Und die Primeln, die ganze Hänge bedeckten!

In dieser Zeit des aufsteigenden Jahres, das alles Leben mit sich riß, scheint Annette den Höhepunkt ihrer Gefühle für Levin erreicht zu haben, aber je stärker ihre Freundesliebe zu dem jüngeren und weicheren Menschenkind wurde, je deutlicher muß Levin die Verkehrtheit – im wahrsten Sinne des Wortes – zwischen ihm und der geliebten Frau empfunden haben, mochte sie ihr Fühlen noch so scheu zu verbergen suchen.

Ein Weiser unsrer Tage, Ortega y Gasset, gibt den Ausspruch einer sehr männlichen Frau über ihre Beziehung zu einem weiblich-zarten Manne mit den treffenden Worten wieder:

,Die Frau in ihm liebte den Mann in mir, und der Mann in mir liebte die Frau in ihm.'

Diese Worte dürften kühn als Motto über die Liebe zwischen Levin und Annette gesetzt werden, aber wenn Annette in all der Reinheit ihres Denkens an eine ideale, nie endende Dioskuren-freundschaft glaubte, so mußte Levin, ein junger Mann, den das Schicksal zum Partner Annettens emporgehoben hat, nach einer Weile wieder in die Natürlichkeit seiner Art zurückkehren, und diese Rückkehr geschah.

Was aber gab den äußeren Anstoß?

Es ist sehr wohl möglich, daß Jenny, diese liebe, zaghafte Seele, die Verantwortung für eine Freundschaft, die aller Welt offenbar geworden, nicht mehr tragen mochte und Levin aus seinem Traum aufscheuchte. Hat er sich einschüchtern und vertreiben lassen, und war Annette über seine Schwäche ergrimmt?

Was in diesen Frühlingswochen zwischen den Liebenden geschah, warum Annette die Schale ihres Zorns über den Freund ausschüttete, so vehement, daß es sie später ewig reute, warum Levin die Überlegenheit seiner Freundin nicht mehr ertrug und floh, die Welt wird es nie erfahren.

Es wurde von Beurteilern dieser Zeit gesagt, Levin habe als Mann auf die Erfüllung seiner Liebe gedrungen, aber bei einer so nahen Bekanntschaft mit Annettens Charakter kann er sie mit solchen Wünschen nicht beleidigt haben, denn bei ihrem beherrschten, stolzen Wesen wären die Liebeswünsche eines Mannes, und gar eines so jungen Mannes, eine Beleidigung gewesen. Noch weniger zutreffend ist die Annahme, Levin sei vor Annettens Liebe geflohen, dagegen könnte beiden das Gezischel der Welt, das die Liebe zwischen der älteren Frau und dem so jungen Mann verspottete – denn wann hätte je die Welt einer reinen Freundschaft geglaubt –, den klaren Blick getrübt und den Mut genommen haben.

Was immer der Grund zu Levins überstürztem Fortgehen war, in der letzten Abschiedszeit scheinen Friede und Liebe wieder hergestellt gewesen zu sein und Annettens Glaube an das Band der Freundschaft fester denn je. Auch Laßberg und Jenny hatten ihrem lieben Schücking Vertrauen und Geneigtheit nicht entzogen. Die Katalogisierung der großen Bibliothek war noch nicht beendet, das immer herrlicher erblühende Land lockte zum Verweilen, und doch: bevor der Frühling zu voller Pracht erstanden war, noch im April, verließ Levin Annette, seinen verehrten Laßberg, die gute, freundliche Jenny, die kleinen Mädchen, mit denen er so gut Freund gewesen, alle die liebenswürdigen Meersburger und weiteren Nachbarn, und er verließ ,die Götterburg‘, über dem See, und seinen romantischen Turm.

Levin ging fort, und Annette blieb zurück.

Briefe, in denen sie vielleicht ihren nächsten Freunden eine Erklärung über diese Zeit gab, sind vernichtet worden, wie auch Annette die Briefe aus dieser Epoche scheinbar verbrannt hat.

30

Levin hatte eine Anstellung als Erzieher beim Fürsten Wrede in Ellingen angenommen; das war sehr, sehr weit fort, vor allem wenn Levin zeitweilig mit nach Mondsee bei Salzburg zu gehen hatte und Annette sich wieder in Rüschhaus befand. Beim Abschied hatten sie einander versprochen, nach zwei Jahren am Rhein zusammenzutreffen; zwei Jahre ... eine Unendlichkeit!

Annette war wie zermalmt von der plötzlichen Trennung; als sei die Sonne für immer untergegangen und das Leben an ein Ende geraten, so verkriecht sie sich in ihrem Turmzimmer, nichts sehend, nichts hörend, nichts schaffend, fassungslos in einer entsetzlichen Leere.

Erst als das Geschwätz von Frauen sie gewaltsam aus ihrer Erstarrung hervorzerrt, bricht ein erstes tröstliches Besinnen in ihrem Herzen auf: zwischen ihr und Levin ist ja nichts zerbrochen, – warum denn ihre Verzweiflung? Sie werden sich wiedersehen, beieinander sein; nichts wird sich inzwischen verändern; was sind zwei Jahre für die Ewigkeit ihrer Liebe?

Im Anfang war Annette sogar die Hand, die doch so gern die Feder führte, wie gelähmt gewesen, sie hatte Levin nicht schreiben können, danach war kein Brief begonnen worden, weil sie auf den versprochenen Brief von der Reise gewartet hatte ... Gewartet und gewartet, aber kein Wort war zu ihr gekommen. Da hatte das Mißtrauen, das, je stärker eine Liebe, je wacher bereit liegt, sie an Levin verzweifeln lassen, so daß sie schließlich, Wochen nach seinem Fortgehen, keines Federstriches an ihn fähig ist.

O die dunkle Zeit, während draußen der Mai wie ein einziges Jubellied triumphierte, und sie mußte dieses schmerzhaft Schöne sehen ohne Levin! Sie war allein, allein, allein.

Aber dann kam doch der Tag, an dem die geliebte Schrift ihr von einem gefalteten und gesiegelten Bogen entgegenleuchtete.

Annette ist mit dem Brief in Levins Turm geeilt, auf seinen großen Stuhl gesunken und hat dort gelesen, die heißersehnten Worte eingesogen. Der Arme, er hatte sich in Unruhe gequält genau wie sie. Oh, dieser Brief voller Verstörtheit des Schmerzes.

Wie alle Liebenden wird sie den beschriebenen Bogen betrachtet haben, als sei er ein Bild, und ist wohl mit den Fingern über die Schrift gefahren, als hafte noch ein wenig Lebenswärme an Papier und Lettern.

Der Anfang eines Briefes ist ja stets der erste, stärkste Ton seiner Melodie, was mag Levin seiner liebsten Freundin zugerufen haben? Der obere Teil des ersten Blattes ist abgeschnitten und vernichtet worden; vielleicht hatte Levin das streng verbotene Du angewendet; der übriggebliebene Text beginnt mitten im Satz, in der Beschreibung von Levins Tagen in Mondsee und geht dann auf literarische Dinge über, in einem trocknen, sichtlich gehemmten Ton, bis er verzweifelt aufstöhnt:

‚Ich habe so wenig Gemütsbewegung wie ein glückseliger Dummkopf‘ und klagt, er könne dem verehrten alten Ritter noch nicht schreiben. ‚Der Abschied von Meersburg ist mir außerordentlich schwer geworden‘. Das klingt gar nüchtern; wie zur Erklärung schreibt Levin dann von dem ‚wachenden Traum, dem Stupor‘, der ihn gefangen hält, er sei mit seinen Gedanken mehr dort als hier, und endlich schließt er wie unter einem Zwang als Annettens ‚dankbarster und gehorsamster L. Schücking‘.

Am 13. Mai schreibt er zum zweitenmal, nun scheint er die vorgeschriebene trockne Form schon nicht mehr einhalten zu können; die Unruhe, die ihm Annettens Schweigen verursacht, durchbricht jede Vorsicht; nur an das befohlene Sie hält er sich, aber es ist doch die liebende Ungeduld und Sorge, die gleich aus den ersten Worten spricht:

‚Es sind jetzt sechs Wochen, seit ich von Meersburg fort bin – mir scheinen es sechs Monate – und bis auf diese Stunde habe ich noch keine Zeile von Ihnen‘ ... von dir, hätte er sagen mögen ... ‚erhalten; was ist das? Mein einziger Trost ist, daß Sie das schöne Wetter benutzt haben zu Ihrer intendierten Mailänder Reise – oder hat man Ihren Brief auf der Post verloren? Oder sind Sie krank? Bitte, wenn Sie können, nur ein paar winzige Zeilen, daß ich nicht länger unruhig sein brauche! Ich hoffe, Ihr Brief ist verlorengegangen, ich hoffe es, so traurig es auch wäre, wenn mir eine Zeile von dem verloren ginge, was Sie mit so viel Mühe zustande bringen müssen, deshalb bitte ich ja auch nur um ein paar kurze Zeilen, um eine Seite höchstens, daß es Ihnen wohl geht.‘

Dann folgt eine Beschreibung einer Reise nach Wien mit den kleinen Prinzen, während der Levin eine schwere Krankheit durchmachte; in Mondsee muß er endlich eine Woche lang im Bett bleiben und ruft Annette zu:

‚Wie habe ich mich während dieser öden acht Tage nach Meersburg gesehnt und mir ausgemalt, wie Sie mich gewiß nicht so allein liegen lassen würden, wie Sie mir freundlich was vorplaudern würden, wenn ich auch keine Silbe hätte antworten können. Hier in Mondsee ist es wunderschön, das ist wahr, aber öde, öde! Ich bange vor dem Heimweh, oder mindestens davor, daß ich meine Wehmut im Andenken an alle fernen Freunde nicht wieder los werde.‘

Wie deutlich steht zwischen den Zeilen: daß ich meine Sehnsucht nach dir nie wieder verlieren werde. Dann versucht er von allen möglichen Bekannten zu plaudern, aber es geht in den Seufzer über: ‚Mir geht der Mut zum Schreiben aus im Gedanken an Ihr beunruhigend langes Schweigen: Oh, bitte, bitte, gnädiges Fräulein, reißen Sie mich heraus! Bitte schreiben Sie mir doch liebes Fräulein, daß Sie *alle* auf der alten Meersburg gesund sind. Ich möchte verzweifeln, wenn ich denke, wie weit es noch hinaus ist, bis mir der Bote, der zweimal von hier nach Salzburg geht, eine Antwort auf diesen Brief mitbringen kann.

Wie geht es Ihrer Arbeit, was macht das Morgenblatt? Hat es Ihre Novelle schon? Gott segne Sie, liebes, gnädiges Fräulein, mit seinem besten Schutz und aller Liebe, die Sie verdienen. Könnten die tausend herzlichen Grüße, die ich Ihnen zurufe, so warm an Ihr Ohr klingen, wie sie mir aus dem Herzen kommen.

. . .   Ihr treuergebenster S.‘

Der Bote, der diesen Brief nach Salzburg trug, muß Levin den ersten Brief Annettens gebracht haben, der gerade wie der seine von offner und versteckter Sehnsucht überquillt. Nachdem sie

Levin gestanden, daß sie fortwährend an ihn denkt und nur wenig gearbeitet hat, erzählt sie ihm:

‚In den ersten acht Tagen war ich todbetrübt und hätte keine Zeile schreiben können, wenn es um den Hals gegangen wäre; ich lag wie ein Igel auf meinem Kanapee und fürchtete mich vor den alten Wegen am See wie vor dem Tode; dann kam Luise Streng, die mich fast keine Minute allein ließ und mich binnen der ganzen Woche durch ihre werte Begleitung über die schwersten Momente wegspazierte. Jetzt kam aber eine andere Not: Dein Brief von Ellingen hätte längst da sein können. Jeden Morgen habe ich dem Postboten an der Treppe aufgelauert, und Jenny und Laßberg waren fast ebenso bekümmert wie ich.

Letzterer war schon entschlossen, dem Fürsten zu schreiben, ob denn bewußter Jüngling angekommen sei, oder ob man seine betrübten Reste in einem See, Hohlwege, oder sonstigem Mordloche aufzusuchen habe? ... Meines Bleibens wird hier nur noch kurze Zeit sein; Mama schreibt, daß sie sich sehr nach mir sehne und einsam fühle ... Ob ich mich freue nach Hause zu kommen? Nein, Levin, nein – was mir diese Umgebung noch vor sechs Wochen so traurig machte, macht sie mir jetzt so lieb, daß ich mich nur mit schwerem Herzen trennen kann. Ich gehe jeden Tag den Weg nach Haltenau, setze mich auf die erste Treppe, wo ich Dich zu erwarten pflegte und sehe nach Vogels Garten hinüber. Kommt dann jemand, so kann ich mir bei meiner Blindheit lange einbilden, Du wärest es, und Du glaubst nicht, wie viel mir das ist.

Auch Dein Zimmer habe ich hier, wo ich mich stundenlang in Deinen Sessel setzen kann, ohne daß mich jemand stört – und den Weg zum Turm, den ich so oft abends gegangen bin –, und mein eigenes Zimmer mit dem Kanapee und Stuhl am Ofen – ach Gott, überall! – kurz, es wird mir sehr schwer, von hier zu gehen, obendrein noch zweihundert Stunden weiter als wir jetzt schon getrennt sind. Solltest Du es wohl recht wissen, wie lieb ich Dich habe? Ich glaube kaum.

... Levin, wenn Du kannst, wenn Du immer kannst, bleib bei Deinem Plane, in zwei Jahren nach Münster zu kommen; meine

Gesundheit ist jetzt nicht so übel, ich werde dann wohl noch am Leben sein. Hörst Du? Denke, daß ich alle Tage zähle. Es ist schlimm, daß ich nicht hier bleiben kann, aber ich will auch nicht in Rüschhaus bleiben, sondern nach Hülshoff und mir täglich Bewegung machen, dann denke ich, wird es schon gehen.

Wenigstens *einmal* wirst Du mir doch noch hierher schreiben? Es muß aber wieder auf dem alten Fuße sein; Laßberg bekommt alle Briefe zuerst in die Hände und ist viel zu begierig nach Nachrichten von Dir, als daß ich ihn mit trocknem Munde könnte abziehen lassen. Aber verkürze den offiziellen Bericht und lasse dieses dem privaten zugute kommen. Schreib mir aber nicht eher nach Rüschhaus, bis ich Dir von dort meine Ankunft gemeldet; Du weißt, daß ich meiner Mama keine vollständige briefliche Enthaltsamkeit zutraue.

Ich gehe jetzt täglich ins Museum, setze mich auf Deinen Stuhl am Fenster und sehe, was das Morgenblatt bringt. Vorgefunden: erstens Dein Gedicht auf die Meersburg, was mir aber schon eine schöne Verlegenheit zugezogen hat, da die Idee, den guten Laßberg nebst Uhland auszumerzen von mir approbiert worden ist; und jetzt fiel es mir wie ein Stein aufs Herz: Gott, das sieht ja ganz aus, als ob Levin sich seiner (Laßbergs) schäme; und nun gerade im Morgenblatt, das Laßberg gleich vor Augen kommt!

Es währte auch nicht lange, so waren die Puppen am Tanz; von allen Seiten wurde dem alten Herrn die schmeichelhafte Nachricht von Levin Schückings schönem Gedicht auf die alte Dagobertsburg zugetragen. Jeder wollte ihn zuerst darüber komplimentieren, und ich wußte mir nicht anders zu helfen, als indem ich gestand, es gelesen und von der Redaktion auf eine Weise verkürzt gefunden zu haben, daß alle Strophen, die sich nicht auf das Historische bezogen, ausgelassen worden.

Der arme Laßberg, der so kindisch froh war, sich vor aller Welt besungen zu sehen, war fast dem Weinen nah, als er dies hörte, und sagte mir mit der kläglichsten Stimme von der Welt: Wenn auf diese Art Uhland und ich auch ausgemerzt sein sollten, so sollte mich das sehr freuen, denn ich mag nicht, daß man von mir spricht.

Er dauerte mich ordentlich, aber ich glaube nicht, daß er Verdacht auf Deine lieblose Hand hat; Jenny ebensowenig, die auch ganz grimmig auf die perfide Redaktion ist. Ich weiß aber auch wirklich nicht, wo wir beide unsere Gedanken gehabt haben, da wir doch beide Laßberg so gut kannten und dies alles an den Fingern abzählen konnten. Am besten wäre es, wenn Du das Gedicht in seiner ersten Gestalt noch einem andern Blatte, was Laßberg vor Augen kommt, gäbst, dann wäre das Unglück ziemlich repariert.

Ferner fand ich im Morgenblatt mein Gedicht an Jungmann und dann füttert es sein Publikum so unbarmherzig mit meiner Erzählung, von Hauff ‚Die Judenbuche‘ getauft, – daß alle Dichter, die sich gedruckt sehen möchten, mich verwünschen müssen. Ich finde, daß sich meine gedruckte Prosa recht gut macht, besser und origineller als die Poesie, aber anders wie ich mir gedacht ... Lachst Du mich aus, impertinenter Schlingel? Wer zuletzt lacht, lacht am besten! Es wird doch etwas Tüchtiges aus mir. Aber Du mußt zuweilen per Feder nachschieben. – Weiß der Henker, was Du für eine inspirierende Macht über mich hast; seit ich bei diesem Briefe sitze, brennt's mich ordentlich in den Fingern über die mir zugewiesenen Stoffe wie eine hungrige Löwin herzufallen, und dann meine ich, müßte es nur so in einem Strome fortgehen: Gedichte, Lyrisches, Balladen, Drama, was weiß ich alles! Wärst du noch hier, mein Buch wäre längst fertig, denn jedes Wort von Dir ist mir wie ein Spornstich.

den 5.

Guten Morgen, Levin! Ich habe schon zwei Stunden wachend gelegen und in einem fort an Dich gedacht; ach, ich denke immer an Dich, immer. Doch punktum davon, ich darf Dich und mich nicht weich stimmen und muß mir auch selbst Courage machen und fühle wohl, daß ich mit dem ewigen Tränenweiden-Säuseln sowohl meine Bestimmung verfehlen als auch Deine Teilnahme verlieren würde; denn Du bist ein hochmütiges Tier und hast einen doch nur lieb, wenn man Tüchtiges ist und leistet.

Schreib mir nur oft, mein Talent steigt und stirbt mit Deiner Liebe; was ich werde, werde ich durch Dich und um Deinetwillen, sonst wäre es mir viel bequemer, mir innerlich allein etwas vorzudichten. Sobald ich diesen Brief geschlossen, geht's con furore ans Werk; ich bin wieder in der fruchtbaren Stimmung, wo die Gedanken und Bilder mir ordentlich gegen den Hirnschädel pochen und mit Gewalt ans Licht wollen und denke, Dir die Beiträge sehr bald schicken zu können.

Mich dünkt, könnte ich Dich alle Tage nur zwei Minuten sehen – o Gott, nur einen Augenblick! – dann würde ich jetzt singen, daß die Lachse aus dem Bodensee sprängen, und die Möwen sich mir auf die Schultern setzten. Wir haben doch ein Götterleben hier geführt trotz Deiner periodischen Brummigkeit ... mein Schulte, mein kleines Pferdchen, – was hängen alles für Erinnerungen, die nie verlöschen können an diesen Titeln! ... Schreibe mir, daß Du mich lieb hast, ich habe es so lange nicht mehr gehört und bin so hungrig darauf, Du dummes, nichtswürdiges kleines Pferd!

... Einige Tage später fuhren wir nach Langenargen, acht Stunden von Meersburg. Wie habe ich an Dich gedacht, altes Herz, wie hundertmal habe ich Dich hergewünscht! Da hättest Du erst erfahren, was ein echtromantischer Punkt am Bodensee ist ... Lieber Himmel, warum habe ich einen so schönen Tag ohne Dich genießen müssen! Ich habe immer, immer an Dich gedacht, und je schöner es war, je betrübter wurde ich, daß Du nicht neben mir standest und ich Deine gute Hand fassen konnte und zeigen Dir – hierhin – dorthin – – Levin, Levin, Du bist ein Schlingel und hast mir meine Seele gestohlen; Gott gebe, daß Du sie gut bewahrst!

Aber Du hast mich auch lieb und denkst an mich an Deiner Donau – suchst Muscheln, die wahrscheinlich nicht da sind, und hast schon Pflanzenabdrücke und zwei Steine für mich zusammengehütet ... Du altes Herz, Deine Müschelchen, die Du mir hier gesucht und in dem Schwefelholzkästchen gegeben hast, kann ich kaum ohne Tränen ansehn, und sie sind mir lieber wie alle die seltenen Meermuscheln in meinem Glasschranke zu Rüschhaus.

Adieu Levin, behalte dein Mütterchen lieb, stelle Dir oft vor, daß ich bei Dir wäre und Du mir alles erzähltest und vertrautest, wie da wir zusammen waren. Bitte, denk das oft, so wird in Deinem Herzen nie eine Falte gegen mich kommen; ich will Dir auch immer alles sagen. Adieu, lieb Herz.'

Annette von Droste, einsam in Levins Gemach, im westlichen Turme, versunken in dem Lehnstuhl, zu dem er sie so oft geführt, wenn sie abends zu ihm eilte, Manuskriptblätter in den Händen, ihm vorzulesen, was sie aus dem Brunnen ihres innersten Wesens ans Licht gehoben, Annette in dieser friedvollen Einsamkeit, jetzt Levins Briefe auf dem Schoß, oder die eigenen Briefe überdenkend, umschließt mit ihrer Erinnerung in glückseligem Erstaunen die vergangenen Monate.

Nicht in der schwärmerischen Sehnsucht einer verliebten Frau; Annette in ihrer harten Nüchternheit, die zu dem Mann ihres Lebens sagen kann: ‚ich darf dich und mich nicht weich stimmen und muß mir auch selbst Courage machen' –, Annette kennt keine Schwärmerei, aber sie gehört zu den seltenen Wesen, denen die Ekstase der Liebe im Geiste zum Geschenk geworden, diese Ekstase, die den Menschen so gewaltig vom Boden emporreißt, daß der Weg frei ist zu außerordentlichen Taten.

Sie lebte in dem Glauben, daß ihre und des Geliebten Seele sich triumphierend über den erdgebundenen Leib losgerissen habe zu einem Frieden, der sie über die Welt erhob; zwar wußte sie auch, daß die Zeiten der Ekstase verrauschen und die grausame Zeit und das Irdische mit Hast und Gedränge sie herunterreißen würden, aber wie auch immer der Alltag zurückkehrte, einmal, einmal war ihnen der göttliche Rausch gegönnt worden, der Stolz im Gefolge hat und nicht die Ernüchterung, und dieses gemeinsame Erleben mußte doch ein Band für alle, alle Zeiten sein!

31

In dieser letzten Meersburger Zeit – denn Annette rüstete sich, heimzukehren – war es ihr einziger Trost zu wissen, daß sie in Levins Werken war und er in den ihren. Immer fester würde das Gewebe der geistigen Fäden, die sie hinüber und herüber warfen, werden.

‚Die Judenbuche‛, die in Cottas ‚Morgenblatt‛ erschienen war, hatte Annette den ersten ernsthaften Ruhm eingetragen; von allen Seiten erhielt sie Aufforderungen, Prosastücke einzusenden; ihr schlug oft das Herz vor Staunen und Freude, wie mit einemmal ein neues Tor sich in ihrem Leben aufgetan hatte.

Da war ihr zum Beispiel ein wunderschönes Honorar in die Hände gefallen; eigenes Geld! O was würde die Mutter sagen, daß die verhaßte Dichterei ihre Tochter reich machte! Laßberg schüttelte den Kopf, als verstünde er die Redaktoren der Zeitschriften in ihrer Nachsicht kaum; Jenny aber war wie beflügelt vor Stolz und drängte Annette, ihren Roman: ‚Bei uns zu Lande‛ rasch, rasch fertig zu machen, aber ihre Schwester mußte zuerst die ‚Bilder aus Westfalen‛ beenden, die für Guido Görres‛ ‚Politische Blätter‛ bestimmt waren. So viel Geschäftliches stürmte jetzt auf Annette ein; oft wußte sie sich kaum zu helfen. Zu ihrer Stärkung gab es gottlob die Thurn- und Taxissche Post, diese nie genug zu preisende Einrichtung für das Glück der Liebenden. Annette und Levin benutzten sie ausgiebig. Am 25. Mai (1842) schrieb sie ihrem geliebten Freund:

‚Soeben habe ich Deinen guten, lieben Brief erhalten, mein altes Herz, und antworte auf der Stelle, obwohl ich Dir einige Tage später den Aufsatz fürs ‚Deutschland‛ hätte mitschicken können, der fast beendigt ist. Aber es geht hier jetzt so bunt zu, fast kein Tag ohne Besuch (NB. zumeist Damen), wo meine Unterhaltung das Beste tun muß, da Jenny den ganzen Tag in der Erde kratzt, daß man beim Aufstehen morgens nie weiß, ob man nach der Dampfbootstunde noch zu einer einzigen Zeile kömmt.

Also krank bist Du gewesen, mein armes gutes Herz, und so verlassen und gelängweilt dazu! Es ist jetzt vorüber, aber ich werde die Angst, daß Du wieder krank werden könntest, nicht los werden, besonders wenn ich noch zweihundert Stunden weiter fort bin. Gott, was ist das Getrenntsein doch für eine harte Sache! Wäre ich dagewesen, niemand hätte mich von Deinem Bette fortgebracht, und Dir wäre auch wohler gewesen, wenn Du Dein Mütterchen gesehen hättest. Oh, ich kann wohl Kranke pflegen und bin dann gar nicht hilflos, sondern, ich darf es wohl sagen, recht entschlossen und ausdauernd, wie überhaupt in allen Fällen, wo es not tut; Du hast mich nur nicht in einem solchen gesehn. Und Deine schöne Wiener Reise ist Dir mit der Gelegenheit auch so lumpig verhunzt worden! Jenny und Laßberg, bei denen Du Dich durch Deinen schönen langen Brief wieder ganz weiß gewaschen hast, sind auch ganz betrübt darüber und trösten sich nur damit, daß Du die Tour wohl bald mal wieder unter besseren Umständen machen würdest. Beide haben Dich herzlich lieb, und Laßberg ergreift jede Gelegenheit, von Dir zu sprechen, wäre es auch nur, um mich auf eine harmlose Weise ein wenig mit meinem ‚Seelenfreunde' zu necken.

Von meiner Abreise habe ich weiter nichts gehört, da die Wintgens gegenwärtig in Frankreich sind, zweifle aber nicht, daß sie bei ihrer großen Pünktlichkeit am festgesetzten Tage – den 15ten Juni – wirklich wie Steine vom Himmel fallen und mich mit sich fortkollern werden. Dann bin ich wieder in Rüschhaus, und für die jetzigen Erinnerungen treten die alten ein, wo Du mein Schulte warst; denkst Du noch an mein Kanapee mit den Harfen, meine Bank unter den Eichen? von der ich so schwer Abschied genommen habe, als ob es mich geahndet hätte, daß ich Dir dort nie wieder mit meinem Fernrohr auflauern würde, wenn Du durch den Schlagbaum trabtest, Deinen Rock auf dem Stocke. Das Vergehen und nie *so* Wiederkommen ist etwas Schreckliches! Wenn Du wieder nach Rüschhaus kömmst, bin ich ein altes Madämchen, und auch Dir sind derweil hundert Dinge durch den Kopf gegangen, und meine dicke Milch und zusammengespartes Obst werden Dir nicht halb so gut mehr schmecken.

Den 26sten (Fronleichnamstag). Ich schreibe Dir unter Kanonendonner, unter Pauken- und Trompetenschall. Die Bürgermiliz hat sich vor der Pfarrkirche aufgepflanzt und läßt ihr Geschütz, wirklich ordentliche Kanonen, seit vier Uhr morgens, sechs Messen lang, so unbarmherzig zu Gottes Ehre knallen, daß fast in jedem Hause ein Kind schreit, und wir auf dieser Seite haben alle Fenster aufsperren müssen, damit sie nicht springen. In den Schwaben ist doch mehr Lust und Leben wie in unsern guten Pumpernickeln! Stiele hat sich in eine Uniform gezwängt, die aus allen Nähten bersten möchte, und malträtiert die große Trommel mordsmäßig. Als ich aus der Kirche kam, salutierte er höchst militärisch und sagte dabei höchst bürgerlich: Guten Morgen, gnädiges Fräulein! Da höre ich soeben die Prozession kommen.

Sie ist vorübergegangen, meine gute Jenny mitten drin, zwischen lauter alten Frauen, unter denen sie, mit ihren zwei schneeweißen Kinderchen an der Hand, ordentlich wie ein frommes anmutiges Madönnchen aussah; sie kann mich oft recht rühren, besonders wenn ich denke, wie bald sie Witwe sein wird. Stell Dir vor, Laßberg machte sich, wie ich von den Strengs erfahren, bedeutend jünger als er ist; sein Bruder Alexander, der zwei Jahre jünger war und schon vor drei Jahren starb, hat, wie auf den Totenzetteln stand, das Alter von zweiundsiebzig Jahren erreicht; also muß Laßberg nahe an achtzig sein. Ich kann ihn, seit ich dieses weiß, nie ohne Sorge ansehn, und seine Eigenheiten scheinen mir verzeihlicher sowie seine innere Frische viel bewundernswerter als zuvor, und ich fühle, daß ich von einem so steinalten Manne viel zuviel verlangt habe.

Im Museum war ich seit einigen Tagen nicht, bis dahin war meine ‚Judenbuche‘ beendigt, von der ich nur das im vorigen Briefe Gesagte wiederholen kann, nämlich: daß ich den Effekt fand, wo ich ihn nicht suchte, und umgekehrt, das Ganze aber sich gut macht.

Der ‚Merkur‘ ist seit einigen Tagen ausgeblieben; was mag das bedeuten? Nach den vielen Bränden überall wird man ordentlich apprehensiv. Bisher stand, außer dem Hamburger Unglück, was alle Blätter anfüllt, nichts darin als Heringe und Bücklinge und diverse Schuster und Schneider, die die Welt durch ihr Abscheiden betrübt oder mit Nachkommenschaft erfreut hatten.

Den 27sten. Soeben komme ich vom Museum, voll Jubel über Dein ‚Westfalen‘, was in Nr. 122 (23sten Mai) steht und sich ganz köstlich macht. Du bist doch ein Baasjunge! Meine Mütze kann ich nicht in die Luft werfen wie Freiligrath, weil ich keine trage, aber ich möchte Dich zu Brei zusammendrücken, wenn ich Dich nur hätte! Du Schlingel, warum bist Du nicht bei mir!‘

Einige Antwortbriefe von Levin scheinen vernichtet zu sein. War der Ton zu herzlich? In ihrem letzten Brief aus Meersburg vom 7. Juli (1842) schreibt Annette zum Schluß:

‚Liebes Herz, wundere Dich nicht, wenn ich Dich fortan Sie nenne und Dich um ein Gleiches bitte; die gefährliche Zeit unserer Korrespondenz fängt jetzt an, und es ist mir zu empfindlich, alle Deine lieben Briefe des Dus wegen verbrennen zu müssen.‘

Annette ist froh, endlich heimkehren zu dürfen, denn obgleich sie im Anfang nach der Trennung geglaubt, alle die geliebten Orte und Wege seien ein Trost in ihrer Vereinsamung, so wurde ihr Meersburg im Laufe des Sommers immer schwerer zu ertragen. In Rüschhaus würde es besser sein; ihre Mutter wollte bis tief in den Herbst hinein in Bökendorf bleiben, so konnte sie allein und unbeobachtet um einen neuen Standpunkt im Leben ringen.

Aber auch der Juli geht hin, und Wintgens, die Freunde, denen sie sich für die Heimreise anvertraut hat, zögern und zögern ihre Rückreise hinaus; Annette ist krank vor Nervosität, denn dieses wochenlange auf der Abreise sein und ein immer neues Abschiednehmen nehmen ihr jede Ruhe zur Arbeit, dabei ist sie erfüllt von Plänen und möchte jeder Anfrage gerecht werden.

Am 28. Juli kam endlich der Tag der Abreise heran, nun mußte aber noch die Heimfahrt durch ganz Deutschland überstanden werden; es würde Wochen dauern, bis sie in Rüschhaus eintraf, denn auf die üblichen ausgedehnten Besuche bei Freunden und Verwandten wurde nicht verzichtet. Annette aber brannte darauf, in ihrem stillen Häuschen anzulangen; dort würde sie bestimmt einen langen Brief von Levin vorfinden, sie glaubte, ihm Anweisung gegeben zu haben, keinen Brief mehr nach Meersburg zu schicken, denn sie hatte seit einem Monat kein Wort von ihm gehört.

Die Heimreise war mühsamer, als Annette gefürchtet hatte; sie verließ schließlich in ihrer Ungeduld die Freunde am Rhein und erreichte endlich, zu Tode erschöpft, Ende August ihr geliebtes Rüschhaus ... Wo sind die Briefe? Was ist für sie angekommen? Sie wirft die veralteten Postsachen durcheinander ... nichts von Levin.

Kein Wort von ihm erwartet sie; und im Grunde war sie doch hin zu diesem Brief gereist. Die Enttäuschung trifft sie wie ein harter Schlag, so hart, daß sie Mühe hat, ihren Leuten, vor allem ihrer Alten, mit gefaßter Miene gegenüberzustehen.

Es sind böse Tage, die ihrer Heimkehr folgen; aber kein Klagen, kein Jammern, kein flehentliches Wort an Levin, sie schweigt, wird aber noch kränker vor Zorn, weil er das Gottesgeschenk ihrer Freundschaft nicht besser hütet und bewahrt. Vor der Welt versteckt sie jedes Gefühl, pflegt ihre liebe Alte, die während ihrer langen Abwesenheit vor Kummer fast gestorben ist und nun aus Annettens Anwesenheit neue Lebenskräfte saugt, und widmet ihre Zeit als gute Schwägerin und Tante den Hülshoffern, die sich abermals um einen kleinen Schreihals vermehrt haben.

Der Sommer, der bei Annettens Abreise in voller Pracht gewesen, hat sich hier im Norden schon in einen frühen Herbst gewandelt. Der September ist angebrochen, und immer noch hat sie sich nicht entschließen können, Jenny zu schreiben; jeder Gedanke an das versunkene Märchen ist ein Schmerz, den sie von sich weist. Aber dann trifft an einem Tag, der wie alle Tage ist, wie vom Himmel gefallen, der ersehnte Brief von Levin ein; er hatte ihn nach Meersburg gesandt, und Laßberg ihn wochenlang liegen lassen, bevor er ihn Annette nachschickte.

Levin hatte am 29. August (1842) aus Ellingen geschrieben; es ist ‚ein eiliger Brief‘, voller geschäftlicher und literarischer Anfragen, ‚ein ungemütlicher Brief, ein Philister, den man als Kalkulator bei einem Eisenbahnbureau anstellen sollte‘.

Annette ist dennoch wie neubelebt; das Band zwischen ihr und Levin ist nicht gerissen; so erfrischt fühlt sie sich, daß sie sich endlich aufrafft, ihren Dankesbrief an Jenny zu schreiben, noch bevor sie Levin antwortet. Jetzt ist alles, alles gut.

So beginnt sie nun an diesem glücklichen 5. September (1842) noch am Abend:

‚Obwohl es schon ziemlich spät ist und die Dämmerung nah, will ich doch wenigstens anfangen, Dir, liebes Herz, zu schreiben. Ich bin denn am Tage vor Mariä Himmelfahrt wieder hier angelangt. In Bonn ging es mir sehr gut, Pauline tat ihr möglichstes, mir Freude zu machen.

Während ich in Bonn war, wurde das kleine Gäßchen, was zu Paulinen führt, neugepflastert, und man kam auf römisches Gemäuer, was den Prof. Braun veranlaßte, in Paulinens Garten nachgraben zu lassen.

Ich bin darüber abgereist, weil mir die Wintgens zu lange ausblieben.

Die Mertens fand ich sehr leidend, und sie wird sich wahrscheinlich einer Operation unterwerfen müssen, aber prächtige Sachen sah ich bei ihr. Ihre römische Münzsammlung ist jetzt so groß, daß sie sie weder übersehen noch vieles mehr akquirieren kann. Geschnittene Steine hat sie 1200, da Mertens ihr vor drei Jahren die größte Privatsammlung in Deutschland angekauft hat. Es sind eine Menge wunderschöner darunter, doch verhältnismäßig wenig Kamoeen, und prächtige Dolche! 8 oder 10, alle mit silbernen oder agatnen, jaspisnen et cet. Heften, von der schönsten Arbeit, getrieben, geschnitten, mit Edelsteinen besetzt. Ihren Mann fand ich sehr elend, er sah gelb und aufgeschwemmt aus, war unbeschreiblich verdrießlich und klagte sehr. Zu ihrer Ehre sei's gesagt, daß sie recht besorgt um ihn war und viel Geduld hatte, wollte Gott, sie hätte es früher gehabt!

Zu Hause gekommen (in Bonn), fand ich ein Billet von Simrocks Frau (Trautchen Ostler) des Inhalts: Ihr Mann sei von einer Reise zurückgekommen und wünsche sehr meine Bekanntschaft zu machen. Simrock, ein langer, schwarzer, zugleich lebhaft und düster aussehender Mann von einigen Dreißigen, war überaus freundlich und herzlich und erkundigte sich mit dem höchsten und ehrfurchtsvollsten Interesse nach Laßberg. Ich beschrieb ihn so ungefähr, dann seine Meersburg, sein häusliches Leben, und habe wohl nie einen aufmerksameren Zuhörer gehabt. Dann fragte ich, ob ich Laßberg von ihm grüßen solle. Er wurde ganz rot und sagte, dies wage er kaum. Doch schicke ich den Gruß, der gewiß aus einem vollen Herzen kömmt!

Am andern Nachmittag um vier fuhr ich nun mit dem Dampfboot ab, was die Nacht durchfuhr bis Wesel. Kaum waren wir im

Gange, als ich einen Passagier zum andern sagen hörte: Haben Sie schon von dem Unglücke gehört? Herr Mertens ist diesen Morgen in St. Thomas in seinem Bette tot gefunden worden, die Frau ist in Plittersdorf und weiß es noch nicht. Du kannst denken, wie ich mich erschreckte; ich wandte mich an den Herrn, der aber selbst nichts Genaueres wußte. Die Nachricht war soeben in Bonn angekommen. Auf dem Dampfboot fand ich niemand, dem ich mich hätte anschließen können, und saß so still vor mich hin. Wie es Nacht wurde, wollte ich in den Pavillon; der Markör wollte ihn aber nicht aufschließen, wenn ich ihm nicht einen Taler gäbe; da wurde ich ärgerlich und blieb die ganze Nacht auf dem Verdecke. Mehrere Damen machten es wie ich; die meisten schliefen auf Stühlen und Bänken; ich saß mit offnen Augen wie ein Hase und befand mich doch in der wunderschönen Mondnacht besser wie damals auf unserer Herreise auf den kalten, harten Brettern. Um zehn waren wir in Düsseldorf; da lag das Schiff zwei Stunden still, was mich greulich ennuyierte. Am Morgen sehr früh waren wir in Wesel, wo ich gleich auf die Schnellpost stieg und noch vor eins in Münster anlangte.

Ich blieb die Nacht inkognito in Münster bei Ahlers und sah niemanden als die Rüdiger und Schlüters, wo ich erfuhr, daß Tangermann noch in Münster sei, aber am nächsten Morgen nach München abreisen wolle, und dann, daß der arme Sprick tot sei. Es war ihm in Belgien sehr schlecht gegangen, er hatte kaum das trockene Brot verdient, aus Schonung aber seiner Frau in Hohenholte, die wieder ihre Niederkunft erwartet, immer heiter und hoffnungsvoll geschrieben und auch zuweilen ein paar Taler geschickt, die er sich mit Hungern abdarbte. Diese und alle Bekannte begriffen aber nicht, warum er so wenig schickte, da er doch so gloriös schrieb, und der arme Schelm hat die bittersten Nachreden von Leichtsinn und schlechter Sorge für die Seinigen tragen müssen. Endlich hat die Frau, aufgebracht hierüber, das gute Leben mitgenießen wollen und ist ihm unerwartet mit den Kindern nachgekommen in sein elendes Dachstübchen, wo kaum ein Stuhl und ein Bett war, und er hat vor Schrecken auf der Stelle einen Blutsturz bekommen und ist nach einigen Tagen tot gewesen. Nun sitzt sie da mit sechs Kindern und das siebente erwartend, und es heißt, sie würde wieder nach Münster kommen, weil sie dort geboren ist und also auf Unterstützung von der Stadt Anspruch machen kann. Es steht sehr zu befürchten, daß ihr Mariechen (mein Pätchen) mir jetzt zufallen wird, eine furchtbare Last für mich und über meine Kräfte, da das Kind doch wirklich zu vornehm ist, um etwa bei Degeners oder Treps in die Kost zu kommen und ich doch kein Pensionat bezahlen kann.

Am andern Morgen ging ich zu Fuße nach Rüschhaus. Die Rüdiger brachte mich ein Streckchen auf den Weg.

In Rüschhaus kam ich recht mal apropos, und die Leute sahen mich fast scheel an, da sie zu meiner Ankunft hatten recht putzen und fegen wollen und grade das Haus unter Wasser stand. Nur meine Alte weinte vor Freude und konnte nicht genug fragen nach ‚Frölen Jenne und Herr von Latzberg und de Kinnerkes‘. Es war ihr eine große Freude, daß die Kinder auf ihren Matten saßen und auch ihre Häfele damit zudeckten. Sie sieht sehr gut aus, befindet sich auch auffallend gut, bis auf den Schwindel, der noch sehr zugenommen hat, so daß ich ihr jetzt abends ins Bett helfe, damit sie nicht mit Tisch und Lampe hineinfällt und alles in Brand steckt.

Ich hatte gleich nach Hülshoff geschickt, und am andern Tage schon kam Werner, sah wohl aus, klagte aber über Augenschwäche und war überhaupt sehr betuckt und nachdenklich über die großen Kosten der bevorstehenden Königsfête. Werner rechnete sich zu einem melancholischen Troste immer vor, was er getan, um übrigens möglichst wohlfeil davonzukommen, wie er nur einen Jäger und Kutscher, die meisten andern aber noch einen oder gar zwei Bedienten dazu montieren lassen. Wie er für Linchen, da die Königin wahrscheinlich nur einen Tag Cour halten würde, auch nur ein elegantes, aber ganz einfaches weißes Atlaskleid mit Spitzenbesatz gekauft habe, während die meisten Damen zur Vorsicht zwei Kleider, so kostbar sie nur zu haben – viele Gold- und Silberstoffe – aus Paris kommen lassen und z. B. die Kleider der Thereschen Nesselrode jedes über 1000 Taler gekommen sei.

Zwei Tage nach meiner Ankunft kam Werner wieder mit Onkel Karl, der zum Feste gekommen war, und ich fuhr mit ihnen nach Hülshoff. Linchen fand ich sehr wohl aussehend, sie ist wahrscheinlich wieder gesegnet.

Die Fêten in Münster sollen süperb gewesen sein, doch sagt Julie, die gestern hier war, bei der Adelsfête sei es so voll gewesen, daß alle die schönen Toiletten umsonst gewesen und man ebensogut im Unterrocke hätte hingehen können, wenn man nur ein paar Federn auf dem Kopfe gehabt hätte. Nur die verheirateten Damen sind vorgestellt, und die Königin hat mit jeder ein paar Worte gesprochen und mit jedem verheirateten Herrn einen Polonäsengang gemacht sowie der König mit jeder Frau. Das Papier ist zu Ende. Adieu, liebes Herz, 1000 Liebes an Laßberg und 1000 Küsse an die Kinder.

Deine Nette'

‚Ich habe wieder einige sehr gute Rezensionen bekommen über die einzelnen Sachen, die eine in der ‚Revue', wo meine ‚Judenbuche' sehr herausgestrichen und dem Besten, was je in der Art geschrieben, an die Seite gesetzt wird, eine zweite in der Rezension des ‚Musenalmanachs', wo Gutzkow meinen ‚Geierpfiff' sehr heraushebt und mich ein ganz außerordentliches episches Talent nennt, und noch eine dritte. Qu'en dites-vous? Ich komme wirklich auf, woran ich eigentlich schon ganz verzweifelt hatte. Meine neuen Gedichte sind bald fertig.

Von Schücking habe ich seit gestern die erste Nachricht, er ist wohl, aber wieder auf Reisen gewesen und schreibt mit großer Liebe von Laßberg, der ihm seinen Öttinger geschickt, den er erst am 27ten erhalten. Ich hoffe, er hat doch schon darauf geantwortet? Die Fürstin ist sehr elend.'

‚Rüschhaus, 10. Sept. (1842?)

Für Dich allein zu lesen:

Ich habe mich recht plagen müssen, liebe Jenny, um alles, was Laßberg interessieren konnte, auf denselben Bogen zu bringen.

In Schückings Briefe steht manches, was mich fürchten läßt, daß er endlich ehrenhalber nicht wird bleiben können. Der Fürst scheint ein Mensch von der schamlosesten Sittenlosigkeit. Z. B. die letzte Reise, wo Sch(ücking) und Kinder auch mit waren, haben sie in Gesellschaft der Mätresse und ihrer Schwester gemacht, während die Fürstin in Ellingen auf dem Todbette liegt. An einer andern Stelle schreibt er: Die arme gute Fürstin hat nur noch wenige Wochen zu leben, der Fürst kann es kaum abwarten, um in seine Löwenhöhle (nach Mondsee) zurückzukehren. Ich hoffe, er wird dann wenigstens die Delikatesse haben, mich mit den Kindern hier zu lassen. Aber ich fürchte! ich fürchte! nach dem Tode der Fürstin stehen uns große Veränderungen bevor! (Dreimal unterstrichen.) Was sagst Du dazu? Wenn der Fürst die Person heiratet, so ist das noch nicht das Schlimmste, und Sch(ücking) kann noch mit Ehren im Hause bleiben, um die armen Kinder vor dem Verderben zu retten. Wenn er sie aber bloß zu einer skandalösen Wirtschaft ins Haus holt mit ihren Kindern, sie dort die regierende Frau vorstellt und Sch(ücking) ihr augendienern und die Hand küssen soll, so dürfte ich doch kein Wort dagegen sagen, wenn Sch(ücking) alles im Stiche ließ und abzög, obwohl er bis jetzt noch nicht darauf hindeutet. Beim Fürsten scheint das gemeine Blut doch gewaltig durchzuschlagen! So roh und taktlos würde sich kein Mensch von guter Herkunft betragen.'

Und nun muß auch Elise noch einen Brief haben, die Annette so rührend besorgt über Levins Schweigen getröstet hatte, auch ist es ihr ein Bedürfnis, der jungen Freundin ihre Sorgen über die Verhältnisse in Mondsee zu schildern.

Levins verschiedene Aufträge übergibt sie ebenfalls an Elise und bemerkt dazu, er sei ‚so schusselig', weil er ein solches Durcheinander in seinen Briefen hat, zugleich aber ruft sie aus: ‚Gott weiß, wie er mir am Herzen liegt!' und sie gesteht Elise, daß sie ihn ‚jetzt weniger denn je aus den Augen lassen und durch Sorge und Herzlichkeit in einem fortwährenden Vertrauen und Offenheit zu erhalten suchen wird'.

Und nun der Brief an Levin. Oh, die Freude, mit der Feder in der Hand, einen Bogen auf dem Tisch, allein in ihrem warmen Gemach, bei den gleichen Herbststürmen wie vor zwei Jahren, unter all den Dingen, die Levins Hände berührt haben, ihm zu schreiben.

Es scheint ihr, als sei sie ihm ganz nah; zwar zucken Zorn und Schmerz über sein langes Schweigen noch in ihr nach, aber von seinen Erklärungen beruhigt, sprudelt ihre Freude auf; eine ganz andere ist sie Levin gegenüber, als Elise es nach Annettens trokken-mütterlichen Worten annehmen muß; in aufbrechendem Humor schreibt sie ihrem einzig geliebten Freund und Gefährten:

,Rüschhaus, den 11. Sept. 1842

Endlich ein Brief von dem kleinen Pferde! Wissen Sie Levin, daß ich ganz zürnig war? Obwohl ich es generöserweise (vielleicht auch mit aus Hochmut) in meiner königlichen Brust verschlossen hielt und tat, als könne ich noch gar keinen Brief erwarten. Wer hätte denken sollen, daß der Klüngelpeter von Laßberg sein breve, dem schon bei meiner Abreise nicht viel mehr als das Couvert fehlte, erst nach Wochen vom Stapel lassen sollte!

Mein Junge darf sich also nicht wundern, daß ich mich wunderte, etwas ängstete und ziemlichermaßen erzürnte; denn eine innere Stimme sagte mir, daß er gesund wie ein Fisch und rund wie ein Kegel sei, und bloß grenzenlos faul. Ich gäbe viel darum, liebes Herz, wenn Sie gerade diesesmal so recht offen und ausführlich geschrieben hätten, ganz wie zu Ihrem Mütterchen; denn ich sitze hier seit sechs Wochen mutterseelenallein, und weder Hahn noch Huhn kräht nach den Briefen, die ich bekomme. Und mich verlangte so nach einem recht langen, warmen, lieben.

Liebes Herz, Sie werden von Elisen einen Brief erhalten haben, worin sie ihre Briefe und Porträt zurückwünscht. Sie können sich auf mein Wort verlassen, daß diesem Wunsch Elisens keine Bitterkeit zugrunde liegt, sondern nur eine natürliche Furcht vor dem Schwerte des Damokles, das ihr durch die Klatscherei der Bornstedt erst recht sichtbar geworden ist. Ich habe Elisen über Erwarten gut gefunden, wohl aussehend und nicht trübsinniger, als dieses einmal in ihrer Natur liegt.

Sie hat Deine Absicht vollkommen begriffen und geht mit einer Klarheit darauf ein, die ich hauptsächlich dem durch die Klatscherei der Bornstedt gewonnenen Gefühl, wie wenig sie dazu gemacht sei, der Meinung der Welt zu trotzen, zuschreibe. Sie ist Dir vielleicht herzlicher zugetan als je, aber in einer andern Weise.

Daß Du mir auf vier Briefe nicht geantwortet hast, darüber schien sie mir pikierter, als sie es sich gegen mich wollte dünken lassen, und vielmehr behauptete, es müsse ein Brief verlorengegangen sein; ich dagegen machte auch bonne mine à mauvais jeu und sagte, Du seiest bloß ein fauler Schlingel, obwohl mir innerlich schlecht genug dabei zumute war.

Dieser Brief darf das Leben nicht behalten; deshalb laß ich mich auch so ruhig gehen mit dem lieben alten Du, dem es mir recht schwer wird, fortan zu entsagen. Richte Deine Briefe von jetzt an doch so ein, daß ich sie, wenigstens zuweilen, Elisen zeigen kann; mein liebes, liebstes Herz! Ich denke in meiner Einsamkeit alle Tage wohl zehnmal an Dich und wette, Du Schlingel denkst alle zehn Tage kaum einmal an mich; darum mag ich es Dir auch gar nicht sagen, wie lieb ich Dich habe.

Ich bin zwar eine unvergleichliche Person, und Rüschhaus ist ein höchst grandioses Schloß, aber die zuletzt aus dem Nile gestiegenen Kühe Pharaonis fraßen auch die alten auf, so hundsmager und schäbicht sie selbst waren, und so schön fett und gleißend die andern. Und N. B. was stellt das für, daß Du behauptest, gar kein Material zu haben? Wo sind denn diejenigen glänzenden poetischen, gediegenen mit Gesichtsschmerzen geborenen, jüngsten Kinder meiner Laune', die ich Dir in meinem letzten Briefe von Meersburg gesendet?

Mich dünkt, es kamen doch eine Masse schöner Gebräuche darin vor, die es nicht verdienten, so ganz für die Hunde zu gehen; wirklich, konntest Du nicht wenigstens einiges umarbeiten? Sage es mir nur frei heraus! Du weißt, ich hülle mich dann in meine Größe und tröste mich mit Deinem schlechten Geschmacke.

Jetzt bin ich müde, als ob ich gedroschen hätte; es ist auch elf Uhr vorüber; Gute Nacht mein liebstes Herz, Gott segne Dich!

Den 12. Guten Morgen Levin, es regnet draußen, in mir aber ist heller Sonnenschein, weil ich bei Dir bin und Dein gutes Affengesicht mir so recht vor Augen tritt. N. B. Dein Porträt ist mir doch jetzt von großem Werte, und ich gäbe es um vieles nicht hin, obwohl Du mich anstürzt wie ein grimmiger Leu, daß ich immer sagen möchte: friß mich nicht, kleines Pferd!

Um jetzt auch mal auf mich selbst zu kommen: es geht mir denn so leidlich; von meinen Gesichtsschmerzen bin ich gottlob total geheilt durch eine wahrhaft wunderbar wirkende Salbe, die mir ein altes Laienschwesterchen in Meersburg gegeben. Aber übrigens ist mir doch zuweilen hundsschlecht, und ich kann mich des Klimas doch ganz und gar nicht gewöhnen, obwohl ich alle Tage renne wie ein Postbote, immer den Weg durch die Heide entlang bis zu dem Schlagbaum, wo ich Dich zuerst konnte kommen sehen – ich denke doch auch jedesmal daran – was zusammen anderthalb Stunden macht, siebenmal auf und nieder nämlich, dennoch ist mir häufig übel, schwindlig, ohrensauserig, und auch zuweilen beklemmt; doch ist's schon etwas besser geworden, und ich habe es für den Anfang gar nicht anders erwartet.

Zu meinen Gedichten ist noch manches recht Gelungene hinzugekommen und die Pastete bald gar. Dann habe ich aber einen Plan damit, den ich Dir nur im tiefsten Vertrauen mitteile und über den ich voraussehe, sehr ausgeschumpfen zu werden. Liebes Herz, die arme – freilich nicht besonders schätzbare – Bornstedt ist sehr, sehr unglücklich. Von jedermann verlassen, in eine Melancholie versunken, daß man allgemein für ihren Verstand fürchtet, von ihrem Liebhaber fortwährend schändlich betrogen und geplündert – während man in ihrem jetzigen Zustande nicht wagen darf, eine Aufklärung herbeizuführen –, und gewiß in großer Geldnot, vielleicht hungernd, obwohl sie alle dergleichen Andeutungen mit stolzer Empörung zurückweist; aber sie hat *keine einzige* gewöhnliche Stunde mehr.

Nähern werde ich mich ihr nie wieder, aber ich müßte ein Stein sein, um kein Mitleid zu fühlen. Was meinst Du nun, liebes Herz? Du bist doch gottlob auch einer von denen, die den glimmenden Docht nicht verlöschen und das geknickte Rohr nicht zerbrechen.

Soll ich nicht unter der Forderung der strengsten Verschwiegenheit Velhagen meine Gedichte *umsonst* anbieten, falls er der Bornstedt ein ordentliches Honorar zukommen läßt? Ohne ihr den Grund anzugeben?

Elise und Schlüter, in deren Gegenwart mir der Einfall kam, wissen darum und billigen ihn.

Nun komme ich zu etwas, was mir eigentlich am meisten auf dem Herzen liegt, weshalb gerade ich es bis zuletzt verschoben habe, Deine Lage nämlich. Wüßtest Du es, wieviel ich an Dich denke, wie manche Stunde ich wach in meinem Bette liege und mich über Deine Zukunft zergrübele und versorge! Levin, mein einziges geliebtes Kind, Du bist in sehr schlimmer Umgebung.

Das Herz ist mir so voll, ich möchte Dir so alles auf einmal sagen, und doch ist's am besten, ich warte ab, wie sich die Dinge gestalten; was nützt's Fälle zu erörtern, die vielleicht nicht eintreten! Aber ich fürchte, mit dem Tode der guten, wahrscheinlich todgequälten Fürstin weicht das letzte sittlich edle Bild, an dem sich eine ehrliche Seele noch aufrichten kann, aus Eurem Hause; mehr will ich für jetzt nicht sagen und Dich nur noch bitten, ihres Sterbebettes und dessen, was sie drauf gebracht hat, nicht zu vergessen und Dich fest zu Deinen Zöglingen zu halten.

Es ist die ehrenvollste und in Zukunft vielleicht einzig ehrenvolle Stellung, die Du nehmen kannst, wenn jeder voraussetzen darf, Du seiest da aus Liebe zu den armen Kindern, um ihnen reell zu nützen.

Ich wollte, ich könnte bei Dir sein, dann wäre mir nicht bange; was mir vielleicht an Klugheit abginge, würde meine Liebe und Sorge ersetzen, die Dein Bestes zehnmal stärker im Auge hält als ihr eigenes. Könnte ich Dich nur einmal eine Stunde hier haben, hinter dem Teller mit aufgesparten Birnen und Nüssen!

Es ist doch ein lieber, heimlicher Ort, das Rüschhaus! Zwar klein kam es mir nach dem großen Meersburger Schloß vor, klein wie ein Mauseloch, aber doch sehr lieb. Ich hatte es so kurz nach Dir verlassen, daß mir war, als wärst Du gestern erst fortgegangen und alles, Bücher, Papiere, noch von Deiner Hand so hingelegt, was auch mit einigem sein mochte; denn mein Zimmer ist seitdem unbewohnt geblieben und war noch nicht aufgeräumt; mein Alleinsein – Mama ist noch immer in Apenburg – nährt diese Täuschung fortwährend.

Neulich war mir so ungewohnt wohl zumute, ich wußte selbst nicht warum, endlich merkte ich, daß es Dienstag war und ich Dich erwartete. Lieber Gott, wo sind die Zeiten hin! Ich konnte es denn doch nicht lassen, mit meinem Fernrohr zu meiner Bank zu wandern, und das Herz klopfte mir ordentlich, als ich etwas durch den Schlagbaum kommen sah; es war aber nur ein sehr schäbiger Bauer mit einem noch schäbigeren Hunde.

Habe ich Dir nun törichtes Zeug genug vorgeschwätzt? Bist Du ungeduldig, alter Philister? In Deinem nächsten Brief, den ich nun etwa am fünften nächsten Monats erwarte, mußt Du mir aber mal recht ausführlich schreiben, oder ist es Dir vielleicht lieber, mir immer auf der Stelle zu antworten? Das geht auch. Oder bist Du gar so tugendhaft, Dir mehr als einen Brief im Monate zuzumuten?

Das wäre sehr schön. Ich traue es Dir aber nicht zu; mir wohl, mir ist alles recht und lieb, sobald sich nur die Briefe nicht kreuzen. Auch werde ich womöglich Vorsorge treffen, daß mir alle Briefe allein zugestellt werden, so daß ein irregulärer auch ziemlich gesichert ist. Adieu, mein lieb Herz, Du merkst wohl, ich kann es eigentlich nicht abwarten, daß Du schreibst. Adieu!'

32

Im Oktober ist Therese von Droste auch wieder daheim; es herrschen Liebe und Rücksicht zwischen Mutter und Tochter, ja, Therese ist voll ungewohnter Zärtlichkeit, denn es wird ihr nicht entgangen sein, daß Schatten über Annettens Seele liegen; und es war so.

Nach den hellen Tagen, die Levins Briefe mit sich bringen – ach, die Briefe kommen in so langen Abständen –, sinkt das Dunkel der Einsamkeit und der Sehnsucht rasch wieder über Annette hernieder, und sie findet keine Ruhe, denn dieses Haus, der Gar-

Haus Rüschhaus bei Nienberg,
Wohnhaus der Dichterin.

Wohn- und Arbeitszimmer
der Droste-Hülshoff in Meersburg
(Zeichnung von der Schwester der Dichterin,
Maria Anna von Lassberg).

ten, das Land sind zu sehr von Erinnerungen erfüllt ... hier war sie mit Levin und dort und dort, und abends gar, wenn sie allein ist, auf dem schwarzen Kanapee kauert, die Augen geschlossen, träumend, Levin säße am andern Ende, und nun würde er die Arme zu ihr herüberstrecken und sie würden sich nahe in die Augen sehen, um des andern Seele darin zu suchen; oder er würde sie bitten zu singen. Oh, es war eine glückliche Zeit gewesen! Aber sie ist ja auch jetzt noch schön, denn wenn auch keine Briefe kommen, so gehört ihr doch Levins Liebe und Treue; sie hat kein Recht, an ihm zu zweifeln. Ist denn *ihre* Zärtlichkeit weniger groß, wenn sie in Krankheitszeiten keine Feder in die Hand nehmen kann? Wer weiß, was ihn am Schreiben hindert? Nein, nein, einige Wochen des Schweigens können eine Freundschaft nicht auflösen, die sie beide bis in das innerste Blut gespürt haben.

Annette gewinnt in ihrer Vernunft Ruhe und Arbeitskraft immer wieder; sie schreibt Levin und vertraut, sie will nicht zürnen, sie will lieben. Levin aber ist ein junger Mann; das unerfreuliche Leben in Mondsee, wo die Mätressenwirtschaft, nachdem die Fürstin gestorben ist, vollkommen zügellos wird, ohne Ablenkung durch Annettens geistreiche und temperamentvolle Gesellschaft, läßt das Glück, das sie beide verband, dank seinem Lebenshunger bald verblassen, und er sucht nach neuen Gefühlen zur Beschäftigung seiner Phantasie.

Was für Annette das Herzblut bedeutet, ist für Levin zu einer versickernden Schwärmerei geworden. Eine Beschäftigung für sein Zärtlichkeit suchendes Herz kann ihm diese Freundschaft à distance, diese überwachte Korrespondenz, nicht mehr geben. Wohin soll er sich wenden?

Die Briefe mit dem erzwungenen Sie, die keine der Liebesworte enthalten dürfen, die sie sich so gerne gaben, er kann sie nicht schreiben ohne Ernüchterung; Levin hatte nur geschwärmt, und Annette liebte; *sie* mußte nach keinem Ersatz Ausschau halten, aber Levin sah voller Neid zu Freiligrath hin; der hatte es besser als er, ist er doch verliebt und verheiratet und lebt zudem in einem anregenden Menschenkreis: Geibel, Adelheid von Stolter-

foth, Simrock, der Maler, Schlickum, Landrat Heuberger, Long-
fellow, Luise von Gall, alle sind diesen Sommer ständig um ihn.
Welch frohes, anregendes Leben diese jungen Menschen führen,
und er muß hier in der Langeweile unter ungeliebten Menschen
hausen.

Was schreibt doch Freiligrath von dieser Luise von Gall, von
der er schon Novellen und kurze Geschichten gelesen hat? Sie sei
groß und schön, elegant, liebenswert, geistreich und von Verehrern umgeben; trotzdem elegisch, weil sie die gleichgestimmte
Seele noch nicht gefunden habe. Levin denkt, Freiligrath könne
doch einen Briefwechsel mit dem schönen Mädchen vermitteln!
So schreibt er eines Tages dem Freund, während Annette, die
wertvollste Frau seiner Zeit, in ihrer Einsamkeit von Rüschhaus
über der Flamme ihrer Freundschaft wacht, schon Ende August
1842, in der Sprache eines unreifen Knaben:

‚... ich möchte mir eine Braut anschnallen, die ich nie gesehen,
um meine Einsamkeit mit Phantasmagorien anzufüllen und eine
Basis zu haben, auf die ich die Kartenhäuser meiner Hoffnungen
für die Zukunft bauen könnte. Liebster Freund, fädle mir die Sache ein.‘ Und im gleichen Brief: ‚Sag's nur der Droste nicht,
wenn sie dich in St. Goar besucht, sie würde mich schön fenstern
für solchen Leichtsinn.‘

Etwa am 23. oder 24. September (1842) muß Levin Annettens
ausführlichen Brief vom 11.–12. September bekommen haben,
diesen Brief voll strömender Wärme und echtem menschlichem
Fühlen, und am 27. September schreibt er an Luise von Gall, auf
einen ersten Brief an sie zurückgreifend:

‚... aus dem Wenigen, was ich von Ihnen las und erfuhr,
schaut mich ein feines, zartes Seelengesicht an, aus dessen einem
Auge der Gedanke späht, während aus dem träumerisch geschlossenen anderen die Liebe suchende Blicke in die Welt aus-
sendet.‘

Und nun folgt ein Traumbild, das in Wahrheit Annette und
nicht die unbekannte Luise ist:

‚Die ganze Physiognomie, wie ich sie mir ausmale, spricht von
einem inneren Reichtum, der in nichts einem männlichen Geiste

nachgibt, während innige Tiefe und das unangetastet bewahrte Frauliche sich über den Mann stellt. Bin ich nicht glücklich, so eine Quelle mein nennen zu dürfen? ...

Sie sind eine Schriftstellerin und doch auch eine poetische Frau; eine seltene Vereinigung! Gemüt, Sehnsucht, Tiefe, originelle Kraft, ein air de haute volée, fließende Locken ...'

Luise hatte schwarze Haare und trug sie in einem festen Chignon wie etwa die Spanierinnen. Aber Levin träumt und verliebt sich in sein Traumbild. So überträgt er schon, während Annette noch krank ist vor Trennungsweh, die ältere Freundin auf ein jüngeres Wesen, und es erfüllt sich die Tragik, die Annette in dunklen Momenten so schmerzlich vorausempfunden hatte.

Levin ist völlig unbefangen; er ist ein junger gesunder Mann, der nichts Außergewöhnliches anstrebt und deshalb auch nicht mit einem Gedanken begriffen hat, daß er vom Schicksal zu einem Liebenden bestimmt wurde, wie sie nur in langen Abständen in der Menschheitsgeschichte auftreten und nie vergessen werden. Nein, er hatte die Höhe nicht erklommen, die ihm geboten worden, aber der Altersunterschied einer ganzen Generation, der zwischen ihm und Annette bestand, läßt es entschuldbar, sogar natürlich erscheinen, wenn er nach einer Zeit der Schwärmerei und Verliebtheit Brautzeit, Ehe und Familienleben sucht.

Darf man ihn schelten, daß er die tragische Rolle, den steilen Weg und den Kampf mit der Welt mied? Er war wohl nur ein Instrument in der Hand des Schicksals gewesen, damit Annette von Droste ihre große Form fand. Es mußte alles kommen, wie es kam, und doch darf man tief bedauern, daß Annette, dieser herrliche Einzelmensch, nie den gleichberechtigten Partner fand und zum tödlichen Sturz aus der Sphäre einer seltenen Harmonie verdammt war, und damit zum Schweigen.

In diesem Herbst 1842 jedoch, da Levin seinen romantischen Briefwechsel schon begonnen hatte, lebte Annette noch vertrauensvoll auf der Höhe ihrer vermeintlichen Zusammengehörigkeit mit dem geliebten Freund, aber ihre Worte erreichen sein inneres Ohr nicht mehr; alles und alles steht für ihn nun im Zusammenhang mit Luise, so benutzt er wissentlich oder unwissentlich Ausdrücke, wie Annette sie in ihren Liebesdokumenten verwendet hat.

In einem wunderschönen Brief vom Anfang des Oktober 1842 erinnert sie ihn an das flackernde Feuer im Ofen, an dem sie ihm so viel zu erzählen pflegte, und am 14. Oktober schreibt Levin an Luise:

,Was könnte ich Ihnen nicht alles vorplaudern, wenn wir zusammensäßen, einem flackernden Feuer gegenüber.'

Im November erhebt er seine Verliebtheit, in der er und Luise sich in die romantischsten Ritterexistenzen hineinträumen, zu einem Abbild der idealen Freundschaft, wie Annette es ihm vorgelebt; in ihrem Oktoberbrief hatte sie geschrieben; ,daß nur die Sehnsucht poetisch ist, und nicht der Besitz'; und nun das Echo aus Levins Brief an Luise, die er ,meine Sehnsucht' nennt, deren Briefe ihm die liebsten seien, weil sie als grüne Blätter in den dürren Wald seiner Einsamkeit fielen, dabei muß noch der letzte Brief Annettens auf seinem Tische liegen, in dem sie von ihrer Wintereinsamkeit in Rüschhaus erzählt und in die sehnsüchtigen, erinnerungsschweren Worte ausbricht:

,Im Garten, – die letzten Rosen, die mich immer rühren, wenn ich denke, wie ich sie Ihnen nun schon vor zwei Jahren beim Abschied gab, als Sie Ihr Schultenamt niederlegten und ich nach Hülshoff zog. Lieber Levin, unser Zusammenleben in Rüschhaus war die poetischste und das in Meersburg gewiß die heimischste und herzlichste Zeit unseres beiderseitigen Lebens, und die Welt kömmt mir seitdem gewaltig nüchtern vor ... Säß mein liebstes Kind mir noch gegenüber, ich würde wieder zwei Gedichte täglich machen, jetzt lasse ich es langsamer angehn ... Mein Stübchen ist jetzt so traulich, so ganz wie für Sie geordnet' – wie gern hätte Annette wohl geschrieben: für dich geordnet –, ,das flackernde Feuer im Ofen, auf dem Tisch am Fenster ein Teller voll Vergißmeinnicht, auf dem Tisch vor mir einer mit den besten Pflaumen, die ich je gegessen; es kömmt mir fast unnatürlich vor, daß sie nicht für Sie dastehn ...

Adieu, mein lieber Levin! Ich freue mich schon auf den fünften, wo ich Ihre gute Pfote wiedersehen werde; bis dahin habe ich schon fleißig gearbeitet und denke in meinem nächsten Brief resolut zu prahlen. Ich habe nur keine rechte Freude an der einsamen Begeisterung; es rollte doch anders, wie wir jeden Abend voreinander triumphierten! Tempora mutantur et nos mutamur in illis! Das letztere kann ich indessen von mir nur äußerlich zugeben. Nicht wahr Levin? Gott segne Sie mit seinem besten Segen! Adieu, adieu!‘

Ja, die Zeiten ändern sich, und Levin hat sich durch und durch gewandelt; er schreibt Luise: ich dürste nach Liebe und Musik in meiner Öde; Annette kann ihm sein Dasein auch nicht mehr mit den zärtlichsten Briefen und mit noch so vielen neuen Gedichten beleben. Aber nun ist es auch an der Zeit, daß er ihr ein Wort von seiner Verbindung mit Luise, der unbekannten Braut, schreibt, doch zunächst lieber nur eine allgemeine Andeutung.

So ist auch Annettens Antwort ganz unbefangen, wenn sie am Ende ihres Briefes vom 27. Dezember (1842) sagt:

‚Von der Gall habe ich noch nichts gelesen; schreibt sie gut? Auch hübsche Briefe? Und ist’s dieselbe Dame, von der Ihnen Freiligrath mal schrieb? Schreiben Sie mir doch etwas Genaueres über sie; wie sind Sie mit ihr bekanntgeworden?‘

Und damit endet das Jahr, das für Annette auf dem höchsten Gipfel ihres Lebens begonnen hatte, in einem Tal, dessen sonnenlose Tiefe sie noch nicht ahnt, und doch hat sie wohl schon in dieser Zeit die Verse gedichtet, in denen sie den Freund beschwört, die Treue zu halten, denn nur noch wenige Wochen, und sie muß erfahren, wie fern gerückt er ihr schon ist.

Warnend sagt sie zu Levin:

> *Halt fest den Freund, den einmal du erworben,*
> *Er läßt dir keine Gaben für das Neue;*
> *Läßt, wie das Haus, in dem ein Leib gestorben,*
> *Unrein das Herz, wo modert eine Treue;*
> *Meinst du, dein sei der Hände Druck, der Strahl*
> *Des eignen Auges arglos und voll Liebe?*
> *Drückst du zum zweiten-, blickst zum zweitenmal,*
> *Die Frucht ist fleckig und der Spiegel trübe.*

Halt fest dein Wort, o fest wie deine Seele;
So stolz und freudig mag kein Lorbeer ranken,
Daß er das Mal auf einer Stirne hehle,
Die unterm Druck des Wortes konnte wanken;
Der ärmste Bettler, dem ein ehrlich Herz,
Darf wie ein König dir genübertreten,
Und du? du zupfst den Lorbeer niederwärts
Und heimlich mußt du dein peccavi beten.

. . . . . .

Aber bald fühlt Annette aus Levins Briefen, daß er seinem Traumbild immer mehr verfällt. Wer ist denn diese Luise von Gall? Ein mondänes Mädchen, das Novellen schreibt; in ihrem erwachenden Zorn vergleicht sie es mit der Bornstedt. In erzwungener Ruhe schreibt Annette darüber noch am Ende des Jahres 1842 an Elise Rüdiger:

‚Bei der Bornstedt fällt mir das Morgenblatt und die Gall ein; jene Ähnlichkeit muß wohl wirklich da sein, denn sie hat mir unter dem Lesen immer deutlicher vor Augen geschwebt. Klüger ist die Gall, auch feiner, aber ihre Erzählung rollt doch auch zumeist um Herren, die sich ihr zu Gefallen fast auf den Kopf stellen. Auch in der ‚Maske‘ (Novelle der Gall) ist die Seelenverwandtschaft (mit der Bornstedt) nicht zu verkennen, dieselbe Freude an Salongeschichten und kleinen Schlauheiten. Ist sie (die Gall) einigermaßen hübsch und angenehm, so könnte sie Levin sehr gefährlich werden; ob es zu wünschen wäre?‘

Und wenige Tage später in einem Brief an Levin, um dessen prekäre Lage im Haushalt des Fürsten sie sich die größten Sorgen macht:

‚Dann eine Bitte ... Du hast Deinen Brief zerrissen, um mir das Herz nicht schwer zu machen; meinst Du, daß mir etwas schwerer auf dem Herzen liegen könnte als die Angst ohne bestimmten Gegenstand, wenn Du mir nicht offen mehr schreibst? Ein Glück magst Du allenfalls für Dich behalten, aber Deine Prüfungen will ich teilen und mittragen.‘

Die Antwort Levins hat sich nicht erhalten, aber er muß ihr, mit der ganzen Blindheit ihren Gefühlen gegenüber, von seiner

Absicht geschrieben haben, Luise von Gall, die Niegesehene, zu heiraten.

Annette wird krank; sechs Wochen lang schwebt sie zwischen Leben und Tod. Es war wohl der grausame Stoß, auf den sie nicht vorbereitet war, der sie auf den Füßen wanken ließ. Sie kann Levin nicht schreiben; sie muß sich zuerst fassen, ganz ruhig werden und die Rolle der Mütterlichkeit noch bestimmter auf sich nehmen, um keiner Mißdeutung durch Levin ausgesetzt zu sein.

Erst am 15. Februar 1843 gelingt es ihr endlich, einen Brief zu verfassen. In kühler Ruhe beginnt sie von Levins künftiger Frau zu schreiben; sie nennt ihn Sie, aber dann bricht der verborgene Schmerz doch alle Dämme, sie verfällt in das Du und beschwört Levin, auszuhalten, nachzudenken, sich nicht voreilig zu binden; der Passus lautet:

‚Nun zu der Gall; ob sie zu meiner Schwiegertochter paßt? Das könnte ganz wohl sein; schön und geistreich scheint sie wenigstens unwidersprechlich, und ich wäre sehr begierig, sie zu sehen; wo steckt sie denn jetzt? Nach Darmstadt denkt sie schwerlich so bald zurückzukommen, da sie ihren Flügel verkauft hat. Es ist mir äusserst erfreulich Levin, daß Sie in Ihrer jetzigen Verlassenheit einen geistigen Anhalt und Trost in ihr gefunden haben, und wenn es Gottes Wille ist, kann sie Ihnen allerdings dereinst vielleicht noch mehr werden.

Dennoch muß ich Dich bitten, liebstes Kind, sei vorsichtig in der Feder und hüte Dich vor jedem Worte, was Dich binden könnte. Die Liebe wird weder durch Schönheit noch Talent, noch selbst Achtbarkeit bedingt, sondern liegt einzig in den eigenen Augen und eigenem Herzen, und wo diese nicht das Gewisse, Unbeschreibliche finden, was sie gerade anspricht, da hilft alle Engelhaftigkeit nichts.

Was meinst Du, wenn Freiligrath Dir seine Franziska oder seine Frau hätte zufreien wollen? Von der letzteren wenigstens ist er gewiß noch mehr begeistert gewesen wie von der Gall, und sie hat ebenfalls für bildschön passiert, ist geistreich, talentvoll, gut und schreibt gewiß vortreffliche Briefe.

Oder gar die Bornstedt, von der Du selbst mir gesagt, sie würde ihm besser gefallen wie eine von uns andern und er sich wahrscheinlich rasend in sie verlieben? Ich sage dies nicht zum Nachteil der Gall, von der ich mir das beste und liebenswürdigste Bild mache, sondern nur um Dich vor blinden Schritten zu warnen; denn sie kann vollkommen schön, überhaupt tadellos liebenswürdig sein und doch irgendeinen kleinen Haken haben. Einen Zug um den Mund, Blick, Ton der Stimme, der es Dir gänzlich unmöglich macht, sie zu heiraten; dergleichen kömmt ja alle Tage vor. Übrigens ist mir Dein Verhältnis zu ihr sehr lieb, da sie schlimmstenfalls doch immer eine wertvolle Freundin bleiben muß. Aber mehr laß sie Dir um Gottes willen vorläufig äußerlich nicht werden. Was sie Dir vielleicht jetzt schon innerlich ist, darüber habe weder ich ein Recht noch Du selbst Macht; denn Du bist am wenigsten der Mann, der sich, einmal verwickelt, zu einer Ehe gegen seinen Geschmack resignieren und leidlich glücklich darin leben könnte. Doch wünsche ich mir nicht Besseres und Lieberes, als daß die Gall wirklich, nach Freiligraths Ausdruck, die rechte ‚Kasawaika‘ sein möge.‘

33

Levin hört Annettens Stimme kaum noch in seinem romantischen Traumland und ist eigentlich recht erleichtert, daß Luise die ‚kindischen Sympathien und Einfälle von seiner einstigen Troubadourschaft, Kaisertum und Ritterschaft‘ ernst nimmt. In einem seiner ersten Briefe schreibt er an Luise, die so erfreulich ‚empfindsam‘ ist:

‚Der Kreis meiner Münsterischen Freunde und Freundinnen, darunter die Droste, hatte sich so in moderne Lyrik eingesponnen, daß ich mit meinen mittelalterlichen Sympathien ausgelacht wurde‘ – Levin denkt hier wohl an Annettens Gedicht: Der Teetisch –, ‚oder wenn ich sie wie in meiner Domschrift darzustellen wußte, Freude an meiner Darstellungskraft und der glänzenden Auffassung – ich darf das Wort ja wohl gebrauchen, ohne daß Sie mich eitel schelten –, Beifall erntete, aber keine Teilnahme und Begeisterung. Ich gebe alle meine schriftstellerischen Erfolge für die Tränen, die ich durch ein Gedicht einer guten, einfachen, und nichts weniger als empfindsamen Frau abgelockt habe.'

Dann schreibt Levin viel Hübsches über die ‚Ritterdame', die Luise in seinen Augen ist, und fährt dann, sich selber beschreibend fort:

‚Ich habe Ihnen schon mal geschrieben, daß etwas von einem Philister in mir steckt; ich habe damit nur sagen wollen, daß ich eine Natur bin, die mehr Neigung für den ruhigen, gemütbefriedigenden Zustand hat als für den aufregenden, die Phantasie reizenden; ich mag eigentlich ein schlechter Bräutigam sein, gewiß aber ein Prachtexemplar von einem Mann.'

Levin wollte wahrscheinlich sagen: Prachtexemplar von einem ‚Ehemann'. Dann springen seine Gedanken zu Annette über, und er sagt wörtlich, daß er ‚ein schlechter Freund' sei, aber ein desto besserer ‚Bruder'. Und nun klingt das folgende wieder wie ein Echo von Annettens Gedanken: ‚Überhaupt steht das Band, welches die Verwandtschaft des Blutes macht, mir unendlich hoch und vor der Dauer und Festigkeit des bloß infolge romantischer Gefühle geschlossenen habe ich keinen großen Respekt.'

Das sind fast wörtlich Annettens Aussprüche, wie sie sie noch vor einem halben Jahr in Figls Häuschen im Zusammenhang mit ihrer Schwärmerei für seine Mutter, Kathinka, ausgesprochen und in Verse gebracht hatte; und nicht nur dieses eine Mal. – Wie wenig diese Aussprüche dazu angetan waren, ein Mädchen, das Levin nicht kennt und dessen Liebe er anzufachen sucht, zu bezaubern, scheint ihm nicht in den Sinn zu kommen. Und wenn er dann gar fortfährt:

‚Tun Sie mir den Gefallen, das große Los zu gewinnen, und ziehen Sie mir dann die eheliche Schlafmütze über die Ohren, daß ich endlich von allen meinen Leiden ausruhen kann', so ist es kein Wunder, wenn Luisens Antworten leicht gedämpft klingen, aber im Grunde war sie von Levins Temperament überzeugt, das er ja auch besaß; doch war er mehr zärtlich, geistreich, anschmiegsam, als begeisterungsfähig und konnte deshalb mit Überzeugung sagen:

‚Auf dem Gesicht eines Menschen unserer Zeit, das bei uns Eindruck machen soll, muß sich Tiefe der Seele spiegeln, Tiefe des Gefühls, Sinnigkeit, Poesie, – nur keine Tiefe der Leidenschaft, die erschreckt unsere schwachen, blasierten Nerven.'

Und dann gibt er eine unverfängliche Beschreibung seiner Freundschaft mit Annette:

‚Die Droste war eine Freundin meiner Mutter, und ich habe eine Mutter an ihr wiedergefunden; es gibt kein innigeres und wohltuendes Verhältnis wie das zwischen ihr und mir, wie es kein angenehmeres Leben für mich gegeben, wenn ich bei ihr auf ihrem einsamen Waldschlößchen mich habe verwöhnen lassen wie ein echtes Muttersöhnchen, das sich die Weinsaucen, die Apfelpfannkuchen selber am großen Küchenfeuer zusammenkochte und sich währenddessen die Fülle der schönsten Gespenstergeschichten erzählen ließ.

Sie brauchen deshalb nicht eifersüchtig zu werden, meine teure Braut, wenn ich Ihnen dessen auch wert scheinen sollte. Die Droste hat eine ganz frappante Ähnlichkeit mit mir, äußerlich und innerlich, nur hat sie unendlich mehr originelle Poesie als ich in sich. Sie ist eine ganz eigentümliche, in jeder Beziehung originelle und tief gediegene Erscheinung. Nur hat eine ganz verkehrte, ganz aristokratische Erziehung alle ihre Talente an der Entwicklung gehindert.'

Annette sei ihm ,innerlich ähnlich', sagt Levin, und glaubt wohl gar seinen eigenen Worten! Annette, abgrundtief, groß wie wenige Menschen in ihrer Einfachheit, und Levin von starkem Selbstgefühl. Am 7. Januar (1843) schreibt er an Luise:

‚Daß ein Fremder mich für einen Prinzen halten könnte, ist freilich möglich. Ich schmeichle mir in meinem Kaiserstolz sogar, unendlich aristokratischer, bedeutender und vornehmer auszusehen als diese ganze Fürstenwirtschaft hier', und weiter: ,Phantasie, Gefühl und Wohlwollen sind das, woraus ein Dichter entsteht. Ich habe das seltne, in diesem Grade *sehr* seltene Gemisch von Verstand, Gefühl und Wohlwollen, das bei Dichtern nicht so glücklich ist, obwohl es die Menschen klüger und solider macht ... Wissen Sie was, Luise, wir sind beide eitel. Aber wir können nichts dafür. Also geben wir uns die Hand.'

Levin ist wenigstens ehrlich mit sich selber, aber Luise stößt in ihrem Antwortschreiben einen wahren Schrei der Empörung aus, daß Levin sie eitel nenne; sie droht mit Abbruch der Korrespondenz, Levin liebe sie gar nicht. Die Verzweiflung schlägt hohe Wellen, aber Levin hatte tatsächlich unrecht; Luise war sehr schön und stattlich, sie durfte einem Verehrer, der sie nie gesehen, erzählen, daß eine kleine Nichte von ihrer Erscheinung ausgerufen habe: ‚Du Ritterdame!', und dann fortfahren: ‚Ich trat vor den Spiegel und wahrhaftig, ich sah so aus ..., vor allem der Schnitt meines Gesichtes gab ein echt altdeutsches Bild. Es ist mir schon oft gesagt worden. Kürzlich versicherte mich jemand, die Germania in der Walhalla gleiche mir frappant, in Profil, Gestalt und Haarwuchs ...' Auch Luise besaß das Selbstgefühl, das man außergewöhnlichen Menschen zugestehen muß.

Levin will seinen Vorwurf um Gottes willen nicht aufrecht erhalten; er nennt die unbekannte Geliebte nun Du und schreibt ihr am 26. Januar (1843):

‚Du besitzest, was in mir von Liebe ist; es hat sich wie ein Strom auf Dich geworfen, und glaube mir, es ist viel darin. Es ist viel Musik und Liebe in mir, ich fühle es fast körperlich in meiner Brust, einem nach aussen hindrängenden Drucke gleich ... ich habe das Beste, das in mir ist, von den Frauen gelernt, oder sie haben es geweckt, genährt. Vor allem meinem guten Mütterchen, der Droste, danke ich viel nach der Hauptsache, die meine Mutter mir angeboren hat, welche mich (Levin) ihre mißratene Tochter nannte.'

Dann spricht Levin von seinem Bild, das er Luise übersandt hat:

‚Daniel sagt, es sei ähnlich, nur sehe es männlicher aus als ich. Ich glaube, daß das Bild ähnlich ist bis auf den Mund, der, ich darf's wohl *Dir* sagen, viel hübscher sein soll ... es hat keine Familienähnlichkeit mit mir, da mag hauptsächlich der Mangel lebendiger Augen schuld sein, denn ich soll sehr lebendige, stahlblaue, scharfe Augen haben; ich sehe viel freundlicher, gutmütiger aus wie das Bild da ... nun sag Du, daß ich nicht eitel bin! Solange davon zu schwatzen, aber lieber Gott, wenn man liebt, wird jeder Mensch eitel.'

Und nun folgen Worte Levins, die abermals Annettens Worten sehr ähnlich sind; ja, recht eigentlich die Quintessenz alles dessen, was Annette in ihrer Freundschaft mit Levin so unendlich beglückt, was sie erst recht zum Leben gebracht hat; es steht in ihren Briefen und Gedichten, und wie oft mag sie es ihm gesagt haben; Levin schreibt:

‚Mein süßes Herz, wie wäre es auszuhalten in der Welt, wenn man nicht *eine* treue Brust hätte, an der man wenigstens in Gedanken ruhen könnte, ihrer sicher für ewig!'

Von ihrem Herzen sagt Luise:

‚Ich bilde mir etwas ein auf mein Herz, und niemand hat es je erkannt. So offen und freimütig ich bin, mein Stolz hat jedem einen Blick hinein verwehrt. Nur meine Mutter, die hat es ermessen mit dem ihrigen, das noch edler, größer und besser war.'

Noch edler, größer und besser! – Luise möchte des geliebten Mannes wert sein, aber ihre unbefangene Selbsteinschätzung wirkt befremdlich, oder sagt sie in liebevollem Scherz:

‚Ich will Dir gern versprechen, nie mehr zu schreiben, wenn es Dich freut und nur teilnehmen an Deinen Arbeiten; ich lebe dann nicht mehr für mich und schenke Dir sehr gern meine Unsterblichkeit?'

Und Levin, als wolle er mit Gewalt diese ihm doch so teure Verliebtheit zerstören, kritisiert ungeniert Luisens Beiträge in den modischen Journalen und weiß doch, wie selbstbewußt sie ist:

Am 21. Februar schreibt er:

‚Du bist in Deinen exklusiven Kreisen nachteilig gestellt; wir Männer lernen allerhand Originale kennen, und Ihr habt immer dieselben glatten, zivilisierten Zuckerwasser-Charaktere um Euch. Deshalb wird es Euch so schwer, Eure Novellen aus dem Salon und dem Boudoir ins rechte Leben herauszuführen, und das gibt Euch die Einförmigkeit. Annettens Epen, Balladen, Novellen sind aus dem absonderlichsten, stärksten Leben herausgenommen. Niemals teemaschinen- und spirituserwärmte Stubenluft.'

So endet Levin seinen Passus, Annette Gerechtigkeit widerfahren lassend, aber Luise wird es nicht gern gelesen haben! Und etwas weiter im gleichen Brief in seiner unbegreiflichen Blindheit einer verliebten Frau gegenüber, was Freiligraths Frau gesagt habe:

,Ich sei so dünn, und Du so dick, ich so innerlich, und Du so äußerlich ... Du seiest so adlig und ich so bürgerlich!'

Über das letzte Wort ist Levin allerdings sehr beleidigt und ruft entrüstet aus:

,Mon Dieu, *ich* bürgerlich! Das hat mir noch niemand gesagt, aber wegen meiner stolzen cavalièren Airs bin ich oft genug verketzert. Er (Freiligrath) meint, ich solle einen Monat Urlaub nehmen und zu ihm kommen. Dich dahin zu versetzen, werde mich ja wohl nur einen Federstrich kosten.'

War denn Levin von allen Göttern verlassen, eine solche Taktlosigkeit zu schreiben? Luise fährt mit Recht auf und wäscht Levin den Kopf, daß er glauben könne, sie laufe ihm nach auf einen Federstrich hin, aber auch die Aussprüche von Freiligraths Frau haben sie tief verletzt:

,Kann man einer Frau Ärgeres nachsagen', wirft sie in ihrer Erregung auf das Papier, ,als sie sei äußerlich? Mit dem Dicksein, das ist nun geradezu lächerlich!' Dann folgt viel über die angebliche Dickigkeit, die weit schlimmer als die ,Äußerlichkeit' scheint. Levin solle doch nicht darauf hören, was andere Leute von ihr sagten.

,Wenn es Dir Freude macht, Deinem lieben Dröstchen zu schreiben, daß ich Deine Braut bin', sagt sie am Schluß, ,so tue es, aber sonst rede nicht viel von mir. Eine *Confidente* hast Du ja in Deiner Gouvernante (im Haushalt des Fürsten Wrede), die an Frau von Grancy wegen eines Signalements von mir geschrieben. ... Frau von Grancy hat mir eine recht anziehende Beschreibung von Deiner Leidensgefährtin gemacht (der Gouvernante), ich bin sehr froh, daß ich sieben Jahre jünger bin, aber Du hast ja eine Passion für ältere Damen!'

Annette spukt immer wieder durch diese Korrespondenz wie ein riesiges Standbild, das Levin unverrückt vor dem innern Auge bleibt. Immer wieder entschlüpfen ihm Ausdrücke seiner Freundin, die ihm einen unauslöschlichen Eindruck gemacht haben. Wie weiblich ist Levin auch darin, in dieser Beeinflußbarkeit durch ein geliebtes Menschenkind, welch grelles Licht wirft es auf den Freundschaftsbund mit Annette, daß er auch noch in der Erinnerung der Empfangende bleibt! Zu Annettens Lebzeiten, als Levins erste Gedichtsammlung erschien, schrieb Assessor von Kynast in einem Brief vom 24. Februar 1846 an Annette, Schücking habe sie in seinen Gedichten ‚fein und gewandt‘, aber ‚entsetzlich bestohlen‘. Hüffer hat später in seinem Werk ‚Annette von Droste-Hülshoff‘ nichts von ‚bestehlen‘ wissen wollen und hatte recht. Immerhin hat Levin in diesem Februar 1843 an Luise von Gall schreiben können:

‚Liebe Luise, was sind wir doch eigentlich in einem unendlich seligen poetischen Verhältnis, es ist sogar merkwürdig! Auf die entferntesten Pole des Daseins gestellt ...‘

Wenn Levin diesen Gedanken der ‚entferntesten Pole‘ benutzen konnte, den Annette in ihrem Gedicht: ‚Kein Wort ...‘ verwandte, wo die Zeilen heißen:

> *Hat das Geschick uns gleich in frevlem Witze*
> *Auf feindlich starre Pole uns erhöht,*

wenn er dieses entscheidende Sinnbild der Tragik zwischen Annette und ihm für sein Verhältnis mit Luise von Gall entlehnen konnte, so muß auch anderes Gedankengut, das Annette gehörte, zum mindesten unwissentlich in seine Gedichte übergegangen sein.

Levin zweifelt durchaus nicht an seinem Können, und da er in seinem Mangel an Menschenkenntnis Luisens hochgemuten Charakter völlig mißkennt und ‚bräutliche Demut‘ von ihr erwartet, schreibt er – ahnungslos, wie er das geliebte Mädchen reizen muß – ruhig weiter über sein eigenes Dichtertum, Luise daneben kühl beurteilend. Zum Beispiel am 6. März (1843):

‚... mit so viel Sinnigkeit wie Du kann ich nicht schreiben, aber ich weiß meine Sachen durch lebendigere Darstellung und durch größeren Anschein von Originalität auszuschmücken; auf Deiner Seite die vorzüglicheren, die tieferen Eigenschaften, auf meiner Seite die, die einen geübteren Schriftsteller zeigen. Meine Novellen werden mehr für die Literatur gelten und sein als Deine; drum vielleicht beim Publikum mehr Erfolg haben. Ich möchte nun, daß Du Deine Vorzüge zu den meinen annähmst, was Dir leicht werden wird ... ich möchte, daß Deine Arbeiten das Talent, das Du hast, durch mehr als gewöhnliches Auftreten verrieten, und jedem den Mund stopften, der etwa behauptete, es sind Produkte großer Bildung, nicht des echten Talentes.'

Hält Levin sich mit solchen Ermunterungen schadlos dafür, daß er sich Annette gegenüber keine Kritik erlauben durfte, daß sie ihm streng verbot, auch nur ein Komma auf den Korrekturbögen ihrer Werke zu ändern? In Briefen an Annette erlaubt er sich nur ganz vorsichtig seine heimliche Überlegenheit, an der er nicht zweifelt, dadurch anzudeuten, daß er ihr z. B. erzählt, Hauff habe gesagt, ‚die Judenbuche' sei bestimmt von ihm, von Schükking, geschrieben.

Und doch empfindet er eine ehrliche Bewunderung vor Annette und kennt auch Luisens vornehme Gesinnung, so bittet er sie, Annette zu schreiben, ‚... tu mir einen Gefallen, schreibe mal ein paar Zeilen an die Droste, nur des Inhalts, daß ihre Gedichte Dir so gut gefallen, und daß es Dir eine Befriedigung sei, ihr dieses auszusprechen ... sie sitzt jetzt einsam in ihrem Waldschlößchen, und ich möchte ihr gern eine kleine Freude machen, oder vielmehr eine große, denn ich weiß, daß es ihr eine größere sein würde als eine Menge lobender Kritiken, gegen welche sie fürchterlich hochmütig ist. Sie hat alle drei Hochmute: den aristokratischen, den Damen- und den Dichterhochmut, aber sie ist trotzdem die liebenswürdigste Erscheinung, die man sich denken kann, sie ist natürlich im höchsten Grade, eine Beobachtungsgabe, die wirklich merkwürdig ist, originell in jeder Beziehung, in der Musik vielleicht noch größer denn als Dichterin, sie besitzt ein Herz voll Wohlwollen und Güte und ist doch schlau und klug wie eine Schlange, einem die innersten Gedanken aus dem Herzen lesend ..., sie hat die allergrößten Augen, die ein Mensch gehabt, solange die Welt steht, und sieht damit in der Nähe die Infusionstierchen im Wassertropfen, fünf oder sechs Schritte weiter aber fast nichts mehr. Sie kleidet sich wie ein bürgerliches Madämchen in ein schwarzes Merinokleid oder sitzt wie eine Türkin in höchster Saloppheit auf einem ungeheuren schwarzen Kanapee, und doch sieht man auf den ersten Augenblick, daß man eine durch Geist und Geburt hochgestellte Dame vor sich hat.

Ihr Talent steht weit über dem *aller* unserer lebenden *Dichter*, – aber bei ihrer grenzenlosen Gleichgültigkeit gegen das Urteil der Welt, wie sie heutzutage ist, hat sie nie sich die Mühe gegeben, um Ruhm zu ringen. Daß sie jetzt eine bedeutende Sammlung Gedichte zum Druck vorbereitete, daran bin *ich* eigentlich schuld, denn ich habe ihr keine Ruhe gelassen, und als wir uns vorigen Winter zusammen auf der alten Meersburg einquartiert hatten, hat sie täglich ein oder zwei Gedichte liefern müssen.

Ob sie großen Ruhm bekommt, weiß ich aber doch nicht, sie schreibt alle ihre Sachen so leicht hin, als wenn es lauter Impromptus wären und gibt sich nicht Mühe, das zu schaffen, was sie schaffen *könnte* ... Du kannst ja an irgendeines ihrer Gedichte im Morgenblatt anknüpfen, aber ganz sans gêne, sie ist die Einfachheit selbst. Mich mußt Du aber aus dem Spiele lassen ...'

Levin weiß, daß Annette furchtbar unter seiner Untreue leiden muß; er scheint zu fürchten, sie würde ihn abkanzeln, aber wie sehr irrt er sich in seiner Freundin. Nie, nie wird sie ihn erraten lassen, was er ihr antut.

Annette in ihrem ‚Waldschlößchen‘, das übrigens durchaus nicht im Walde liegt, ist in diesem Frühling des Jahres 1843 schwer krank; es sollen ‚innere Nervenkrämpfe‘ sein, schreibt sie am 24. April an Levin. Nervenkrämpfe ... das ist ein Wort für vieles; ach, sie weiß es ja so gut, daß Levin ihr die Lebenszeit verkürzen wird. Levin, ihr Todesengel, und sie wird sich an den Tag erinnert haben – es war kurz bevor er sie in Meersburg verließ und sie sich gegeneinander erzürnt hatten und sie ganz allein ausgegangen war, hinauf zum ‚Frieden‘, wo die Toten ruhten –, da war sie zwischen den Kreuzen und Kränzen umhergegangen und hatte gedacht, daß sie hier einmal ruhen würde, aber nein,

nein, das wollte sie nicht! Ein namenloses Heimweh hatte sie damals gepackt: nicht hier in der Fremde wollte sie begraben sein, sie wollte ausruhen, wo die Heide knisterte und der Sturm um die Hünengräber fuhr, im platten Lande, über dem der Himmel so unermeßlich hoch war.

Oh, sie erinnerte es wie heute: sie hatte die Hand auf ihr klopfendes, todwundes Herz gepreßt und einen Augenblick die Augen geschlossen. Und wenn man ihr nun doch auf diesem Friedhof die Grube schaufeln würde, vielleicht hier an der Mauer, an die sie sich erschauernd lehnte, als ginge der Todesengel über ihren Grabplatz.

Der Todesengel, über den sie vor Jahren einmal ein langes Gedicht gemacht, aber es war eine romantische Phantasie gewesen, die sie niemandem hatte zeigen mögen. Auch an dieses mißglückte Gedicht hatte sie damals gedacht und dann die Augen geöffnet; sie wollte nicht mehr an diesem traurigen Orte bleiben, aber sie blieb stehen, denn dort, – dort ging Levin. Er sah sie nicht. In Gedanken verloren schleifte er sein elegantes Ebenholzstöckchen um die Konturen eingesunkener Gräber, als messe er sie nach.

Ja, so war es gewesen; vor einem Jahr, und jetzt in ihren Krankheitsphantasien schien es ihr, als habe sie damals ihren Todesengel gesehen. Es pochten Verse in ihrem Gehirn, aber sie wollte warten, bis ihre Mutter nach Hülshoff gefahren war; dort sollte das elfte Kind geboren werden.

Am ersten Tag, den Annette allein auf ihrem schwarzen Kanapee verträumte, schrieb sie, das Papier auf ihre Knie gelegt, das Erlebnis auf dem ‚Frieden‘ in Meersburg nieder:

> *'s gibt eine Sage, daß wenn plötzlich matt*
> *Unheimlich Schaudern einen übergleite,*
> *Daß dann ob seiner künft'gen Grabesstatt*
> *Der Todesengel schreite.*
>
> *Ich hörte sie und malte mir ein Bild*
> *Mit Trauerlocken, mondbeglänzter Stirne,*
> *So schaurig schön, wie's wohl zuweilen quillt*
> *Im schwimmenden Gehirne.*

In seiner Hand sah ich den Ebenstab
Mit leisem Strich des Bettes Lage messen,
– So weit das Haupt – so weit der Fuß – hinab!
Verschüttet und vergessen!

Mich graute, doch ich sprach dem Grauen Hohn,
Ich hielt das Bild in Reimes Netz gefangen,
Und frevelnd wagt' ich aus der Totenkron'
Ein Lorbeerblatt zu langen.

Oh, manche Stunde denk ich jetzt daran,
Fühl ich mein Blut so matt und stockend schleichen,
Schaut aus dem Spiegel mich ein Antlitz an –
Ich mag es nicht vergleichen; –

Als ich zuerst dich auf dem Friedhof fand,
Tiefsinnig um die Monumente streifend,
Den schwarzen Ebenstab in deiner Hand
Entlang die Hügel schleifend;

Als du das Auge hobst, so scharf und nah,
Ein leises Schaudern plötzlich mich befangen,
O wohl, wohl ist der Todesengel da
Über mein Grab gegangen!

Es ist gut, daß die Mutter bei Werner und Line ist, so kann sie sich ein wenig gehen lassen, denn immer tiefer leidet Therese darunter, daß ihre Nette nicht glücklich ist; Annette hat es täglich mit Rührung gesehen und schreibt in dieser Zeit an Jenny:

,Sie ist so gut und ihre Liebe zu uns allen kömmt jetzt so rührend hervor, mich dünkt oft, ich könnte es nicht überleben, sie zu verlieren.'

Annettens Charakter nimmt trotz aller Krankheiten an Festigkeit nur immer zu; nach allen Seiten muß sie raten und helfen, beschwichtigen, versöhnen und trägt doch selbst ein Herz in der Brust, das ihr fast zu brechen droht; niemand gewahrt, wie es in ihr bröckelt und bricht, nur vor Levin stößt sie (am 24. April 1843) den Schmerzensschrei aus:

‚Ach Levin, ich habe schrecklich ausgestanden und oft gemeint, es ginge über meine Kräfte.‘

Und damit Levin ja nicht denkt, sie sei wegen seiner nun angekündigten Verlobung erkrankt, schreibt sie im gleichen Brief:

‚Ihr endliches bestimmtes Aussprechen dieses Verhältnisses ist uns beiden (Elise und Annette) zu gleicher Beruhigung und Freude geworden. Ich war schon krank ...‘

Sie schreibt dann von allen möglichen Dingen, aber kommt am Ende ihres Briefes doch auf das Eigentliche, das sie Tag und Nacht beschäftigt: ‚Lieb Herz‘, sagt sie in alter Zärtlichkeit, ‚ich bin sehr, sehr angegriffen und müde, meine Kräfte sind total zu Ende, und ich habe das Wichtigste kaum noch berührt; es geht mir wie einem, der sein Testament zu lange verschoben hat und sich nun quält, daß er es nicht mehr machen kann. Nur zwei Worte: suchen Sie die Gall persönlich kennenzulernen, ehe Sie sich zu weit mit ihr einlassen; und dann heiraten Sie nicht ohne ein festes, wenn auch bescheidenes Einkommen Ihrerseits.‘

Während Annette an ihren starken Gefühlen fast zugrunde geht, gesteht Levin seiner Braut, daß er ‚in einem Verhältnis ganz besonderer Art‘, das er ‚duftig, romantisch, tragisch‘ nennt, keine ‚tiefe Leidenschaft‘ hat fühlen können; und dann von seinen Liebeleien redend:

‚Auf einmal merke ich dann, daß man glaubt, ich machte höchst ernsthaft die cour, und daß man diese anstrengende Bemühung mit Gefühlen zu erwidern sich die unnötige Mühe macht, denen gegenüber ich ein wahres Schafsgesicht machen muß ... wenn Du wüßtest, was man mir deshalb nicht schon alles nachgesagt hat: die einen, ich hätte kein Herz, die andern, ich sei ein guter, etwas dummer Junge, und noch andere, ich hätte etwas Geschlechtsloses.‘

Und einige Wochen später:

‚Und Du mein Hühnchen, kannst Dir sagen, daß ich der harmloseste, gutmütigste Bräutigam bin, der sich denken läßt, und dabei, wenn ich Dich sehe, sehr verlegen sein werde.‘

Luise hätte wahrscheinlich, wie aus ihren Briefen hervortritt, viel lieber einen unharmlosen, gefährlichen und liebesfrohen Bräutigam gehabt, aber das war er im Leben gewiß, obgleich sie auch von Schlickum gehört hatte, daß Schücking ,immer eine platonische Liebe haben müsse, wenn gerade keine Junge in der Nähe sei, so verliebe er sich in eine Alte'.

Luise hatte diesen Ausspruch in ihrem nächsten Brief mit den Worten eingeführt: ,Jetzt will ich auch einmal klatschen.'

Dieser ,Klatsch' aber ärgert Levin gehörig und er antwortet seiner Angebeteten:

,Schlickum ist ein Narr! Weil diese Alltagsmenschen kein Verhältnis zwischen einem Mann und einer Frau sich denken können, das rein freundschaftlich ist, so hat er sich den Unsinn ausgedacht, der Pinsel!'

Diese offenen und festen Worte Levins über seine Freundschaft zu Annette geben den unschätzbar wichtigen Beweis, daß die Liebe zwischen ihr und Levin, entgegen mancher andern Auslegung, das hohe Freundschaftsideal war, an das Annette von Droste so heilig glaubte, dessen sie Levin für würdig hielt und dessen Verlust sie zu Tode verwundet hatte.

34

Am 11. Mai (1843) erhielt Annette von Levin die kurze Ankündigung als postskriptum unter einen eiligen Brief: ,Am Pfingstmorgen werde ich die Gall in Frankfurt a. M. sehen. – Priez pour moi!'

O Gott! Nun steht die Entscheidung bevor; Levin wird diese unbekannte Luise sehen, – sie prüfen; er hat sich doch nicht schon brieflich gebunden? Annette möchte Levin sehen. Vielleicht, wenn sie sich Auge in Auge gegenüberstehen, daß der Spuk dieser Verliebtheit dann zerstäubt wie Schaum. Sie schlägt Levin vor, daß er sie treffe, wenn sie im Herbst nach Meersburg fährt, und inzwischen ...

,Lieb Kind,

Dein Mütterchen hat carte blanche, zu sagen, was es will, nicht wahr? So bitte ich Dich, wie ich bitten kann, suche die Gall genau zu ergründen, ehe Dein Wort und Urteil unwiederbringlich gefangen sind; es geht hier ums ganze Leben. Ich bin voll der besten Hoffnungen und so herzensfroh, daß Deine Neigung sich so ehrenvoll fixiert hat, und doch ist mir jetzt, wo die Entscheidung bevorsteht, so ängstlich und ernst zumute, als sollte ich selbst heiraten. Sollte die Gall – ich hoffe es nicht, aber möglich wär' es, und Deine eignen Beschreibungen widersprechen dem wenigstens nicht – zu jenen Menschen gehören, denen das Bedürfnis steter Aufregung – ob sentimental oder leidenschaftlich, kömmt zu einem aus – angeboren ist, so bedenk Dich zehnmal, eh' Du Dich bindest. Du bist ein Westfale, deshalb ein geborner Philister, und das Bedürfnis nach heitrer Ruhe ist bei Dir auf die Dauer das allervorherrschendste. Du bist zart von Nerven, deshalb auch kurzen Aufregungen sehr zugänglich, aber bald überreizt; eine derartige Frau würde Dich im ersten Vierteljahre vielleicht bis zur Vergötterung exaltieren, im zweiten und dritten bedeutend ermüden, und endlich würdest Du lieber in die erste beste Pfahlbürgerkneipe gehn, um nur mal eine ruhige ordinäre Stunde zu verleben.

Auch ihre Anforderungen an die Welt sind bei Deiner vorläufig bescheidenen Lage sehr zu prüfen; sie scheint mir glänzend erzogen und an einen bewundernden Kreis gewöhnt; dergleichen entwöhnt sich nicht leicht. Ihre Unlust an Hofbällen und der großen Welt will nichts beweisen; sehr lebhafte und dabei, wie Du selbst sagst, etwas eitle Personen, die an einen engern Zirkel, wo sie die erste Rolle spielen, gewöhnt sind, fühlen sich nie wohl, wo sie sich schmählich genieren und mit so vielen pari gehn müssen. Aber diese täglichen kleineren Zirkel im eignen Hause sind grade das Geldfressende, und ich weiß kaum, was kläglicher ist: in Schulden geraten oder jeden Mittag Wassersuppe essen, um abends die Leute mit Zuckerbrezeln bewirten zu können.

Mein gutes Herz, Du darfst mir nichts übelnehmen und begreifst die Angst Deines Mütterchens, wo ihr einziges liebes Kind auf dem Punkte steht, über seine ganze Zukunft zu entscheiden. Beobachte die Gall zwischen Menschen, und wie sie Dir da zuerst erscheint, ehe sie sich noch ausschließlich mit Dir beschäftiget; nachher ist's zu spät. Völlig Verliebte oder gar Verlobte sind immer einsamer Natur und möchten nur in einer Hütte unter vier Augen leben; aber das hält nicht an, und die alte angeborne Natur kömmt über kurz oder lang immer wieder durch.

Es sind noch zwei Umstände, die ich jetzt, wo Dein Geschick an einem Haare schwebt, nicht übergehn darf, magst Du meine Liebe darin nun erkennen oder verkennen. Die Gall ist protestantisch; das macht zwar mir wenigstens für ihre Person nichts aus; aber sie könnte fordern, daß ihre Kinder in gleicher Religion erzogen würden. Wärs möglich, Levin, daß Du in einem Augenblicke der Leidenschaft oder des Leichtsinns darauf eingingst? Ich weiß, Du bist kein orthodoxer Katholik, hast es aber doch oft gegen mich und andre ausgesprochen, daß Du Deine angeborne Glaubensform bei weitem für die bessere und der Moralität zuträglichere hältst. Darum bitte ich Dich, wie ich bitten kann, Levin, gib kein solches öffentliches Zeichen einer Schwäche, die Dich in Deinen eignen und andrer Augen herabsetzen müßte. Bedenk, was Du alles für den Besitz eines Herzens aufgäbst: alle Deine hiesigen Lieben, die Du tödlich betrüben und den freien Äußerungen ihrer Zuneigung fast unübersteigliche Hindernisse in den Weg wälzen würdest.

Mein liebes, liebes Kind, Du weißt, daß dieses keine Drohung sein soll, nur ein Auffrischen des Dir Wohlbekannten, ein Erinnern an Verhältnisse, die Du vielleicht halb vergessen hast, deren Resultate aber wenigstens Einer fast das Herz brechen würden. Deshalb bitte ich, wie nur eine Mutter bitten kann, verlobe Dich, wann Du willst, heute – morgen – aber heirate nicht ohne recht festen Grund unter den Füßen, nicht auf einige hundert Gulden, die bei sparsamer Wirtschaft allenfalls für zweie ausreichen. Gott kann Dir elf Kinder geben wie meinem Bruder, und es ist nichts schrecklicher, wie Frau und Kinder darben zu sehn.'

Dann zieht Annette noch seitenlang alle Register der Warnungen; sehr wohlberechtigte, aber im Grunde ist es doch der Gedanke, Levin, das liebste Wesen auf dieser Erde, verlieren zu müssen, dem sie sich inniger verbunden fühlt als ihrer Mutter oder ihrer Schwester, – der ihr die beschwörenden Worte der Warnung eingibt.

Zum Glück gewährt ihr das Schicksal in dieser Zeit eine wohltuende Ablenkung: Versöhnung mit Sibylla, mit der sie vollständig zerfallen schien. In ihrem Brief vom 24. April (1843) schreibt Annette darüber an Levin: Die Mertens war allerdings vier Wochen lang in Münster; hören Sie die Veranlassung, und Sie haben ihren Charakter von der besten und schlimmsten Seite! Ich hatte ihr in Bonn griechische Münzen versprochen, die ich nicht alle für echt halte, aber doch einige darunter, hatte sie ihr auch geschickt und den dankbarsten Brief erhalten, worin sie zugleich mein Urteil über Echtheit und Nichtechtheit bestätigte. Hierauf verhinderte mich meine Krankheit zu antworten, und nun erhielt ich den allerimpertinentesten Brief, sie schickte mir die Münzen zurück: sie seien alle unecht und nichts wert, würden auch, wenn sie echt wären, von so großer Seltenheit sein, daß sie dann kein Sammler, selbst als Dubletten, verschenkt hätte.

In diesem Tone ging's fort; schließlich: da ich ihr, wie es scheine, sonst nicht mehr zu schreiben denke, bitte sie sich wenigstens der Ordnung halber einen Empfangsschein über die Münzen aus. Ich ärgerte mich so schmählich, daß ich Fieber bekam wie ein Pferd, und antwortete ihr, so krank ich war, mit ein paar Zeilen, wie elend ich sei, daß ich deshalb nicht geschrieben et cet. Am fünften Tage war sie in Rüschhaus, in Tränen zerfließend, mit Geschenken bepackt, hatte sich gleich nach Empfang meines Briefs aufs Dampfboot gesetzt, Tag und Nacht durchgefahren, noch keine Stunde geschlafen; bei Nölken hatte sie Quartier bestellt und fuhr von dort jeden Tag zu mir heraus mit dem besten Willen, wenn auch nicht sonderlichem Geschick, mich zu pflegen. Sie ist eine sonderbare Frau; es sind grandiose Elemente in ihr, aber wunderlich durcheinandergewürfelt und mit Widersprechendem versetzt.'

Es war dann eine schöne Zeit mit ,Billchen' geworden; wie es so oft nach einer Entfremdung geht: die alte Liebe blüht schöner denn je vorher. Zu Annettens Erleichterung hatte ihre Mutter sich vollkommen mit Sibylla ausgesöhnt, weil sie ihre Nette so liebevoll verwöhnte, aber wie wäre sie von neuem aufgebraust, wenn sie gewußt hätte, daß die beiden Freundinnen davon träumten, für immer zusammenzuziehen; entweder in Italien oder hier in Westfalen, oder auch am Rhein. In einem eigenen Haus wollten sie leben, ... und, zum Kuckuck, wenn die Welt redete!

Sind sie denn nicht freie Menschen? Wenn aber Annette immer wieder Bedenken trug, die Welt und ihre Familie vor den Kopf zu stoßen, so lockte sie der Gedanke – gerade jetzt, wo Levin ihr zu entweichen schien –, den eignen Herd, ein eignes Stückchen Land zu besitzen, ungeheuer ... ein Häuschen, in dem sie mit einer lieben Gefährtin lebte! Aber Annette hat zu viel Haltung, als daß noch so starke Überredungsversuche durch Sibylla sie dazu verführen könnten, die ihr vom Schicksal vorgeschriebene Bahn zu verlassen und Verrat an ihren ethischen Verpflichtungen zu üben.

Schließlich fügten sich beide – wenn auch zähneknirschend – Annettens besserer Einsicht, aber der Sieg über den egoistischen Wunsch nach einem eigenen Glück ist Annette wohl nicht leicht gefallen, denn die Verse, die dieser neuen Prüfung gelten, einer Prüfung, die über Annettens Ansehen vor der Welt entscheiden sollte, zeigen eine bittere Resignation, aber auch die ganze Abgeklärtheit einer abermals neu erreichten Stufe ihrer Vollendung entgegen:

O hätten wir nur Mut, zu walten
Der Gaben, die das Glück beschert!
Wer dürft' uns hindern? wer uns halten?
Wer kümmern uns den eignen Herd?
Wir leiden nach dem alten Rechte,
Daß, wer sich selber macht zum Knechte,
Nicht ist der goldnen Freiheit wert.

Zieh hin, wie du berufen worden,
In der Campagna Glut und Schweiß,
Und ich will ziehn in meinen Norden,
Zu siechen unter Schnee und Eis.
Nicht würdig sind wir bessrer Tage,
Denn wer nicht kämpfen mag, der trage;
Dulde, wer nicht zu handeln weiß.

Und nun, nach diesen bittren Worten folgt die Beschreibung der mächtigen einsamen Linde, unter deren Schutz sich alles flüchtet, was von Gewitter und Sturm überrascht wurde, allerlei kleines Volk, aber auch Annette und Sibylla:

Und alle sahn bei jedem Stoße
Behaglich an den Stamm hinauf,
Rückten die Bündelchen im Schoße
Und drängten lächelnd sich zuhauf;
Denn wie so hohler schlug der Regen,
So breiter warf dem Sturm entgegen
Der Baum die grünen Schirme auf.

Wie kämpfte er mit allen Gliedern,
Zu schützen, was sich ihm vertraut!
Wie freudig rausch' er, zu erwidern
Den Glauben, der auf ihn gebaut!
Ich fühlte seltsam mich befangen;
Beschämt, mit hocherglühten Wangen,
Hab' in die Krone ich geschaut.

Zur Freundin sah ich, sie herüber,
Wir dachten Gleiches wohl vielleicht,
Denn ihre Mienen waren trüber
Und ihre lieben Augen feucht.
Doch haben wir kein Wort gesprochen,
Vom Baum ein Zweiglein nur gebrochen
Und still die Hände uns gereicht.

Sibylla ist dann nach Italien gereist, wohin ihr nun nicht Annette, sondern Adele folgen wird. Am 24. Mai schreibt Annette ihrer Freundin:

‚Alte Billa, wie froh bin ich, daß jetzt alles zwischen uns wieder rein und fest ist, ich habe Deine Liebe so schwer und bitter verloren gegeben, soll ich mich denn jetzt nicht freuen? Indessen ist uns doch eine schöne unwiederbringliche Zeit darüber verlorengegangen, und dergleichen darf nicht wiederkommen. Es kömmt auch nicht, diese Überzeugung trage ich in mir, und Du gewiß auch. Wenn nur die schwarzen Südländerinnen meine blonde Figur nicht allzusehr verschatten! Indessen ich denke: Da bin ich mal was Extras – variatio delectat.

Wahrlich, Billa, unser Verständigen miteinander, das Wiedereintreten des alten innerlich belebenden Verhältnisses hat mir so wohl getan, daß ich ihm allein die bessere Wendung meiner Krankheit zu verdanken glaube. Vorher ließ ich mich sinken, jetzt kämpfe ich gegen den Strom und werde seiner, wenn auch langsam, doch sichtlich, Meister. Ich bin zwar heitern, leicht befriedigten Gemüts, aber doch zu einer gewissen Apathie geneigt, die mich dann auch körperlich erschlafft, und Du hast mir die liebste und heilsamste aller Aufregungen gegeben, die auch nachhaltig wirkt und in diesem Grade nur von Dir ausgehen konnte. Alte Billa, freut's Dich auch, daß Du mich wieder gesund machst?

Nun, lieb Herz, muß ich Dir Lebewohl sagen, doch nicht, ohne zuvor die sehr herzlichen Grüße meines Mütterchens zu überbringen, das Dich jetzt ernstlich lieb hat, sehr viel von Dir spricht und die schwarzen Erdflecke, aus denen Deine Weinstöcke kommen sollen, täglich so ängstlich betrachtet, als wären es schwangere Frauen, die über die gehörige Zeit gehn – da ist noch kein Keimchen zu sehn! Muß das so sein? Nochmals adieu! Antworte mir doch bald, ich freue mich so, wenn ich einen Brief von Dir bekomme. Mit alter Treue

Deine Nette'

Ja, nun ist Annette wieder allein. Sibylla für Jahre in aller Ferne, und Levin? Ist er ihr verloren, wird er ihr bleiben, hat er auf ihre Warnungen gehört, und wie mag ihm Luise gefallen haben, vielleicht hat die Begegnung eine Enttäuschung und Ernüchterung gebracht?

Während Annette sich noch über: ob, oder ob nicht, grämt, trifft schon die Nachricht ein: Levin ist verlobt.

Levin ist verlobt. Annette hält seinen jubelnden Bräutigamsbrief in Händen. Vor kaum einem Jahr hatte er Abschied von ihr genommen, nach einer Zeit, in der sie gemeinsam den Gipfel ihres Lebens erreicht, – so hatte sie geglaubt.

Zwei Jahre hatten sie geduldig ausharren wollen, eine Brücke schöner Briefe bauen, um dann nahe beieinander zu wohnen, und jetzt? Jetzt gehörte er einer andern Frau; blindlings war er einem phantastischen Traum nachgejagt; aber hatte er denn wirklich die Erfüllung gefunden? Konnte man so rasch eine Freundschaft, die für sie beide die edelsten Früchte getragen, aus dem Herzen reißen? Nein, nein, so leichtfertig, so seicht war Levin nicht! Die Freundschaft zwischen ihm und ihr konnte eine Verliebtheit nicht zerstören.

Levin war jung, es war natürlich, daß er heiratete, und aus Liebe heiratete, aber was hatte die eheliche Gemeinschaft mit der idealen Freundschaft zu tun? Wie schrieb Levin in seinem Brief? Annette wird mit ungläubigem Lächeln den Kopf geschüttelt haben: eine Frau, die Levin sein ‚Hühnchen‘ nannte, sollte sie, die er seine Muse gerufen, vollkommen verdrängen können?

Doch war Luise jung und schön, aber hatte sie auch menschliche Größe? Luise fügt selber ein Zwischenstück in Levins Bräutigamsbrief ein und spricht darin von Levin als von *ihrem*, Luisens, Freund! Und er ist doch ihr Bräutigam! Wollte sie mit diesem Besitzergreifen auch der Freundschaft, Annette, das Letzte nehmen? Im übrigen ist der Brief geladen mit Schmeicheleien. Levin fährt dann selber fort:

‚Mein Hühnchen kann aus Angst nicht weiterschreiben, ich muß also fortfahren, sie setzt sich unterdessen an den Flügel und spielt mir etwas vor. Denken Sie sie sich aber nicht als ein schüchternes Backfischchen, sie ist schon siebenundzwanzig Jahre alt. Was für ein Staatsmädel sie aber ist, davon haben Sie aber gar keinen Begriff, aber auch gar keinen Begriff. Unser erstes Sehen war indessen doch im höchsten Grade peinlich ... Fur mich, glaube ich, weniger, obwohl ich nicht recht wußte, wo mir der Kopf stand. Nach ein paar Stunden war ich aber rein weg, durchaus verschossen in mein Hühnchen, das nebenbei auch meine Königin ist – und das ist heilsam, denn Sie wissen, ich habe Anlage zum Tyrannen (!), es ist gut, wenn man mir zu imponieren versteht. Aber im Ernst, meine Luise ist eine ganz außerordentliche

Erscheinung, sie ist etwas größer als ich, stark und doch sehr schlank, höchst lebhaft und überhaupt zum Glänzen geboren. Sie zeichnet sehr hübsch, schreibt, wie Sie bereits gedruckt gelesen haben, und singt, – ja außer Ihnen habe ich noch niemand so singen hören, ganz wundervoll, und bei alledem ist sie so gut, so kindlich, so lieb, so mein treues, süßes Lieb, daß ich's gar nicht begreife – in einigen Dingen habe ich doch rasendes Glück – wie ich in dieser Brust, die früher nie geliebt, mit dem Mosesstab die Quelle eines Gefühls habe sprudeln machen können, das mich so unmaßen glücklich macht. Glauben Sie nicht, ich sei exaltiert: Sie wissen, das kann ich eigentlich gar nicht werden, ich weiß mit dem kältesten kritischen Bewußtsein, daß niemand wie Luise zu mir paßt, – da diese Mischung von äußerem Glanz der Erscheinung und tiefem dichterischen Gefühl, vereint mit vernünftigem, ruhigem Wesen, was mir Hauptsache ist, immerdar mein Ideal sein wird. Luise ist ans Glänzen gewöhnt, aber sie dürstet nicht darnach, sie ist fern von jener lächerlichen Unersättlichkeit nach Eitelkeitstriumphen, welche leider jetzt so oft vorkommt. Luisens ganzer Charakter ist in großen, noblen, einfachen Zügen gezeichnet, sie ist mehr Statue als Ölbild, mehr klassisch als romantisch.

Nun leb wohl, mein liebes Mütterchen, wenn die Leute nach mir fragen, erzähle ihnen, daß ich verlobt sei, aber sage nicht mit einer Schriftstellerin, das würde eine verkehrte Idee von meiner Luise geben. Ach, hätte ich doch meiner teuren verstorbenen Mutter meine Braut und meinen ersten Roman zeigen können! Nicht wahr, Du weißt, wie viel Freude ihr das gemacht haben würde!

Ihr treuergebener Levin'

Nach diesem Briefe Levins müssen bitterschwere Tage für Annette gefolgt sein. Würde Levin sich nun ganz aus ihrem Leben herausziehen und sie wie früher in einer furchtbaren Leere stehen? Aber nie, nie sollte er ein Wort der Klage aus ihrem Munde hören, doch gab es jetzt für ihren Stolz nur eine Rettung: wieder ‚zu scheinen‘ und nicht mehr ‚zu sein‘. Gerade vor ihm!

Sie würde sein ‚Mütterchen‘ sein und nichts weiter und ein

zärtliches Schwiegermütterchen für diese Luise, die in ihrer Vorstellung der verhaßten Bornstedt glich.

Kennte man nur Annettens Briefe an Levin, so würde man vielleicht – abgesehen von einigen Stellen – an der von ihr angenommenen Maske der Mütterlichkeit bei dem so natürlich klingenden mütterlichen Ton niemals zweifeln, aber da sind Annettens Gedichte an Levin, die eine ganz andere Sprache sprechen als die Briefe, und vor allem sind gerade *die* Verse, die am stärksten von ihrer Dioskurenfreundschaft zeugen, in diesem Jahr 1843 noch gar nicht geschrieben; die besondere Art ihrer Freundschaftsgefühle zu Levin haben sich demnach auch nach seiner Verlobung und Verheiratung nicht geändert.

Nein, Annette war in den vollen Seelenkampf des liebenden Menschen um das geliebteste Eigentum eingetreten.

In dieser tragischen Lage sind es abermals männliche Fassung und Härte gegen sich selber, die Annette kein Wort der Eifersucht, keinen Hauch eines Vorwurfes aussprechen lassen, aber in ihrer Rolle der Mütterlichkeit, die ihr auch jetzt nicht tiefer als die Haut geht, versucht sie nochmals, ein letztes Mal, Levins Eheschließung hinauszuschieben. Er wird sich besinnen, die Zeit wird ihr helfen!

Am 24. Juni (1843) schreibt sie ihm:

,Liebster Levin ... Sie sind also Bräutigam, und zwar einer höchstwahrscheinlich sehr guten und ganz gewiß höchst liebenswürdigen Braut, die nach Ihrer Beschreibung wirklich gerade das zu besitzen scheint, was zu Ihrem inneren Glück und äußeren Wohle not tut, und wonach mein Auge lange ängstlich für Sie umhergesucht hat.

Nun, Gott segne Sie und gebe Ihnen alles Glück, was Ihr Herz so reichlich verdient; wenn meine Wünsche für Sie nur erfüllt werden, dann will ich auch nicht zanken, daß Sie meinen warmen, angstvollen Rat, wie gewöhnlich, mit aller Hochachtung beiseite geschoben und dem Schicksal den Handschuh geradezu ins Gesicht geworfen haben.

Jetzt bittet Dich Dein Mütterchen aber noch einmal, und es ist die *letzte* Bitte, von deren Erfüllung noch vieles abhängen kann: heirate nicht so leichtsinnig, wie Du Dich verlobt hast. Hat der Himmel es gnädig mit Dir gemacht, statt Deiner geprüft und gewählt und Dir in Luisen ein Kleinod gegeben, was Du wohl ahnen, aber durchaus noch nicht als echt erkennen konntest, so fordre ihn nicht zum zweiten Male heraus durch den Bau einer Häuslichkeit auf den armseligen lockern Triebsand bloß literarischer Erfolge.

Ach, Levin, mir sinkt unter dem Schreiben aller Mut, wenn ich selbst fühle, wie schwach meine Stimme unter dem Jubel des Glücks und der Leidenschaft an Dein Herz rühren wird ... Ich bitte Dich mit gefalteten Händen: suche festen Grund, ehe Du Dein Haus baust. Vergegenwärtige nur einmal recht lebhaft Deine frühere Lage, und doch hattest Du da für keine Familie zu sorgen.

Ich mag nicht mehr darüber sagen, mein letzter Brief enthält alles, was sich darüber sagen läßt, und diesen hast Du wahrscheinlich schon verworfen oder mindestens vergessen, und so wird es diesem auch gehn.'

Dann folgen allerlei liebevolle Worte an Luisens Adresse, auch spricht Annette die Hoffnung aus, sie kennenzulernen. Es ist ein langer Brief, in dem Annette in das altgewohnte Du zurückfällt; zum Schluß wechseln Du und Sie von Satz zu Satz.

Von nun an wird es still zwischen den Freunden, obgleich die Herausgabe des Gedichtbandes, der auch die vier großen Epen enthalten soll, in Levins Händen ruht.

35

In diesen Sommermonaten, in denen Annette auf ihre Abreise nach Meersburg wartet – dieses Mal wird Elise Rüdiger sie begleiten –, sinkt sie tief in ihre Einsamkeit zurück. Sie muß zwar zum Abschiednehmen zwischen neun Verwandten-Gütern hin und her reisen, aber ist sie an Ort und Stelle, so meidet sie die lebhafte Geselligkeit soviel als möglich. Einmal schreibt sie an Sibylla (am 5. Juli 1843):

‚Ich werde täglich mehr zur Fledermaus; zwischen Licht und Dämmerung, das ist meine rechte Zeit, und übrigens – allein oder zu zweien, was darüber ist, das ist vom Übel, und ich möchte immer wie ein travestierter Hamlet sagen: Träumen, träumen, vielleicht auch schlafen. Seit zwei Tagen bin ich ganz allein in Abbenburg, Mama ist in Wehren, und übermorgen muß ich auch hin. Hier laß einen Seufzer fahren und, wenn du kannst, noch einen, sagt Abraham a Santa Clara.‘

Annette ist in einer harten, resoluten Stimmung, sie ist alles andere als eine klagende, verlassene Frau, so selbstbewußt und überlegen, wie es sehr selten dem weiblichen Geschlecht eigen ist.

An Elise, das gute Herzchen, schreibt sie, aus ihrer Einsamkeit mit offnen Augen in die Runde schauend:

‚Wir bekommen hier eine Menge Journale: Modezeitung, und Morgenblatt, den Telegraphen, Vaterland, Ausland, Königsberger Literaturblätter. Wenn ich sehe, wie so alles durcheinanderkrabbelt, um berühmt zu werden, dann kömmt mich ein leiser Kitzel an, meine Finger auch zu bewegen. Aber wenn ich dann wieder sehe, wie einer kaum den Kopf über dem Wasser hat, daß schon ein anderer hinter ihm einen Zoll höher aufduckt und ihn niederdrückt, wie Heine schon ganz verschollen, Freiligrath und Gutzkow veraltet sind, kurz die Zelebritäten einander auffressen und neu generieren wie Blattläuse, dann scheint mir's besser, die Beine auf dem Sofa zu strecken und mit halbgeschlossenen Augen von Ewigkeiten zu träumen.

Mir kommt ein stattlicher Bürger würdiger vor als ein verjagter und mit Kot beworfener König, und ich finde nichts kläglicher als einen cidevant berühmten Poeten, dem jetzt jeder räudige Kläffer nach den Waden fährt!

Ach, Elise, alles ist eitel! Was hilft's mir, daß die Buchhändler meinen, auch mich für kurze Zeit dem Publikum als Zugpflaster auflegen zu können, um mich nachher wie eine verbrauchte spanische Fliege beiseitezuwerfen!

Das ‚Abendblatt‘ hat mir Anträge gemacht, recht vorteilhafte, das gewöhnliche Honorar sei zwei, höchstens drei Louisdors per Bogen, ich könne aber darüber hinauffordern, so hoch ich wolle.

Ich habe bis jetzt weder Zeit noch Lust gehabt, den Brief zu beantworten; vor zwanzig Jahren würde er mir den Kopf verrückt haben, jetzt sehe ich schon en perspective den Augenblick, wo man sich meine Beiträge verbitten, oder auf den geringsten Preis herabdrücken würde. So steht mein Entschluß fester denn je, nie auf den Effekt zu arbeiten, keiner beliebten Manier, keinem andern Führer als der ewig wahren Natur durch die Windungen des Menschenherzens zu folgen und unsere blasierte Zeit und ihre Zustände gänzlich mit dem Rücken anzusehen.

Ich mag und will jetzt nicht berühmt werden, aber nach hundert Jahren möchte ich gelesen werden, und vielleicht gelingt's mir, da es im Grunde so leicht ist wie Kolumbus' Kunststück mit dem Ei, und nur das entschlossene Opfer der Gegenwart verlangt.'

Dann fährt Annette im September mit Elise nach Meersburg, mit dieser jungen Freundin, die bei all ihrem Charme, und so sehr Annette sie mit Freundschaftsbeteuerungen überhäufte, ihr doch nie im Tiefsten nahegestanden zu sein scheint. Diese junge Elise, die in ihren Briefen oder bei Zusammenkünften immer wieder protestierte, Annette liebte sie nicht genug, oder sie habe sich nicht genügend gefreut, als sie, Elise, ihr in Rüschhaus einen Besuch gemacht habe: sie scheint sich auch dagegen aufgelehnt zu haben, daß Annette ihr Levin vorzieht, und ist eifersüchtig auf Sibylla.

Annette tröstet dann und wehrt sich, nennt Elise: meine andere Hälfte, mein Herz, mein Liebchen, aber sie bleibt beim Sie. Nein, diese Freundschaft ist nicht überzeugend, so widerspruchslos Annette die glühende Verehrung der jungen Frau hinnimmt; eines allerdings verbindet sie mit Elise: Gespräche über Levin, aber auch diese sind so gehalten, daß die junge Rätin Rüdiger nicht ahnen kann, daß der gemeinsame Freund Annette mehr bedeutet als irgendein Mensch auf der Welt.

Elise stand keineswegs auf der Höhe einer Adele Schopenhauer und kam auch nicht an die Originalität einer Sibylla Mertens heran, sie hat nichts Bewundernswertes geleistet wie die selige Wilhelmine von Thielmann, noch war sie gelehrt wie Schlüter oder begabt wie Junkmann; vielleicht konnte Annette deshalb von Elise sagen, daß sie die einzige ihrer Freundinnen war, die sie ganz ohne Schwärmerei liebte.

Die junge Rüdiger blieb nur eine kurze Zeit in Meersburg. Warum? Die Gründe sind nicht bekannt. Ging dieses junge, überschwengliche Frauchen Annette auf die Nerven? Nach der Trennung gehen Annettens Briefe in alter Herzlichkeit nach Münster, ja, die junge Freundin wird mehr beschwichtigt und komplimentiert denn je vorher, und dennoch strahlt kaum ein Widerschein von Elisens Persönlichkeit aus den Briefen Annettens hervor; *sie* schreibt, und wie schreibt sie! aber die Empfängerin bleibt farblos und wie im Nebel.

Annette hat Levin auf der Reise nach Meersburg nicht gesehen. Arbeitet er in Augsburg, wie es vorgesehen war? Ist er noch verlobt? Sie weiß nichts von ihm. Und doch hätte sie ihm so vieles aus Meersburg zu erzählen; vor allem eines, daß der Himmel es ihr nun doch gewährt hat, Grundbesitzerin zu sein, ein Häuschen zu haben, Reben, einen Garten, ein Zuhause, das ihr und nur ihr gehört! Hier, in Meersburg, nahe bei ihrer lieben Jenny, dem guten Laßberg und den Kindern, die ihr immer mehr ans Herz wachsen, nahe der Burg, die so übervoll an Erinnerungen ist, an *dem* Ort der Welt, der ihr nebst Hülshoff und Rüschhaus eine Heimat dünkt.

Annette hat Elise, seitdem sie fort ist, wochenlang nicht geschrieben, aber jetzt im November, da der Hauskauf perfekt geworden, gibt sie ihr eine lange Beschreibung, aus der das ganze Glück, eigenen Besitz zu haben, hervorgeht.

Strahlend erzählt sie am 18. November (1843):

‚Jetzt muß ich Ihnen auch sagen, daß ich seit acht Tagen eine grandiose Grundbesitzerin bin. Ich habe das blanke Fürstenhäuschen, was neben dem Wege zum Frieden liegt – doch dort waren Sie nicht, aber man sieht es gleich am Tore, wenn man zum Figl geht –, nun das habe ich in einer Steigerung nebst dem dazugehörenden Weinberge erstanden, und wofür? Für 400 Reichstaler. Dafür habe ich ein kleines, aber massiv aus gehauenen Steinen und geschmackvoll aufgeführtes Haus, was vier Zimmer, eine Küche, großen Keller und Bodenraum enthält, und

5000 Weinstöcke, die in guten Jahren schon über zwanzig Ohm Wein gebracht haben. Es ist unerhört! Aber keiner wollte bieten, dieses unglückliche Jahr bringt nur Verkäufer hervor. Gottlob ist's kein armer Schelm, dem ich es abgekauft, sondern der reiche Großherzog von Baden, dem dies vereinzelte Stückchen Domäne lästig war. Früher gehörte es den Bischöfen von Konstanz, und der letztverstorbene ließ dies artige Gartenhaus bauen, wo er manchen Tag soll gespeist haben.

Die Aussicht ist fast zu schön, d. h. mir zu belebt, was die Nah-, und zu schrankenlos, was die Fernsicht betrifft. Es ist der höchste Punkt dieser Umgebungen, gleich am Fuße des Hügels zwei sich kreuzende Chausseen, tiefer Stadt und Schloß Meersburg, die hier ganz niedrig zu liegen scheinen; als nächste Punkte darin (etwa tausend Schritt entfernt) und sich wunderschön präsentierend, rechts das alte Schloß, links das Seminar, von dem nachmittags der schöne Chorgesang so deutlich aufsteigt, daß keine Note verlorengeht; tief unten der See mit seiner ganzen Rundsicht, die Insel Mainau, Konstanz, Münsterlingen, das Thurgau, St. Gallen, auf der einen Seite nur durch die Alpen beschränkt (von denen ich hier noch die ganze Tiroler Kette als Zugabe habe), von der andern durch die höchsten Kegel des Hegaus. Es ist eigentlich wunderbar schön, und die Meersburger halten dieses Fürstenhäuschen (auch der Hindelberg genannt) für eine unschätzbare Perle. Mir ist's aber fast zuviel und zauberhaft; und wie ich so droben die ganze Gegend kontrollieren kann, jeden Bürger, der auf die Gasse oder auch nur ans Fenster, jeden Bauern, der in seinen Hofraum tritt, so komme ich mir vor wie der Student von Salamanka, dem der hinkende Teufel die Hausdächer abgehoben hat, und mir ist beinahe sündlich zumute.

Vom Häuschen bis zur Chaussee hinunter führt eine Steintreppe mitten durch die Reben, die ich zum Laubengange machen und auf der Hälfte, mittels zweier Ausbiegungen, mit ein paar niedlichen versteckten Ruhbänken versehen will. Unten ist die Treppe schon durch ein hübsches Gatterpförtchen verschlossen. Ich habe nichts zu tun als die nächsten Rebenreihn aufranken zu lassen und die kleine Rotunde in der Mitte zu besorgen, wozu ich nur drei oder vier Weinstöcke wegzunehmen und die dahinterstehenden zu benutzen habe; in zwei Jahren kann alles dicht und schattig sein. Was sagen Sie dazu?

Die Reben hat der alte Bischof mir aufs beste gewählt, Burgunder, Traminer, Gutedel et cet., und die eine (Sonnen-) Seite des Abhangs bringt solchen Wein, als Laßberg Ihnen vorgesetzt, die andere geringeren. So kann ich also in guten Jahren auf zehn Ohm vortrefflichen und ebensoviel mittelmäßigen Wein rechnen. Grad hinter dem Hause, wo der Schatten desselben den Reben sehr schadet, will ich diese ausroden, den Boden gleich machen und eine kleine Blumenterrasse, nicht groß genug zum Spazierengehn, aber angenehm fürs Auge, mit lange und reichlich blühenden Blumen, Georginen, Rosen, Levkojen et cet. bepflanzen lassen. Oh, Sie sollen sehn, ich mache ein kleines Paradies aus dem Nestchen! Schade, daß ich meine meiste Lebenszeit 200 Stunden davon zubringen werde! Oder vielmehr gottlob, daß der heimische Boden und ich uns immer einander treu und sicher bleiben und mir doch, falls mir von Zeit zu Zeit die hiesige Luft wieder nötig würde, bei allen denkbaren Wechselfällen ein niedliches Chez moi nicht fehlt.

Nun will ich Ihnen auch das Innere des Hauses beschreiben. Man geht mit einer hübsch geschweiften, etwa acht Stufen hohen Steintreppe in den untern Stock, der nur das Paradezimmer und die Küche enthält. Ersteres ein Gemach von angenehmer Größe, mit einem Erker, in dem das Kanapee mit Tisch und einigen Stühlen hinlänglich Raum haben und das übrige Zimmer unbeengt lassen. Man sitzt dort wie in einem Glaskasten, ein Fenster im Rücken und zwei zu den Seiten, aber Besuchenden wird es himmlisch scheinen, der Aussicht wegen. In dies Zimmer tritt man unmittelbar von der Treppe. Die Küche daneben (wo ich einen zweiten Eingang werde brechen lassen) ist klein, doch nicht bis zur Unbequemlichkeit, und es läßt sich mit wenigen Gulden einrichten, daß das Herdfeuer zugleich den hübschen Kachelofen des Zimmers heizt, was im Winter sehr angenehm und im Sommer durch Öffnung der Fenster nach der jedesmaligen Schattenseite und Ladenschließung der übrigen leicht zu parallelisieren ist, da mein Kochherd doch nicht allzulange und stark brennen würde und bei winterlichen Besuchen notwendig nachgeheizt werden müßte; doch würde das Zimmer immer trocken und eine gelinde Temperatur darin erhalten werden, die die Besuche gleich hineinzuführen erlaubte.

Aus der Küche führt eine Wendelstiege und Falltür in den oberen Stock, meine eigentliche Dachshöhle (oder Schwalbennest), alles mit Zierlichkeit gemacht, die Stiege hübsch gewunden, die Falltür wie Getäfel geschnitzelt und sich in die Wand fügend, so daß sie bei Tage nicht bemerkt, sondern für eine Verzierung gehalten wird. Nachts, wenn sie geschlossen ist, paßt sie (mit der anderen Seite) sehr genau in den Fußboden und macht die kleine obere Entree zu einem artigen Zimmerchen, wo im Hintergrunde hinter anständigem weißem Vorhange das Kammerjungfernbett verborgen sei und diese auch in Sommertagen ihre Nähterei am Fenster beschicken kann. Hieran stößt dann mein eigentliches Quartier, ein heizbares Wohnzimmer, etwa um ein Drittel größer als Ihr Kabinettchen, und ein Schlafzimmerchen, grade groß genug für das Nötige, Bett, Waschtisch, Schrank und noch einigem Raum zu freier Bewegung. Sagen Sie selbst, Elise, was bedarf ich mehr? Auch fällt mir eben ein, daß ich statt des Eisenofens im Wohnzimmer ja einen Kachelofen kann mauern lassen, der das Kammerjungfernzimmer mitheizt, so daß ich diese zu keiner Zeit um mich zu haben brauche.

Der Keller geht unters ganze Haus her und ist sehr gut, sowie der Bodenraum unterm Dache überflüssig geräumig, und es ließ sich dort leicht ein Verschlag herrichten, wo ich, der Sicherheit wegen, meinen Winzer könnte schlafen lassen, einen Mann, der sonst in der Stadt wohnt und außer der Besorgung der Reben für ein Gewisses nicht in meinem Dienste steht, aber dann gern für eine Kleinigkeit zu Bestellungen und sonstiger Aushilfe bereit sein würde. Einen Brunnen habe ich nicht, aber ein Bleichplätzchen und nicht hundert Schritte vom Hause eine Quelle, die Winter und Sommer fließt. Kurz, ich sage Ihnen, es ist allerliebst. Laßberg sagt: Je mehr man es untersucht, je besser wird es. Dach, Gemäuer, Fußböden, Türen alles im besten Stande, von den Fensterläden nur zwei etwas schadhaft, aber in den Fenstern selbst vieles zu reparieren, und dieses die einzige etwas bedeutende Ausgabe. Lieb Lies, ich habe Sie gewiß ermüdet mit meiner neuen Freude, wo Sie sich doch nicht recht hineindenken können.'

Meersburg tut Annette gut; es hat sie herausgerissen aus einer Bitterkeit, die in gefährlichem Maße ihre Fangarme nach ihr ausgestreckt hatte, um sie in ein Dämmerlicht zu ziehen, da nur die Fledermäuse zwischen Tag und Nacht einsam umherhuschen.

In Meersburg ist es hell und lebendig, ein Gottesgeschenk ist ihr in den Schoß gefallen, sie muß ,regieren', verwalten, anordnen wie ein Mann, und dann hat sie sich noch mit einem Sturm herumschlagen müssen, der sie fast in Lebensgefahr gebracht hat, aber diese unheimliche Stunde hat Annette keine Angst gemacht; selig hat sie sich der Gefahr in die Arme geworfen und im Grunde das Abenteuer von Herzen ausgekostet.

Im gleichen Brief, der die Beschreibung des ,Fürstenhäusle' enthält, erzählt sie Elise auch von ihrem Kampf mit den Elementen:

,... einen Sturm habe ich erlebt und habe Gott gedankt, daß ich ihn allein überstehen mußte.

Es war in der zweiten Woche nach Ihrer Abreise, ich hatte einen langen Spaziergang weit über Haltenau hinaus gemacht und mich eben zum Rückwege gewendet, als ein wahres Teufelswetter losbrach, ohne Regen, nur Sturm, aber um Berge zu versetzen. Bei jedem Ruck faßte er mein dickes wattiertes Kleid und wollte mich über die Mauer reißen, so daß ich gleich bergan in die Reben flüchten mußte, wo ich mich kümmerlich an den Pfählen fortlavierte bis Haltenau, und dort wie ein verunglückter Luftballon ins Haus mehr plumpste als flatterte, nämlich mit halbem Überstürzen, was sich wahrscheinlich eher mitleidswert als graziös mag ausgenommen haben. Die dicke Rebfrau konnte auch mit ihrem ,B'hütis Gott! b'hütis Gott!' gar nicht aufhören und meinte, sie würde jetzt um fünf Gulden nicht über die Mauer nach Meersburg gehn. Was half das alles? Ich mußte doch nach Hause, obwohl das Wüten draußen mit jeder Minute ärger wurde.

So ging ich wieder los und versuchte als letzten Ausweg, mich gleich den Berg hinauf zu arbeiten, wo ich schlimmstenfalls doch

nur bis in die nächsten Rebpfähle geschleudert werden konnte –
freilich, wenn's mit Vehemenz geschah, immer gefährlich genug,
und zudem hätte ich, wie Sie wissen, Klippenwände passieren
müssen. Vielleicht war's gut, daß der Versuch mißlang, es war
keine Möglichkeit; bei jedem Schritt höher konnte mich der
Wind derber packen, ich mußte mehr kriechen als gehn und bei
jedem Ruck niederhocken, um nicht weggerissen zu werden, also
wieder bergab! Doch blieb ich zwischen den Reben, etwa dreißig Fuß über dem Mauerwege. Es war eine greuliche Arbeit; ich
habe über eine Stunde gebraucht; die meiste Zeit saß ich in einem Klümpchen dicht zusammen und wartete die Pausen der
Stöße ab, um dann zehn oder zwölf Schritte voranzuarbeiten.

Was wir zusammen erlebt haben, kann Ihnen nicht mal einen
schwachen Begriff davon geben, aber der See war unbeschreiblich schön, so durchsichtig und in allen Farben wechselnd, wie
ich davon vorher keinen Begriff gehabt. Die Sonne warf durch
Wolkenlücken ein prächtiges falsches Licht darauf, und ich wurde fast geblendet durch das Blitzen der Springwellen, die unter
mir wie eine endlose Reihe Fontänen aufstiegen, und zwar nicht,
wie wir es kennen, nur diesseits der Mauer, sondern wenigstens
vierzig Fuß höher, weit über mir und meinen Rebstöcken, nie-
derplatschten, so daß ich nach ein paar Minuten keinen trocknen
Faden mehr am Leibe und mein Rock sich in einen gefüllten
Schwamm verwandelt hatte, der mich niederzog wie Blei.

Ich kann Ihnen sagen, Elise, daß ich froh war, als ich das Tor
über mir und meine bedenkliche Fahrt sich in eine klatrige durch
die Unterstadt verwandelt hatte. Noch einmal hatte ich einen
schweren Stand, die Stiegen hinauf, wo der Wind wieder alle
Macht hatte, und besonders auf der langen, schmalen Brücke
über den Mühlrädern, wo ich einmal keinen andern Rat wußte,
als mich platt hinzuwerfen, und doch wohl herabgeweht wäre,
wenn nicht der Müller, der auch grad genötigt war die Brücke zu
passieren, mich am Boden festgehalten und dann auch die letzte
Stiege hinaufgeleitet hätte. Als ich ins Schloß kam, schnatternd
und einen nassen Streifen hinter mir lassend wie ein geschwemm-
ter Hund, ward ich auch empfangen wie ein armer Hund.

Es mißlang mir, in mein Zimmer zu schlüpfen, Laßberg stand zufällig im oberen Flur und erhob ein solches Geschrei: ,Um Gottes willen! Wo kommen Sie her! Was haben Sie gemacht! Was denken Sie auch!', daß ich gleich auf eine sehr unerwünschte Weise en famille geriet. Mama war anfangs wirklich böse, glaubte mir aber doch sogleich, daß ich bei ganz leidlichem spazierfähigem Wetter ausgegangen sei. Laßbergen konnte ich mich nicht begreiflich machen, er war tauber wie gewöhnlich, und ich habe ihn mitten in seinen Exklamationen über meine Unvernunft müssen stehn lassen, denn mich fror erbärmlich. Jenny sagte nichts, aber sie bestellte sogleich einen heißen Krug und Tee, nahm mich dann beim Arm und brachte mich in meinem Zimmer zu Bette. Meinen dicken Rock habe ich acht Tage lang nicht anziehn können, so lange hat er auf dem Boden trocknen müssen.

Da mir das Abenteuer nicht geschadet hat, ist's mir doch lieb, den See einmal in seiner tollsten Laune gesehn zu haben, um so mehr, da es nur für einmal im Leben ist, denn ein anderes Mal werde ich mich hüten! Ich mag die Lachsforellen und Gangfische viel lieber essen, als von ihnen gegessen werden, und es würde mir sogar nur wenig Trost bringen, wenn statt ihrer meine Lieblinge, die Möwen, mich aufpickten.

Am nächsten Tage hörten wir von vielem Unglücke am See, einem untergegangenen Schiffe und einigen einzeln Verunglückten. Und mit dieser Trübsal muß ich für heute schließen, denn es schlägt eben acht.'

Es sind nun sechs Monate her, daß Levin Annette seine Verlobung angekündigt hat, ihre Sorge, ihr Kummer, ihre Angst um den Verlust ihres Freundschaftsglücks sind fast in Vergessenheit geraten, so viel Neues bringt ihr Meersburg, und doch wird sie immer wieder in Gedanken die Stunde erwogen haben, in der sie Levin in ihrem Häuschen, bei sich, als seine Gastgeberin empfängt; gewiß, er wird sie einmal hier besuchen; es dürfte nun aber endlich wieder ein Brief von ihm eintreffen; so vieles hätte sie ihn über die Herausgabe ihrer Gedichte zu fragen.

Und es kommt ein Brief. An einem grauen Novembertag sieht plötzlich die geliebte Schrift sie von einem Umschlag an; wie mag ihr das Herz geklopft, die Hand gezittert haben, als sie das Siegel löste, und dann hat sie gelesen:

,Augsburg, den 2. November 1843

Ich habe bis jetzt aufgeschoben, Ihnen zu schreiben, liebes Mütterchen, aus allerlei Gründen, die ich hier unangedeutet lasse. Nun aber, nachdem ich so lange nichts von Ihnen gehört, drängt's mich, Sie recht von Herzen um einige Zeilen zu bitten, wie es Ihnen geht?

Was mich betrifft, mir geht's gut, wie es nicht anders kann, wenn mich etwas drückt, so ist's nichts anderes, als nicht zu wissen, was Sie machen und ob Sie noch mein gut Mütterchen sind? Gelt, ja? Sie verlassen Ihren Jungen nicht, der Sie so lieb hat.

Wie oft sprach ich nicht von Ihnen – es vergeht kein Tag –, und wenn ich's nicht noch mehr tue, so ist es nur die Furcht, daß man mir doch nicht glaubt, wenn ich so voll von Ihnen bin, bis Sie mal siegreich Ihre Gedichte losgelassen haben.

Seit ich Ihnen zuletzt schrieb, hab ich folgendes getan und erlebt ...

... wir ließen uns am 7. Oktober mittags um ein Uhr trauen, in der *katholischen* Kirche. Meine Zeugen waren zwei Vettern Luisens: ein Kammerherr von Gall und ein Hofgerichtsanwalt Sues. Wir sahen übrigens beide sehr nobel aus. Meine Braut sah, kann man sagen, ideal schön aus, im einfachen, nicht décolletierten Kleide von echt ostindischem Musselin und weißem Atlas darunter, den reichen Myrtenkranz à la Ceres.

Nach der Trauung gab uns der Oberjägermeister ein kleines Diner und danach reisten wir fort. Die drei nächsten Tage brachten wir bei Justinus Kerner zu, wo auch Geibel war.

... Dieser Tage habe ich endlich die Dombausteine mit meinem Roman: ,Das Stiftsfräulein' erhalten. Die Geschichte macht sich sehr gut. Was machen aber Ihre Gedichte? Zaudern Sie doch nicht länger, liebes Mütterchen!!!

Meine Chiffre in der Allgemeinen Zeitung ist S. vor dem ersten Wort jedes Aufsatzes. Dieser Tage erscheint einer über einen Aufsatz der Revue des deux mondes, den Sie lesen müssen. Ich war sehr geneigt, den französischen Kritiker glimpflich zu behandeln, weil er mich mit Simrock zu den hoffnungsvollen Poeten Deutschlands rechnet.

Will mein Mütterchen die Dombausteine lesen, so schicke ich sie. Ich habe sie nicht beigelegt, weil manches darin, was Sie unangenehm berühren könnte. Tausend Grüße von Ihrem treuen Jungen.'

Hat Levin inzwischen vergessen, wie großzügig Annette ist, und daß sie alles lesen und alles beurteilen kann?

36

Erst nach einem Monat vermag Annette Levins Brief zu beantworten: ‚Ich bin recht gerne hier‘, das klingt nicht sehr überzeugend, besonders wenn Annette fortfährt: ‚obwohl außer Laßberg und Jenny, der alten Burg und dem See eben alles anders ist wie vorm Jahre, als läge ein Dezennium dazwischen: lauter neue Domestiken, außer Augusten und dem alten Fasser, der noch immer seinen Kopf aus dem Guckloche unter der blutigen Hand hervorstreckt. Das Liebhabertheater aufgelöst; Mama hier, und im untern Stock drei Zimmer für sie eingerichtet, die mir wie ein ganz neues Stück Welt vorkommen; Figel fast bankrott, will sein Häuschen verkaufen; niemand besucht ihn mehr, wir sind nur einmal aus alter Erinnerung hingegangen, fanden niemand dort und konnten kaum etwas erhalten; sein Zöpfchen steht vor Melancholie ganz schief, während seine gezwungenen Späße in der traurigen Lage einen unheimlichen Eindruck machen und ich nicht wieder habe hingehn mögen; ich bin in das neue Turmzimmer logiert, das damals für Sie ausgebaut wurde; mein früheres Zimmer sowie das Ihrige ist jetzt als Fremdenzimmer immer verschlossen, also für mich so gut wie gar nicht mehr da; ebenso die Gewölbe, in denen wir herumkletterten, und Ihr Turmzimmer, in dem Sie den ‚Lafleur‘ und das ‚Stiftsfräulein‘ schrieben; in beide letztere habe ich bei einer allgemeinen Hausschau mal einen Blick getan, und es war mir wie ‚eine Geschichte vergangener Zeiten‘. Das sind doch viele Veränderungen für ein kurzes Jahr!

Denn grade ein Jahr nach meiner Abreise bin ich wieder hier eingezogen. Freilich ist auch manches geblieben; vor allem heimelte mich das Speisezimmer an, alles als wär's gestern: das kleine Kanapee am Ofen, unter dem die Lachtauben gurren, das Klavier, ganz mit denselben Notenblättern, die ein Jahr Rast gehalten, Laßbergs Noli-me-tangere-Winkel, die alte Uhr auf dem Schreibtische, die immer zwölf schlägt. Dort ist die Zeit ebenso unbegreiflich stillgestanden, wie sie anderwärts unbegreiflich gerannt ist. Herr Hufschmid kömmt noch jeden Abend im selben braunen Rocke, spielt langen Puff und bittet uns, nicht zu früh aufzustehn. Und jeden Nachmittag geh ich meine alten Wege am Seeufer, zwar mutterseelenallein, aber doch vergnügt, weil mich nichts stört, nicht mal ein neuer Rebpfahl. Ungestörtheit habe ich überhaupt hier soviel mein Herz verlangt; ich bin in meinem Turm wie begraben und komme nur hervor, wenn ich nach dem Läuten des Dampfboots alte Freunde habe den Steig herauftraben gesehn, was aber selten vorkömmt.

Was ich in meiner Einsamkeit treibe? Ich lese, beendige die Abschrift meiner Gedichte und sehe mir in der Dämmerung über dem See das Abendrot an, was eigens mir zuliebe in diesem Jahre unvergleichlich schön glüht; ich wollte, Sie könnten's mit ansehn; auch der See und die Alpen waren im September und Oktober fast täglich mit Tinten überhaucht, von denen ich früher keine Vorstellung gehabt: alle Zacken der Alpenreihe rot wie glühendes Eisen und scheinbar durchsichtig, andre Male der See vollkommen smaragdgrün, auf jeder Welle einen goldnen Saum. Ach, es ist doch eine schöne, schöne Gegend! Sie sehn, die Natur tut alles, mir an Poesie von außen zu ersetzen, was mir in den Mauern fehlt; denn in dieser Beziehung stehe ich hier allein, wie Sie am besten wissen.

Nun noch ein Wort von meinen Gedichten! Die Abschrift ist fast fertig, aber Sie, mein armes Kind, sollen sich damit nicht plagen; Sie haben jetzt eine immer wachsende Haushaltung in Aussicht, müssen zu diesem Zweck Ihre eignen und Ihrer lieben Frau Schriften zu poussieren suchen, ohne sich Ihrem Verleger durch Protektion Fremder, deren Erfolg noch sehr zweifelhaft ist, unangenehm zu machen. Ich habe dies längst gedacht und muß mich schämen, daß Laßberg es mir zuerst hat deutlich aussprechen müssen, der sich dann auch erboten hat, sobald alles fix und fertig, meinetwegen mit Cotta zu unterhandeln. So ist's am besten, und ich bitte Sie nur, mir zu sagen, was ich nach Hauffs Äußerungen etwa von Cotta zu erwarten hätte. Vergessen Sie die Antwort hierauf nicht und senden Sie Ihrem Mütterchen recht bald einen lieben, freundlichen Levinsbrief. Gott segne mein gutes Kind und die, welche ihm am nächsten und teuersten ist! Adieu.'

›Was ich in meiner Einsamkeit treibe ...‹, hat Annette Levin gefragt; es klingt traurig und resigniert, was sie von ihrem Leben in Meersburg erzählt, und jeder Satz ist so gestellt, daß Luise ihn mitlesen kann; wie tiefer Gram an ihrer Seele frißt, das vertraut sie nur ihrem ›Geistlichen Jahre‹ an. Da steht am Ende des Manuskriptes das Wort:

> *Und doch muß ich vor Gram erbleichen,*
> *Durch meine Seele ging ein Schwert.*

Und sie ruft die Frage zum Himmel auf:

> *Wer mußt' so vieles Leid erfahren*
> *An Körpernot und Seelenleiden!*

Aus dem letzten Lied des Jahres aber ertönt es so sterbensmüde:

> *Mein Leben bricht. Ich wußt' es lang,*
> *Und dennoch hat dies Herz geglüht*
> *In eitler Leidenschaften Drang.*
> *Mir brüht der Schweiß*
> *Der tiefsten Angst*
> *Auf Stirn und Hand. Wie! dämmert feucht*
> *Ein Stern dort durch die Wolken nicht?*
> *Wär' es der Liebe Stern vielleicht,*
> *Dir zürnend mit dem trüben Licht,*
> *Daß du so bangst?*

Wie hat sich der Ton der Lieder gesenkt, nachdem er sich zur glücklichen Zeit mit Levin aufgeschwungen hatte wie ein Jubellied! Aber solange sie noch glaubt, daß ,der Stern der Liebe' ihr zürnt, weil sie um ihre Freundschaft bangt, solange hat sie Levin noch nicht verloren gegeben.

Im Januar 1844 schreibt Annette Levin einen Brief, in dem ihre ungebrochene Liebe überall hervorblitzt; sie fällt sogar zeitweilig in das alte liebe Du zurück:

,Dieser Brief, mein guter Levin, ist der Vorläufer eines größeren, den ich absenden werde, sobald ich auf diesen Antwort erhalten. Zuerst tausend, tausend Dank, mein gutes Kind, für die Liebe, mit der Sie Ihres Mütterchens gedacht und ihr eine Freude bereitet haben, eine recht große Freude, und das würde es immer bleiben, selbst wenn die Mineralien nicht so schön und die Autographen nicht so zahlreich und mir sonst so unmöglich zu erhalten gewesen wären. Und wo hat mein Junge den guten Steingeschmack hergenommen? Das hat ihm ein anderer eingeblasen, er selbst ist viel zu dumm dazu. Die Versteinerungen sind köstlich und alle die Spate ganz vollkommen in ihrer Art.

Während Ihr, liebes Volk, so freundlich an mich dachtet, habe ich indessen auch an Euch gedacht, d. h. für diesmal zumeist an Ihr Frauchen, der ich so gern ein Zeichen meiner herzlichen Zuneigung geben möchte. Wär' ich nur in Rüschhaus, dann wär' mir hunderterlei zur Hand. Levins Mütterchen hat wohl schöne Sachen! Aber hier bin ich arm wie eine Kirchenmaus. Da habe ich denn meine Feder der ersten besten Gans in den Flügel gesteckt, meine blauen Strümpfe ausgezogen und ganz ordinärweg ein Paar Pantoffeln gestickt, die auch fertig sind und die ich schikken will – kleines Pferdchen, jetzt stell Deine langen Ohren auf! – die ich schicken will mit der gleichfalls fertigen Abschrift meiner sämtlichen Gedichte, sobald ich sicher bin, daß selbiges Hotto weder ausschlägt noch durchgeht.

Ausschlagen heißt hier greulich räsonieren, wogegen ich allerdings ziemlich verhärtet bin; aber Durchgehn ist schlimmer, dann wird in der Regel der Reuter abgeworfen, und grade die kleinen Pferdchen sind dann die schlimmsten mit Abgrasen, Vertrampeln et cet. Ernstlich, Levin, ich erkenne Ihre Güte herzlich an, und sie ist mir gottlob nichts Neues, bin auch jetzt selbst der

Ansicht, daß es für alle Partien am besten sein möchte, wenn meine Unterhandlungen mit Cotta durch Sie gehen. Laßberg ist hierin mit mir einverstanden; er hat sich anfangs sehr freudig angeboten, und nun kömmt's ihm wie ein Riesenwerk vor. Sie kennen seine Umständlichkeit. Er liest schon seit acht Tagen an dem Manuskripte, und mir kömmt's vor, als blieb sein Zeichen, eine flattrige ‚Karlsruher Zeitung', die fast mit dem Hefte fortfliegt, immer auf derselben Stelle, und doch sagt er: Ich beeile mich bestens, aber nachher wollen wir das Ganze etwas umständlicher durchgehn. Sie sehn, es wird mir gehn wie den Heiligen, die erst nach dem Tode zu Ansehn kommen; zudem wird ihm der Gedanke, Cottan Geldforderungen zu machen, jede Stunde beklemmender. Kurz, er paßt miserabel zu seinem Amte und wird's so gern niederlegen wie Sancho Pansa seine Statthalterschaft.

Daß mir dann auch besser geholfen ist, versteht sich von selbst, und Ihnen, mein guter Levin, wollen wir suchen die Sache möglichst vorteilhaft zu stellen, und ich möchte um Ihretwillen herzlich wünschen, daß Cotta recht große Lust zu dem Handel hätte, d. h. nicht nur zu diesem, sondern auch zu den westfälischen Gemälden, woran ich nun gleich fortarbeiten werde, und was mir sonst noch prädestiniert ist.

Sie sehn, Levin, ich möchte gern alles für Sie tun, was ich kann; nun geben Sie mir dagegen aber auch ein Versprechen, und zwar ein ernstes, unverbrüchliches, Ihr Ehrenwort, wie Sie es einem Manne geben und halten würden, daß Sie an meinen Gedichten auch nicht eine Silbe willkürlich ändern wollen. Ich bin in diesem Punkte unendlich empfindlicher, als Sie es noch wissen, und würde grade jetzt, nachdem ich Sie so dringend gewarnt, höchstens mich äußerlich zu fassen suchen, aber es Ihnen nie vergeben und einer innern Erkaltung nicht vorbeugen können.

Habe ich bei Ihrem ‚Romantischen und malerischen Westfalen' über manches weggesehn, so traten dort Umstände ein, die besondere Berücksichtigung verlangten: wir waren uns noch um vieles fremder; Sie, ein angehender Schriftsteller in unbequemen Verhältnissen, der seine ganze Hoffnung auf diese Arbeit setzte, hatten mich um die Balladen gebeten – und waren nun, sobald sie Ihnen mißfielen, in der verzweifelten Lage, aus Höflichkeit mit blutendem Herzen Ihr eignes Werk, nach Ihrer Ansicht, verderben zu müssen. Fühlen Sie nicht, daß, sobald ich dies einsah, meine Lage noch viel epinöser war als die Ihrige und ich meinen Schultern um keinen Preis eine solche Verantwortung aufladen durfte?

Sie können also keine Parallele von damals zu jetzt ziehn, und wenn Sie es dennoch tun, so täuschen Sie sich auf eine für unser so liebes und fruchtbringendes Verhältnis höchst traurige Art. Ich bitte Sie dringend, Levin, seien Sie diesmal nicht leichtsinnig, lehnen Sie lieber die ganze Sache ab, wenn Sie ihrer nicht sicher sind. Haben Sie mir aber Ihr Ehrenwort gegeben, so stelle ich Ihnen alles mit dem vollsten Vertrauen zu und ich will Ihnen dann die Sache möglichst erleichtern.

Sie mögen mir nämlich, da ich sämtliche korrigierte Brouillons bewahrt habe, nur Gedicht, Strophe und Zeile bezeichnen, wo Sie Veränderungen durchaus nötig finden – eine Arbeit, die sich beim Durchlesen auf einem zur Seite liegenden Blatte schnell und leicht macht – und ich schicke Ihnen dann mit der nächsten Post womöglich mehrere Lesarten zur Auswahl. Diese Korrekturen dürfen aber nicht von Ihrer Hand gemacht werden, d.h. im Manuskript, was Cotta geschickt wird, sondern eine fremde muß es tun. Den Grund begreifen Sie: hat Hauff seinen Glauben an meine Scharlatanerie so weit getrieben, Ihnen meine ‚Judenbuche' zuzuschreiben, so würde er hiernach keinen Augenblick zweifeln, daß Sie meine Gedichte erst durcharbeiten, eh sie sich dürfen sehn lassen, und einen so kränkenden und, wie Sie am besten wissen, so durchaus ungerechten Argwohn werden Sie doch nicht auf Ihr Mütterchen bringen wollen.

Es mag mir mitunter schaden, daß ich so starr meinen Weg gehe und nicht die kleinste Pfauenfeder in meinem Krähenpelz leide; aber dennoch wünschte ich, dies würde anerkannt. Es wäre mir deshalb lieb, Sie könnten Kolb, der ja doch so oft zu Ihnen kömmt, auf eine ungezwungene Weise meine eingeschickten Varianten zeigen; sonst bleibt es doch immer verdächtig, daß eine fremde Hand drüberher gewesen ist.

Und nun, mein liebstes Kind, adieu; dieser Brief kömmt je eher je besser zur Post. Tausend Liebes an Ihre bessere Hälfte, der ich in der nächsten Woche, id est sobald ich Ihre Antwort habe, mit der ganzen Sendung so herzlich schreiben werde, wie es mir zumute ist und sie es durch ihre Freundlichkeit um mich tausendmal verdient hat.   Adieu.'

Levin antwortet gleich im neuen Jahr, noch im Januar (1844): ,Mein liebes und teures Mütterchen,

soeben erhalte ich Ihren prächtigen Brief, und eile nun auf der Stelle zu antworten, obwohl mir von der Kälte die Hände klamm sind. Also das Manuskript ist fertig? Victoria und nochmals Victoria! Ich habe solche Freude drüber, daß ich's gar nicht sagen kann!

Ich muß jetzt nur rasch Ihre Befürchtungen stillen, also: wenn Sie mir das Manuskript schicken, lese ich's durch und notiere mir, was ich vielleicht fürzutragen hätte als untertänigstes Bedenken. Dann geht auf der Stelle das Manuskript, wie es aus Ihren Händen kommt, nach einem Tage an Cotta ab; er läßt es drucken, vielleicht hier, jedenfalls besorge ich die Korrektur, und wenn Sie dann unterdes über die Korrekturen mit mir einverstanden geworden sind, so mache ich diese in die Korrekturbögen.

Da letztere nun in niemands Hände als in meine kommen, so wird auch Niemand sagen, ich hätte irgend an Ihren Gedichten etwas getan, überhaupt eine ganz kuriose Befürchtung bei Ihrer die meinige so anerkannt, zweifellos und entschieden überragenden poetischen Begabung. Ich werde auch Kolb Ihre Varianten zeigen. Nur die Kommas und Punkte u.s.w. müßte ich wohl auf eigne Gefahr in die Korrekturbögen machen?

Daß die Sache durch mich an Cotta geht, möchte wohl schon deshalb besser sein, weil er mein, als eines Kritikers an der Allgemeinen Zeitung Urteil, dann als das Urteil eines Dritten (nicht Verwandten) gewiß anzuerkennen und darauf zu bauen geneigt ist. Die Honorarforderung will ich höher stellen; jedenfalls so, daß Sie erfreut die Früchte Ihrer Mühen besser in Ähren stehen sehen, als Sie gedacht. Mich freut das Alles so, was ich hierin für Sie tun kann!

Was wollte ich Ihnen nun noch in der Eile sagen? Ja, Luise ist tief gerührt über die Pantoffeln, und außerordentlich froh über Ihre Güte; sie sagt, sie hätte sich grade danach gesehnt, da sie ein Paar in unsrer kurzen Ehe schon aufgebraucht! Sie sehen, wie's mir geht! –

Nun zum Schluß also noch das geforderte feierliche Ehrenwort, daß ich nichts korrigiere, ändere, flicke, und ich bin, wenn ich einmal mein Wort gegeben, so gewissenhaft, daß Sie mir dagegen versprechen müssen, sobald Ihnen doch im Abdruck Ihrer Gedichte etwas geändert vorkommt, mir es grade heraus gleich zu erklären, damit ich durch Ihr eigenes Manuscript, das ich dann einfordere, mich rechtfertigen kann. Es könnte das leicht geschehen.

Ich habe Cotta bemerklich gemacht, daß ja ihre ‚Corsenrache‘ noch nicht gedruckt sei im Morgenblatt. – Wenn ich fürs Morgenblatt fünf bis sechs Gedichte noch wähle, wär's zuviel?

Tausend herzliche Grüße von Luise! Empfehlen Sie mich herzlichst! Ich bin, was immer, das treueste kleine Pferd, so je gewesen.

Wir müssen eilen mit Ihren Gedichten, da Cotta daran gelegen sein wird, sie noch zur Ostermesse bringen zu können.‘

Nun ist Annette beruhigt; sie schickt Levin Korrekturen und hat sicher aus dem anregenden Hinundher eine neue, echte Freude gesogen. Levin und Luise sollen sie in Meersburg besuchen, das ist ihre große Hoffnung; o sicher, dann werden alle Schatten weichen; sie *will* Luise wie eine Tochter lieben. Gott wird ihr helfen, das eigene aufsässige Herz zu überwinden.

Aber dann kommt ein Brief von Levin, der, nur widergespiegelt in einem Brief Annettens an Elise Rüdiger, auf die Nachwelt gekommen ist und verrät, daß Levin ganz im Banne seiner Frau steht, und diese, scheinbar mit der Eifersucht der weniger großen Autorin die neue Harmonie zwischen ihrem Mann und der nun in ganz Deutschland berühmten Dichterin, Annette von Droste-Hülshoff, gestört hat.

Levin, in seinem unverbesserlichen Mangel an Frauenkenntnis, wagt es, Annette, die doch einst seine Muse gewesen ist, mit der

Höherstellung seiner Frau, was literarische Kenntnisse anbelangt, ins Herz zu treffen.

Annette schreibt an Elise Rüdiger am 1. April (1844) zunächst über allgemeine Dinge:

‚Denken Sie nicht, mein süßes altes Herz, daß ich aus Faulheit so lange still gewesen bin und jetzt nur schamgedrungen den letzten von Ihnen gesetzten Termin einhalte. Nun kam Ihr letzter Brief, und ich hätte gern auf der Stelle die Feder ergriffen, mußte aber erst über einiges im klaren sein, was aber durchaus nicht klar werden wollte und mich bis gestern abend herumgefoppt hat. Es betrifft Ihren sehnlich erwarteten Besuch, mein Lies.

Nun hören Sie: Schücking und Frau kommen zu uns, und zwar auf drei Wochen. Sie kennen nun Laßberg und seine Abneigung vor aller Unruhe und Getreibe zu gut, als daß ich weitläufiger zu erörtern brauchte, wie fatal und jeden einzelnen beengend das Zusammentreffen beider Besuche sein würde. Ich schrieb deshalb sogleich an Schücking. Ich drang auf Antwort mit umgehender Post, um auch Ihnen Zeit zu lassen, Ihre Einrichtungen zu treffen, zeigte zugleich Unruhe wegen meines Geschäfts mit Cotta, da die Ostermesse herannahe und weder Annoncen noch Probegedichte erschienen. Trotz aller dieser Reizmittel keine Antwort!

Nach zehn Tagen schrieb ich wieder, viel dringender: alles stumm! Nach zehn Tagen nochmals, und jetzt wirklich höchst beängstigend, da ich mir Sch(ücking) völlig mit Cotta zerfallen, vielleicht gar nicht mehr in Augsburg, sondern in irgendeinem dunklen Winkel am Hungertuche nagend und zu stolz, mir dies zu schreiben, dachte. Jetzt kam wirklich Antwort mit umgehender Post (gestern abend): Schücking und Frau sind verreist gewesen, nach München, waren erst vor einigen Stunden zurückgekehrt und hatten mein Regiment Briefe nebeneinander aufmarschiert gefunden. Er schreibt allerlei; über seinen Besuch diese Worte: Wir werden pünktlich am ersten Mai in Meersburg eintreffen und ebenso pünktlich am 23. abreisen, und zwar nach Venedig, um dort Seebäder zu gebrauchen, Ihre Damen müßten also vorher oder nachher kommen. Dann geht er weitläufig auf die Freude des Wiedersehns und andere Dinge über, ohne jenen Punkt weiter zu berühren.

Ach, mein Lies, ich kann Ihnen nicht sagen, wie ich mich auf Ihr gutes Gesichtchen freue! Es muß mich vielleicht für sehr peinliche Tage entschädigen, denn wenn die Sch(ücking), die ich mir noch immer à la Bornstedt denke, mir mißfällt, so stehe Gott mir einmal bei, weil ich sie ihrem Mann anloben und herzlich tun muß, und wenn sie Laßbergen fatal und lästig werden sollte, dann mag er mir doppelt und dreifach beistehn! Jetzt freut sich hier noch alles auf den Mann und hofft provisorisch von der Frau das Beste.

Ich habe seit drei Monaten viele Briefe von Sch(ücking) erhalten – oder von seiner Frau, wenn Sie wollen; denn sie schreibt immer die Hälfte davon und diktiert noch einen Teil des übrigen, wo es immer um die dritte Zeile heißt, meine Frau sagt oder meine Luise will, daß ich Ihnen schreibe et cet. Es ist auch offenbar, daß sie alle an ihn kommenden Briefe liest, wahrscheinlich sogar auf seinen Wunsch in seiner Abwesenheit erbricht. So richte ich denn die meinigen für beide ein, rede sogar abwechselnd beide an, um ihr nicht extra schreiben zu müssen.

Indessen traue ich ihr nicht recht, ihre Worte gegen mich sind lauter Liebe, sogar Demut, aber dennoch fühle ich etwas Gezwungenes und versteckt Pikiertes zuweilen heraus, namentlich wenn ich etwas von Sch(ücking) nicht übermäßig gelobt habe. Neulich z.B. schrieb Sch(ücking) mir, er werde sich fortan aufs Drama legen, und habe ein Trauerspiel ‚Günther von Schwarzburg‘ unter der Feder. Ich riet ihm davon ab, da ich nach den früheren Proben sein Talent fürs Drama für weit weniger ausgemacht halte als zur Poesie und erzählendem Stile.

Darauf schreibt sie ziemlich spitzig: Levins ‚Günther‘ ist fertig und trotz Ihrer traurigen Prophezeiungen doch ein gutes Stück. Und ein anderes Mal, was mich wirklich arg enttäuscht hat, zuerst eine ganze Seite voll Weihrauchqualm: sie sei ganz berauscht von Entzücken! So habe noch niemand geschrieben! Ich sei bestimmt, der Stolz meines ganzen Geschlechts zu werden! et cet. – und nun auf der andern Seite, von Levins Hand, eine Menge

Stellen meiner Gedichte, die ihm schon früher bekannt und sehr lieb waren und die er nun mit einer Ängstlichkeit verändert wünscht, daß man sieht, wie sie ihm jemand fatal und lächerlich gemacht hat, und dann als Nachsatz: ‚Mein Luischen kömmt eben herein und will sich wohl totlachen, daß ich Sie noch erst um Erlaubnis frage; sie meint, alles das, was ich abgeändert wünsche, seien ja lauter Unmöglichkeiten! und ich hätte zu Ihrem eigenen Besten frisch draufloskorrigieren sollen, ohne Sie lange zu fragen; sie wolle mir noch eine Menge anderer Unmöglichkeiten zeigen et cet.‘

Was sagen Sie dazu? Ist das nicht echt Bornstedtisch? Ich habe nichts hierauf geantwortet (d. h. auf den Nachsatz), fürchte aber, das Stückchen lange nicht zu vergessen, nicht der Beleidigung halber, sondern weil ich besorge, einen tiefen unglücklichen Blick in ihren Charakter getan zu haben. Mich hat sie indessen noch nicht bei ihm zugrunde richten können.‘

Annette kämpft um ihre Liebe zu Levin; sie will ihm die Treue halten, obgleich seine grausamen Worte sie zu ernüchtern drohen; sie will nur die guten Seiten an ihm sehen, und auch Luise will sie lieben; denn was wissen junge Menschen davon, wie tief sie die Älteren verwunden können? Bis das junge Paar nach Meersburg kommt, wird sie, Annette, es gelernt haben, ohne Bitterkeit Levin ganz herzugeben, nur noch dem fremden Glück zuzuschauen.

Wie liebt Annette die Kapelle unter ihrem früheren Turmzimmer. In einer Frömmigkeit, die nichts von Überschwenglichkeit weiß, ringt sie allein vor Gott um die Überwindung ihres Stolzes, ihrer Abneigung gegen die Frau, die sie so ganz verdrängt hat, gegen ihren Zorn auf Levin, und je weiter das Jahr vorrückt, je höher schwingt Annettens große Seele sich über die menschlichen Leidenschaften auf, die ihr den Blick verdunkeln wollten.

Im Mai werden Levin und Luise kommen ... sie freut sich, gewiß, sie freut sich! In einem langen Brief vom 17. April (1844) an Levin, in dem hauptsächlich vom Quartier in der ‚Traube‘, wo die jungen Leute logieren sollen, und von Korrekturen am Gedichtband die Rede ist, fließt ihr der Satz aus der Feder:

‚Ach, Levin, ich freue mich viel zu arg auf unser Beisammensein, so daß es mir oft vorkömmt, als könnte deshalb nichts daraus werden, dann scheint's mir doch wieder so nah vor der Hand, daß ich gar nicht schreiben mag. Hätte es mir nicht mit den Korrekturen auf den Nagel gebrannt, ich hätte wahrhaftig nicht mehr geschrieben, oder höchstens: Guten Tag, Levin, kommen Sie, kommen Sie! Wenn ich nur wüßte, um welche Stunde am 1. Mai Sie ankommen, ob per Post oder Dampf! Alles freut sich hier auf Sie, auf alle beide.'

Es ist ein schöner Frühling! Annettens Rebberg wird bearbeitet, allerlei Blumen kommen in dem neuangelegten Gärtchen hervor, die Fliederbüsche haben dicke Blütentrauben angesetzt; bis Levin mit ihr hieroben steht, werden sie schon in Blüte sein; und wie viele Vögel in den Büschen und Bäumen wohnen, sie machen ein Konzert, fast so laut wie in Hülshoff. Jeden Nachmittag öffnet Annette alle Fenster, damit die Sonne das ganze Häuschen gut durchwärmt, und immer wieder geht sie von unten nach oben, und von oben nach unten; nie wird man mit Räumen und Verschönern fertig werden.

Annettens Herz ist voller Freude und Zuversicht; Levin hat ihr so tatkräftig bei der Herausgabe ihrer Gedichte geholfen und dafür gesorgt, daß sie ein größeres Honorar bekommt, als Hauff und Lenau es erhalten haben. Wie durfte sie sich je über ihn ärgern! Er kann ja nicht so offen schreiben, wie er möchte; natürlich hat sich in ihrer Freundschaft nichts geändert. Wenn ihre Augen den ersten Blick tauschen werden, muß alles dahinfallen, was sich störend zwischen ihnen aufgebaut hat; zu innig hatten sich ihre Lebensströme vermischt.

Im April 1842 war Levin von ihr gegangen mit dem Schwur auf den Lippen, daß sie sich nach zwei Jahren wiedertreffen wollten, um beieinander zu bleiben. Die zwei Jahre sind verflossen, sie werden sich wiedersehen – nicht beieinander wohnen –, aber was ist für die Verbundenheit in so großer Freundschaft die räumliche Trennung?

Wie freute sie sich, mit Levin die alten geliebten Wege zu gehen, sie neu einzuweihen, diese Wege, die sie nach der Trennung nicht zu gehen vermochte, um nicht von den teuersten Erinnerungen ihres Lebens überwältigt zu werden. Was sie Levin einmal geschrieben hatte, es wird auch jetzt noch in ihren Gedanken gewesen sein: ‚Levin Levin, du hast mir meine Seele gestohlen!‘

Der 1. Mai, der 1. Mai, das wird der glückliche Tag des Wiedersehens sein. Mit unendlichen Mühen und viel Schreiberei nach allen Seiten hat Annette andere Besucher aus der Heimat, die auch Anfang Mai kommen wollten, hinausgeschoben; es hätte sie ‚höllenmäßiger Laune‘ gemacht, wenn ihr diese Manöver nicht geglückt wären, doch nun ist die Zeit vom ersten bis zum dreiundzwanzigsten für Levin frei gehalten – Gott Lob und Dank!

Aber dann, am letzten Tag des April, hält Annette einen kurzen Brief von Levin in der Hand ... ‚Was ich Ihnen heute sagen wollte, ist, daß wir unser Kommen nicht fest auf einen Tag bestimmen können. Montag, den 29. ziehen wir um, und das dauert doch immer einige Tage, bis wir so weit in Ordnung sind, daß wir reisen können. Natürlich dränge ich alles, was ich kann, aber eher ließ es sich nicht tun.‘

Wie mag sich Annettens Herz vor Enttäuschung zusammengezogen haben! Levin schreibt vom 6. Mai als dem Tage seiner Ankunft; so geht schon eine ganze Woche von der kostbaren Zeit verloren ... Geduld, Geduld, daß sie nicht noch krank wird vor Nervosität. Levin freut sich auch, das schreibt er, und denkt daran, daß sie sich vor zwei Jahren getrennt haben; einmal kommt auch der sechste Mai heran; sie werden per Dampfer von Lindau kommen.

37

Annette hatte mit viel Umsicht und Sorgfalt ein hübsches Logis für ihre jungen Freunde ausgewählt; so wird sie nun auch am letzten Tag vor der Ankunft das Wohnzimmer so schön hergerichtet haben wie möglich. Sicher hat sie blühende Zweige vom Fürstenhäusle heruntergebracht und hat Jenny ihr allerlei Blumen aus ihrem Garten gegeben, um Vase um Vase zu füllen.

Wie mag sie umhergegangen sein, die Blumen hierhin und dorthin stellend, die Wirkung prüfend, denn Annette wußte zu allen Zeiten ein Zimmer zu schmücken; vielleicht hatte sie auch Tischdecken, Kissen und einige Bücher vom Schloß herübergebracht, damit der Raum einen bewohnten Eindruck machte. Endlich mußte sie sich trennen, nur von der Türe noch einmal zurückblicken: hier würde Levin gehen, sitzen, leben, zwei herrliche Wochen lang.

Manchmal würde sie an die Türe klopfen, auf der Schwelle stehen und dann das Aufleuchten seiner Augen erblicken wie früher, wenn sie in sein Turmzimmer trat oder ihn unerwartet in Münster in seinem Studierzimmer besuchte, und er würde aufspringen und sie hereinführen; vielleicht würden sie von den alten Zeiten plaudern.

Sah Annette Luise in Gedanken dabei? Nein, denn sicher wird Jenny, verstehend wie immer, Luise hin und wieder bei sich behalten; die junge Frau würde doch Freude an Blumen haben, und dann waren da die Kinder. Annette kannte junge Ehefrauen beim Dutzend; sie waren darin alle gleich: ungeheuer stolz auf ihre neue Würde und entweder ‚gesegnet' oder ein Kind nährend; diese beiden Zustände wechselten unaufhörlich ab, und die Gespräche waren dem entsprechend; – oder ob diese Luise nur von Literatur würde reden wollen?

Noch eine Nacht und einen halben Tag, und er würde vor ihr stehen, – das geliebte Leben! Dieses Lächeln würde sie wiedersehen, das so voller Huldigung für sie gewesen, es würde sie wieder grüßen; und seine Stimme, immer war sie ihr im Ohr geklungen, und sein Lachen, in das sie so gern eingestimmt war, oh, wie hatten sie miteinander lachen können!

Annette muß an diesem Maientag sehr, sehr glücklich gewesen sein. Aus Briefen, die von dieser Zeit sprechen, aus Annettens Gedichten, die während Levins Anwesenheit entstanden, und aus seinen Lebenserinnerungen, aus allen Folgen dieses Besuches läßt sich das Bild dieser Tage unschwer wiederherstellen; fast alles läßt sich erraten, auch ihre Ungeduld, daß der schöne Tag des Wiedersehens endlich beginnen möchte!

Und er dämmert herauf, wird strahlend klar, aber die Stunden schleichen dahin; der Vormittag scheint nicht zum Nachmittag werden zu wollen, die Minute niemals zu kommen, da sie zum Schiffsteg hinuntergehen darf. Sehr frühzeitig will sie gehen, um mit ihrem Sehrohr über das Wasser zu schauen und das Dampfschiff nahen zu sehen.

Auch an diesem Tag wird Annette nicht viel an ihren äußeren Menschen gedacht haben; sie hatte sich niemals ‚schön gemacht‘, und jetzt war sie ja auch nicht mehr jung, nicht mehr hübsch; aber wie belanglos waren Kleider, wie unbedeutend, ob ihr Gesicht ein wenig mehr oder weniger vom Leben gezeichnet erschien; sie war kein verliebtes Weib, das sich putzte, sie war, die sie war, und Levin ihr Dioskur, ihr Gefährte im Geist.

Endlich, endlich war es Zeit, zum See hinunterzugehen, nein, war sie nicht schon verspätet? Sie mußte eilen, und so hastete sie über den Burghof, durch das Tor, über die Brücke, hinunter zur Stadt und nun zum Anlegesteg. Sie ließ die Augen über die blaue Wasserfläche schweifen, ... nichts. Noch nichts.

Aber das Warten erschien ihr gewiß nicht unerträglich, sie wird hin und her gewandert sein, und nun war es wohl, wie es immer ist beim Warten auf die Ankunft eines ersehnten Menschen: als sie sich wieder einmal umkehrte, war das Wiedersehen plötzlich ganz nah.

Das Dampfboot rauschte heran; durch das Sehrohr konnte sie Levin erkennen; er bückte sich über seine junge Frau und schälte sie aus ihrem indischen Longshawl; es ist der Nachwelt aufbewahrt worden, daß Luise ein schottisch kariertes Kleid trug, das die neueste Mode war und ihr entzückend stand.

Sie winkte, er schaute nicht zum Ufer, aber nun waren sie angelangt. Einige Leute stiegen aus, Levin grüßte rasch mit der Hand, führte Luise, die Annette später in allen Einzelheiten in einem Brief an Elise Rüdiger beschreibt, über den Steg und ihr zu, sie stolz und fragend anschauend: ist sie nicht schön, habe ich nicht eine elegante Frau?

Annettens strahlender Blick, mit dem sie Levins Auge gesucht, wird erloschen, und ihr Lächeln, das aus einer tiefen, reinen Freude erblüht war, zum Lächeln der liebenswürdigen Gastgeberin geworden sein. Die Treppen aufwärts zur oberen Stadt wollte Levin seine Frau stützen, aber sie entzog ihm ihren Arm, den er verliebt an sich gedrückt: sie könne allein die Treppen steigen, er solle dem gnädigen Fräulein helfen, dem die vielen Stufen sicher schon beschwerlich würden.

So stützte Annette sich fest auf Levins Arm, diesen Arm, der sie so oft geleitet hatte, und hörte den Lobhymnen zu, die er auf den Geist, die Talente und die Beliebtheit seiner Frau sang; und er sagte nicht zu viel, sein Stolz war berechtigt, denn sie war eine anerkannte Schriftstellerin.

Luise scheint aus Annettens höflichem Zuhören ein Unbehagen über die Erfolge einer jungen Rivalin erraten zu haben und fand rasch einige liebenswürdige Worte über Annettens Gedichte. Darüber aber wurde Annette zornig, sie fühlte sich Luise überlegen, und schon war eine Spannung zwischen den beiden Frauen entstanden.

Den Nachmittag verbrachte man mit Jenny, Laßberg und den Kindern; Luise führte die Unterhaltung mit jenem ‚Esprit‘, der die mondäne Konversation für Annette so verhaßt machte. Sie saß ein wenig abseits und beobachtete Levins verliebten Gesichtsausdruck, mit dem er jedem Wort, jeder Geste seiner schönen Frau folgte.

Vom Logis, das Annette besorgt und mit ihrer Vorfreude belebt hatte, war nicht die Rede, – es waren Mietzimmer wie alle andern, was sollte man darüber sagen? Später bewunderte man in Jennys Garten die Blumen; Levin und Luise wichen sich nicht von der Seite; als man auf die hintere Seite des Schlosses ging, wo die Nordbastion Annettens und Levins Turm verband, zeigte er mit der Hand zu seinem Zimmer hinauf und erzählte Luise lebhaft von den Studien, die er dort getrieben, und von den Romanen, die er dort geschrieben.

Kein Blick des Einverständnisses traf Annettens Auge über die einzigartige Zeit, als sie vor zweieinhalb Jahren an stürmischen Herbstabenden und verschneiten Winterstunden über diesen gleichen Weg zueinander geeilt waren, um die reichsten Stunden ihres Lebens zu genießen. ... ihrer beider Leben? Annette muß der Boden unter den Füßen geschwankt haben bei dem langsam ansteigenden Wissen, daß sie in einer entsetzlichen Täuschung gelebt hatte. Fühlte sie ein Brennen in den Augen, stiegen ihr die Tränen auf? Nein, nein, sie war nicht exaltiert, sie war vernünftig. Levin war ja kaum angekommen; natürlich mußte er seiner Frau alles zeigen, was ihn hier bewegt und gefreut hatte. Morgen würde er Gelegenheit suchen, mit ihr, Annette, allein zu sprechen.

Aber nicht am nächsten und nicht am übernächsten Tag bemühte er sich, sie allein zu sehen, auch verriet er nie mit einem einzigen Blick, daß er an jene Tage dachte, deren Erinnern Annettens Lebensodem war. Da kam nun doch das Erkennen, daß sie sich getäuscht, grausam, lächerlich getäuscht hatte, wie ein Versinken über sie; wohl zwang sie sich in guter Fassung zu lächeln, zu reden, Spaß zu machen, aber ihr Herz, das ihr körperlich weh tat, verschloß sich über einem Kelch voller Bitterkeit. All ihre Lebenskraft galt jetzt nur dem einen Bemühen, keiner lebenden Seele zu verraten, daß sie den Tod eingesogen hatte; denn wie sollte man auch nicht das Leben dahinfließen lassen, wenn das, was Herz und Geist für das endlich erreichte Felseneiland der Erfüllung angesehen, wie ein Schemen zerfloß und versank.

Täuschung, Täuschung, Täuschung, wenn der entsetzte Blick zurücksah, und grenzenlose Ernüchterung, wenn er in der Gegenwart um sich schaute.

Einmal haben jedoch Zufall oder Absicht Annette und Levin allein zusammengeführt; es muß in einem Raum der Burg gewesen sein, vielleicht in Annettens Arbeitszimmer. Wovon sprachen sie? Von Luise. Was anderes hätte Levin denn noch interessiert? Und dann wird wohl Annette in ihrer Verletztheit, daß diese junge Frau sie wie ein altes schrulliges Fräulein zu behandeln wagte, und Levin sie ihr wohl gar als Vorbild darstellte, scharfe Worte gebraucht haben:

Wie hatte zum Beispiel Luise ihre Gedichte ,verbessern' dürfen? Ja, sie, Annette, schrieb nicht wie andere Frauen, sie war von anderer Art als diese gefühlvollen und sanften Weiblein um sie her!

Da wird auch Levin Ausdrücke gefunden haben, die geeignet waren, das, was noch an Freundschaft zwischen ihnen bestand, zu vernichten. Zum Fenster abgekehrt, wollte er auf kein erklärendes Wort mehr hören. Annette hatte seine angebetete Luise angegriffen, was galt dagegen alle frühere Freundschaft? Sie brauchte ihm nichts mehr zu erklären; im Zorn stürzte er an Annette vorüber und aus dem Zimmer.

Sie war allein ... oh, was hatte sie getan? Sie war in böse Worte über Luise ausgebrochen, aber sie fühlte sich zu tief verletzt von ihr! Und dann, um Levins Verstehen kämpfend, hatte sie von sich selber gesprochen, und er hatte nichts, nichts verstanden. Er hielt sie wohl für kleinlich und eifersüchtig und wollte nicht begreifen, daß sie ,sein Freund' war, in einer Verbundenheit, die sie fast mystisch gedünkt hatte, in einer Verbundenheit, als hätten sie nach uralter Sitte ihre Adern geritzt und Blut mit Blut vermischt ... Blutsbrüderschaft verband sie, die Einheit, die von keiner neuen Liebesbindung aufgehoben werden dürfte.

Es mag sein, daß Annette gebeugt an ihrem Schreibtisch saß, die Hände gefaltet, nichts sehend, nichts hörend, wie in einem ungeheuerlich leeren Dunkel ... sollte ihr, ihr allein von allen Menschen keine Liebe, auch nicht die reine Liebe der Freundschaft zuteil werden? Wenn auch dieses Wunder, das sie wie eine heilige Flamme gehütet, nichts war, nichts ... dann war alles Licht in ihrem Leben erloschen.

Die Dämmerung war hereingebrochen; es wurde Nacht; sie sah nichts mehr als ein weißes Papier unter ihrer Hand und starrte darauf nieder ... Levin, Levin, geliebter Freund, du Blut von meinem Blut, du Geist von meinem Geist ... mit zitternder Hand entzündete sie eine Kerze, und dann begannen ihre Finger zu schreiben, als würden ihr die Zeilen diktiert:

> *Zum zweiten Male will ein Wort*
> *Sich zwischen unsre Herzen drängen,*
> *Den felsbewachten Erzeshort*
> *Will eines Knaben Mine sprengen.*
> *Sieh mir ins Auge, hefte nicht*

Das deine an des Fensters Borden,
Ist denn so fremd dir mein Gesicht,
Denn meine Sprache dir geworden?

Und nun fährt sie fort als Freund dem Freund zu schreiben, ihn noch einmal um Verstehen ihrer Art bittend, denn kein Zürnen kann sie anders gestalten, als die Natur sie schuf. So steht es auf dem Manuskriptblatt, heute, nach hundert Jahren, das ungeheuerlich schmerzliche Schicksal dieser Frau mit der Mannesseele enthüllend, die durch das ganze Gedicht in der männlichen Person von sich spricht:

Sieh deinem Freund *ins Auge, schuf*
Natur ihn gleich im Eigensinne
Nach fremder Form, muß ihrem Ruf
Antworten er mit fremder Stimme;
Der Vogel singt, wie sie gebeut,
Libelle zieht die farb'gen Ringe,
Und keine Seele hat bis heut
Sie noch gezürnt zum Schmetterlinge.

Still ließ an seiner Jahre Rand
Die Parze ihre Spindel schlüpfen,
Zu strecken meint' er nur die Hand,
Um alte Fäden anzuknüpfen;
Allein der Deine fand sich reich,
Er fand ihn viel bewegt verschlungen,
Darf es dich wundern, wenn nicht gleich
So Ungewohntes ihm gelungen?

Daß manches schroff in ihm und steil,
Wer könnte, auch, wie er es wissen!
Es ward, zu seiner Seele Heil,
Sein zweites zarteres Gewissen;
Es hat den Übermut gedämpft,
Der ihn Giganten gleich bezwungen,
Hat glühend wie die Reue kämpft
Mit dem Dämone stets gerungen.

Und nun fließt diesem, nur im Gedicht sich offenbarenden Wesen das glühendste aller seiner Worte in die Feder:

Doch du, das tiefversenkte Blut
In seinem Herzen, durftst du denken,
Er wolle so sein eigen Gut,
So seine eigne Krone kränken?
O sorglos floß sein Wort und bunt,
Er meinte, daß es dich ergötze,
Daß nicht geschaffen dieser Mund
Zu einem Hauch, der dich verletze.

Zweifelst du an der Sympathie
Zu einem Wesen, dir zu eigen?
So sag ich nur, du konntest nie
Zum Gletscher wahrer Treue steigen,
Sonst wüßtest du, daß auf den Höh'n
Das schnöde Unkraut schrumpft zusammen,
Und daß wir dort den Phönix sehn,
Wo unsrer Liebsten Zedern flammen.

So reich er eine Hand nicht nur,
Er reiche Beide dir entgegen
Zum Leiten auf verlorner Spur,
Zum Liebespenden und zum Segen.
Nur ehre Den, der angefacht
Das Lebenslicht an seiner Wiege,
Ertrag ihn wie ihn Gott gemacht
Und leih ihm keine fremden Züge.

Viel später hat Levin Schücking diesem tiefbedeutsamen Gedicht, dieser einmaligen, mutigen Auseinandersetzung Annettens mit ihrer widerspruchsvollen Natur, die stärkste Prägung, ja, überhaupt den eigentlichen Sinn genommen, indem er die Verse in eine neutrale Ichform umwandelte und sie so der Nachwelt übergeben hat.

Im Originaltext heißt es:

> *Sieh deinem Freund ins Auge, schuf*
> *Natur ihn (nämlich Annette) gleich im Eigensinne*
> *Nach fremder Form, ...*

Und in Levins Korrektur:

> *Sieh freundlich mir ins Auge, schuf*
> *Natur ‚es‘ gleich im Eigensinne*
> *Nach ‚harter‘ Form, ...*

Die ‚fremde Form‘ von Annettens gesamtem Wesen wird als ‚harte Form‘ auf das Auge abgelenkt, und somit dem Vers der eigentliche Sinn genommen. War Levins Korrektur Rücksicht auf das Urteil der Welt? Vielleicht; er mag in bester Absicht gehandelt haben, aber er hat hier die Worte, in denen Annette ein einziges Mal offen zu ihrem Schicksal steht, gefälscht und dadurch das Bild eines großen tragischen Menschen verwischt. Und doch ist wissendes Verstehen die Grundlage zur Würdigung jedes außergewöhnlichen Wesens.

In diesen Maientagen des Jahres 1844, da die Verse in Levins Hände kamen, haben sie ihn wohl kaum gepackt, denn er war in seiner leichten Fröhlichkeit sogar von dem Aufschrei eines Genies nicht zu fassen, so wenig wie der Wind zu fassen ist.

Die Stimme Annettens, die einen erzenen Hort in ihm gewähnt, zerflattert wie ein geträllertes Lied in der Berührung mit seiner heitren Bewegtheit, und so muß ihr schmerzlicher Ernst sich immer schwerer gegen das unbefangene Dahinleben dieses glücklichen jungen Paares auf seiner erfreulichen Ferienreise empört haben; mehr als das: Annette litt unaussprechlich, aber keiner der Ihren ahnte, was in ihr zerbrochen war, nicht einmal Levin, der es nie begriffen hatte, welche Aufgabe er im Leben seiner Freundin zu erfüllen gehabt, und doch hätte er wissen müssen, daß sie, wie jeder Mensch, einmal in ihrem Leben ein zweites Wesen finden mußte, mit dem sie sich ganz Eins fühlen durfte, und daß die Vernichtung dieser Einheit mit tödlichem Schmerz verbunden ist.

Ja, wer in Annettens freundlich-harmloser Umgebung vermochte sich denn das völlige Alleinsein mit dem eigenen Ich in seiner grausamen Öde vorzustellen? Wer ahnte, daß sie ihre Erlösung in einem Freundschaftsglück gesucht und, wie sie glaubte, auch gefunden hatte?

Sie war während dieses Meersburger Besuches, da Levin und Luise ihr ‚die Liebe eines Dichters und einer Dichterin‘ vorspielten, nicht die eifersüchtige ältere Freundin, wie man es auch hat darstellen wollen. Oh, nein, aber Annettens schmerzliches Erwachen zu einer ungeheuren Enttäuschung enthüllte ihr noch einmal in aller Grausamkeit das eigene Schicksal, das ihr die Vereinigung mit einem zweiten Wesen versagte. Sie mußte es endlich begreifen: für den Alltagsmenschen konnte auch die höchste Freundschaft ohne den Rahmen der irdischen Liebesfreuden nur ein Phantom sein, aber Levin, in seiner glänzenden Begabtheit, war kein Alltagsmensch!

Und doch sah sie es: erst jetzt besaß er, was sie geglaubt hatte, ihm geben zu können: die fruchtbare Dichterliebe. Er und Luise sprachen oft von ihren Werken und wie sie in ihrer Liebe einer dem andern gaben und halfen. Aber von wem hatte Levin das Wissen um dieses Glück empfangen, dieses ‚wechselnd Glühn und Bleichen‘? Sie, Annette, hatte es ihn gelehrt, sie hatte es ihm vorgelebt ... für eine andere.

Dabei wußte sie nicht einmal, daß der romantische Briefwechsel zwischen Levin und Luise schon erfüllt gewesen war von der Spiegelung ihrer Freundschaft mit Levin, aber in diesem Meersburger Tagen muß sie gefühlt haben, wie die beiden jungen Menschen sie um ihr Teuerstes beraubt hatten.

Wieder sind es Annettens Gedichte, die eine klare Sprache sprechen; so darf man annehmen, daß einst bei einem Mahl auf der Dagobertsburg aus Jennys und Luisens Geplauder das naive Erstaunen darüber hervorbrach, daß Annette, die dritte Frau an diesem Tisch, die dem Leben so fern stand, fähig war, ein ganzes Dichterwerk zu schaffen, wie es ja nun der Welt dargeboten werden sollte.

Annette kannte ihren Reichtum, der aus Leid, Verzicht, Sehnsucht und endlichem Glück entstanden war, und wußte vor sich selber sehr wohl um ihr Können, wie muß sie da die völlige Ahnungslosigkeit der Frauen, zu der die Männer scheinbar schwiegen, wie ein Dolchstoß getroffen haben!

Jenny, die Gute, die einen Teil ihres Lebens zwischen ihren Blumentöpfen zubrachte, und Luise, die selbstbewußte, junge Autorin, die wohlhabende Erbin, nichts wußten sie von ihren Kämpfen und suchten verwundert in ihren alternden Zügen nach einem Anhaltspunkt für die strömenden, jubelnden, klagenden, starken Gefühle, die ihr Werk durchbluteten.

Annette hat wohl geschwiegen, was hätte sie auch sagen können, aber später ist sie dann allein ins Freie geflohen, hinunter zum See, zu dem großen Stein, auf dem sie so oft mit Levin in ihren seligen Zeiten gestanden, – ach, sie hätte wieder mit ihm hier stehen mögen, um sich vor ihm zu erklären und noch einmal, nur einmal noch sein volles Verstehen zu empfangen, aber er war ihr ja weit, weit entwichen, und ein törichtes Geschwätz durfte ungestraft vor seinen Ohren die Schätze ihrer Seele belächeln.

Auf dem Stein in das klare Wasser starrend, aufgewühlt zu grenzenloser Empörung über die Blindheit der Ihren, stürzten Verse aus ihr hervor, und wenn sie, wie meistens, Stift und Papier bei sich trug, so wird sie mit fliegender Hand niedergeschrieben haben, was sie so maßlos erregte:

Die ihr beim frohen Mahle lacht,
Euch eure Blumen zieht in Scherben
Und, was an Gold euch zugedacht,
Euch wohlbehaglich laßt vererben,
Ihr starrt dem Dichter ins Gesicht,
Verwundert, daß er Rosen bricht
Von Disteln, aus dem Quell der Augen
Korall und Perle weiß zu saugen.

Daß er den Blitz herniederlangt,
Um seine Fackel zu entzünden,
Im Wettertoben, wenn euch bangt,
Den rechten Odem weiß zu finden:

Ihr starrt ihn an mit halbem Neid,
Den Geisteskrösus seiner Zeit,
Und wißt es nicht, mit welchen Qualen
Er seine Schätze muß. bezahlen.

Wißt nicht, daß ihn, Verdammten gleich,
Nur rinnend Feuer kann ernähren,
Nur der durchstürmten Wolke Reich
Den Lebensodem kann gewähren;
Daß, wo das Haupt ihr sinnend hängt,
Sich blutig ihm die Träne drängt,
Nur in des schärfsten Dornes Spalten
Sich seine Blume kann entfalten.

Meint ihr, das Wetter zünde nicht?
Meint ihr, der Sturm erschüttre nicht?
Meint ihr, die Träne brenne nicht?
Meint ihr, die Dornen stechen nicht?
Ja, eine Lamp' hat er entfacht,
Die nur das Blut ihm sieden macht;
Ja, Perlen fischt er und Juwele,
Die kosten nichts – als seine Seele.

Sie hatte die Rose eines schier mystischen Glücks aus den Dornen der Entsagung gepflückt; doch jetzt, mit ihren Versen, mit *diesen* Versen, hatte sie sich selber eine Lampe entfacht, eine letzte, klare, grausame Erleuchtung ihrer selbst, aber, bei Gott, eine Lampe, die ihr das Mark sieden machte im Aufruhr ihres Schmerzes.

Es muß eine bitter-schwere Stunde für Annette gewesen sein, da sie endlich vollkommen begriff, Levin an eine andere Frau verloren zu haben, und ihn so taub und stumm vor ihrem Dichterwesen zu sehen, so fern dem rinnenden Feuer, von dem sie geglaubt, daß der geliebte Freund es zu seiner Qual und zu seinem Segen empfunden hatte, wie sie es empfand.

Annette steht auf dem Stein im Wasser ... so hatte sie auch schon als junges Mädchen im ziehenden Wasser gestanden, Todessehnsucht im Herzen, sich selber als Leiche in der Auflösung sehend. Ledwina hatte sie sich damals genannt. In der Weser war der Stein gelegen, jetzt breitete das Becken des Bodensees sich um sie her; die Strahlen der Sonne schienen tief hinein in das klare Wasser, sie konnte den Grund erkennen. Ach, hier, in dieser durchsonnten Flut auszuruhen!

Aber wie durfte sie denn den Tod schon ersehnen, sie, die noch beherrscht war von den Ungeheuern ihres Dichterstolzes, ihrer Spottlust, ihrer Lebensgier, ein Prometheus von den Geiern der Götter verfolgt? Noch durfte sie den Tod nicht trinken wie ein dürstender Zecher, der den Becher des Vergessens leert. Gott würde sie rufen, wenn sie Bescheidung gelernt hatte.

Wie eine flehentliche Klage, in völlig anderm Rhythmus, der den Wandel in ihren Gedanken zeigt, fährt sie in ihrem Liede fort:

> *Locke nicht, du Strahl aus der Höh;*
> *Noch lebt des Prometheus Geier.*
> *Stille, still, du leuchtender See;*
> *Noch wachen die Ungeheuer*
> *Über deines Hortes kristallnem Schrein.*
> *Senk die Hand, mein fürstlicher Zecher!*
> *Sieh, drunten bleicht das morsche Gebein*
> *Des, der getaucht nach dem Becher.*

... des, der getaucht nach dem Becher ... oh, nein, sie wird den Trunk des Vergessens nicht suchen wie so mancher Unglückliche an diesem See hüben und drüben es getan haben mochte. Und doch, welch eine Versuchung! Ach, sie ist ihr nicht fremd!

Nah unter der Wasserfläche bewegen sich so zart und leicht die Algen und Gräser, – wie ein Strauß aus flatternden Fäden. Wie oft in ihrem Leben hatte sie diesem Spiel zugeschaut, wenn die Algen, gerade wie heute, ihr zerfließendes Spiegelbild im Wasser umspielten.

In schmerzlicher Verwirrung wendet sie den Blick zwischen den lockenden Wellen und dem sicheren Ufer hin und her. Neben ihr stehen die silbernen Stranddisteln mit Blüten so schön wie Rosen, die schon vorher ihr Erstaunen erregt hatten, zu ihren Füßen winden sich feine Stengel im See.

Du flatternder Fadenstrauß,

kommt es flüsternd von ihren Lippen:

> *Du, der Distel mystische Rose,*
> *Strecke nicht deine Fäden aus,*
> *Mich umschlingend so lind und lose!*
> *Flüstern oft hör ich dein Würmlein klein,*
> *Daß dir heilend im Schoß mag weilen.*

Trug nicht auch sie, die wie eine Rose aus der Stacheldistel ihres Leids erblüht war, den Gewissenswurm, den Todeswurm tief in ihrem Kelch, das nieruhende Gewissen? Sie mußte sich ändern, sie mußte verzichten lernen, mit frohem Herzen zuschauen können, wie ihr Eigen sich von ihr wandte und in fremder Liebe glücklich war; als einen Segen müßte sie es empfinden, daß der junge Freund gereift war durch die schweren Kämpfe der entsagungsvollen Liebe, zu der sie ihn emporgeführt, so daß er neue Schaffenskraft gefunden und geheilt war von den mancherlei Wunden eines Kampfes, der sie beide gepackt hatte.

Auf dem flachen Stein im See kauernd, die Stirn in die Hand gestützt, flüstert sie vor sich hin:

> *Ach, muß ich denn die Rose sein,*
> *Die zernagte, um andre zu heilen?*

Es reihten sich Tag zu Tag in dieser kurzen Besuchszeit aneinander, und Annette wuchs in ihnen über alle Schmerzen empor, machte ihr Herz rein von Selbstsucht und lernte es, nur noch in Levins Glück ihr Glück zu sehen. Wort für Wort steht auch diese Überwindung in einem ihrer Gedichte.

Levin scheint einmal in überzeugter Befriedigung von dem geistreichen Kreis gesprochen zu haben, in dem seine gefeierte Frau und er der Mittelpunkt waren, ja, er muß geäußert haben, daß er der Überzeugung sei, man müsse alle Strahlen einfangen, um das Glück dieser Welt zu erlangen, und dachte wohl an die wertvollen Beziehungen und Freundschaften, von denen er Annette ausführlich und stolz zu berichten pflegte. Verbindungen, die ihm die Möglichkeit gaben, auf dem Wege des Erfolges und des Reichtums rasch voran zu kommen.

Annette, ahnungslos ruhend in ihrem eigenen Wert, ohne Ehrgeiz, Gewinnsucht und Eitelkeit, Annette erscheinen Levins Worte wie das Volksgemurmel außerhalb des Tempels, der das wahrhaft Gute birgt, und sie fragt in einem Gedicht, in dem sie zu Anfang Levins Worte zitiert:

Wer Reichtum, Liebe will und Glück erlangen,
Der mache sich zum Mittelpunkt der Welt,
Zum Kreise, drin sich alle Strahlen fangen,

aber sie fragt dann den Freund:

Wie könnte jemals wohl des Glückes Born
Aus anderm als dem eignen Herzen fließen?

Weiß Levin denn nichts vom Kampf gegen den Egoismus, hat er sich noch nie selber beraubt, um andere glücklich zu machen, daß er es wagt, von seiner eigenen Person schon als von einem Mittelpunkt der Welt zu sprechen?

Standest an einem Krankenbett du je
Nach wochenlangen, selbstvergessnen Sorgen,

ruft sie aus, und in einem andern Vers:

Hieltest du je den Griffel in der Hand
Und rechnetest mit frohem Geiz zusammen
Die Groschen, die du selber dir entwandt?

Und dann folgt die Strophe, die tief hineinleuchtet in Annettens große, vorbildliche Seele. Was ihr am teuersten in der Welt war, die Kraft, aus der heraus sie zur größten Dichterin ihres Landes wurde: die Zusammengehörigkeit mit Levin, hat sie einer andern Frau zu Gefallen, wie nie gewesen, in sich vergraben.

In diesen Tagen, für die sie zwei Jahre lang gelebt hat, diese Tage, die anknüpfen sollten an eine herrliche Vergangenheit, die ihr neue Kraft und neuen Frohsinn verleihen sollten, in diesen heißersehnten Frühlingstagen, da sie begriffen hat, daß ihr Anspruch auf die Freundschaft, die sie und Levin verband, störend in die junge Ehe eingreifen würde, hat sie sich in aller Stille überwunden und Levin freigegeben, wenn es sie auch Schmerzen kostet, für die sie keine Worte findet. Sie kennt weder Vorwurf noch Klage; keinen Funken Glücks versucht sie für sich zurückzubehalten.

Ohne Warnung war Annette mitten aus ihrem Glück herausgerissen worden; wie eine Tonvase hatte er das Glück ihrer Freundschaft vor ihren Füßen fallen lassen, daß es in Scherben lag.

Jede andere Frau wäre blind vor Eifersucht gewesen, Annette aber vermochte aus ehrlichem Herzen jene Worte zu sagen, die ein bleibendes Ehrenmal für ihren hohen Sinn bedeuten:

> *Und der Moment, wo eine Rechte schwimmt*
> *Ob teurem Haupte mit bewegtem Segen,*
> *Wo sie das Herz vom eigenen Herzen nimmt,*
> *Um freudig an das fremde es zu legen;*
> *Hast du ihn je erlebt und standest dann,*
> *Die Arme still und freundlich eingeschlagen,*
> *Selig berechnend, welche Früchte kann,*
> *Wie liebliche, das neue Bündnis tragen?*

Und mit der Hellsichtigkeit des dem Göttlichen hingegebenen Menschen schließt sie:

> *Dann bist du glücklich, bist geliebt und reich,*
> *Ein Fels, an dem sich alle Blitze spalten;*
> *Dann mag dein Kranz verwelken, mögen bleich*
> *Krankheit und Alter dir die Stirne falten:*
> *Dann bist der Mittelpunkt du deiner Welt,*
> *Der Kreis, aus dem die Freudenstrahlen quillen,*
> *Und was so frisch der Bäche Ufer schwellt,*
> *Wie sollte seinen Born es nicht erfüllen!*

Vernichten kann Levins Lieblosigkeit und seine Blindheit ihrem Schmerz gegenüber sie nicht; sie fühlt sich unüberwindbar wie der Fels, mögen Levins und Luisens Worte auch Tag für Tag wie Blitze über sie niederprasseln; sie erniedrigt sich nicht zu Neid oder Eifersucht, aber sie leidet unsagbar unter der Enttäuschung dieser Tage.

Kein einziges Mal hat er die alten lieben Plätze mit ihr aufgesucht; er hat alles vergessen, so rasch vergessen, und geht mit Luise an den Strand, in den Wald, auf den Höhenweg, und plaudert nachher darüber, als seien es ganz neue Wege, die er gerade jetzt mit seiner Verliebtheit einweihen müßte, und es waren doch Wege gewesen, auf denen die Muse selber sie begleitet hatte.

Annette muß sehr erleichtert gewesen sein, als die Abschiedsstunde schlug, denn was sie an Beherrschung in diesen zwei Wochen geübt, ging fast über ihre Kräfte. Sie hat ihre letzte Liebe begraben, gibt den Jungen ohne Bitterkeit ihren Segen, aber dann zieht es sie empor in eine einsame Höhe, auf der sie nahe unter dem göttlichen Licht, mit ihrem Wort und ihrem Ich allein, eins sein will mit der ewigen Natur.

Sie geleitet das junge Paar an den Steg zurück, eine andere, als die hinunterstieg, es zu begrüßen; dieses Mal fahren Levin und Luise in einem Segelboot hinüber zum Schweizer Ufer.

Lebt wohl, ihr Lieben, es ist gut, daß wir von einander scheiden.

Dann steigt Annette langsam wieder zur Burg hinauf. Von ihrem Fenster aus, mit den Blicken dem weißen Segel folgend, schreibt sie, schaut wieder hinaus und flüstert vor sich hin:

Lebt wohl, es kann nicht anders sein!
Spannt flatternd eure Segel aus,
Laßt mich in meinem Schloß allein,
Im öden geisterhaften Haus.

Lebt wohl, und nehmt mein Herz mit euch
Und meinen letzten Sonnenstrahl;
Er scheide, scheide nur sogleich,
Denn scheiden muß er doch einmal.

Laßt mich an meines Seees Bord,
Mich schaukelnd mit der Wellen Strich,
Allein mit meinem Zauberwort,
Dem Alpengeist und meinem Ich.

Verlassen, aber einsam nicht,
Erschüttert, aber nicht zerdrückt,
Solange noch das heil'ge Licht
Auf mich mit Liebesaugen blickt.

Solange mir der frische Wald
Aus jedem Blatt Gesänge rauscht,
Aus jeder Klippe, jedem Spalt
Befreundet mir der Elfe lauscht.

Solange noch der Arm sich frei
Und waltend mir zum Äther streckt
Und jedes wilden Geiers Schrei
In mir die wilde Muse weckt.

38

Haben Luise und Levin Annettens Überlegenheit ärgerlich empfunden? Es scheint so; denn obgleich sie nach der Heimkehr allerlei hübsche Geschenke schickten, kam es Levin in den Sinn, eine der seltenen schlechten Kritiken, die über die verstreut veröffentlichten Balladen und Gedichte Annettens erschienen war, nach Meersburg zu senden.

Warum? Er hatte bei seiner Anwesenheit die guten Worte dieses Kritikers schon wiedergegeben, ohne die schlechten zu erwähnen, und nun dieser nachträgliche Hieb? Annette schreibt dazu in einem Brief an Luise und Levin vom 20. Juni (1844):

,Aber Levin ist keineswegs mein guter Junge, sondern ein kleines Pferd; was braucht er mir die schlechte Rezension jenes Schnorr unter die Nase zu reiben, mir, die ich nicht mal gute mit Anstand verschnupfe? Und wenn er sie nun mal zu einem Versuch heilsamer Besserung verwenden wollte, warum hat er dies nicht schon hier getan, wo er nur die gute Seite herauskehrte? Da hätte ich doch noch gegen ihn losprusten können, statt daß ich es jetzt gegen die vier Wände habe tun müssen. Ist das nicht perfide, mir anfangs die Sache als eine Ehre vorzustellen und mir hintennach zu melden, daß es eigentlich eine Blamage ist? Babah!!! Ich wollte übrigens, ich käme erst wieder recht ans Schreiben; ich habe seit einigen Tagen enorme Lust dazu.'

Aber diese Lust ist ihr erst mit aufsteigendem Zorn wie im Trotz gegen Levins Bosheit gekommen; im Anfang des Briefes klingt die Apathie ihrer inneren Einsamkeit schmerzlich auf: ‚zum Dichten habe ich erst die halbe Stimmung wiedergewonnen; ich finde eben keine Teilnahme, weiß nicht, wem ich Freude damit machen könnte, und so möchte ich lieber bloß denken.'

Einmal durchbricht der Wunsch, Levin ein Wort nur für ihn zuzurufen, den gelassenen Text dieses Briefes, der an Luise gerichtet ist. Annette hat erzählt, daß sie ‚Die Traube', das Haus, in dem das junge Paar wohnte, nicht mehr ansehen möge, wenn sie auch den wahren Grund zu dieser Scheu nicht angibt, aber dann ruft sie aus:

‚Lieber Levin, ich besuche jetzt unsre alten Plätze am See sehr selten, oder vielmehr gar nicht. Die alten Erinnerungen sind notwendig durch neue verdrängt ... solche Plätze sind eben nur, was man selbst hineinlegt.'

Annette kann es immer noch nicht fassen, was ihr geschehen ist; nächtelang grübelt sie über die Seltsamkeit ihres Schicksals, das sie von jeher auf alle Weise zur Einsamkeit gezwungen hat.

Sie ist müde und still geworden und bleibt allein, soviel es möglich ist. Oft tritt sie in diesen hellen Sommernächten, wenn alles auf der Burg schon schläft, auf den Balkon über Jennys Garten hinaus, ihren nimmerruhenden Gedanken hingegeben. Vor zwei Jahren hatte sie von diesem gleichen erhöhten Ort ihre glühende Sehnsucht, ein Mann zu sein, in den Sturm hinausgesungen; jetzt wartet sie hier in Ergebenheit auf den sanften Mond wie auf einen guten Freund.

Es kam ihr jetzt nur noch selten ein Gedicht in den Sinn, aber diese nächtliche Stunde hat sie in Versen aufbewahrt ... für wen? Für sich allein.

> *An des Balkones Gitter lehnte ich*
> *Und wartete, du mildes Licht, auf dich.*
> *Hoch über mir, gleich trübem Eiskristalle,*

Zerschmolzen schwamm des Firmamentes Halle;
Der See verschimmerte mit leisem Dehnen,
Zerflossne Perlen oder Wolkentränen?
Es rieselte, es dämmerte um mich,
Ich wartete, du mildes Licht, auf dich.

Hoch stand ich, neben mir der Linden Kamm,
Tief unter mir Gezweige, Ast und Stamm;
Im Laube summte der Phalänen Reigen,
Die Feuerfliege sah ich glimmend steigen,
Und Blüten taumelten wie halbentschlafen;
Mir war, als treibe hier ein Herz zum Hafen,
Ein Herz, das übervoll von Glück und Leid
Und Bildern seliger Vergangenheit.

Das Dunkel stieg, die Schatten drangen ein –
Wo weilst du, weilst du denn, mein milder Schein? –
Sie drangen ein, wie sündige Gedanken,
Des Firmamentes Woge schien zu schwanken,
Verzittert war der Feuerfliege Funken,
Längst die Phaläne an den Grund gesunken,
Nur Bergeshäupter standen hart und nah,
Ein finstrer Richterkreis, im Düster da.

Und Zweige zischelten an meinem Fuß
Wie Warnungsflüstern oder Todesgruß;
Ein Summen stieg im weiten Wassertale
Wie Volksgemurmel vor dem Tribunale;
Mir war, als müsse etwas Rechnung geben,
Als stehe zagend ein verlornes Leben,
Als stehe ein verkümmert Herz allein,
Einsam mit seiner Schuld und seiner Pein.

Da auf die Wellen sank ein Silberflor,
Und langsam stiegst du, frommes Licht, empor;
Der Alpen finstre Stirnen strichst du leise,
Und aus den Richtern wurden sanfte Greise,
Der Wellen Zucken ward ein lächelnd Winken,

An jedem Zweige sah ich Tropfen blinken,
Und jeder Tropfen schien ein Kämmerlein,
Drin flimmerte der Heimatlampe Schein.

O Mond, du bist mir wie ein später Freund,
Der seine Jugend dem Verarmten eint,
Um seine sterbenden Erinnerungen
Des Lebens zarten Widerschein geschlungen,
Bist keine Sonne, die entzückt und blendet,
In Feuerströmen lebt, im Blute endet –
Bist, was dem kranken Sänger sein Gedicht,
Ein fremdes, aber o! ein mildes Licht.

Der ganze Schmerz eines vom Leben enttäuschten Menschenkindes strömt aus diesen Versen, und das Heimweh ‚nach der
Heimatlampe Schein‘, wie Annette es immer empfindet, sobald
sie fern ihrem Rüschhaus weilen muß. Ja, sie ist nun ‚der kranke
Sänger‘, dem selten nur noch ein Gedicht zur Freude wird, und
doch soll gerade in diesem Jahre 1844 zur Michaelismesse Annettens erster großer Gedichtband bei Cotta erscheinen.

Aber sie ist weder gespannt auf den Erfolg, noch kümmert sie
sich um die letzte Vollendung der Herausgabe, als sei sie unbetei-
ligt an diesem ersten Buch, das ihren vollen Namen tragen wird;
so schreibt sie an August von Haxthausen am 2. August (1844):

‚Es ist seltsam, wie man hier in Oberdeutschland so gut angesehen, und zugleich an einem andern (Westfalen) durchgängig
schlimmer als übersehen sein kann! Ich muß mich, mehr als ich
es selber weiß, der schwäbischen Schule zuneigen. Das Buch erscheint zur Michaelismesse, ich habe bereits eine Menge Druck-
bogen erhalten und kann mit der Ausstattung zufrieden sein:
schöne neue Typen und acht weißes Velinpapier.‘

Und wie entfernt steht sie den Menschen nach den Erfahrungen
dieses Sommers, wenn sie wie ein lächelnder Zuschauer der
menschlichen Komödie von ihrem Schwager Laßberg schreibt,
der den Abschied von Levin gar nicht tragisch genommen hat:

‚Der Laßberg ist ein leichtsinniger Patron, meint, das Leben
sei in ihm eingerostet, und pflanzt Obstkerne, um nach dreißig

Jahren satt Kirschen essen zu können. Er spricht wohl mal vom Nichtwiedersehen, aber es ist ihm kein Ernst, oder wenigstens nur momentan, und dann gehts wieder mit allen Segeln in die Unendlichkeit – als wäre er der ewige Jude.'

Den Humor verliert Annette nicht; vor den Menschen ist sie nie eine tragische Gestalt; mit welchem Witz beschreibt sie nicht ihr Leben in Meersburg in einer Zeit, da sie wie ein todwundes Tier die Einsamkeit sucht!

,Vor einigen Tagen war Prof. Oken hier … originell und unüsel wie Jakob Grimm. Der arme Schelm war zu Fuß von Zürich nach Ulm getrabt, um Spuren einer Römerstraße zu verfolgen, immer im vollen Platzregen, und fast nirgends anderes als Kot und nasses Gesträuch gefunden, was seinen armen alten Körper so rheumatisch gemacht wie einen Barometer. Er trocknete und wärmte sich hier ein bißchen aus und trabte dann trübselig wieder nach Zürich zu. Sonst habe ich hier noch viele berühmte Leute gesehen, lauter Nibelungenreiter, die viel zu gelehrt sprachen, als daß ich sie verstanden hätte. Einer derselben, Professor Ettmüller, ebenfalls aus Zürich, hat mir gestern eine uralte Melodie des Nibelungenliedes geschickt … und ein Manuskript spanischer Romanzen ohne Melodien aus dem 15. Jahrhundert, wovon ich fast kein Wort verstehe und Laßberg, glaube ich, noch weniger, obgleich er sich's nicht dünken läßt und mit der Brille auf der Nase sehr ernsthaft darüber sitzt.

Meine Hauptliebschaft hier ist ein allerliebstes altes Jüngferchen aus Konstanz, die Latein spricht wie Wasser, aber vor Blödigkeit fast ihr Schürzchen zerreißt, wenn man sie anredet. Man kann sie nicht ohne Rührung ansehen, sie hat ein Gesichtchen, worin die Güte förmlich festgetrocknet ist. Meine zweite Liebe, aber unerwidert, ist der Provisor in der Apotheke meinem Turm gegenüber, auch ein kleines grauköpfiges Wurzelmännchen, das aus bloßer Treue schon der vierten Generation der selben Familie dient; … jetzt einen schlimmen Herrn hat, der die Armen drückt und nun aus seinem dünnen Provisorbeutel den Leuten das Geld zusteckt, womit sie seinen Herrn bezahlen.

Ich habe ihm lange nachgestellt und ihn oft in meinen Turm

zur Münzschau geladen, aber der ägyptische Josef will nicht daran, und ich muß mich begnügen, ihn aus der Ferne zu betrachten, wenn er seines Herrn krummbeinige, eheleibliche Kretins an der Mauer spazierenträgt. Du siehst, es gibt hier mitunter nette Leute; wenn die Schwaben gut sind, so sind sie gleich recht gut, sonst durchgängig etwas dickhäutig und dickköpfig, aber doch durch die Bank fromme Schlucker, und das Sprichwort ,Ehrlich wie ein Schwab' ist nicht umsonst da.

Es wohnen hier noch viele ehemalige Beamte der letzten Bischöfe von Konstanz, und ich habe mich bei diesen Leuten aus der guten alten Schule, die so ehrerbietig und doch würdig ihre Stelle auszufüllen wissen, recht erholt von der geistreichen Taktlosigkeit unsers modernen Bürgerstandes. Dazu die himmlische Gegend, die gesunde Luft, das romanhafte alte Schloß, und Musik an allen Ecken, Musik von Blasinstrumenten, auf dem See und den Feldpartien; Musik von Männerstimmen täglich im Seminar, wunderschön! Kurz, Meersburg hat wirklich etwas Zauberhaftes, du mußt notwendig kommen und sehen, ehe es zu spät wird.'

Der Schimmer einer freundlichen Verbindung bedeutet ihr die Bekanntschaft mit der kindlich jungen Philippa Pearsall, einer hochbegabten Engländerin, deren Vater, Sir Robert Lucas Pearsall, Schloß Wartensee am jenseitigen Schweizer Ufer gekauft hatte.

Philippa kommt hin und wieder nach Meersburg, weil sie eine schwärmerische Verehrung für Annette gefaßt hat, wie es so vielen bedeutenden Menschen ging, die sofort den großen überlegenen Geist der Dichterin erfaßten. Annette sagt von dem jungen Mädchen, es sei ,voll Talent, Geist und Leben; ihre junge originelle Kraft hat mir einen recht erfrischenden Eindruck gemacht ... ein Wesen, das man mit Freude betrachtet, ohne im mindesten an einen eigentlichen Berührungspunkt zu denken ... sie ist an mir vorübergeschwebt wie die Heldin eines Romans, die lebt, solange man liest, und dann ins Blaue zerrinnt.'

Philippa und ihr Vater wollen wieder aus der Gegend fortziehen, das ist Annette bei dem trostlosen Unverständnis der

Ihren ein Schmerz; mit Philippa konnte sie reden, sie konnte das Kind beraten; waren sie zusammen in Annettens Fürstenhäusle, so spielten sie vierhändig; in der Sonne saßen sie nebeneinander auf den Stufen zum kleinen Gartensaal, und das aufsteigende Leben und absteigende Leben berührten sich in diesen Stunden und durchdrangen sich in harmonischem Verstehen.

Philippa schaute in Annettens so wunderschön gewordenes Antlitz, das nicht mehr jung war, aber in seinem herben Schnitt fast den klugen gereiften Zügen eines Mannes glich, und Annette betrachtete das feine weiße Gesichtchen mit den Sommersprossen und den rötlichblonden Locken, den strahlend blauen Augen und dem immer bereiten Lächeln ... ja, so war die Jugend, und sie selber?

> *Wie der zitternde Verbannte*
> *Steht an seiner Heimat Grenzen,*
> *Rückwärts er das Antlitz wendet,*
> *Rückwärts seine Augen glänzen.*
> ......
>
> *So an seiner Jugend Scheide*
> *Steht ein Herz voll stolzer Träume,*
> *Blickt in ihre Paradiese*
> *Und der Zukunft öde Räume.*
> ......
>
> *Und doch ist des Sommers Garbe*
> *Nicht geringer als die Blüten,*
> *Und nur in der feuchten Scholle*
> *Kann der frische Keim sich hüten;*
> *Über Fels und öde Flächen*
> *Muß der Strom, daß er sich breite,*
> *Und es segnet Gottes Rechte*
> *Übermorgen so wie heute.*

Annette hatte gehofft, bis tief in den Herbst hinein in Meersburg zu bleiben und Philippa noch oft als ihren Gast zu sehen, sie wollte sie mit den eigenen Trauben bewirten, mit ihr ein hübsches, vertrautes Künstlerleben dort oben auf ihrem eigenen

geliebten Grund und Boden führen, und nun will ihre Mutter urplötzlich nach Rüschhaus zurückfahren.

August von Haxthausen ist gekommen, er soll ihr Reisemar-
schall sein; so muß man Hals über Kopf packen und überall Abschied nehmen, an Philippa kann Annette noch schnell einen
Brief über den See senden. Am 25. August 1844 schreibt sie ihr:

,Meine teure Philippa,

Sie denken nicht, wie es mich betrübt, daß ich nicht mehr zu
Ihnen kommen kann! Meine liebe Mama hat uns alle betrogen.
Wir glaubten nämlich alle, unsere Rückreise würde sich wohl bis
zum Spätherbst verziehen, und wir redeten absichtlich nicht davon, um die Sache desto sicherer einschlafen zu lassen, und nun
heißt's mit einem Male: einpacken!

Es tut mir recht von Herzen weh, Ihretwegen, meine Philippa,
denn ich fürchte immer, Sie verlassen Wartensee und ich werde
im nächsten Jahre nur leere Wände finden. Werden Sie meiner
auch immer gedenken, Philippa? Ich weiß, daß ich Sie nie vergessen werde. Ihre Liebe ist mir ein frischer wohltätiger Strahl
in meinem abnehmenden Leben; bewahren Sie mir dieselbe so
getreulich, wie ich Ihnen die meinige bewahren werde.

Hätten sich nur nicht so viele Bekannte für diese wenigen Tage
zu Abschiedsbesuchen ansagen lassen, so käme ich doch noch im
Fluge zu Ihnen, nun aber darf ich nicht von der Stelle und muß
mich zu begnügen versuchen, ob ich wenigstens Wartensee von
meinem Rebhäuschen aus sehn kann. Ich habe dies nie für möglich gehalten, aber da Sie mein kleines Dach von dort aus gefunden haben, so wird mir ja wohl Ihr großer Turm nicht entgehen.

Liebes Herz, es ist mir recht trübe zumute, während ich Ihnen
schreibe; der Abschied von Ihnen wird mir recht, recht schwer.
Was haben Sie mir für Freude gemacht mit Ihrem Briefe! Wie
ist Ihnen alles so sehr gelungen, Handzeichnungen, Gedicht und
Kompositionen! Ach, Sie wissen selbst noch nicht, welche Grundlage zukünftigen friedlichen Glückes Sie an Ihren Talenten besitzen, und wie sie Ihnen Ihre späteren Jahre erheitern werden.
Sie sind so reichlich versehen! Musik, Malerei, Poesie, zu allen

dreien haben Sie entschiedenes und fast gleich großes Talent. Vernachlässigen Sie, ich bitte, keines derselben.

Musik ist für ein fröhliches Gemüt und macht Traurige nur noch trauriger, dann tritt die Poesie an ihre Stelle und weiß zu erheben und zu trösten. Malerei ist wohl zu allen Zeiten und in jeder Stimmung erheiternd, wenigstens zerstreuend.

Zürnen Sie nicht, liebe Philippa, daß ich in den dogmatischen Ton verfalle, ich habe Sie so sehr lieb, da möchte ich an Ihrem Glücke nachschieben, so gut ich es vermöchte. Es ist spät Mitternacht, ich habe Ihnen über Tag nicht schreiben können. Gute Nacht, Philippa, gute Nacht, mein teures Kind! Und zur guten Nacht noch einige Zeilen, die mir heute früh in den Sinn kamen:

> *So muß ich in die Ferne rufen*
> *Mein Lebewohl an diesem Tag?*
> *Was uns die Stunden gütig schufen,*
> *Zerrinnt es wie der Wellenschlag?*
> *Bleibt mir, für wenig kurze Stunden,*
> *Nur noch der Trost, vom Felsgestein*
> *Zu spähn, ob ich dein Dach gefunden,*
> *Am grauen Turm, dein Fensterlein?*
>
> *Ich kann und mag es nimmer denken,*
> *Dies sei vielleicht zum letztenmal.*
> *Bleibst du, wenn meine Schritte lenken*
> *Sich nieder in mein heimisch Tal?*
> *Doch mögen Berg und fremde Fluren*
> *Uns trennen, nord- und südenwärts,*
> *Glaub' mir, ich folge deinen Spuren*
> *Und bringe dir ein treues Herz.'*

Sie sollten sich nie wiedersehen, diese, im Alter so verschiedenen Freundinnen; Sir Pearsall siedelte ein Jahr später nach Italien über und Philippa heiratete Mister Swinnerton, der sie dann wohl nach England zurückführte.

Annette muß es bedauert haben, aber ihr Herz war so voller Wunden, daß sie sich gescheut haben wird, einen neuen Kummer zu den alten hinzuzufügen. Sie will nichts mehr vom Leben.

39

Am 28. September 1844 war Annette wieder eingekehrt in ihr stilles Zimmer; es ist das gleiche Herbstwetter wie damals vor drei Jahren, als sie zum erstenmal von Meersburg zurückkam. Ja, nun ist die Heimat wieder rings um sie, aber seitdem sie Levin wiedergesehen, und so wiedergesehen, ist das Leben aus diesem geliebten Haus, aus dem Garten, aus der ganzen heimatlichen Umgebung gewichen.

Wie eine Theaterbühne, auf der die Lichter gelöscht und Kulissen und Requisiten recht unansehnlich scheinen, dünkt sie dieser einst so heiß geliebte Flecken Erde. Vor drei Jahren hatte sie überall, überall Erinnerungen gesucht, jetzt meidet sie, was an den Balladenwinter gemahnen könnte ... die Erinnerungen sind Lüge geworden.

Auf der Reise vom Süden hierher ist Annette erkrankt. Der innere Widerstand gegen die Leiden ihres Körpers, den sie in den vergangenen drei Jahren aus Freude am Leben aufzubringen vermochte und der sie fast gesund sein ließ, ist gebrochen. Und doch hätte Annette in diesem Herbst alle Veranlassung gehabt, sehr glücklich zu sein, denn ihr Gedichtband – Epen, Balladen, Lyrisches – ist erschienen und wirkt, kaum, daß er in die Buchhandlungen gekommen ist, wie eine Offenbarung auf ihre Zeit.

Ein völlig neuer, ungewohnter Geist redet da in einer so kräftigen männlichen Sprache und in einem derart gewagten Realismus zur Welt, daß es die junge Generation zur Begeisterung hinreißt. Aber es sind nicht nur die eigenartige Sprache, die kühnen Bilder und mutigen Gedanken, die so befeuernd wirken: es ist die Glut der Seele, das Temperament, das überall hervorbricht, was Annette von Droste mit einem Schlage zur berühmtesten Dichterin macht, ,vor deren Glanz auch männliche Sterne verblassen'.

Nun bewerben sich die größten Tageszeitungen und Journale mehr noch als nach dem Erscheinen der ,Judenbuche' um Annettens Mitarbeit, aber sie schaut wie eine Fremde auf ihr ,Glück', wie die Welt ihren Ruhm nennt, und schreibt in dieser gleichen Zeit:

... Ruhm, du Mordgesell,
Kommst nur als Leichenhuhn geflogen!

Ach, was nützt ihr aller Erfolg, wenn nicht das andere Ich, an das sie so fest geglaubt, ihn mit ihr teilt. Ihr Lies, das liebe, gute Herz, kann nicht dahinsteigen, ,wo die einsamen Adler horsten'; Schlüterchen schon gar nicht. Vor ihrer Mutter und der Familie ist sie zwar neuerdings von einem Nimbus umgeben: ,Annette verdient einen Haufen Geld! Annette ist pekuniär unabhängig wie ein Mann! In Meersburg besitzt sie ein Sommerhaus, was wird sie sich hier in Westfalen erst anschaffen?'

Therese nimmt die Rolle einer Heldenmutter an; sie spricht nun gern und ruhig über Annettens Werke, aber sieht sowenig wie irgend jemand in der Verwandtschaft, daß Annette ihr Leben in die Verse geblutet hat. Jenny staunt; das hätte sie nie gedacht, daß ihre Schwester, Tante Nette, wie sie in der Dagobertsburg heißt, von der Welt ernst genommen würde. Laßberg brummt und schilt wie von jeher: das sei kein Deutsch, was Annette schreibe, sondern halber Dialekt; er hätte doch besser das Manuskript umständlich mit ihr durchsehen sollen. Mit Philippa, diesem begabten Kinde, wechselt Annette keine Briefe, Sibylla Mertens lebt mit Adele Schopenhauer in Italien, und Levin?

Levin wartet mit Luise auf das erste Kind und will seine eigenen Gedichte herausgeben, er schreibt hin und wieder herzlich klingende Briefe, die Annette ebenso herzlich beantwortet, aber was zwischen ihnen gewesen, das ist vorbei.

Während Annette in der Öffentlichkeit zu einer nationalen Dichterin emporsteigt, versinkt vieles in ihrem eigensten Leben um sie her. Ihre geliebte alte Marie Kathrin ist so hinfällig, daß Annette ihre ganzen schwachen Kräfte zur Pflege braucht. Im Winter wird es von Woche zu Woche schlimmer; die Alte stöhnt und klagt, niemand darf sie berühren außer ihrem Fräulein, niemand macht es ihr recht.

Therese von Droste, die mit Schrecken sieht, wie Nette sich bei den Nachtwachen, wo das Haus doch eiskalt ist, zugrunde richtet, will, daß sie in ein oberes Zimmer zieht und daß die

Köchin in der Nähe der Amme schläft, aber Annette verläßt diese alte Seele nicht, die neben ihr gewesen, ein Leben lang und ihr Treue und Liebe gezeigt, mehr wie den eigenen Kindern. Unter der rauhen Schale hatte die alte Frau ein wunderbar verstehendes Herz besessen und mit Annette gelitten, auch wenn ihr niemand erzählte, was es war, das ihr Fräulein so tief herniederdrückte.

Annette will, daß das alte gute Wesen in ihren Armen stirbt, aber sie wird selber kränker und kränker; ihre Mutter überredet sie schließlich, zum Ausruhen nach Hülshoff zu gehen, nur auf kurze Zeit.

Annette fügt sich, halb besinnungslos vor Kopfschmerzen, Schwindel und Übelkeiten, aber kaum hat sie Rüschhaus verlassen, so stirbt Marie Kathrin. Annette kann, nur von ihrem Bruder gestützt, der Beerdigung beiwohnen; sie dankt Gott, daß ihre liebe Alte ausgelitten hat; zu Annettens Beruhigung hatte sie ihre Abwesenheit nicht mehr erfaßt.

Es ist der Februar 1845; Annette bleibt in Hülshoff; seit dem Tod von Marie Kathrin ist ihre Gesundheit plötzlich zurückgekehrt, es ist, als habe die sterbende Alte, die nur noch von Annettens Dasein lebte, aufgehört ihr die Kraft auszusaugen.

In ihrem geliebten Elternhaus, wo man der zwölften Geburt entgegensieht, sitzt Annette viel allein in ihrem Zimmer, das möglichst weit entfernt von den vielen kleinen Kindern und ihren Erzieherinnen und Wärterinnen liegt; dort versinkt sie in eine große Stille und träumt und sinnt.

Stöße von guten Kritiken zu ihrem Gedichtband liegen irgendwie achtlos hingeworfen zwischen Noten und Büchern. Freiligraths ‚Glaubensbekenntnis‘ und Heines ‚Neue Gedichte‘ sind darunter, sie hat sie noch kaum angeschaut. Ihr Blick ruht auf dem vertrauten Bild von Park und Weiher und flachem Land, das eben der erste schwache Frühlingsschimmer überzieht.

Seit dem November hat sie nicht mehr gedichtet; wird sie je wieder dichten? Ihr Prosawerk: ‚Bei uns zu Lande auf dem Lande‘ liegt immer noch als ein Anfang von wenigen Kapiteln da. Sie fühlt es: der Quell ist versiegt, und sie wünscht nicht einmal, daß er wieder neu hervorbreche.

Levin ist inzwischen Vater eines Sohnes geworden; schon seit Dezember ist sie zur Patin ernannt und hat sich doch zu keinem Wort aufraffen können; jeder Gedanke an den verlorenen Freund ist wie die rohe Berührung einer offnen Wunde ... die erzwungene Herzlichkeit wird ihr nicht leicht.

Erst am 5. März (1845) nimmt sie die Feder und schreibt an Levin:

‚Sie denken wohl nicht, mein guter Levin, daß ihr Brief erst gestern in meine Hände gekommen ist. Der Dräxler-Manfred hat ihn erst am 24sten vorigen Monats abgeschickt, und hier hat er auch einige Tage brachgelegen, weil ich gesundheits- oder vielmehr krankheitshalber bis gestern in Hülshoff war. Ich habe eine lange, recht schwere Zeit verlebt, krank, sehr betrübt und gänzlich unfähig zum Schreiben.

Nun sagen Sie mir doch auch, wie es dem Cotta mit dem Verkaufe meiner Gedichte geht! Hier in Münster werden Sie, gegen meine Erwartungen, sehr stark gelesen, ob gekauft, ist eine andere Frage, und ich weiß darüber nichts zu sagen. Es ist leider münsterische Manier, sogar bei den reichsten Leuten, sich auf das Leihen zu verlassen und, selbst wenn sie sehr begierig auf ein Buch sind, ganz naiv zu sagen: Ich habe mich schon jahrelang um das Buch bemüht und kann es noch immer nicht bekommen, während es in allen Läden am Fenster steht. Auch jetzt haben mir ein paar sehr vornehme und reiche Damen geklagt, daß ihre Exemplare von all dem Ausleihen schon ganz zerlumpt wären, und meinten, mir noch ein Kompliment damit zu machen, während mir doch Cottas wegen ein Stich durchs Herz ging.

Hier im ‚Merkur‘ erschien mit einem Male auch eine Rezension meiner Gedichte, so ungemein parteiisch, daß ich mich schämte und meinte, nur Schlüterchen könne so blind sein; sie war aber von einem Schlesier, einem gewissen Kynast, der seit vier Wochen als Assessor nach Münster gekommen und gleich für mich ins Geschirr gegangen war. Ich habe ihn nachher einmal gesehn und gesprochen, einen seltsamen, heftigen Menschen, der vor Aufgeregtheit zitterte wie Espenlaub.

Lieber Levin, hier in Rüschhaus kömmt es mir jetzt ganz öde

vor; ich kann mich noch nicht daran gewöhnen, daß meine Alte fort ist. Ich wohne nun oben im Hause auf dem kleinen Zimmer, vis-à-vis von Ihrem Quartier dort; in meinem Zimmer unten ist die gute Alte auf dem schwarzen Kanapee gestorben, und ihre Leiche hat da gestanden; so ist es jetzt gescheuert und verschlossen, und ich soll fürs erste nicht wieder hinein. Ich wollte, ich wäre vier Wochen weiter; jetzt liegt es mir noch sehr im Sinne.

Von Adele weiß ich nur, daß sie in Rom bei der Mertens ist. Auch die Mertens hat ihre Haushaltung auseinandergehn lassen und ihr Haus zum Verkauf ausgesetzt, ebenso ihr Gut Plittersdorf, ihr früheres Bijou und Herzblatt, wo ich sie so manchen Tag habe selbst im Garten arbeiten sehn; wahrscheinlich denkt sie ganz in Italien zu bleiben.

Auf ihre Gedichte bin ich äußerst begierig, ich kenne eigentlich erst höchstens ein Dutzend derselben. Und wie heißt denn der dicke Roman? Wie weit sind Sie? Wes Inhalts? Wer verlegt ihn? Sie müssen nicht so kurzab sein; schickt sich das für einen kleinen Jungen seinem Mütterchen gegenüber? Aber jetzt denkt der kleine Junge an nichts als an den allerkleinsten Jungen! Adieu, lieb Kind, tausend Liebes an Luisen!

Ihr treues Mütterchen'

Außer Rezensionen flattern auch allerlei Briefe von Verehrern nach Rüschhaus, und auch verschiedene Verleger schicken Anfragen und Vorschläge. Annette liest, legt die Papiere beiseite und vergißt dann alles, weil sie das Geräusch aus der Welt vergessen *will*.

Am 5. Juli 1845 schreibt sie ihrem Bruder Werner über eine Zuschrift, mit der sie nun aber auch gar nichts anzufangen weiß:

‚Ich habe wieder einen wunderlichen Brief bekommen, von einer jetzt sehr berühmten Klavierspielerin (sie unterschreibt sich ‚Kammervirtuosin S. Majestät des Kaisers von Österreich') Klara Wieck, die an einen Komponisten Robert Schumann verheiratet ist, der seit kurzem durch eine Oper ‚Das Paradies und die Peri' Aufsehn gemacht hat. Sie schreibt etwas ängstlich und sehr komplimentös; ihr Mann wünsche eine neue Oper zu komponieren, sei aber mit den vorhandenen Texten und Schriftstellern nicht zufrieden und habe so oft geäußert, wie glücklich es ihn machen würde, von mir eine Dichtung zu diesem Zwecke erhalten zu können, wie er aber nicht den Mut habe, mich darum zu bitten, daß ich es ihr, als seiner Frau, verzeihen werde, wenn sie unter der Hand wage, was er nicht wagen möge, da es ihr eine gar zu große Freude wäre, wenn sie ihn mit einer Zusage überraschen könnte et cet. Der Brief war von Dresden datiert. Ich kann mich nicht dazu entschließen; das Operntextschreiben ist etwas gar zu Klägliches und Handwerksmäßiges, obwohl es viel einbringen kann, denn bei Opern teilen Dichter und Komponist sich in die Tantieme.'

Annette hat nie den verlangten Operntext geschrieben und in ihrer Weltabgewandtheit auch nie erfahren, daß Robert Schumann, einer der größten Geister seiner Zeit, ihr die Hand hingestreckt hatte.

Annette lebt in einer Abgeschiedenheit, die auch Lies, die liebe kindliche Seele, nicht mehr durchbrechen wird. Der Rat Rüdiger, ihr Gemahl, ist nach Minden versetzt, so gibt es denn hinfort keine Besuche mehr, keine mündliche Aussprache; Annette erträgt es, aber Elise ist wie außer sich vor Trennungsschmerz. Die Hiobsbotschaft traf Annette in Abbenburg, sie tröstete so gut sie konnte, sie würde nach Minden kommen und bei Lies wohnen, aber sie weiß, wie schwer beweglich sie ist und daß dieses Versprechen wohl nie zur Wahrheit werden wird.

Abbenburg war ein von den Verwandten viel besuchter Ort, deshalb wollte Annette zurück nach Rüschhaus in ihre Stille, um dort zu versuchen, ob es mit der Arbeit nicht doch noch einmal gehen will.

,Mein Zimmer ist eine wahre Arche Noah von angefangenen Arbeiten', schrieb sie noch aus Abbenburg am 5. Juli 1845 :, Handarbeiten – Schreibereien – dicke Liederpakete, die ich vierstimmig aussetzen – Journale und Bücher, die ich zur Belehrung oder Benutzung durchlesen soll. Aber man kömmt hier zu gar nichts. Nicht, daß es mir gradezu an Zeit fehlte. Manchen Tag nehmen zwar die zuströmenden Besuche unsrer zahllosen Verwandten hin, aber an den übrigen habe ich täglich mehrere Stunden, ja oft ganze Nachmittage oder Morgen frei. Das hilft mir aber alles nichts, ich muß völlige Ruhe und Sammlung haben, und die wird mir nie. Mein Amt ist zu unbestimmt, völlig ohne Regel; bald werde ich oft, bald selten, bald nur auf Minuten, bald auf Stunden verlangt; zuweilen sitze ich ganze Morgen auf dem Sprunge, stecke bei jedem Geräusch den Kopf zur Tür hinaus (NB. der Onkel haßt das Warten; sowie er ruft, muß man auch schon die Treppe hinunterkommen). Der erwartete Ruf bleibt aber aus, und die schöne edle Zeit, in der ich wenigstens mehrere Seiten hätte schreiben können, geht durch meine Schuld verloren. Das ist ein Altejungfernfehler und nebenbei ein echtes Rüschhauser Produkt, ich bin zu ruhig gewöhnt. Denke ich an alle die Hausfrauen, die zwischen Kindern und Schlüsselgeklapper in hundert Absätzen fortschreiben, als wäre ihnen nie der Faden gebrochen, so möchte ich mich ohrfeigen, aber es würde doch schwerlich helfen. Handarbeiten und flüchtiges Lesen mit halbem Verstehen, bleibt doch das einzige, was ich zwischen Horchen und Warten einschieben kann. Aus diesem Grunde sehne ich mich herzlich nach Hause. Solange Mama nicht hier war, fühlte ich mich höchst nötig und nützlich, und kein Zeitverlust schien mir ein solcher, jetzt aber, wo ich nur ein Zwischenläufer und faute de mieux bin, lachen mir meine stillen Beschäftigungen in Rüschhaus wie ebenso viele verlorene Paradiese, obwohl es sonst hier ganz reizend ist, still und wohnlich, und der gute Onkel sich in Liebe und Sorge für uns erschöpft; aber die Geistesdürre macht mich ganz konfus, oder vielmehr das Zuströmen ungeborner Ideen, die mir im Kopfe summen wie Bienenschwärme, denen man den Korb verklebt hat. Ich weiß nicht, ist's Wahrheit oder Einbildung – bloßer Geist des Widerspruchs? Aber ich meine mich ganz besonders zum Produzieren aufgelegt und träume à la Tantalus von dicken Bänden voll Erzählungen, Gedichten et cet., die mir alle wie Wasser aus der Feder fließen würden.'

Und vor Levin, der unbedingt Gedichte von ihr zur Verwendung haben will, stößt sie den Seufzer aus: ‚Machen Sie damit, was Sie wollen, d. h. drucken Sie es oder nicht! Ich mache gar keine Prätensionen mit diesen Gedichten, die in einem Wirrwarr gemacht sind, wie ich desgleichen nie erlebt und nie wieder zu erleben hoffe. Seit zwei Monaten, wo der Onkel so weit hergestellt ist, daß er täglich einige Stunden Besuch ertragen kann, ist's hier zum Schwindligwerden. Alle Tage 3–4 Besuche und jeder 3–4 Mann stark: neun verwandte Familien, vier benachbarte, nebst diversen Pastören, die sich alle einbilden, jede Woche wenigstens einmal nachsehn zu müssen, wie die Besserung fortschreitet. Der Onkel hat's bequem: sobald ihm der Lärm zu arg wird, zieht er sich als Rekonvaleszent in seine Privatzimmer zurück, wohin niemand folgen darf; aber Mama und ich führen ein wahres Schenkwirtsleben. Wir liegen oft noch im Bette, wenn schon ein Wagen anrollen kömmt, und alle bleiben bis zum späten Abend. Denken Sie, Mama bekömmt dies Leben à merveille; sie ist so kregel wie ein Bienchen geworden, und wenn ich an Rüschhaus denke, wo ihr eigentlich jeder Besuch zuviel war, so steht mir der Verstand still. Ich hingegen kann's gar nicht aushalten; ich bin den ganzen Sommer leidend gewesen und muß mich täglich über Macht aufrappeln.

Ich habe die Gedichte abends im Bette machen müssen, wenn ich todmüde war; es ist deshalb auch nicht viel Warmes daran, und ich schicke sie eigentlich nur, um zu zeigen, daß ich für Sie, liebster Levin, gern tue, was ich irgend kann. Zum Durchfeilen ist mir nun vollends weder Zeit noch Geistesklarheit geblieben, doch sind mir, wie Sie sehen, unter dem Schreiben allerlei Varianten eingefallen, unter denen Sie – falls Sie die Gedichte aufnehmen – wählen mögen.'

Wie bescheiden ist Annette; denn sie schickt Levin eine schöne Sammlung: ,Das erste Gedicht', ,Carpe diem', ,Unter der Linde', ,Gastrecht', ,Auch ein Beruf'und ferner das lange Gedicht: ,Volksglauben in den Pyrenäen'. Die Inspiration zu diesem letzteren hatte sie durch eine Serie spanischer Gedichte erhalten, die ihr der Fürstbischof, Melchior von Diepenbrock, ihr Altersgenosse und stiller Verehrer aus der Jugendzeit, zugesandt hatte.

Der hohe Kirchenfürst verlangt Gedichte von ihrer Hand, die unveröffentlicht sind, zu lesen, so sendet Annette ihm mit dem Vers:

Du, der ein Blatt von dieser schwachen Hand
Gewünscht, – von dieser, die nur guten Willen
Zu opfern hat in des Altares Brand,
Nur zitternd ihre Stelle weiß zu füllen:
Bete für sie, mein Bruder, daß, wenn naht
Die letzte ihr, die dunkelste der Stunden,
Kein Unkraut zeuge gegen ihre Saat –
Daß rein sie werde, wenn auch schwach, befunden.

,Gethsemane'; und dann ,Das verlorene Paradies', eine tiefwissende Auslegung des Sündenfalls. Welch ein Mut von einer unverheirateten Frau, die nach den Begriffen ihrer Zeit nichts, aber auch nichts vom Leben wissen durfte, in kühnem Nachempfinden des Sündenfalls die eigenen Kämpfe einzugestehen!

40

Therese von Droste, immer voller Sehnsucht nach Jenny und den beiden kleinen Mädchen, möchte auch diesen Sommer 1846 nach Meersburg fahren; sie macht trotz ihrer 74 Jahre den langen Weg mit dem immer neuen Wechsel von einer Fahrgelegenheit in die andere mit einer Leichtigkeit, als begäbe sie sich nach Münster.

Annette graut es dagegen vor der Reise; sie hat sich mit der Pflege von Onkel Fritz von Haxthausen in Abbenburg gründlich übermüdet; die vielen Menschen haben sie halbtot geredet, und niemand achtete darauf, daß sie selber die eigentlich Kranke war.

Vielleicht scheut sie auch vor Meersburg wegen der letzten schmerzlichen Erinnerungen zurück, aber seit den zwei Briefen von Levin, in denen er sie zu sich eingeladen hat – am 22. November 1845 hatte er sogar vorgeschlagen, daß sie zusammen ein Haus am Rhein kaufen –, seit diesen zwei Briefen liegt es wie Balsam auf ihrer Seele.

Kann es sein, daß Levin ihr früheres Glück nicht ganz vergessen hat, daß er den Plan, den sie in ihrer schönsten Zeit schon so

gern entwarfen, wieder aufnimmt? Ein gemeinsames Landgütchen ... wäre es möglich, daß er nach dem ersten Sturm seiner
Verliebtheit einen Blick zurückwirft auf das Eiland ihrer Freundschaft?

Es gibt in keinem von Annettens Briefen auch nur ein Wort,
aus dem zu erraten wäre, daß sie sich mit dem Gedanken trug,
auf Levins Vorschlag einzugehen; sie ist viel zu vernünftig und
kennt das Zusammenleben von alt und jung zu genau, als daß sie
sich jemals dieser Klippe für die gegenseitige Liebe aussetzen
würde, aber daß Levin es ihr in Worten sagt, wie sehr er ihre
Nähe von Herzen wünsche, das tut ihrer wunden Seele unendlich
wohl.

Doch kaum hat sie diese sanfte Freude noch voll in sich aufgenommen, als ein Schlag sie trifft, der den Schleier ihrer letzten
Täuschung jäh zerreißt.

Was ist geschehen, daß sie wie unter einem Todesstoß schwankt?
Levin Schücking hat ein dreibändiges Werk herausgegeben: ‚Die
Ritterbürtigen.‘ In diesem Roman steht der westfälische Adel,
durch Levins liberalistische Brille gesehen, nicht gerade vereh-
rungswürdig da; ja, es finden sich ironische Auslegungen des aristokratischen Lebens auf den Wasserschlössern und Gutshäusern
darin, die ein allgemeines Gelächter hervorrufen müssen; und
was das Schlimmste ist, Levin hat Familienanekdoten aufgenommen und ironische Beschreibungen von einzelnen bekannten
Persönlichkeiten, die er nur von seiner Freundin Annette gehört
haben kann.

Annette hatte in Wahrheit in jenem Winter, der ihre größte In-
nigkeit mit Levin sah, da sie so fröhlich miteinander und sich
menschlich so nahe gekommen waren, Levin Geschichten über
ihre Verwandten und Bekannten erzählt, ohne Bosheit, aber in
ihrer berühmten Komik und humoristischen Übertreibung. Wie
oft hatte Levin bis zu Tränen über Annettens Nachahmungs-
talent gelacht, und wie liebten sie im Grunde die vielen herrlichen Originale aus dieser so abgeschlossenen Gesellschafts-
schicht, denn gerade sie gab ja Westfalen seine ausgeprägte Physiognomie.

Was aber mußten nun alle diese seltsamen und lieben Menschen von ihr denken? Als Verhöhnerin ihrer eigenen Gesellschaftsklasse stand Annette da. Wie hatte man ihr Dichten schon mit Mißtrauen betrachtet und es als ein unadeliges Geschäft bezeichnet; da hatte man es nun: sie war eine heimliche Verräterin gewesen all die Zeit, und wie nahe mußte ihr Schücking gestanden haben, daß sie ihm solche Konfidenzen machen konnte. Alle Schriftsteller waren doch undurchsichtige Elemente!

Im Frankfurter Konversationsblatt war eine freundliche, aber im Grunde boshafte Kritik über Levins Romane erschienen, die für ‚gemütvolle Frauen' passend seien. Er durfte sich mit Recht über die Verkennung seiner von der ganzen gebildeten Welt gelesenen Werke ärgern. Es ist möglich, daß er deshalb zur Beschreibung des westfälischen Adels zu einer so scharfen Feder gegriffen hat.

Jedes Wort, das von Gut zu Gut getragen und beredet wird, ahnt Annette. Oh, sie kennt sie ja alle, nicht umsonst hatte sie versucht, eine undurchdringliche Maske vor ihr Gesicht zu halten. Einmal aber hatte sie geglaubt – einmal in ihrem Leben –, nur vor Levin ‚sein' zu dürfen, anstatt zu ‚scheinen'; vor ihm, ihrem zweiten Ich, war sie ganz offen, vertrauensvoll und unbefangen gewesen, und nun dieser Verrat aus dem Hinterhalt!

Welche Qual der Beschämung er ihr zufügte! Oh, die Bitternis der Enttäuschung! ... Sterben, nur sterben dürfen.

Levin Schücking hat Annette bestimmt nicht mit Absicht schaden wollen, aber er war unbedacht gewesen und hat, wie so viele Schriftsteller, nicht mit der Lust des Publikums gerechnet, zwischen den Zeilen zu lesen und eigene willkürliche Schlußfolgerungen zu ziehen.

Annette ihrerseits aber war durch das Zerfließen ihrer beseligenden Liebe zu Levin so überreizt und voller Mißtrauen, daß sie dem einstigen Freund alles Böse zuzutrauen begann.

An Schlüter schreibt sie am 13. April, den Ostermontag des Jahres 1846:

‚Sie wissen nicht, was ich in den letzten Tagen gelitten habe, und welche Erquickung mir ihre treue, vertrauensvolle Freund-

Liebster Herzens Onkel!

Endlich kann ich Dir die beyden Bilder schicken! – Gottlob!

Ich bin so froh endlich etwas zu haben wovon ich sicher weiß daß
Dir es Dir gewünscht hast. – Der Christus ist noch recht gut erhalten, –
die Madonna freylich ungeschickter staurirt, aber übrigens doch ein
liebliches Gesicht. – Ich habe die Bilder nicht geschenkt sondern ein-
getauscht, und somit den großen Dank sieder, liebster Herzens
Onkel, ich reden zu können; wird kleines Denkzeichen für den
alle die Liebe und Güte die Du mir, so lange ich denke kann,
bewiesen hast. – denn als Geschenk kann ich sie gar nicht
nehmen, da bin ich so tief in deiner Schuld daß ich meine Lebtag
nicht heraus komme. – Jetzt wieder die drey prächtigen Effacten
Kritzeleyen! – sie sind wunderschön – ich kann nicht an meiner
Glücksheit vorüber gehen ohne davor stehn zu bleiben. – Ich nehme
sie auch mit nach Hülfhof, so wie meine Muscheln, Münzen und
geschnittenen Steine, denn NB. ich gehe nicht mit nach Karlsbad;
so sehr es auch zu meine Mama allein mit Marie reisen
zu lassen, oder ich kann nicht, und Mama will es deshalb auch
nicht. – Ich bin krank, obwohl wenig leidend, weniger als sonst,
aber es sind Umstände da, die durchaus beseitigt werden
müssen. – Ich kann z. B. gar nicht gehn – nicht zwei mal unsern
kleinen Garten entlang – ohne daß mir das Blut darum den
zu Kopfe steigt, daß ich zu ersticken meine, – und Essen geht
auch nicht viel besser, – eine Stunde Abends (z. B. wenn bei
Hülfhof!) ist hinlänglich daß ich mich dann gleich zu Bette legen
muß, und die ganze Nacht wie im Fieber liege. – Ich habe wohl
schon lange gewarnt, daß ich nicht reisen konnte; wollte es aber
nicht sagen; und Mama merkte es auch, und mochte es ebenfalls
nicht sagen, damit ich nicht drauf sollte, sie wünschte meine begleitung nicht bis wir neulich in Hülfhof den armen Baron

schaft gerade jetzt sein muß. Ich habe Schückings scheußliches Buch gelesen, ich habe es von wahrhaft wohlmeinender Hand erhalten, mit dem Zusatz, ich müsse es leider lesen, da ich in dem allgemeinen Verdacht stehe, ihm das Material zu seinen Giftmischereien geliefert zu haben. Schücking hat an mir gehandelt wie mein grausamster Todfeind und, was unglaublich scheint, ist sich ohne Zweifel dessen gar nicht bewußt ... Mein Adoptivsohn, jahrelanger Hausfreund! O Gott, wer kann sich vor Hausdieben hüten ... Ich bin sehr bewegt und mag für jetzt nicht weiterschreiben.'

Was Therese zu diesem Skandal sagte, ist nicht bekannt, aber es drängt sie, nach Meersburg zu fahren und ihre Tochter mit sich zu nehmen; aber Annette ist viel zu krank; Herz und Nerven sind in einem trostlosen Zustand. Es scheint, daß nicht einmal die liebe Elise, die auf Besuch kommt und mit ihrer Mutter auf dem Wege an den Bodensee und in die Schweiz ist, sie überreden kann, sich ihrem Schutz und ihrer Pflege anzuvertrauen.

Annette will allein sein, nur allein sein; in ihrem grenzenlosen Schmerz erträgt sie kein gesellschaftliches Geschwätz und nicht das Hinundherfahren zwischen Meersburg und den befreundeten Schlössern, wie es stets nach der Ankunft Sitte ist. Sie mag auch nicht Tag für Tag vor den Ihren die fröhliche, harmlose Tante Nette spielen, dort in den alten Mauern, die ihr kurzes trügerisches Glück gesehen, nein, sie vermag es nicht über sich zu bringen, mitzureisen.

Zum Glück ist ihre Mutter in altgewohnter Reiselust nicht zu halten. Anfang Juli fährt Therese ab. Annette atmet auf und versinkt in eine Abgeschlossenheit, die an klösterliche Stille gemahnt. Einmal schreibt sie an Elise, es ist der 30. Juli 1846:

,Lieb Herz! ... Sie können sich die Tiefe meiner Verschollenheit gar nicht denken! Kein Brief (der von Mama der einzige), kein neues Buch, keine Zeitung, kein Besuch, auch keine mündliche Nachrichten, da ich die Bückersche nirgends hinschicke; und, was Hülshoff anbelangt, so habe ich Werner noch zuletzt meiner Mutter leise sagen hören: Man muß ihr mal ganz ihren Willen lassen – die allertiefste Einsamkeit – das ist eine fixe Idee –

da läßt sich nichts dagegen machen, sie wird es schon bald müde werden und zu uns kommen!

Da hat er freilich nebenhergeschossen, meine Einsamkeit ist mir täglich lieber; aber Wort gehalten hat er, Hülshoff ist für mich wie gar nicht vorhanden, und leitete ich mir nicht durch Nebenquellen Nachrichten von seinem und der Seinen Befinden zu, so könnten drei Mirakel geschehen, ohne daß ich es gewahr würde.

Vorgestern schickte ich Hermann mit Mamas Brief hin, schrieb auch einige unbefangene Zeilen dazu, und es hat mich sehr gerührt, wie er ihm durchs Fenster entgegengerufen hat: Hermann, hierher! Will meine Schwester kommen? Wann soll ich sie abholen? Es ist ein gutes Blut! Ach, ich werde nicht mehr so lange zögern dürfen! Ich werde in den greulichen Kinderlärm, in den jetzt endlosen Besuchstrain hineinmüssen, wenn ich ihn nicht mehr kränken will, als ich vor meinem Gewissen verantworten kann! Aber jetzt mag ich noch nicht.'

Annette bricht jeden Verkehr mit der Außenwelt ab, ihre Dichterfeder ruht, sie liegt lange Stunden auf ihrem Kanapee, liest lateinische Klassiker oder träumt in den Sommer hinaus, ‚morgens steht die Sonne auf der Treppe', außen am Haus, und abends schwebt ‚die rote Sonnenkugel zwischen den Eichen'. Sie folgt dem Gang des Jahres, aber läßt den eigenen Lebensstrom widerstandslos versickern; sie will nichts mehr, sie hofft nichts mehr, oh, möchte doch die geliebte Heimaterde sie bald aufnehmen, sie ist so krank, so grenzenlos elend, es kann nicht mehr lange dauern.

Die Sommertage sind lang, und niemand kommt zu ihr. Schlüter, der liebe Gute, wenn auch ‚älter und kälter', ist nun ganz blind und kann nicht mehr zu ihr hinauskommen. Wenn die Stille gar zu drückend wird, denn die wenigen Dienstboten arbeiten im Feld in diesen Augusttagen, dann versucht Annette zu glauben, heute käme dieser oder jener, der schon lange nicht mehr kommen kann: der gute Wilmsen, oder Sibylla in ihrer vornehmen Equipage, oder Adele könnte daherstapfen, häßlich, aber strahlend vergnügt, Schlüterchen würde an Thereselchens Arm erscheinen, und Junkmann, entweder hysterisch vor Lebensfreude, oder schluchzend vor Jammer.

In solchen Stunden der Rückerinnerung suchte Annette gern die Bank am Rande des Parkes auf, denn von hier kann sie den Schlagbaum an der Landstraße sehen und den Damm, hinter dem hervor alles zu ihr zu kommen pflegte, was sie liebte.

In früheren Jahren – wie lang, wie lang ist es her –, da kam auch Fente diesen Weg gegangen, wenn er von der Jagd heimkehrte, und ... Levin erwartete sie hier, hier, an diesem gleichen Ort. Wie ist es möglich ... dieses Glück war Lüge? Was sie für ein Himmelsgeschenk gehalten, mußte sich als Phantom enthüllen? Aber in ihr wird die Treue bleiben, nie herauszureißen aus ihrem Herzen; was sie damals an ihm liebte, die gleichen schönen Eigenschaften, die muß er auch heute noch besitzen. Einmal wird er ihr zurückkehren und das Wort der Versöhnung sprechen, das ist ihre letzte, ihre einzige Hoffnung.

An einem Sommernachmittag, da die Hitze flimmernd über dem flachen Lande liegt und kein Lüftchen sich regt, da nimmt sie Papier und Schreibstift aus der Tasche und schreibt es nieder, was dieser geliebte Ort ihr bedeutet:

> *Im Parke weiß ich eine Bank,*
> *Die schattenreichste nicht von allen,*
> *Nur Erlen lassen, dünn und schlank,*
> *Darüber karge Streifen wallen;*
> *Da sitz ich manchen Sommertag*
> *Und laß' mich rösten von der Sonnen,*
> *Rings keiner Quelle Plätschern wach,*
> *Doch mir im Herzen springt der Bronnen.*
>
> *Dies ist der Fleck, wo man den Weg*
> *Nach allen Seiten kann bestreichen,*
> *Das staub'ge Gleis, den grünen Steg*
> *Und dort die Lichtung in den Eichen:*
> *Ach, manche, manche liebe Spur*
> *Ist unterm Rade aufgeflogen!*
> *Was mich erfreut, bekümmert, nur*
> *Von drüben kam es hergezogen.*

Du frommer Greis im schlichten Kleid,
Getreuer Freund seit zwanzig Jahren,
Dem keine Wege schlimm und weit,
Galt es den heil'gen Dienst zu wahren;
Wie oft sah ich den schweren Schlag
Dich drehn mit ungeschickten Händen,
Und langsam steigend nach und nach
Dein Käppchen an des Dammes Wänden.

Und du in meines Herzens Grund,
Mein lieber, schlanker, blonder Junge,
Mit deiner Büchs' und braunem Hund,
Du klares Aug' und muntre Zunge,
Wie oft hört' ich dein Pfeifen nah',
Wenn zu der Dogge du gesprochen;
Mein lieber Bruder warst du ja,
Wie sollte mir das Herz nicht pochen?

Und manches, was die Zeit verweht,
Und manches, was sie ließ erkalten,
Wie Bankos Königsreihe geht
Und trabt es aus des Waldes Spalten.
Auch was mir noch geblieben und
Was neu erblüht im Lebensgarten,
Der werten Freunde heitren Bund,
Von drüben muß ich ihn erwarten.

So sitz' ich Stunden wie gebannt,
Im Gestern halb und halb im Heute,
Mein gutes Fernrohr in der Hand,
Und laß es streifen durch die Weite.
Am Damme steht ein wilder Strauch,
O, schmählich hat mich der betrogen!
Rührt ihn der Wind, so mein' ich auch,
Was Liebes komme hergezogen!

Mit jedem Schritt weiß er zu gehn,
Sich anzuformen alle Züge;

So mag er denn am Hange stehn,
Ein wert Phantom, geliebte Lüge;
Ich aber hoffe für und für,
Sofern ich mich des Lebens freue,
Zu rösten an der Sonne hier,
Geduld' ger Märtyrer der Treue.

Aber die Stunden der Hoffnung sind selten. Sie hat ihre Beherrschung bewahrt und nach Erscheinen der ‚Ritterbürtigen‘ keine Silbe an Levin geschrieben zu diesem Buche, das ihr so ungeheuerlich geschadet hat, doch hatte sie wohl geglaubt, ihr Schweigen würde ihn dazu bewegen, ihr eine Erklärung zu geben, sie um Verzeihung zu bitten – nichts; kein Wort von ihm. Oh, diese Leere des Herzens, nachdem es so übervoll an Liebe und Lebensmut gewesen, diese Leere, die sich immer weiter in ihr ausbreitet, immer mehr des festen Landes an sich reißend, bis nichts mehr bleibt als ein flaches, totes Gewässer, das zu nichts nütze ist.

Wie ein ruheloser Geist muß Annette in dieser Zeit ihres tiefsten Schmerzes durch das stille Haus und den stillen Park gewandert sein, hin und her, hin und her, nur getrieben von der einen Frage: warum, warum? Annettens immer noch so schönes Antlitz wird in Schmerzen gezuckt haben, die Brauen zogen sich wohl aneinander, und die Tränen drangen bis an den Rand der Augen, tiefer gruben sich die Linien des Schmerzes um den Mund, und die uralte Geste aller leidenden Menschen, welches Volkes und welcher Zeiten sie auch sind, wird auch ihr zur Gewohnheit geworden sein: die Hände unter der Brust zu falten, weil das ganze Innere eine einzige flehende Bitte an eine höhere Macht bedeutet: mach ein Ende, ich kann es nicht mehr tragen.

Wenn ihr fast angst wird vor der Lautlosigkeit um sie her und sie daran zweifelt, ob ihre eigene Stimme noch töne, und sie sich doch schämt, laut mit sich selber zu reden, versucht sie Klavier zu spielen; aber auch das erträgt sie nicht, jede Melodie, jeder Ton auf diesem alten Instrument ruft ihr das eine Wort zu: vorbei, vorbei.

Sehr bald erhebt sie sich dann wieder, zieht die Schieblade auf, in der ihre kostbarsten Münzen liegen, die Muscheln und die Versteinerungen ... totes Gut, toter Staub. Nein, es verlangt sie, greifbare Zeichen ihres eigenen gelebten Lebens zu berühren. Scheu, als würde sie Geister wecken, öffnet sie dann die Lade, in der manches kleine Heiligtum verwahrt liegt. Jedes einzelne Erinnerungsstück betrachtet sie, aber nun stehen sie alle um sie her, die Lieben, die lange unter der Erde ruhen, ferne von ihr leben oder sich abgewandt haben:

Kathinka sieht sie vor sich, blühend wie im Leben, oder einen Verehrer, der ihr ein nächtliches Gartenfest unvergeßlich gemacht hat; Eppishausen mit den Ausflügen zum Säntis, den goldenen Meersburger Herbst und dann die einsamen Jahre, in denen sie nichts liebte außer ihrer Heimaterde.

An ihrer Lade stehend sieht sie zu den Schmelen hinüber, die sie vor kurzem gepflückt, als sie – gerade wie in der Jugendzeit – ihr Antlitz im Wasser zerfließen sah. Die Schmelen hängen noch zum Trocknen am Fenster; auch sie sollen ihren Platz in der Lade bekommen.

Es ist eine eigenartige Stunde, da sie die Geister ihres Lebens beschwört, eine gesegnete Stunde, denn sie schenkt ihr die Freude eines Gedichtes:

> *So oft mir ward eine liebe Stund'*
> *Unterm blauen Himmel im Freien,*
> *Da habe ich, zu des Gedenkens Bund,*
> *Mir Zeichen geflochten mit Treuen:*
> *Einen schlichten Kranz, einen wilden Strauß,*
> *Ließ drüber die Seele wallen;*
> *Nun stehe ich einsam im stillen Haus*
> *Und sehe die Blätter zerfallen.*
>
> *Vergißmeinnicht mit dem Rosaband –*
> *Das waren dämmrige Tage,*
> *Als euch entwandte der Freundin Hand*
> *Dem Weiher drüben am Hage;*
> *Wir schwärmten in wirrer Gefühle Flut,*

In sechzehnjährigen Schmerzen;
Nun schläft sie lange. – Sie war doch gut,
Ich liebte sie recht von Herzen!

Gar weite Wege hast du gemacht,
Kamelia, staubige Schöne,
In deinem Kelche die Flöte wacht,
Trompeten und Cymbelgetöne;
Wie zitterten durch das grüne Revier
Buntfarbige Lampen und Schleier!
Da brach der zierliche Gärtner mir
Den Strauß beim bengalischen Feuer.

Dies Alpenröschen nährte mit Schnee
Ein eisgrau starrender Riese;
Und diese Tange entfisch ich der See
Aus Muschelgescherbe und Kiese;
Es war ein volles gesegnetes Jahr,
Die Trauben hingen gleich Pfunden,
Als aus der Rebe flatterndem Haar
Ich diesen Kranz mir gewunden.

Und ihr, meine Sträuße von wildem Heid,
Mit lockerm Halme geschlungen,
O süße Sonne, o Einsamkeit,
Die uns redet mit heimischen Zungen!
Ich hab' sie gepflückt an Tagen so lind,
Wenn die goldenen Käferchen spielen,
Dann fühlte ich mich meines Landes Kind,
Und die fremden Schlacken zerfielen.

Und wenn ich grüble an meinem Teich,
Im duftigen Moose gestrecket,
Wenn aus dem Spiegel mein Antlitz bleich
Mit rieselndem Schauer mich necket,
Dann lang' ich sachte, sachte hinab
Und fische die träufelnden Schmelen;
Dort hängen sie, drüben am Fensterstab,
Wie arme vertrocknete Seelen.

So mochte ich still und heimlich mir
Eine Zauberhalle bereiten;
Wenn es dämmert, dort und drüben und hier
Von den Wänden seh ich es gleiten;
Eine Fei entschleicht der Kamelia sich,
Liebesseufzer stöhnet die Rose,
Und wie Blutesadern umschlingen mich
Meine Wasserfäden und Moose.

41

Die nie durchbrochene Einsamkeit war für Annettens tödlich getroffenes Herz nicht gut. ,Nur die Spannung der letzten Zeit hat mich aufrecht gehalten', steht in einem Brief an Elise, den sie wenige Monate später schrieb, am 4. Februar 1847, ,und nun fiel ich zusammen wie ein Taschenmesser – miserabel! 6- bis 7mal im Tage Erbrechen, ein erstickender Husten, immer Fieber, kein Schlaf. Werner, dem ich Nachrichten von meinem Befinden geschickt, und dem sein armes Bein nicht zu kommen erlaubte, riet Diät, Verlassen der Einsamkeit und vor allem Bewegung an. An letzterer habe ich mich denn auch in der ersten Zeit halbtot exerziert, bis ich umfiel und endlich das Bett völlig hüten mußte.

Ach, lieb Lies, da war Rüschhaus gar kein liebes heimliches Winkelchen mehr. Ich sah den ganzen Tag nur die niedrigen Balken meines Schlafzimmers, und außer dreimal im Tage sah keine Seele nach mir, da die Ernte im Gange war und auch die Köchin viel daran half; sonderlich nachmittags, wo sich das Gemüse-Aufwärmen und Saure-Milch-Aufsetzen in einer Viertelstunde abmachen ließ, war von eins bis sieben das Haus ringsum verschlossen, ich mutterseelenallein darin, fiebernd und würgend.

Bedurfte ich etwas Unvorhergesehenes, so mußte ich aus dem Bette klettern und mir selber Rat schaffen, oder, wenn ich grade im Fieberschweiß lag, geduldig aushalten bis zur Erlösungsstunde. Ich habe dies in meinem Eremitenleben sonst auch schon mitgemacht, aber nicht krank; dann freute mich diese tiefe Einsamkeit, da mir Küche und Keller ja offengestanden und ich im Notfalle an der steinernen Gartenbank meine Leute sehr leicht errufen konnte, aber jetzt kam ich mir oft vor wie ein armer Soldat, der sich auf dem Schlachtfelde verblutet. Freilich war dies meine eigne Schuld, ich hätte ja nur Jennchen oder Anna zu Hause behalten können, aber die Leute sahen alle so eilfertig aus, rannten und schnauften so furchtbar, daß es mir gar nicht einfiel, jemand dem großen Werke zu entziehen. Lieber ging ich nach Hülshoff, nicht ohne Scheu vor Gottes neunfachem Segen dort.

Werner und Line empfingen mich an der Treppe jubelnd und spottend, daß die Langeweile mich endlich hergetrieben, wurden aber mäuschenstill, als ich so elend aus dem Wagen stieg und nach einigen Minuten im Wohnzimmer ohnmächtig wurde. Man brachte mich gleich in meine Stube, und ich kann nicht anders sagen, als daß ich bis zu meiner Abreise die sorgsamste, zärtlichste Pflege dort genossen habe, doch ohne Erfolg für meine Gesundheit.'

Annette hatte nur einen Wunsch: fort aus diesem unruhigen Haus, nach Meersburg, in ihren Turm; dort, umgeben von den liebsten der Ihren, wollte sie sterben. Aber Werner wollte sie nicht ziehen lassen; sie sei viel zu krank zum reisen. Erst als Annette es annimmt, daß ihr ältester Neffe, Heinrich, sie begleitet, und sie verspricht, in Bonn bei Pauline von Droste zu bleiben, widersetzt er sich nicht mehr.

Diesesmal reist Annette als berühmte Frau; in der Cölnischen Zeitung steht ein Artikel, der ,ihre Ankunft in Bonn und wahrscheinlich längeren Aufenthalt daselbst' ankündigt. Es ist Levins Zeitung; wird er kommen, ein versöhnendes Wort suchen? Annette möchte ihn sehen und doch nicht sehen; wenn sie nur schnell weiterreisen dürfte!

Aber sie wird von Pauline von Droste fast mit Gewalt vierzehn Tage lang in Bonn festgehalten. Levin meidet sie. Warum? Ist sein Gewissen so schlecht ihr gegenüber? Nicht einmal das

Patenkind wagt er ihr zu bringen? Er soll für Kinkels Rheinisches Jahrbuch eine Charakteristik von ihr vorbereiten.

Manchmal möchte Annette trotz aller bösen Erfahrungen glauben, daß die ‚Charakteristik' nicht anders als vorteilhaft für sie sein kann, denn sicher hat er in diesem Artikel die Gelegenheit gesucht, das schreckliche Unrecht, das er in den ‚Ritterbürtigen' gegen sie verübt hat, wiedergutzumachen. O sicher, sicher, er wird eine Lanze für sie brechen, damit sie vor dem Adel ihres Landes gerechtfertigt ist. Aber zu andern Stunden meint sie, es könne wiederum auch möglich sein, daß er so ohne jeden Takt sei, ihr mit ungeschickten Worten zu schaden.

Sie denkt und sinnt ... wäre es nicht besser, die ganze Charakteristik zu unterdrücken? Vielleicht könnte Junkmann ihr helfen. Er ist in Bonn; sie läßt ihn als einzigen Besucher zu sich bitten. Dreimal kam er zu ihr, und Annette muß den Kopf über Therese Schlüters ewigen Bräutigam schütteln. O, dieser Junkmann! Er ist doch der Prototyp des schwierigen, immer mit der bürgerlichen Umwelt im Kampfe liegenden Dichters! Annettens Beschreibung dieses genialen, aber unglücklichen Menschen ist ein psychologisches Gemälde:

‚Junkmann besuchte mich dreimal. Sie haben recht, er ist der alte reine Charakter geblieben, aber ich fürchte, er geht bürgerlich zugrunde; er hat jeden Gedanken an ein Doktorexamen und überhaupt eine feste bürgerliche Stellung aufgegeben und exaltiert sich in der Idee, als freier Literat die Hydra des Zeitgeistes zu bekämpfen – freier Literat! Das ist die grade Straße zum Bettelstabe! wenigstens für ihn, dem Fruchtbarkeit und populäre Schreibart so gänzlich fehlen, gewiß!

Ich machte ihm die beweglichsten Vorstellungen, auch von Schlüters Seite, der mich eigens dazu beauftragt, doch zuerst, und zwar gleich, ehe er alles vergessen, sein Examen zu machen, um jedenfalls einen Broterwerb im Hinterhalte zu haben. Er lachte aber so krampfhaft und wild, daß es mich ordentlich grauste und rief:

Hoho! Brotstudium! das sind mir die rechten Philister! da erkenne ich das echte münsterische Pfahlbürgertum, wo ihr noch alle bis über die Ohren darin steckt! Ich bin aber seitdem mit vielen andern Leuten umgegangen und längst weit darüber weg! Im schlimmsten Falle kann ich ja alle Tage Kapuziner werden. Dann zog er einen Fünftalerschein aus der Tasche und sagte: Sehn Sie, das ist alles Geld, was ich noch habe, aber das macht mir nichts! Und nun ging das krampfhafte Lachen und Herzählen seines künftigen glorreichen Wirkens, und wie er alles zu Boden donnern wolle, wieder an.

Muß einem da nicht bange bei werden? Ich fürchte, wir erleben noch traurige Dinge an ihm! Es ist nicht möglich, daß ein Körper dieser ewigen Aufgeregtheit, diesem furchtbaren Andrange von Ehrgeiz und Überspannung auf die Dauer widerstehen kann. Ich bat ihn, zu Kinkel zu gehn, die bewußte Charakteristik im Manuskript zu durchlesen und, falls sie nicht diskreter sei als sich überhaupt von der Charakteristik einer noch lebenden Person erwarten läßt, Schücking in meinem Namen um Unterdrückung derselben zu bitten. Er teilte meine Ansicht von dem Widrigen dieser Schaustellung, ging aber keineswegs zu Kinkel und antwortete mir jedesmal ganz ruhig: Ja! Sieh! Da habe ich nicht an gedacht! – Bis fast 14 Tage darüber verflossen, wo er mir dann ebenso ruhig die Nachricht brachte, er sei um ein geringes zu spät gekommen, die Charakteristik komme eben aus der Presse.

An Entschuldigen dachte er nicht, war aber übrigens mitunter warm und herzlich wie immer und nahm sehr bewegt Abschied von mir, als ich den scheinbar tollen Entschluß ausführte, ganz allein die weitere Reise nach Meersburg zu unternehmen. Ich fühlte mich sehr krank, glaubte nicht an Besserung und wollte bei den Meinigen sterben.‘

Annette täuschte nun mit eiserner Energie eine Besserung ihrer Gesundheit vor, nur, damit Pauline sie endlich ziehen lasse; es kamen auch von Jenny aus Meersburg flehende Briefe, sie solle doch endlich kommen. „... Dich noch in diesem Monat hier zu sehen, das ist der klügste und für Dich heilsamste Gedanke, den Du je gehabt hast, und ich bin gewiß, daß die hiesige Luft Dich bald kurieren wird. Ich bitte Dich nur, jetzt auch mit der Abreise zu eilen, damit Du die Wirkung dieses warmen Herbstes noch genießen kannst und Dich erholst, ehe der Winter kommt ... es wäre doch himmelschade, wenn Du Deine schönen Trauben nicht mehr sähest; alles hofft auf einen vortrefflichen Wein. Wir waren vor vier Tagen in Deinem Rebberge und fanden alles sehr schön ... Mama scheint es sehr lieb zu sein, daß Du kommst, denn es war ihr doch eine große Sorge, Dich allein in Rüschhaus zu wissen ... glaube mir, liebe Nette, zwei Winter am Bodensee werden Dir besser tun als eine ganze Apotheke. Laßberg freut sich auf Deine Ankunft und ist voller Pläne zur Verschönerung Deiner Wohnung. Du siehst also, liebe Nette, wie unrecht es wäre, wenn Du uns noch lange warten lassen wolltest.'

Dieser Brief kam zu Anfang von Annettens Bonner Aufenthalt, als sie wirklich noch keinen Fuß aus dem Bett setzen konnte, aber ein zweiter Ruf von Jenny half ihr Paulines Widerspruch zu brechen. Jenny hatte geschrieben:

‚Ich bitte Dich, liebe Nette, benutze das schöne Wetter doch und bedenke, daß der Oktober nahe ist, wo auch hier in unserm gesegneten Meersburg die Tage kürzer und kälter werden ... Die gute Mama freut sich sehr auf Deine Ankunft, und so geht es uns allen; wir können es fast nicht erwarten, Dich bei uns zu haben, und ich bin überzeugt, daß Du Dich bald hier wieder erholen wirst ... Jetzt ist die gute Philippa seit dem fünfzehnten bei uns, sie zeichnet den ganzen Tag ... wir haben sie lieber als je, sie ist katholisch geworden in ihrer Krankheit, von der sie sich jetzt erholen soll; ich hoffe, Du triffst sie noch hier. Gott schütze Dich, liebe Nette, und führe Dich bald zu uns.

Deine treue Schwester Jenny.'

Nun ‚band ihre Kusine sie dem Schiffskondukteur auf die Seele', und wirklich, jeder, der in das vergeistigte Leidensantlitz sah, konnte nichts anderes tun, als der Kranken mit aller Hilfe beizustehen.

Über diese gefürchtete Reise, die dann viel besser verlief, als irgend jemand gedacht – denn wieder wie so oft war Ablenkung von dem einen großen Schmerz das Allheilmittel –, schrieb Annette an Elise:

‚Die Herren Kondukteure führten mich immer gleich in den Pavillon, nahmen andern Kanapees ihre Kissen, um es mir bequem zu machen, versorgten mein Gepäck, banden mich den Markörs so eng aufs Gewissen, daß fast jede Viertelstunde einer kam nachzusehn, ob ich etwas bedürfe, und wenn wir angekommen waren, ließen sie mein Gepäck gleich auf das morgige Dampfboot bringen und führten mich selbst an den Omnibus. Auf der Eisenbahn ging es ebenso. Ich bekam beide Male einen Waggon für mich allein, und fast bei jeder Station erschien ein Gesicht am Wagenschlage, um zu fragen, ob ich etwas bedürfe. Und doch hat dies alles meine Reise nur unbedeutend verteuert. Die Kondukteure nahmen nichts, und meine männlichen Wartfrauen waren am Rheine mit einem Gulden, weiterhin schon mit 30 Kreuzern, überglücklich. Sie sehen, lieb Lies, ich bin wie in einem verschlossenen Kästchen gereist und habe (außer meinen lieben Wartfrauen) kein fremdes Gesicht gesehn, nicht mal in den Gasthöfen, wo ich mir gleich ein eignes Zimmer geben ließ, wenn ich auch nur eine halbe Stunde blieb.

So fühlte ich mich in Freiburg so wenig erschöpft, daß statt (wie früher beschlossen) Extrapost zu nehmen, ich mich dem Eilwagen anzuvertrauen beschloß, obwohl er abends abging. Meine Empfehlungen waren zu Ende, aber mein Glück verließ mich auch hier nicht; ich hatte bis Mitternacht einen Beiwagen ganz für mich allein, dann mußte ich freilich in den allgemeinen Rumpelkasten voll schnarchender Männer und Frauensleute, die brummend und ächzend zusammenrückten, als ich mich einschob. Dann ging das Schnarchen wieder an, ich allein war wach bei dieser scheußlichen Bergfahrt und merkte allein, wie den Pferden die Knie oft fast einbrachen und der Wagen wirklich schon anfing rückwärts zu rollen; mein Visavis stieß mich unaufhörlich mit den Knien, und die Köpfe meiner Nachbarn baumelten an mir herum. Doch gottlob nicht lange!

Es war noch stockfinster, als wir mit der Post nach Konstanz zusammentrafen, und siehe da! meine ganze Bagage kugelte und kletterte zum Wagen hinaus, und ich war wieder frei! frei! und machte mir ein schönes Lager aus Kissen und Mantel, auf dem ich es sehr leidlich aushalten konnte, bis nach Stockach, wo ich um zehn ankam.'

Als Annette endlich Meersburg erreichte, fiel ein kalter Regen, ihr Gefährt wurde nicht durch das Tor gelassen; sie mußte beim ‚Wilden Mann' aussteigen, denn gleich sollte der Großherzog von Baden durchreisen. So blieb Annette nichts übrig, als keuchend zu Fuß durch die Stadt, und die hohen Treppen hinauf bis zur oberen Stadt, und zur Burg zu gehen. Vor dem Tor – oh, wie sie es kennt und liebt – muß sie warten, es ist gerade Mittagszeit. Der Torhüter ahnt nicht, wer draußen steht und klopft, aber als er den Gast einläßt und das Freifräulein von Droste erkennt, auf das seine Herrschaft schon so lange wartet, da eilt er vor Annette her, sie anzukündigen, und nun kommen sie ihr alle entgegen, die Tischservietten in der Hand, denn man saß noch beim Essen.

Die Begrüßung war fast zu laut und herzlich für Annettens angegriffenen Kopf, und die Ihren werden auch bald sehr still, denn die Zeichen ihres Krankseins sind nur zu deutlich in ihrem Gesichte eingeprägt.

Elise hört auch hiervon, und wie es weiter ging, in dem langen Brief, den Annette erst viel später schreiben konnte:

‚Hier war große Freude über meine Ankunft, aber auch große Bestürzung über mein Aussehn, ich mußte gleich zu Bette und zwei Aerzte annehmen, da habe ich denn viele Medizin geschluckt und bin immer elender darnach geworden, zuletzt so nervenschwach, daß mir jedes Wort klang wie eine Posaune und zuweilen im Stockfinstern mir das Zimmer für einige Sekunden erleuchtet schien wie vom grellsten Sonnenschein und ich die kleinsten Gegenstände genau unterscheiden konnte. Zudem nahm mein Magen auch gar nichts mehr an, selbst Wasser und Haferschleim mußte ich sogleich wieder von mir geben; und dabei immer Fieber und Beklemmungen! Immer halbtot husten. Ach Lies! Ich war schrecklich elend und wünschte auch gar nicht, wieder besser zu werden, nur tot! tot! Endlich erklärte der

Brunnenarzt, mir tauge keine Medizin – ohne Ausnahme; ich sei in allen innern Teilen völlig gesund, aber meine Nerven in einem Zustande der Überreizung, wie ihm noch nie vorgekommen. Er habe mir Dosen gegeben, wie sie für ein eben gebornes Kind paßten, und ich habe die ihnen entsprechenden Zufälle bekommen, als ob er mich mit ganzen Pfunden vergiftet hätte; er fügte hinzu: Könnte ich an Homöopathie glauben, so wäre dies das einzige, was ich bei Ihnen anwenden möchte, aber so leben Sie wenigstens homöopathisch. Ich sage jetzt aus voller Überzeugung, daß Ihr natürlicher Widerwillen gegen Gewürze, Wein et cet. Ihr größtes Glück gewesen ist, und Ihre Hartnäckigkeit, 17 Jahre lang keine Arznei zu nehmen, das Klügste, was Sie tun konnten. Ich kann Ihnen nichts verordnen als die möglichste geistige und körperliche Ruhe; liegen Sie ganz still! Schlafen? So viel Sie irgend können. Denken? Womöglich gar nicht, oder nur Angenehmes, was Sie nicht aufregt.'

Annette sollte nur ‚Angenehmes' denken! Der Doktor hätte ihr raten sollen, zu vergessen, das vielzuempfindliche Herz hart zu machen, daß es nicht bei jedem Schlage denkt: Levin, warum bist du nicht gekommen? Vierzehn Tage lang war ich dir ganz nahe, du wußtest es und hast mich gemieden! Vergessen, vergessen ... nur kleine alltägliche Belanglosigkeiten denken.

Annette wohnt diesesmal fast zu ebener Erde, nahe bei den Ihren, in einem großen, hellen Zimmer; der See wirft seine Lichter an die Decke und an die Wände; ihre ‚Spiegelei' nennt sie diesen hübschen, sonnigen Raum. Besuche werden nicht empfangen, außer der guten, gescheiten Fürstin Salm. Annette fühlt sich sehr wohl in ihrer Spiegelei, in ihrer Beschreibung an Elise klingt dieser letzte stille Frieden wider:

‚Ich habe Gesellschaft genug in meiner Spiegelei. Laßberg kömmt jeden Nachmittag auf eine Stunde, und Mama und Jenny bringen regelmäßig die Abende bei mir zu.

Dann wird aber alles Aufregende im Gespräche vermieden, und ich höre, auf einen großen Lehnsessel an der Schattenseite des Ofens gekauert, ganz behaglich an, was von Tagesbegebenheiten, kleinen Abenteuern auf Spaziergängen et cet. vorgebracht wird.

Überhaupt langweile ich mich gar nicht; meine Phantasie arbeitet nur zu sehr, und ich muß aus allen Kräften dagegen ankämpfen. Jede etwas unebene Stelle an der Wand, ja jede Falte im Kissen, bildet sich mir gleich zu mitunter recht schönen, Gruppen aus, und jedes zufällig gesprochene etwas ungewöhnliche Wort steht gleich als Titel eines Romans oder einer Novelle vor mir, mit allen Hauptmomenten der Begebenheit.

Sie sehn, wie überreizt ich noch bin. Gott! dürfte ich jetzt schreiben (d.h. diktieren), wie leicht würde es mir werden! Aber wie bald würde ich auch wieder alle viere von mir strecken! Meine Spiegelei ist ganz reizend, heizt sich vortrefflich, faßt jeden Sonnenblick auf und ist, durch den Widerschein des Sees, selbst in den trübsten Tagen immer hell. Dazu vor mir auf dem Tische immer ein paar Töpfe in voller Blüten aus dem Treibhause. Wenn ich aufsehe, der immer lebendige, oft himmlisch beleuchtete See mit seinen Fahrzeugen und die Alpen.'

Das Wasser, dieses große Wasser! So oft hat sie sich in ihrem Leben, wenn Leid und Einsamkeit sie zu überwältigen drohten, im Wasser liegend gesehen, tot und erlöst. Aber hat sie denn jetzt noch ein Leid zu tragen? Verweht denn nicht jeder Kummer mit den Jahren? Hatte sie nicht im Herbst in Bonn die tiefste Stufe der Enttäuschung erreicht? Was hat sie noch zu fürchten?

Aber der Becher ihrer Prüfungen war noch nicht ausgetrunken. Zu Ende des Winters mußte Annette hören – denn es war nicht gelungen, es ihr zu verheimlichen –, daß Levin Schückings ‚Charakteristik‘, die er von ihr entworfen, nicht zu ihrem Ruhme ist. Es sind Sätze darin enthalten wie jener:

‚Ihre elegische Klage über die Zeit beweist im Grunde nichts anderes, als ein großartiges Mißverständnis der Zeit ... aus den kleinen Schattenseiten der Zeit hat sie ein Bild der Gegenwart zusammengesetzt, welches dieser gleicht wie ein Esel dem Pferd ...'

Ist dieser Vergleich ein Schlag zurück auf das humoristische Gedicht Annettens, in dem sie geschildert hatte, wie Levin sie von einem munteren Rößlein in einen Esel umschaffen wollte?

Levin spricht von Annettens ‚elegischer Klage über die Zeit‘. Er denkt wohl an die vielen Gespräche auf ihren Spaziergängen, in denen seine Freundin sich wie hellsichtig zeigte für alle Schäden um sie her. Ja, sie hatte mit Schmerz ausgerufen, daß sie in einer Epoche lebten, die den Intellekt des Menschen immer mehr als Götzen verehrte, in einer Zeit, da Erfindungen über Erfindungen den Menschen immer stolzer machten, da er sich zum Herrscher über die Elemente und Naturkräfte aufschwang, mit Maschinen die Zeit in seinen Dienst zwingen wollte und Elend und Wohlergehen, Zufriedenheit und Aufsässigkeit schuf, als sei er ein Gott auf Erden. In Hast und Erwerbsgier würde er der Natur, dem Glauben, dem großen Vertrauen und der Nächstenliebe immer fremder werden.

Wahrscheinlich hat Levin ihren Vers für das ‚Geistliche Jahr‘ gekannt, in dem sie ihren Zeitgenossen zurief:

> *Laßt Menschenweisheit hinter euch!*
> *Sie ist der Tod; ihr schnödes Glück*
> *Ist übertünchtem Grabe gleich*
> *O hebt den Blick!*

Annette hatte damals, angesichts des sich in Europa immer weiter ausbreitenden Materialismus, scheinbar nicht nur an die Gegenwart gedacht, sondern auch in eine ferne Zukunft geblickt, in den Niedergang einer Kultur, die den Glauben verloren hat und den Geistern des Fortschritts, die sie anbetete, schließlich untertan werden mußte. Mit flehentlich-warnender Stimme ruft sie im ‚Geistlichen Jahre‘ aus:

> *Ich hebe meine Stimme laut*
> *Ein Wüstenherold für die Not:*
> *Wacht auf, ihr Träumer, aufgeschaut!*

Aber diese Sprache war Levin in seinem Unglauben und seiner Fortschrittlichkeit ein Greuel gewesen. In seiner ‚Charakteristik‘ geht er dann zu Annettens Dichtungen über, die er einst denen Shakespeares an die Seite stellte, und sagt:

‚Sie bemüht sich in ihren Dichtungen mit äußeren Konturen, sie geht immer auf eine unkünstlerische Wahrheit und arithmetische Genauigkeit hin … Erhabene Schönheit, große Gedanken, geniale Fehler, kühne Häßlichkeiten, eine Welt für sich sind ihre Werke ... Lieber will sie eigenes Unkraut als zivilisierte Pflanzen aus fremden Samen.'

Annettens Bruder, Werner, hielt das Rheinische Jahrbuch zurück, sie verlangte auch nicht, es zu sehen, nein, sie will Levins Worte nicht lesen. Scheinbar ist Annette sehr ruhig, aber ihre Lebensbahn senkt sich nun so steil abwärts, wie nur ein verzehrender Gram ein Leben niederbeugen kann.

42

Im Hochsommer des Jahres 1847 reiste Therese von Droste wieder nordwärts; es war Zeit, daß sie einmal in Hülshoff ihre neun Enkelkinder betrachtete und in Rüschhaus nach dem Rechten sah. Annette blieb in Meersburg, das war ihr Wunsch und Befehl, obgleich Annette gar nicht hätte mitreisen können. Jeder bekam eine letzte Ermahnung: Jenny solle gefälligst gut auf ihre Schwester achten und selber ihre lächerlichen Melancholien vergessen; die gehörten zu ihrem Alter, aber mit ein wenig Energie ... sie, die Mutter, mit ihren fünfundsiebenzig Jahren, so sehr an Herzklopfen leidend, daß sie immer mit einem Schlaganfall rechnete, nahm doch auch keine Rücksicht auf ihre Gesundheit, und der Herr Schwiegersohn, nun ja, er hatte sein achtzigstes Jahr bald erreicht, aber das war kein Grund, sich zu gebärden wie ein Greis und zu meinen, ein Husten könne ihn ins Grab bringen, er solle ihrer Tochter in diesen aufgeregten Zeiten tatkräftig zur Seite stehen; die Zwillinge wurden umarmt und geherzt, es gab nicht ihresgleichen unter allen Kindern der Welt, und nun, lebt wohl!

Wie mag der Abschied von Annette gewesen sein? Der Abschied dieser beiden Frauen, die ein Lebensalter hindurch in unzerreißbarer Verbundenheit einen liebevollen Kampf um Herrschaft und Verstehen, um Unterwerfung und Selbständigkeit gekämpft hatten, bis das Alter Frieden geschlossen hatte und eine die andere mit Nachsicht betrachtete?

Therese von Droste und Annette wußten nicht, daß ihre letzte Umarmung der Abschied für dieses Leben gewesen war.

Gegen Ende des Sommers stiegen Annettens Kräfte noch einmal so weit an, daß sie hin und wieder den Weg zu ihrem Rebhäuschen, ihrem geliebten Eigentum, wagen durfte. Sie hing mit ganzer Seele an diesem Grund und Boden, den sie selber erworben mit ihrer ‚Dichterei‘, die nun doch nicht ganz umsonst gewesen war.

Sie folgte gern dem Reifen der Trauben und konnte stundenlang in den hübschen hellen Räumen hin und her gehen und sich mit hundert kleinen Dingen beschäftigen oder im Erker sitzen und die kleine bewegte Welt von Meersburg beobachten.

Einmal, an einem grauverhängten Tag des frühen September, saß sie, warm in ihren Umhang gehüllt, auf den Stufen zu ihrem kleinen Gartensaal. Den Arm auf das Knie gestützt und das Kinn in die Hand gelegt. Wie die Wiesen noch einmal sich begrünt hatten, aber es lag ein leichter Nebel darüber, fast wie der Heidenebel; die Dagobertsburg sah heute aus wie eine Geisterbehausung, Türme, Mauern und Dächer verschwammen mit der grauen Luft; es hätte auch eine Burg am Meere sein können, von einem nordischen König bewohnt, denn der See war heute rauh und düster und vom jenseitigen Ufer und den Bergen war auch kein Umriß zu sehen.

Annette von Droste, an diesem Septembertag des Jahres 1847, auf den Stufen des Gartensaales vor ihrem Rebhäuschen sitzend, hatte Heimweh nach dem Norden, nach Heide und Moor, dem weiten, flachen Land und dem Schloß ihrer Ahnen, nach Hülshoff, der wasserumspülten Burg. War es ein Fehler gewesen, daß sie in ihrer Krankheit hierher geflohen war? Damals hatte sie nicht bedacht, daß sie nie ohne brennendes Heimweh der westfälischen Erde fern gewesen war. Mußte sie bald sterben, war ihr Leben am Ende?

Einmal, während ihres Krankheitssommers in Rüschhaus, hatte sie einer toten Lerche ein Lied gedichtet; jetzt kam ihr der letzte Vers in den Sinn:

Ich möchte Tränen um dich weinen,
Wie sie das Weh vom Herzen drängt,
Denn auch mein Leben wird verscheinen,
Ich fühl's, versungen und versengt;
Dann du, mein Leib, ihr armen Reste,
Dann nur ein Grab auf grüner Flur,
Und nah nur, nah bei meinem Neste,
In meiner stillen Heimat nur!

Ach, in der roten Erde zu ruhen ... In Ihrem schweren Sinnen, den heisren Gesang der letzten Grillen und fernen Sensenklang im Ohr, neigt sie ihr Gesicht zur Erde ... was sucht die ängstliche Wespe? Das Nest? Die einsame Frau zieht ihren Mantel fester um sich, und nun ist der Eingang zum Einschlupf frei; das ist kein Grund für Annette fortzurücken; sie kennt keine Trennung mehr zwischen Mensch und Tier und Pflanze.

Und nun? In ihrem Ärmel hat sich ein Käfer vor der Nähe eines Vogels geborgen. Ein Lächeln wie zarte Wintersonne schimmert über ihr schönes Gesicht, ein schmerzensreiches Lächeln, ein Lächeln des Mitleids mit der geplagten Kreatur ... Mensch und Tier und Pflanze, und sogar der Stein, der unter dem Hammer zerspringen muß, alles, alles auf dieser Erde ist zum Leiden und Vergehen verdammt, vom Gottesfluch beladen, weil Selbstsucht das oberste Gesetz ist.

Nie gedachte, tiefe, metaphysische Gedanken müssen in dieser Stunde durch Annettens Gehirn gegangen sein und in der Erleuchtung der eigenen Todesnähe ist ihr eine Weisheit offenbar worden, die dem menschlichen Denken kaum erreichbar ist.

Das Rätsel des Bösen in der Welt, das alles, alles Leben umfaßt; warum hat Gott jedem Wesen den zerstörenden Willen zugesellt? Annette schaut in ihrer überklaren Erkenntnis tief hinein in dieses ewig alte Geheimnis, aber auch ihr wird erst, wenn sie diese Hülle abgestreift hat, die Binde von den Augen genommen werden.

Vielleicht war es am Tisch in ihrem Erker, wo sie von sibyllinischer Weisheit erfüllt, das tiefste und größte ihrer Gedichte schrieb:

An einem Tag, wo feucht der Wind,
Wo grau verhängt der Sonnenstrahl,
Saß Gottes hartgeprüftes Kind
Betrübt am kleinen Gartensaal.
Ihr war die Brust so matt und enge,
Ihr war das Haupt so dumpf und schwer,
Selbst um den Geist zog das Gedränge
Des Blutes Nebelflore her.

Gefährte Wind und Vogel nur
In selbstgewählter Einsamkeit,
Ein großer Seufzer die Natur,
Und schier zerflossen Raum und Zeit.
Ihr war, als fühle sie die Flut
Der Ewigkeit vorüberrauschen
Und müsse jeden Tropfen Blut
Und jeden Herzschlag doch belauschen.

Sie sann und saß und saß und sann,
Im Gras die heisre Grille sang,
Vom fernen Felde scholl heran
Ein schwach vernommner Sensenklang.
Die scheue Mauerwespe flog
Ihr ängstlich ums Gesicht, bis fest
Zur Seite das Gewand sie zog,
Und frei nun ward des Tierleins Nest.

Und am Gestein ein Käfer lief,
Angstvoll und rasch wie auf der Flucht,
Barg bald im Moos sein Häuptlein tief,
Bald wieder in der Ritze Bucht.
Ein Hänfling flatterte vorbei,
Nach Futter spähend, das Insekt
Hat zuckend bei des Vogels Schrei
In ihren Ärmel sich versteckt.

Da ward ihr klar, wie nicht allein
Der Gottesfluch im Menschenbild,

Wie er in schwerer, dumpfer Pein
Im bangen Wurm, im scheuen Wild,
Im durst'gen Halme auf der Flur,
Der mit vergilbten Blättern lechzt,
In aller, aller Kreatur
Gen Himmel um Erlösung ächzt.

Wie mit dem Fluche, den erwarb
Der Erde Fürst im Paradies,
Er sein gesegnet Reich verdarb
Und seine Diener büßen ließ;
Wie durch die reinen Adern trieb
Er Tod und Moder, Pein und Zorn,
Und wie die Schuld allein ihm blieb
Und des Gewissens scharfer Dorn.

Der schläft mit ihm und der erwacht
Mit ihm an jedem jungen Tag,
Ritzt seine Träume in der Nacht
Und blutet über Tage nach.
O schwere Pein, nie unterjocht
Von tollster Lust, von keckstem Stolze,
Wenn leise, leis' es nagt und pocht
Und bohrt in ihm wie Mad' im Holze.

Wer ist so rein, daß nicht bewußt
Ein Bild ihm in der Seele Grund,
Drob er muß schlagen an die Brust
Und fühlen sich verzagt und wund?
So frevelnd wer, daß ihm nicht bleibt
Ein Wort, das er nicht kann vernehmen,
Das ihm das Blut zur Stirne treibt
Im heißen, bangen, tiefen Schämen?

Und dennoch gibt es eine Last,
Die keiner fühlt und jeder trägt,
So dunkel wie die Sünde fast

Und auch im gleichen Schoß gehegt;
Er trägt sie wie den Druck der Luft,
Vom kranken Leibe nur empfunden,
Bewußtlos, wie den Fels die Kluft,
Wie schwarze Lad' den Todeswunden.

Das ist die Schuld des Mordes an
Der Erde Lieblichkeit und Huld,
An des Getieres dumpfem Bann
Ist es die tiefe, schwere Schuld,
Und an dem Grimm, der es beseelt,
Und an der List, die es befleckt,
Und an dem Schmerze, der es quält,
Und an dem Moder, der es deckt.

Und so wird dieser Nachmittag geendet haben: sie hat die Türe des Gartensaals hinter sich abgeschlossen und ist durch den Rebgang hinuntergestiegen zur Landstraße, zwischen den Wiesen hindurch zum Stadttor und durch die Gasse; zu ihrer Rechten war der erhöhte Laubengang mit den roten Fachwerkhäusern der Bürger, links die Häuser der Handwerker; nun kam der Steg über dem riesigen alten Mühlrad, danach ging sie an der schöngeschwungenen Freitreppe zum bischöflichen Palais vorüber und über die Brücke zum Schloßtor.

An diesem Septembertag, ‚wo feucht der Wind‘, stürzte wohl die kalte Luft vom See her über Annette in ihrem schweren dunklen Mantel. Noch in Gedanken ihr Gedicht bewegend, wird sie es nicht beachtet haben, erst im Torhaus, wo die Laterne schon brannte, könnte sie bemerkt haben, daß sie die Zeit ihres nachmittäglichen Ausbleibens weit überschritten hatte; sie ging wohl ein wenig eiliger als zuvor durch Jennys Blumengarten und die wenigen Stufen zum Haus hinauf; seit langem war sie wieder einmal in einer andern Welt gewesen und noch nicht aus ihr zurückgekehrt.

Ach, nun kam ihr die gute Jenny mit besorgter Miene entgegen, Vorwürfe auf den Lippen, aber heute, an diesem Tag des Liedes über die Kreatur, als Jenny in die strahlend erleuchteten

Augen Annettens sah, wird sie geschwiegen haben ... Wo war dieser große Geist umhergewandert, in welchen Sphären?

Jenny, die erst in dieser Zeit anfing ihre Schwester zu begreifen, hat sie wohl stumm vorübergehen lassen, getraute sie sich doch nicht, den Bann zu zerreißen, in dem Annette blind für die Außenwelt dahinging.

In der Spiegelei war es warm und schön, die Gardinen vor den hohen Fenstern zugezogen, die Öllampe brannte; Annette warf die Überkleider im Schlafzimmer ab, hüllte sich in einen weichen Flausch und sank in den tiefen breiten Stuhl neben dem Ofen, der heute schon geheizt war. Nach ihrer Gewohnheit, so wie die Ihren es beschrieben haben, zog sie die Knie hoch, legte die Füße auf die Stütze, die sie herangezogen hatte, und so, halb liegend, halb sitzend, schaute sie gedankenvoll auf den Schreibtisch zu ihrer Rechten.

Was lag darauf? Ein wenig Schreibpapier, um Briefe in die Heimat zu senden, aber seit dem Juli, da sie zuletzt an Lies geschrieben, hatte sie niemandem mehr Nachricht gesandt, außer kurzen Zusätzen zu Jennys Briefen an die Mutter. Früher, als sie in dieser Burg gelebt – in früheren Zeiten, es waren nur fünf Jahre her –, da hatten viele Blätter auf allen Tischen und Kommoden gelegen, dicht mit Versen bedeckt; immer neue waren dazugekommen, aber damals hatte sie in ihrem Turm gewohnt und war glücklich gewesen ... einmal in ihrem Dasein war sie vollkommen glücklich gewesen; es hatte ein Leben der Einsamkeit gelohnt, um diese kurze Zeit in klarem Bewußtsein, schaffend und liebend zu erleben!

Später am Abend, nachdem Annette wie so oft allein in ihrem Zimmer gegessen hatte, kamen Jenny, Laßberg und die Kinder zu ihr. Sie selber blieb still neben ihrem Ofen sitzen, die schmalen weißen Hände übereinander gelegt, und hörte auf das Geplauder der Kinder, auf Jennys klappernde Stricknadeln und Laßbergs leise schnaufenden Greisenatem.

Es war von kleinen unwichtigen Dingen die Rede, von einem Spaziergang, von einem merkwürdigen Mann, den man getroffen, von einem Hündchen, das man gesehen; man sprach auch vom Wetter, und daß es noch wieder warm werden müsse wegen der Trauben, und dann von allerlei häuslichen Dingen.

Annette hörte auf das Geplätscher der Stimmen wie auf ein beruhigendes, einschläferndes Geräusch, froh, daß sie nur noch mit diesen dünnen, farblosen Fäden dem Leben verbunden war. Ihre Seele hatte sich schon davon zurückgezogen, das Zeitlich-Menschliche löste sich in ihr auf und immer tiefer ging sie in die Natur ein; ‚Gefährte Wind‘ war heute um sie gewesen, die Wespe, der Käfer, winzige Geschwister in der Not des Lebens. Oh, möchte die Erde sie bald in ihre Poren zurückziehen wie den Heidenebel, tief, tief unter den Boden, von dem sie genommen, während das, was unsterblich war, sich mit der Weltenseele einte.

Annette, lebensfern, klar und ruhig wie ein Bergsee, in dem sich nur der Himmel spiegelt, lauscht ohne Freude auf das politische Getöse, das sich in diesem Winter 1847 bis 48 allüberall erhebt.

Jenseits des Sees bekämpfen die katholischen und protestantischen Kantone einander im Sonderbundskrieg und ihr ganzes Herz zittert für die kleinen Kantone. Es geht ihr ‚durch Mark und Bein, wenn Laßberg erzählt, daß die Männer des Kantons Zug nach Einsiedeln gepilgert sind, die Sakramente empfangen haben und sich zum Tode einsegnen ließen‘.

Wieviel würdiger dünkt sie der Kampf um Glaubensdinge, als wenn eine Bevölkerung ihren König wegen einer Tänzerin zum Abdanken zwingen will, wie es in München geschieht. Als der Winter sich dem Ende zuneigte, im Februar 1848, tönte wieder einmal von Frankreich her ein wildes Revolutionsgetöse. Alle drei, Laßberg, Jenny und Annette, erinnerten sich aus ihrer Jugend- und Kinderzeit, wie die Eltern in nie beruhigter Empörung von den Greueln der großen Revolution erzählt hatten und wie allenthalben auf den Schlössern Emigranten saßen und Geschichten aus den Schreckenstagen berichteten, daß man vor Grauen nachts nicht schlafen konnte.

Sollte das arme Europa abermals von Frankreich her in ein Chaos der Wut und der Vernichtung gestoßen werden? Mußte blutiger Aufruhr sein, damit die Welt fortschreiten konnte?

468

Eines Tages erzählte Laßberg, daß Louis Philippe, der doch so viele Konzessionen an das Bürgertum gemacht hatte, nach England geflohen sei, und Metternich sei auch auf und davon. Metternich ... wie viel hatte Annette in Bökendorf durch ihren verstorbenen Onkel Werner von diesem allmächtigen Mann gehört, er und Laßberg, der nun ganz ruhig von seinem Sturz erzählte, waren ihm ja beim Wiener Kongreß auf Bällen und Festen begegnet. Wie schnell rollte die Weltgeschichte.

Auch in Ungarn, in Italien, in Preußen, überall Kampf und Haß. Immer näher zog die Aufsässigkeit ihre Kreise um die Dagobertsburg; in Konstanz, das man so nahe liegen sah, wurde eine republikanische Statthalterschaft ausgerufen; es war der April des Jahres 1848. Der Name Herwegh tönte wieder an Annettens Ohr, dieses Mannes, den Levin einst halb verteidigt und halb verfolgt hatte; überall streiften Freischärler umher; Jenny und Annette grauste es, denn sie mußten annehmen, daß dies der Anfang zu viel schlimmeren Dingen war, und sie gehörten ja zu dem verhaßten und verschrienen Adel.

Laßberg blieb sehr ruhig; er nahm sogar Flüchtlinge auf, obgleich er wußte, daß diese Tat ihm den Unwillen der aufgeregten Meersburger Bürger eintrug, ja, er scheute sich nicht, alle Männer, die auf der Burg lebten, zu bewaffnen; es vergingen einige Tage in der größten Spannung, dann verlangte eine revolutionäre Bande mit viel Geschrei und Drohungen Einlaß in die Burg.

Laßberg, der fast Achtzigjährige, tritt dem Haufen selber in ungebrochener Festigkeit entgegen, im Grunde froh, noch einmal als Ritter und Burgherr die Frauen, Kinder und Flüchtlinge beschützen zu dürfen. Hinter ihm stehen die bewaffneten Männer, und es gelingt dem alten Freiherrn, die wilde Bande, die selber nicht weiß, was sie will, heimzuschicken. Die Dagobertsburg hatte sich ihre Ehre als uneinnehmbares Schloß nicht nehmen lassen! Laßberg scherzte darüber, aber der Stolz soll ihm doch aus den Augen geleuchtet haben.

Ende April ist jede Gefahr vorüber und die Ruhe im Städtchen wieder hergestellt. Jenny und die andern Frauen waren vor Angst schier umgekommen, nur Annette hatte ihre abgeklärte Ruhe keinen Augenblick verloren. Wäre sie mit ihren Gedanken noch stärker mit der Welt verbunden gewesen, sie hätte wohl als überzeugte Aristokratin leidenschaftlich teilgenommen an diesem Kampf zwischen der alten und der neuen Zeit, aber ihr Geist war schon auf der Wanderung in eine andere Welt begriffen.

43

Annettens Gesundheit war in diesem Frühling besser als seit Jahren; der Körper schien den Kampf zugunsten der Seele aufgegeben zu haben, die sich den Weg in die andere Welt bahnte. Schon seit langem aß Annette sehr wenig und nur die leichtesten Speisen, so war ihre Gestalt wieder zart und schlank geworden, das Gesicht in seinen verschärften Linien, mit der hohen, immer noch glatten Stirn und dem schmerzlichen, aber nicht alten Mund – diese vom Leben nicht zerstörten, sondern veredelten Züge waren mehr denn je die eines starken Menschenwesens.

Es kam der Mai und mit ihm Wärme, Vogelsang, Blumen und Blüten an allen Orten. Wie Annette Jennys Garten liebte! Vor allem die Bank unter dem Rosenhag; von ihr sah man über die Zinnenmauer fort zu den weißen Bergen hinüber; auch das Bischofspalais konnte sie sehen, die Dächer des unteren Städtchens, und wenn ihr Blick die Nähe überflog, so schaute sie zum Altan am Torhaus hinüber, auf dem sie so manche späte Stunde verbracht, zu dem hübschen eckigen Brunnen, an dem die kleinen Mädchen so emsig ihre Kannen füllten; und hinter den Scheiben des Treibhauses stand Jenny über Blumentöpfe und Kistchen gebückt, in denen sie Blumensetzlinge pikierte.

Hier, in diesem kleinen farbenfrohen Garten war die Welt schön und friedlich; alles Böse und alles Traurige schien fern, und doch bemerkte sie manchmal, wenn Jenny neben ihr saß, daß die gute Liebe Tränen in den Augen hatte. Annette wußte es ja, daß ihre Schwester Tag und Nacht vor einem dreifachen Verlust zitterte: ihre alte Mutter, ihren greisen Gemahl und ihre

Nette zu verlieren; dann würde sie allein stehen, ganz allein mit ihren kleinen Mädchen.

Am 19. Mai 1848, zu einer goldenen Spätnachmittagsstunde, legte Annette ihrer Schwester ein zusammengefaltetes Blatt in die Hand; mit Mühe hatte sie darauf geschrieben, denn beim Bücken kam immer gleich der Husten:

> *Geliebte, wenn mein Geist geschieden,*
> *So weint mir keine Träne nach;*
> *Denn, wo ich weile, dort ist Frieden,*
> *Dort leuchtet mir ein ew'ger Tag!*
>
> *Wo aller Erdengram verschwunden,*
> *Soll euer Bild mir nicht vergehn,*
> *Und Linderung für eure Wunden,*
> *Für euern Schmerz will ich erflehn.*
>
> *Weht nächtlich seine Seraphsflügel*
> *Der Friede übers Weltenreich,*
> *So denkt nicht mehr an meinen Hügel,*
> *Denn von den Sternen grüß ich euch!*

Aber Jenny durfte die Verse jetzt nicht lesen; in dieser strahlend schönen Stunde keine Tränen. Wollen wir singen? fragte sie die Schwester, und Jenny, die Tränen hinunterschluckend, stimmte in ein Duett ein, das sie schon mit Nette vor Jahrzehnten in Hülshoff gesungen hatte. Sie hielten beide die Augen auf den immer rötlicher erstrahlenden Säntis gerichtet und auf den opalisierenden Streifen des Sees, der hinter der Zinnenmauer zu sehen war; der Duft der Lindenblüten wurde stärker, so hatte es auch im Mai um ihr Väterschloß und in Rüschhaus geduftet.

Als das Ende des Liedes auf Annettens so sangesfrohen Lippen verzitterte, lag schon die blaue Dämmerung über den Bergen; es wurde kühl, und der Abendwind erhob sich; Annette kehrte in ihr stilles Gemach zurück.

Jenny muß in dieser Stunde empfunden haben, daß sie nie wieder mit Nette singen würde, denn am gleichen Abend schrieb sie in ihr Tagebuch:

‚Nette war auf dem Hofe und ging 6000 Schritte; sie sang ein kleines Duett mit mir; ach, zum letztenmal.' Aber es war eine Stunde so schön wie ein Traum gewesen; wenige Wochen später sollte sie Annettens Freund, Prof. Braun in Bonn, darüber berichten.

Noch fünf Lebenstage lagen vor Annette; ahnungslos schritt sie dem Tor entgegen, das sie in ihren Schmerzen so oft ersehnt, aber sie war nicht unvorbereitet; in tiefem Glauben, ohne Furcht, ohne Bitterkeit, das Herz erfüllt von Liebe, wartete sie auf den Ruf, der sie in das unbekannte Land entbot.

In der Nacht vom 21. zum 22. Mai hatte sie einen Bluthusten; da verlangte sie nach den Sakramenten, aber noch einmal, wie so oft in ihrem Leben, wurde ihr ein Wunsch verweigert; der Arzt, Dr. Liebenau, fürchtete die seelische Erregung für Annette und lieber verlängerte man ihr preisgegebenes Leben um einige Stunden oder Tage, als daß man ihr das mystische Glück einer heiligen Handlung gewährte, in der sie eine letzte Stufe aufwärts zu Gott erblickte.

Annette kämpfte nicht mehr; sie hatte sich schon der Ewigkeit und Gott übergeben.

Am letzten Tag ihres Lebens, am 24. Mai 1848, war Jenny am Vormittag bei ihr im Zimmer; sie malte, und Annette ließ sich das kleine Aquarell zeigen und freute sich daran. Als es Essenszeit war, blieb Hildel bei ihr im Zimmer; sie war nun elf Jahre alt und schon eine verständige kleine Pflegerin. Die Minuten verrannen, Körnchen um Körnchen entfiel dem Stundenglas; um zwei Uhr kam Gundel, löste ihre Schwester ab und brachte ihrer geliebten ‚Tanette' eine leichte Speise.

Annette aß sie dem Kind zuliebe, aber über dem Schlucken kam der Bluthusten wieder. Gundel stand ihr bei, aber Annette schickte sie fort, sie solle rasch den Doktor Liebenau holen. Der saß noch mit Jenny und Laßberg bei Tische.

Das Kind lief davon; die Tür der Spiegelei fiel ins Schloß; den Gang entlang hallten die eilenden Schritte und verklangen … nun war es ganz still, kein Menschenantlitz mehr um Annette, ganz allein war sie mit der Sonne, die ins Fenster schien, ganz allein in lautloser Einsamkeit … noch eine Minute des Lebens, noch Sekunden ... hat Annette erlöst geseufzt über den tiefen Frieden um sie her, hat sie den blauen Frühlingshimmel da draußen offen gesehen, ein leuchtendes Tor zu einem höheren Sein?

Niemand kennt das Verhauchen dieses großen Lebens, den mächtigen Griff, mit dem der Tod, ein guter Freund, dieses Erdenkind, das ihn nie gefürchtet, hinwegnahm.

Als Jenny mit dem Arzt in das Zimmer eilte, waren die rätselhaften blauen Augen geschlossen, der Mund von einem wunderbaren Lächeln umspielt und die Hand hing wie eine weiße Blüte, die der Wind geknickt, vom Bett hernieder. Jenny, auf die Knie stürzend, hob sie auf, – noch war die Wärme des Lebens in ihr, aber ein Blick in die Miene des Mannes, der stumm auf die Ruhende schaute, sagte ihr, daß Annette, ihre Schwester, die Gütige, die Tapfere, die Dichterin Annette, nicht mehr bei ihnen war.

An einem strahlenden Tag, da die ganze Natur in ihrer hellsten Freudigkeit aufrauschte, folgte Jenny, schwarz gekleidet und tief ve schleiert, starr vor Schmerz und Schrecken über die nun doch so unerwartet hereingebrochene Trennung, ihre Töchterchen an der Hand, am 26. Mai 1848, nachmittags um vier Uhr, dem Sarge, den Bürger von Meersburg zur Mauer auf dem ,Frieden' trugen, an deren Fuß die geöffnete, warme, fruchtbare Erde Annettens körperliche Hülle erwartete.

Viele fremde Menschen und Freunde aus der Nachbarschaft streuten Blumen auf den niedergelassenen Sarg, aber von den Blutsverwandten, die Annettens Leben so geräuschvoll umgeben hatten, waren keiner anwesend, nicht Werner und Line, und auch die Freunde und einst geliebten Männer, Heinrich Straube und Levin Schücking, waren fern; es fehlten auch Schlüter, Elise Rüdiger, Sibylla, Amalie Hassenpflug, Philippa und eine fehlte, die Gegenspielerin in Annettens Lebensdrama, der liebste Mensch, den sie auf Erden gehabt: ihre Mutter. Niemand von allen den Lieben ahnte zu dieser Stunde, daß Annette von Droste nicht mehr auf Erden war.

Auch Laßberg war nicht zugegen, als Nette der Erde übergeben wurde, ,er weinte sehr um sie', hatte Jenny am 24. Mai in ihr Tagebuch geschrieben; Doktor Liebenau war mit dem alten Mann in der Burg geblieben, und Jennys Gedanken werden den Tag vorausgesehen haben, da sie ein anderes geliebtes Leben auf diesen ‚Frieden' begleiten würde.

Erst Anfang Juni erreichte die Trauerbotschaft Westfalen. Werner von Droste hat seiner Mutter die Nachricht schonend übergeben, und doch war Therese so maßlos erschüttert und todtraurig, daß der so oft gefürchtete Schlaganfall sie wie einen an der Wurzel getroffenen Baum zu Boden warf. Zwar fand sie Gesundheit und Kräfte wieder, aber ihre Seele richtete sich nicht mehr auf.

Am 4. Juni 1848 schrieb sie aus dem vereinsamten Rüschhaus an Jenny:

‚Ach, liebste Jenny, wie schwer hat uns die Hand des Herrn getroffen! Ich kann Dir gar nicht sagen, wie tief betrübt ich bin und wie sehr ich Dich, Du armes Herz, und die lieben Herzenskinder bedaure. Auch der liebe Laßberg, des bin ich gewiß, nimmt den innigsten Anteil an unserm Schmerz. Ich möchte nun am liebsten gleich zu Dir eilen, denn Du und Dein Gram liegen mir beständig im Sinn.

Ich hätte es so gern gesehen, wenn Werner von Bonn aus gleich zu Dir gegangen wäre, aber er meinte, es würde Dir wohl ebenso lieb sein, wenn er mich zu Dir begleitete, und so habe ich mich drein ergeben und hoffe denn, so Mitte des folgenden Monats bei Dir zu sein. Zwar kann ich Dir Deinen großen Verlust nicht ersetzen und wie traurig wird unser Wiedersehen sein!

Ach, daß ich auch so viele Lieben überleben muß! Der liebe Gott behüte mich für ähnliche Verluste und gebe mir seine Gnade bei dieser schmerzlichen Prüfung! Denn glaube mir, liebstes Herz, dieser Schlag trifft mich sehr, sehr hart.

Laß mir nur recht bald wissen, liebstes Herzenskind, wie es Dir geht; wenn Du es nicht gut kannst, so kann ja Hildegard schreiben. Es ist mir nur darum zu tun, daß ich erfahre, wie es Euch geht ... Und so nehme der liebe Gott Euch alle in seinen Schutz und tröste Euch mit den Gaben des Heiligen Geistes, den er uns allen gnädigst senden wolle.

Behalte lieb Deine treue Mutter.'

Als Therese dann in Meersburg war, mußte sie Jenny, die ganz zusammengebrochen war, sehr beistehen, und auch ihr Schwiegersohn Laßberg brauchte Trost; er hatte gehofft, Nette würde seine Frau und die Kinder noch lange nicht verlassen, wenn er nun bald abgerufen würde, auch hatte er sie mehr geliebt und geachtet, als er es jemals gezeigt hatte.

Das Leben ging weiter. Annette von Drostes Tod wurde in der Öffentlichkeit wenig beachtet; die politischen Unruhen nahmen alles Interesse gefangen, auch hatte noch kein Zeitgenosse ihre wahre Bedeutung begriffen.

Laßberg schrieb zwar nach allen Seiten über Annettens Tod, aber es blieben doch nur wenige Menschen, die von dem Verlust erfuhren: Gustav Schwab, der es Uhland mitteilen sollte, der Fürstbischof von Diepenbrock, Jakob Grimm und einige Schweizer Freunde, der gute Zeerleder aus Bern, der bis vor kurzem in Meersburg geweilt hatte und Annettens Freund geworden war, die früheren Nachbarn aus der Eppishausener Zeit und Laßbergs lieber Freund, Johann Caspar Zellweger.

Der alte Ritter nannte seine Schwägerin in den Anzeigen mit den fast immer gleichen Worten: ‚die so liebenswürdige, an Geist, Kunst und Talent ausgezeichnete Schwester‘, aber dann war er ermüdet von den vielen Briefen und überließ seiner Frau und deren Mutter das Sichten von Annettens Nachlaß.

Da wurden zunächst viele, viele Briefe verbrannt, vor allem jedes Wort, das sich von Levin Schückings Hand vorfand. Wie durch ein Wunder entgingen nur wenige der Briefe – vielleicht, weil sie sich in Rüschhaus unter allerlei andern Papieren befanden – dem Flammentod.

Hildegard und Hildegund müssen zugesehen oder geholfen haben, denn in ihrem Alter haben Annettens Nichten, die unverheiratet erst 1910 und 1917 starben, ihren heute lebenden Nachkommen erzählt, daß ‚Waschkörbe voller Briefe und Papiere ihrer Tante‘ vernichtet wurden.

Werner von Droste hatte den Auftrag erhalten, alle Briefe Annettens von Levin Schücking zurückzuverlangen; er tat es, aber Levin weigerte sich, sie auszuliefern; um Therese von Droste zu beruhigen, versprach er, sie später zu verbrennen, damit sie nicht auf die Nachwelt kämen, aber Werner scheint Schücking gegenüber nicht auf diesem Zugeständnis an Theresens Angst vor den Leuten bestanden zu haben..

Jenny und ihre Mutter fanden auch viele musikalische Kompositionen vor, von denen niemand etwas gewußt, und dann das Manuskript zum ‚Geistlichen Jahr‘. Da waren Blätter, stark vergilbt und eingerissen, weniger alte und noch frische durcheinander geschoben. Man schickte das ganze Konvolut an Schlüter nach Münster.

Der gute sanfte Professor muß aufs neue bestürzt gewesen sein vor der Kraft, dem Mut, der Ehrlichkeit und der genialen Religiosität der Verfasserin. Da war kein Wort der Schwärmerei oder der unklaren Gefühle, aber eine Versenkung in Gott, ein Durchforschen der menschlichen Schwächen, wie sie wenigen der großen religiösen Gestalten eigen war.

Nach einigen Monaten schrieb Schlüter in größtem Erstaunen: ‚Ich habe sie nie wirklich gekannt.‘

Schlüter und Junkmann übergaben Cotta das Manuskript und besorgten mit ihm die Herausgabe. Aber erst 1851 erschien ‚Das Geistliche Jahr‘; es wurde mit Staunen und mit Erschütterung von der katholischen Welt aufgenommen, aber es blieb dennoch still um dieses einzelne wie um Annettens gesamtes Werk.

Das Vergessen sinkt über ihren Namen. Doch einer, der ihren hohen Wert kannte, war im Begriffe, ihr Leben zu beschreiben: das war Levin. Aber noch lebten ja Annettens Mutter, ihre Schwester, der uralte Laßberg; noch lebt auch Luise, Levins Frau, und solange diese vielen Augen feindselig oder kritisch auf sein Werk schauen, gibt er es nicht her.

Levin lebte mit seiner Frau und den Kindern seit 1852 auf dem Lande. Er hatte die Besitzung Sassenberg erworben, um sich hier seiner vielseitigen schriftstellerischen Tätigkeit hinzugeben. Levin Schücking war ein geistreicher, vielgelesener Schriftsteller, dessen Name auch als der eines unbestechlichen Kritikers in der Literatur wohl bekannt war.

Hier in Sassenberg schenkte Luise ihm noch ein Töchterchen;

ihre Kinder, ihr Gatte, der Garten, die herrliche Natur um sie her sind ihr Glück, aber sie kränkelt mehr und mehr, von Levin in Sorgen umhegt. Luise sieht noch den Beginn seines Werkes ‚Über die beste Freundin, die er je besessen‘, sicherlich ohne einen Gedanken des Grolls gegen Annette zu empfinden.

Ein Jahr, nachdem Levin sich in die Stille zurückgezogen hatte, erreichte ihn die Kunde, daß Annettens Mutter, Therese von Droste zu Hülshoff ihr langes Leben beendet hat; das ist 1853, fünf Jahre nach dem Tod ihrer Tochter. Der alte Laßberg lebt immer noch.

Das Jahr 1855 bringt Levin den Schlag, daß Luise, die er so sehr geliebt, erst neununddreißig Jahre alt, von ihm geht. Sie stirbt am 16. März, die ‚Veilchenblüte‘, wie Annette sie genannt, zu früh gewelkt. Einen Tag vorher, am 15. März 1855, war Jennys Gatte, Joseph von Laßberg, abgerufen worden, ein halbes Jahrhundert älter als Luise Schücking und eine bedeutende Persönlichkeit des romantischen Zeitalters.

Nun ist von denen, die sich einer Lebensbeschreibung Annettens aus Levins Feder widersetzen würden, nur noch Jenny auf der Erde. Aber vier Jahre später, 1859, verläßt auch sie, nur dreiundsechzig Jahre alt, dieses Leben.

Jetzt ist Levin allein mit Annettens Andenken; alle Schatten, die das Leben zwischen sie geschoben, verfliegen: seine Schuld, sich ihrer Überlegenheit nicht beugen zu wollen, ihre Schuld, den jungen Freund nach ihrem Willen zu modeln, diese Vergehen sinken in die Vergessenheit zurück. Levin sieht wieder das reine Glück einer seltenen Freundschaft, das der Himmel ihr und ihm geschenkt; noch liegen ihre Gedichte, die sie ihm gewidmet, unveröffentlicht in seiner Lade. Was stand nicht alles zwischen den Zeilen! In den Jahren, da er ihr zürnte und im Getriebe der Welt stand, da hatte er glauben wollen, sie habe sich an überschwenglichen Gefühlen erhoben, aber er hatte sich geirrt, denn da war das große Werk, das durch ihre Freundschaft entstanden war, und jenes Blatt – er bewahrte es wie ein heiliges Vermächtnis –, darauf Annette die Worte geschrieben, die nicht nur ihm, sondern der ganzen Welt galten:

All meine Rede und jegliches Wort
Und jeder Druck meiner Hände,
Und meiner Augen kosender Blick,
Und alles, was ich geschrieben:
Das ist kein Hauch und ist keine Luft
Und ist kein Zucken der Finger,
Das ist meines Herzens flammendes Blut,
Das dringt hervor durch tausend Tore.

Er hatte sich in jugendlicher Ahnungslosigkeit von den ‚tausend Toren‘ abgewandt, da war ihr das Herz gebrochen vor Gram über das Verlöschen der Zwillingsflamme, in deren Schein sie doch zur größten Dichterin geworden. Oh, möchte sie von den Sternen verzeihend mit ihm zurückschauen in die strahlenden Tage von Rüschhaus und Meersburg, die jetzt unter seiner Feder wiedererstanden, diese Tage, da sie sich gefunden und eine Welt erobert hatten, die hoch über dem Alltag schwebte. Möchte sie doch die Ehrfurcht spüren können, mit der seine Hand an den Eingang ihrer Lebensgeschichte die Worte Goethes, wie ein Opfer auf dem Altar ihrer Liebe, niederlegte:

Wo sind die Stunden hin,
Die um mein Haupt mit Blumenkränzen spielten,
Die Tage, da der Geist mit froher Sehnsucht
Des Himmels ausgespanntes Blau durchdrang?

Levin schreibt und schreibt in ungetrübter Harmonie mit der Vergangenheit; da fühlt er sich Annettens Geist versöhnt, jetzt, da er die Unverbrüchlichkeit ihrer Vereinigung, die Ewigkeit der höchsten Freundschaft in der liebevollen Beschreibung ihres Lebens vor aller Welt bezeugt.

ANHANG

QUELLENVERZEICHNIS

Anonym: Erinnerungen an Bernhard Zeerleder.

Arens, E. und Karl Schulte Kemminghausen: Droste-Bibliographie, Münster i.W. 1932.

Arens, E.: Annette von Droste-Hülshoff und ihre nächsten Verwandten. Mitteilungen der Gesellschaft für rheinisch-westfälische Familienkunde 1932.

Bahlmann, G.: Westfälische Spökenkieker. Münster i. W. 1898.

Baillie, J.: Plays on the passions.

Busse, C.: Annette von Droste-Hülshoff. Bielefeld 1903.

Deetjen, W.: Neues aus der Jugendzeit Annette von Droste-Hülshoff. Archiv für deutsche Studien 133.

Droste-Hülshoff, Annette von: Gesammelte Werke. Herausgegeben von R. Schneider. Vaduz 1948.

Droste-Hulshoff, Freiin Cäcilie von: Jenny Laßberg. Westermanns Monatshefte, 70, März 1931.

Droste-Hülshoff, Heinrich Freiherr von: Annette als Spökenkiekerin. Zeitschrift für Parapsychologie, 2, September 1927.

Droste-Hülshoff, Jenny: Tagebuchaufzeichnungen. Jahrbuch der Droste-Gesellschaft 1947.

Freiligrath, Ferd.: Das malerische und romantische Westfalen, 1839–1841.

Forst, Laura: Johanna Schopenhauer.

Gall, Luise von: Erwin, 1844. –: Gegen den Strom, 1857.

Galland, J.: Die Fürstin A. Gallitzin und ihre Freunde. Köln 1880.

Goecke, R.: Das Königreich Westfalen.

Hagemann, J.: Levin Schückings Jugendzeit und literarische Frühzeit.

Hartmann, J.: Geschichte der Provinz Westfalen.

Heselhaus, Cl.: Annette und Levin. Aschendorffsche Verlagsbuchhandlung. Münster-Westfalen 1948. Die Droste als Lyrikerin, Jahrbuch der Droste-Gesellschaft 1947. Regensberg-Münster. Das geistliche Jahr der Droste, Jahrbuch der Droste-Gesellschaft 1948–50.

Hüffer, H.: Annette von Droste-Hülshoff und ihre Werke, bearbeitet von H. Cardauns. Gotha 1911.

Kleinschmidt, A.: Das Königreich Westfalen.

Klocke, P.: Die Ahnentafel der Annette von Droste-Hülshoff. Westfälisches Familienarchiv. Jahrgang 1, 1921, Nr. 2.

Kraß, M.: Bilder aus Annette von Droste-Hülshoffs Leben und Dichtung. Annette von Droste-Hülshoff und ihre Amme.

481

Kreiten, W.: Annette von Droste-Hülshoff. Ein Charakterbild. Paderborn 1900.

Laßberg, Joseph Freiherr von: Briefwechsel mit J. J. Zellweger. Herausgegeben von Karl Ritter. Huber & Co., Frauenfeld.

Lyncke, C.: Geschichte der Insurrektion wider das Westfälische Gouvernement. Kassel 1857.

Mauthner, Fr.: Joseph von Laßberg. Das Bodenseebuch, 4, Konstanz 1917.

Muschler, R. C.: Briefe von Annette von Droste-Hülshoff und Levin Schücking. Leipzig 1928. –: Briefe von Levin Schücking und Luise von Gall. Leipzig 1928.

Nettesheim, Josephine: Annette von Droste-Hülshoff und die englische Frühromantik. Jahrbuch der Droste-Gesellschaft 1947. –: Die Droste und der Kölner Dombau. Jahrbuch der Droste-Gesellschaft 1948–50.

Philippi, F.: Geschichte Westfalens.

Pinthus, K.: Levin Schücking und Annette von Droste-Hülshoff. Zeitschrift für Bücherfreunde, N. F. 6, Heft 5/6, 1914. –: Briefe von Annette von Droste-Hülshoff an Elise Rüdiger. Deutsche Rundschau 1912.

Restle, W.: Annette und Levin auf Schloß Meersburg. Überlingen 1935. –: Gedenkrede auf Annette von Droste. Meersburg, 24. Mai 1948.

Rink, Wilh.: Annette von Droste-Hülshoff. Nürnberg 1948.

Ritter, C.: Briefwechsel Joseph von Laßberg.

Scheiwiler, O.: Annette von Droste-Hülshoff in der Schweiz. Einsiedeln 1926.

Schiffers, H.: Annette und der rheinische Dichter W. Smets. Jahrbuch der Droste-Gesellschaft 1948–50.

Schneider, Kurt: Der Dichter nach der Psychopathologie. Köln 1922.

Schneider, Reinhold: Dämonie und Verklärung. Vaduz 1938. –: Der Lebenskampf der Droste. Jahrbuch der Droste-Gesellschaft 1947.

Scholz, W. von: Annette von Droste-Hülshoff. Monatsschriften für neuere Literatur und Kunst 1897.

Schröder, Cornelius: Zur Textgestaltung des Geistlichen Jahres. Jahrbuch der Droste-Gesellschaft 1947. –: Die Briefe Chr. Bernh. Schlüters an Prof. Braun. Jahrbuch der Droste-Gesellschaft 1948–50. –: Das Geistliche Jahr der Annette von Droste-Hülshoff.

Schücking, Levin: Annette von Droste, ein Lebensbild. Hannover 1862. –: Gedichte. Stuttgart 1846. –: Lebenserinnerungen. Breslau 1886.

Schücking, Theo: Briefe von Annette von Droste-Hülshoff und Levin Schücking. Leipzig 1893.

Schücking, L. L.: Ferdinand Freiligrath und Levin Schücking. Deutsche Rundschau 1910, Heft 9.

Schulte Kemminghausen, Karl: Zum Liebesleben der Annette von Droste-Hülshoff. ‚Heimat‘, 8, 1926, Heft 4. –: Eine neuaufgefundene Volksliedsammlung. Zeitschrift des Vereins für rheinische und westfälische Volkskunde, 30, 1933, Heft 1/4. –: Neue Droste-Funde. ‚Westfalen‘, 17, 1932, Heft 5. –: Briefwechsel zwischen Jenny von Droste-Hülshoff und Wilhelm Grimm. Münster 1929. –: Die Briefe der Annette von Droste-Hülshoff. Gesamtausgabe. Jena 1944. –: Vom

Leiden und Sterben der Annette von Droste-Hülshoff. Jahrbuch der Droste-Gesellschaft 1948–50. –: Aus dem westfälischen Freundeskreise der Brüder Grimm: August von Haxthausen.

Schulte, P. Konrad: Noch eine Erinnerung an Annette von Droste-Hülshoff. Hochland, 4, April–September 1907.

Staiger, Emil: Annette von Droste-Hülshoff. Horgen 1933.

Strauß und Tornay, Lulu von: Biographie von August von Haxthausen.

Viëtor, Carl: Die Liebe der Droste. Zeitschrift für deutsche Bildung, 5, 1929, Heft 6.

Westkamp, A.: Herzog Christian von Braunschweig. Paderborn 1884.

Wiese, Benno von: Die Balladen der Droste. Jahrbuch der Droste-Gesellschaft 1947.

Wolf, Kurt: Tagebücher der Adele Schopenhauer.

NEUERSCHEINUNGEN UND NEUAUFLAGEN
SEIT 1950*

(Auswahlbibliographie)

1. Werkausgaben

Sämtliche Werke. Hg. v. C. Heselhaus. München 1952. Erw. Neuaufl. 1966.

Werke. Bearbeitet und gedeutet für die Gegenwart. Hg. v. I. E. Walter. Salzburg/ Stuttgart o. J. (1954).

Werke (Auswahl). Hg. v. R. Ibel. Hamburg 1959.

Werke (Auswahl). Hg. v. J. Stöcker. Bonn 1966.

---

* An Bibliographien und Forschungsberichten sind – außer dem oben im Quellenverzeichnis genannten Werk von Arens/Schulte Kemminghausen (1932) – erschienen:

– *Heselhaus, C.*, Droste-Bibliographie 1932–1948. In: Jahrbuch der Droste-Gesellschaft 2 (1948/ 50), S. 334–352 (auch als selbständiger Sonderdruck: Münster 1950).

– *Konrad, G.*, Annette von Droste-Hülshoff. Zur gegenwärtigen Forschungslage. In: Wirkendes Wort 4 (1953/54), S. 291–298.

– Neue Themen der Droste-Forschung. In: Jahrbuch der Droste-Gesellschaft 3 (1959), S. 173 bis 188.

– *Thiekötter, H.*, Annette von Droste-Hülshoff. Eine Auswahlbibliographie. (= Schriften der Droste-Gesellschaft. 16). Münster 1963, ²1968.

– *Häntzschel, G.*, Annette von Droste-Hülshoff (Forschungsreferat). In: Hermand, J. / Windfuhr, M. (Hg.), Zur Literatur der Restaurationsepoche 1815–1848. Forschungsreferate und Aufsätze. Festschrift F. Sengle. Stuttgart 1970, S. 151–201.

– *Theiss, W.*, Droste-Bibliographie 1949–1961. In: Jahrbuch der Droste-Gesellschaft 5 (1972), S. 147–244.

– *Heselhaus, C. / Theiss, W.*, Probleme der Droste-Forschung. In: Jahrbuch der Droste-Gesellschaft 5 (1972), S. 53–67.

– *Kortländer, B. / Woesler, W.*, Der Briefwechsel der Droste. Forschungsbericht 1944–1976. In: Beiträge zur Droste-Forschung 4 (1976/77), S. 176–188.

Ausführliche Bibliographien bringen u. a. die im Literaturverzeichnis angeführten Veröffentlichungen von

– *Berglar* (1967)

und

– *Schneider, Ron* (1977).

Die Neuerscheinungen verzeichnet laufend:

– *Eppelsheimer, H. W.* (Hg.), Bibliographie der deutschen Literaturwissenschaft. Frankfurt a. M. 1957 ff.

Zum literarischen Leben der Zeit vgl. besonders die Gesamtdarstellung:

– *Sengle, F.*, Biedermeierzeit. Deutsche Literatur im Spannungsfeld zwischen Restauration und Revolution 1815–1848. 2 Bde. (Bd. 3 folgt). Stuttgart 1971/72.

Werke (Auswahl). Hg. v. R. Walbiner. (= Bibliothek deutscher Klassiker.) Berlin/
Weimar 1969, ²1970.
Sämtliche Werke. 2 Bde. Hg. v. G. Weydt u. W. Woesler. München 1973/1978.
Werke (Auswahl). Hg. v. C. Heselhaus. München 1975.
Werke und Briefe. 2 Bde. Hg. v. M. Häckel. Leipzig 1976.

Lieder und Gesänge. Hg. v. G. Fellerer. (= Rüschhaus-Bücher. 5). Münster 1954.
Gedichte (Auswahl). Hg. v. C. Reinig. (= Fischer Bücherei. 1029). Frankfurt a. M.
1969.
Gedichte. Hg. v. W. Woesler. Münster 1978.
Das geistliche Jahr. Hg. v. C. Schröder. Münster 1939. Verb. Neuaufl. 1951.
Das geistliche Jahr. 2 Bde. Hg. v. K. Schulte Kemminghausen u. W. Woesler. Mün-
ster 1971.
Der Spiritus familiaris des Roßtäuschers. In der Handschrift der Dichterin. Hg. v.
C. Heselhaus. Mit einer Studie über die Entstehung, über die Bedeutung und über
den Stil. (= Schriften der Droste-Gesellschaft. 10). Münster 1957.
Ledwina und andere Erzählungen. Die nachgelassenen Prosadichtungen. Hg. v.
E. Jansen. Weimar 1966.
Der Familienschild. Eine Erzählung von Levin Schücking und Annette von Droste-
Hülshoff. Hg. v. K. Schulte Kemminghausen. (= Schriften der Droste-Gesell-
schaft. 13). Münster 1960.

2. Briefe, Bilddokumente

Briefe. Gesamtausgabe. 2 Bde. Hg. v. K. Schulte Kemminghausen. Jena 1944/50.
Unveränderter Nachdruck Darmstadt 1968.
Briefe. Hg. v. H. Amerlungk. Neuauflage. (= Die Bücher der Rose). Ebenhausen
1950.
Schlüter und die Droste. Dokumente einer Freundschaft. Briefe von Christoph
Bernhard Schlüter an und über Annette von Droste-Hülshoff. Hg. v. J. Nettes-
heim. Münster 1956.

Grauheer, J., Neue Droste-Briefe. Mit biographischen Skizzen der Adressaten Mo-
ritz, Karl und August von Haxthausen. In: Jahrbuch der Droste-Gesellschaft 3
(1959), S. 71–88.
Schiel, H., Ein unbekannter Droste-Brief an Elise Rüdiger im Nachlaß von Xaver
Kraus. In: Jahrbuch der Droste-Gesellschaft 3 (1959), S. 89–98.
Kortländer, B., Kritik der Droste an Dickens' ‚Oliver Twist'. Ein Brief an Luise von
Bornstedt vom 3. 5. 1839. In: Kleine Beiträge zur Droste-Forschung 1 (1971),
S. 16–24.
Goltschnigg, D., Ein unbekannter Droste-Brief. In: Kleine Beiträge zur Droste-For-
schung (1972/73), S. 89–92.
Kortländer, B., Zeitschriftenherausgeber an die Droste. Briefe aus der Autographen-

sammlung der Dichterin. In: Kleine Beiträge zur Droste-Forschung (1972/73), S. 100–118.

Kortländer, B., Droste-Brief an Jenny von Laßberg (August 1836). In: Kleine Beiträge zur Droste-Forschung 3 (1974/75), S. 124–132.

Jordan, L., Droste-Brief an Elise Rüdiger (Juni 1840). In: Kleine Beiträge zur Droste-Forschung 3 (1974/75), S. 133–144.

Plachta, B., Droste-Brief an Joseph Braun. August 1832, Entwurf. In: Beiträge zur Droste-Forschung 4 (1976/77), S. 189–198.

Huge, W., Brief an Elise Rüdiger. 17. 6. 1845. In: Beiträge zur Droste-Forschung 4 (1976/77), S. 199–207.

Schulte Kemminghausen, K., Annette von Droste-Hülshoff. Leben in Bildern. (= Westfälische Kunst). München/Berlin 1954 (Neubearbeitung der Ausgabe von 1939).

Walter, I. E. / Timmermann, E. / Schulte Kemminghausen, K., Droste. Bilder aus ihrem Leben. Stuttgart 1956.

3. Periodica

Heselhaus, C. (Hg.), Jahrbuch der Droste-Gesellschaft. Westfälische Blätter für Dichtung und Geistesgeschichte. (= Schriften der Droste-Gesellschaft). Münster 1 (1947) ff.

Woesler, W. (Hg.), Kleine Beiträge zur Droste-Forschung. Münster/Dülmen 1 (1971) ff.

4. Literatur

Accolti Gil Vitale, N., Der ‚Spiritus Familiaris des Rosstäuschers‘ der Annette von Droste-Hülshoff. In: Studi di letteratura religiosa tedesca. (= Biblioteca della Rivista di storia e letteratura religiosa. Studi e testi. 4). Firenze 1972, S. 471–500.

Allerdissen, R., ‚Judenbuche‘ und ‚Patriarch‘. Der Baum des Gerichts bei Annette von Droste-Hülshoff und Charles Sealsfield. In: Gillespie, G. / Lohner, E. (Hg.), Herkommen und Erneuerung. Tübingen 1976, S. 201–224.

Astaldi, M. L., Annette von Droste-Hülshoff e la sua triste storia. In: M.L.A., Amati libri. Letture tedesche e angloamericane. Vicenza 1976, S. 1–18.

Bergenthal, F., Das unerschütterliche Herz. Vom Gewissen und von der Gnade. Auslegung einer Droste-Ballade. (‚Der Tod des Erzbischofs Engelbert von Köln‘). In: Theologie und Glaube 43 (1953), S. 114–125.

Berglar, P., Annette von Droste-Hülshoff in Selbstzeugnissen und Bilddokumenten. (= Rowohlts Monographien. 130). Reinbek 1967.

Bernd, C. A., Enthüllen und verhüllen in Annette von Droste-Hülshoffs Judenbuche. In: Festschrift F. Beißner. Bebenhausen 1974, S. 20–37.

486

Berning, S., Sinnbildsprache. Zur Bildstruktur des Geistlichen Jahrs der Annette von Droste-Hülshoff. (= Studien zur deutschen Literatur. 41). Tübingen 1975.

Böschenstein-Schäfer, R., Die Struktur des Idyllischen im Werk der Annette von Droste-Hülshoff. In: Kleine Beiträge zur Droste-Forschung 3 (1974/75), S. 25–49.

Bohusch, O., Annette von Droste-Hülshoff. Die Vergeltung. In: Hirschenauer, R. / Weber, A. (Hg.), Wege zum Gedicht. Bd. 2. Interpretationen von Balladen. München/Zürich 1963, S. 299–308.

Bonati Richner, S., Der Feuermensch. Studien über das Verhältnis von Mensch und Landschaft in den erzählenden Werken der Annette von Droste-Hülshoff. (= Basler Studien zur deutschen Sprache und Literatur. 46). Bern 1972.

Bräutigam, K., Annette von Droste-Hülshoff: Der Knabe im Moor. In: K.B., Die deutsche Ballade. Frankfurt a. M. 1962, S. 72–77.

Brall, A., Vergangenheit und Vergänglichkeit. Zur Zeiterfahrung und Zeitdeutung im Werk Annettes von Droste-Hülshoff. (= Marburger Beiträge zur Germanistik. 50). Marburg 1975.

Brown, J. K., The Real Mystery in Droste-Hülshoff's ‚Die Judenbuche'. In: Modern Language Review 73 (1978), S. 835–846.

Buck, R., Der Fall Friedrich Mergel. Zur Behandlung der ‚Judenbuche' auf der Mittelstufe. In: Der Deutschunterricht 8 (1956), H. 3, S. 45–54.

Crichton, M. C., Heiterkeit und Schatten der Tragik. Gedanken zum Droste-Gedicht ‚Die Schenke am See'. In: Frank, L. T. / George, E. E. (Hg.), Husbanding the Golden Grain. Festschrift H. W. Nordmeyer. Ann Arbor, Mich. 1973, S. 46 bis 63.

Cusatelli, G., L'arcangelo e il drago. Itinerario ideologico di Annette von Droste-Hülshoff. Bologna 1971.

Cusatelli, G., Die Droste in Italien. In: Kleine Beiträge zur Droste-Forschung (1972/73), S. 25–45.

Dees, H., Annette von Droste-Hülshoffs Dichtung in England und Amerika. Diss. Tübingen 1966.

Deinert Trotta, C., Zum Wortschatz der Annette von Droste-Hülshoff. In: Annali. Istituto Universitario Orientale. Sezione Germanica (Napoli) 16 (1973), N. 2, S. 175–211.

Derks, P., Raabe und die Droste. In: Jahrbuch der Raabe-Gesellschaft (1975), S. 33 bis 41.

Dick, E. S., ‚Schlag, schlagen, erschlagen.' Zur Wort- und Begriffssymbolik der Judenbuche. In: Beckers, H. / Schwarz, H. (Hg.), Gedenkschrift f. J. Trier. Köln/Wien 1975, S. 261–285.

Eilers, E., Probleme religiöser Existenz im Geistlichen Jahr. Die Droste und Sören Kierkegaard. Werl 1953.

Favier, G., La tour d'Annette von Droste. In: Etudes Germaniques 22 (1967), S. 216–241.

Fellerer, K. G., Annette von Droste Hülshoff als Musikerin. In: Archiv für Musikwissenschaft 10 (1953), S. 41–59.

Fischer, M., Annette von Droste-Hülshoff. Am Turme. Das Spiegelbild. In: Hirschenauer, R. / Weber, A. (Hg.), Wege zum Gedicht. Bd. 1. München/Zürich 1956, S. 216–227.

Fischer, M., Gestalt und Sinn in der Lyrik der Annette von Droste-Hülshoff. Diss. Berlin 1957.

Flygt, S. G., ‚Durchwachte Nacht.‘ A Structural Analysis of Annette von Droste-Hülshoff's Poem. In: Journal of English and German Philology 55 (1956), S. 257 bis 274.

Freund, W., Der Mörder des Juden Aaron. (Zu ‚Die Judenbuche‘). In: Wirkendes Wort 19 (1969), S. 224–253.

Gössmann, W., Das Schuldproblem im Werk Annette von Droste-Hülshoffs. München 1956.

Gössmann, W., Geisterfahrung. Zum Pfingstsonntagsgedicht. In: Jahrbuch der Droste-Gesellschaft 4 (1962), S. 105–120.

Gössmann, W., Das Geistliche Jahr Annette von Droste-Hülshoffs. In: Hochland 55 (1962/63), S. 448—457.

Gössmann, W., Das politische Zeitbewußtsein der Droste. In: Jahrbuch der Droste-Gesellschaft 5 (1972), S. 102–122.

Gössmann, W., Konservativ oder liberal? Heine und die Droste. In: Heine-Jahrbuch 15 (1976), S. 115–139.

Guder, G., Annette von Droste-Hülshoff's Conception of Herself as Poet. In: German Life and Letters. NS 11 (1957/58), S. 13–24.

Haas, R., Die Gestaltung der Nacht in einem Gedicht der englischen Moderne und des deutschen Biedermeier. Eine vergleichende Studie zu T. S. Eliots ‚Rhapsody on a Windy Night‘ und Annette von Droste Hülshoffs ‚Durchwachte Nacht‘. In: R. H., Wege zur englischen Lyrik in Wissenschaft und Unterricht. Interpretationen. Heidelberg 1962, S. 160–173.

Häntzschel, G., Tradition und Originalität. Allegorische Darstellung im Werk Annette von Droste-Hülshoffs. (= Studien zur Poetik und Geschichte der Literatur. 9). Stuttgart/Berlin/Köln/Mainz 1968.

Hagelstange, R., Begegnung mit einem Gedicht der Droste. (‚Gethsemane‘). In: Jahrbuch der Droste-Gesellschaft 2 (1950), S. 23–26.

Hagelstange, R., Das Moderne bei der Droste. In: Jahrbuch der Droste-Gesellschaft 3 (1959), S. 35–48. Nachdruck in: R. H., Huldigung. Droste, Eichendorff, Schiller. (= Insel-Bücherei. 719). Wiesbaden 1960, S. 5–29.

Hagelstange, R., Annette von Droste-Hülshoff. (Gekürzter Nachdruck des Aufsatzes: Das Moderne bei der Droste). In: Petersen, J. (Hg.), Triffst du nur das Zauberwort. Stimmen von heute zur deutschen Lyrik. Frankfurt a. M./Berlin 1961, S. 106–116.

Haller, R., Eine Droste-Interpretation. (‚Das Spiegelbild‘). In: Germanisch-Romanische Monatsschrift 37 (1956), S. 253–261.

Hasenkamp, G., Das Bild der Droste in unserer Zeit. Eine Rede. In: Jahrbuch der Droste-Gesellschaft 3 (1959), S. 7–22.

Hasenkamp, G., Das verlorene Paradies der Tiere. Zu dem Gedicht ,Die ächzende Kreatur'. In: Jahrbuch der Droste-Gesellschaft 4 (1962), S. 18–30.

Hasenkamp, G., Droste-Gesellschaft. In: Jahrbuch für Internationale Germanistik 8 (1976), 1, S. 141–143.

Hauschild, R., Die Herkunft und Textgestaltung der hebräischen Inschrift in der ,Judenbuche'. In: Euphorion 46 (1952), S. 85–99.

Hausmann, M., ,Allein mit meinem Zauberwort.' Wesen und Werk von Annette Droste zu Hülshoff. In: Bodenseehefte 8 (1957), S. 366–372. Nachdruck in: M. H., Tröstliche Zeichen. Reden und Betrachtungen. (= Gesammelte Schriften). Frankfurt a. M. 1959, S. 173–182.

Henel, H., Annette von Droste-Hülshoff: Erzählstil und Wirklichkeit. In: Festschrift B. Blume. Göttingen 1967, S. 146–172.

Heselhaus, C., Der Distel mystische Rose. (Zu ,Locke nicht, du Strahl . . .'). In: Jahrbuch der Droste-Gesellschaft 2 (1948/50), S. 38–47.

Heselhaus, C., Annette Droste. Das Leben einer Dichterin. (= Rüschhaus-Bücher. 1). Münster 1951, ⁴1976.

Heselhaus, C., Annette von Droste-Hülshoff: ,Am letzten Tage des Jahres. Silvester', ,Das Spiegelbild', ,Mondesaufgang'. In: Wiese, B. v. (Hg.), Die deutsche Lyrik. Form und Geschichte. Interpretationen. Band 2. Düsseldorf 1956, S. 159 bis 181.

Heselhaus, C., Die Heidebilder der Droste. In: Jahrbuch der Droste-Gesellschaft 3 (1959), S. 145–172.

Heselhaus, C., Eine Drostesche Metapher für die Dichterexistenz. (Zu ,Im Grase'). In: Jahrbuch der Droste-Gesellschaft 4 (1962), S. 11–17.

Heselhaus, C., Die Zeitbilder der Droste. (,An die Weltverbesserer', ,Die Verbannten'). In: Jahrbuch der Droste-Gesellschaft 4 (1962), S. 79–104.

Heselhaus, C., Annette von Droste-Hülshoff. Werk und Leben. Düsseldorf 1971.

Heselhaus, C., Die Gedicht-Verzeichnisse für die Ausgabe von 1844. In: Jahrbuch der Droste-Gesellschaft 5 (1972), S. 53–67.

Heselhaus, C., Statt einer Wirkungsgeschichte. Die Aufnahme der postumen Werke der Droste. In: Jahrbuch der Droste-Gesellschaft 5 (1972), S. 123–140.

Hinck, W., Die deutsche Ballade von Bürger bis Brecht. Göttingen 1968 (bes. S. 70 bis 86).

Höllerer, W., Annette von Droste-Hülshoff. In: W. H., Zwischen Klassik und Moderne. Lachen und Weinen in der Dichtung einer Übergangszeit. Stuttgart 1958, S. 295–320.

Hoffmann, L., Studie zum Erzählstil der ,Judenbuche'. In: Jahrbuch der Droste-Gesellschaft 2 (1948/50), S. 137–147.

Hohoff, C., Die Prosa der Annette von Droste. In: Jahrbuch der Droste-Gesellschaft 2 (1948/50), S. 31–37.

Howard, U. E., The Mythical Trends in the Poetry of Emily Dickinson and Annette von Droste-Hülshoff. Diss. University of Illinois at Urbana-Champaign 1974.

Huber, R. J., Annette von Droste-Hülshoff als Briefschreiberin. Diss. Innsbruck 1955.

Huge, W., Bei uns zu Lande auf dem Lande. Studien zur Arbeitsweise der Droste am Beispiel eines unbekannten Entwurfes. In: Kleine Beiträge zur Droste-Forschung (1972/73), S. 119–138.

Huge, W., Die Prosa der Droste im Urteil des 19. Jahrhunderts. In: Kleine Beiträge zur Droste-Forschung 3 (1974/75), S. 50–77.

Huge, W., Annette von Droste Hülshoff, Die Judenbuche. Ein Sittengemälde aus dem gebirgigen Westfalen. Diss. Münster 1977.

Ibel, R., Droste-Hülshoff. In: R. I., Weltschau deutscher Dichter. Hamburg 1948, S. 267–339. Neuaufl. Frankfurt a. M. 1958, S. 152–200.

Isselstein, U. A., Individuelle Problematik und öffentliche Sendung im Geistlichen Jahr der Annette von Droste-Hülshoff. In: Studi di letteratura religiosa tedesca. (= Biblioteca della Rivista di storia e letteratura religiosa. Studi e testi. 4). Firenze 1972, S. 501–531.

Jehl, D., Le monde religieux et poétique d'Annette von Droste-Hülshoff. (= Germanica. 7). Paris 1965.

Jehl, D., Annette von Droste-Hülshoff à la lumière de Kafka. Etude sur ‚Des Arztes Vermächtnis‘ et ‚Ein Landarzt‘. In: Lepinoy, P. / Thieberger, R. (Hg.), Hommage à M. Marache. (= Publications de la Faculté des Lettres et des Sciences Humaines de Nice. 11). Paris 1972, S. 265–271.

Jordan, L., Droste-Rezeption und Katholizismus im Kulturkampf. In: Beiträge zur Droste-Forschung 4 (1976/77), S. 79–108.

Kansteiner, A., Der ‚Musiktheoretiker‘ Max von Droste-Hülshoff und seine Schülerin Annette. Ein Beitrag zur Grundlage des kompositorischen Schaffens der Dichterin. In: Kleine Beiträge zur Droste-Forschung 3 (1974/75), S. 107–123.

Kansteiner, A., ‚... wenn ich auch nichts herausdrechseln könnte, als einen Opernstoff‘. Zu den Libretti der Annette von Droste-Hülshoff. In: Beiträge zur Droste-Forschung 4 (1976/77), S. 67–78.

Kayser, W., Bild und Symbol bei der Droste. In: Westfalen 30 (1952), S. 208–218.

Kayser, W., Sprachform und Redeform in den ‚Heidebildern‘ der Annette von Droste-Hülshoff. In: Schillemeit, J. (Hg.), Interpretationen 1. Deutsche Lyrik von Weckherlin bis Benn. (= Fischer Bücherei. 695). Frankfurt a. M. 1965, S. 212–244 (Nachdruck eines Aufsatzes von 1936/40).

King, J. K., Conscience and Conviction in ‚Die Judenbuche‘. In: Monatshefte (Madison, Wisc.) 64 (1972), S. 349–355.

Klein, K., Die Glaubensanfechtung und ihre Überwindung. Die geistliche Not im ‚Geistlichen Jahr‘ der Droste. In: K. K., Der Glaube an der Wende zur Neuzeit. München 1962, S. 246–313.

Klein, K., Bemerkungen und Hinweise zur Interpretation der Frage nach dem religiösen Gewissensglauben der Droste in der Droste-Literatur. In: K. K., a. a. O., S. 313–346.

Köhler, L., Annette von Droste-Hülshoff. In: Wiese, B. v. (Hg.), Deutsche Dichter des 19. Jahrhunderts. Ihr Leben und Werk. Berlin 1969, S. 223–248.

Konrad, G., Dichtertum und Leid bei Annette von Droste-Hülshoff und Adalbert Stifter. In: Wirkendes Wort 2 (1951/52), S. 34–45. Nachdruck in: Wirkendes Wort. Sammelband 3 (1962), S. 365–376.

Koopmann, H., Annette von Droste-Hülshoff und ihr Leser. In: Text & Kontext 6 (1978), H. 1/2, S. 167–186.

Kortländer, B. / Marquardt, A., Poetische Kontaktstellen. Die Anregungen Ch. B. Schlüters zu Gedichten der Droste. In: Beiträge zur Droste-Forschung 4 (1976/77), S. 22–52.

Kunisch, H., Annette von Droste-Hülshoff. Der Knabe im Moor. In: Hirschenauer, R. / Weber, A. (Hg.), Wege zum Gedicht. Bd. 2. Interpretationen von Balladen. München/Zürich 1963, S. 309–345. Nachdruck in: H. K., Kleine Schriften. Berlin 1968, S. 303–337.

Kurz, W., Formen der Versepik in der Biedermeierzeit. Diss. Tübingen 1955.

Le Fort, G. v., Annette von Droste-Hülshoff. In: Heimpel, H. / Heuss, T. / Reifenberg, B. (Hg.), Die großen Deutschen. Bd. 3. Berlin 1956, S. 232–244.

Lotze, I., Annette von Droste-Hülshoffs Epos ,Das Vermächtnis des Arztes'. Eine mystische Interpretation. In: German Quarterly 46 (1973), S. 345–367.

Mare, M., Annette von Droste-Hülshoff. With Translations by U. Prideaux. London 1965.

Marquardt, A., ,Das Wort' und der Brief der Droste an Melchior von Diepenbrock (Mai 1845). In: Beiträge zur Droste-Forschung 4 (1976/77), S. 53–66.

Matsunami, M., Über Drostes Jugendkatastrophe. (Japan.) In: Jahresberichte des germanistischen Instituts von Kwanseigakuin Univ. (Nishinomiya/Japan) 16 (1974), S. 1–15.

McClain, W. H., Annette von Droste-Hülshoff's ,Judenbuche'. A Study in Realism. In: Modern Language Forum 36/39 (1951/54), S. 126–132.

McGlathery, J. M., Fear of Perdition in Droste-Hülshoff's Judenbuche. In: Lebendige Form (1970), S. 229–244.

Mieder, W., Das Sprichwort in den Prosawerken Annette von Droste-Hülshoffs. In: Rheinisches Jahrbuch für Volkskunde 21 (1973), S. 329–346.

Mohrhenn, A., Der Januskopf der Droste. In: A. M., Lebendige Dichtung. Betrachtungen zur Literatur. (= Veröffentlichungen der Deutschen Akademie für Sprache und Dichtung, Darmstadt. 9). Darmstadt 1956, S. 7–29 (Nachdruck eines Zs.-Aufsatzes von 1941).

Muschg, W., Die Seherin Annette von Droste. In: W. M., Studien zur tragischen Literaturgeschichte. Bern/München 1965, S. 145–179.

Naito, M., Der Zeitraum für den Tod. Studien zu Annette von Droste-Hülshoff. In: Doitsu Bungaku. Die deutsche Literatur (Tokyo) 44 (1970), S. 30–37.

Nettesheim, J., Wissen und Dichtung in der ersten Hälfte des 19. Jahrhunderts am

Beispiel der geistigen Welt Annettes von Droste-Hülshoff. In: Deutsche Viertel-jahrsschrift für Literaturwissenschaft und Geistesgeschichte 32 (1958), S. 516–553.

Nettesheim, J., Die geistige Welt Christoph Bernhard Schlüters und seines Kreises im ‚Geistlichen Jahr‘ Annettes von Droste-Hülshoff. In: Literaturwissenschaftliches Jahrbuch. NF 1 (1960), S. 149–184.

Nettesheim, J., Amor amicitiae. Spiegelung und Einssein der Freunde in den Gedichten der Droste an Levin Schücking. In: Jahrbuch der Droste-Gesellschaft 4 (1962), S. 31–52.

Nettesheim, J., Wilhelm Junkmann und Annette von Droste-Hülshoff. Nach den Briefen der Droste und neuen Quellen. (= Schriften der Droste-Gesellschaft. 17). Münster 1964.

Nettesheim, J., Die geistige Welt der Dichterin Annette Droste zu Hülshoff. Münster 1967.

Nettesheim, J., Kriminelles, Kriminalistisches und Okkultes in der Dichtung der Droste und Edgar Allan Poes. In: Jahrbuch des Wiener Goethe-Vereins 74 (1970), S. 136–146.

Nettesheim, J., Annette Droste zu Hülshoff. Naturwissenschaftliches Lexikon. Lyrik und Epik. Münster 1973.

Nigg, W., Annette von Droste-Hülshoff. 1797–1848. In: W. N., Wallfahrt zur Dichtung. Zürich/Stuttgart 1966, S. 17–108.

Nigg, W., Glanz der ewigen Schönheit. Annette von Droste-Hülshoff. 1797–1848. Zürich/Stuttgart 1968.

Oberembt, G., Schülerlektüre und frühe Droste-Rezeption. Ein Beitrag zur literarischen Sozialisation im 19. Jahrhundert. In: Beiträge zur Droste-Forschung 4 (1976/77), S. 109–128.

Oeke, W., Die Örtlichkeiten in der ‚Judenbuche‘ der Annette von Droste-Hülshoff, zugleich eine Flurnamensammlung aus dem Kreise Höxter. In: Die Warte 13 (1952), S. 68 f.

Oppermann, G., Die Narbe des Friedrich Mergel. Zur Aufklärung eines Motivs in Annette von Droste-Hülshoffs ‚Die Judenbuche‘. In: Deutsche Vierteljahrsschrift für Literaturwissenschaft und Geistesgeschichte 50 (1976), S. 449–464.

Pfeiffer, J., Annette von Droste-Hülshoff. (Zum ‚Geistlichen Jahr‘). In: J. P., Dichtkunst und Kirchenlied. Über das geistliche Lied im Zeitalter der Säkularisation. Hamburg 1961, S. 106–119.

Pieper, P., Zu einem neuentdeckten Jugendgedicht Annettes. In: Jahrbuch der Droste-Gesellschaft 5 (1972), S. 44–52.

Pongs, H., Annette von Droste-Hülshoff: Der Knabe im Moor. In: H. P., Das Bild in der Dichtung. Bd. 3. Marburg 1969, S. 130–134.

Prawer, S. S., Annette von Droste-Hülshoff, Mondesaufgang. In: S. S. P., German Lyric Poetry. London 1952, S. 161–167.

Preisendanz, W., ‚… und jede Lust, so Schauer nur gewähren mag.‘ Die Poesie der Wahrnehmung in der Dichtung Annette von Droste-Hülshoffs. In: Beiträge zur Droste-Forschung 4 (1976/77), S. 9–21.

Rölleke, H., Erzähltes Mysterium. Studie zur Judenbuche der Annette von Droste-Hülshoff. In: Deutsche Vierteljahrsschrift für Literaturwissenschaft und Geistesgeschichte 42 (1968), S. 399–426.

Rölleke, H., Annette von Droste-Hülshoff: Die Judenbuche. (= Commentatio. 1). Bad Homburg v. d. H./Berlin/Zürich 1970.

Rölleke, H., Miszelle zur ‚Judenbuche'. In: Kleine Beiträge zur Droste-Forschung (1972/73), S. 139 f.

Rölleke, H., Kann man die Wesen gewöhnlich aus dem Namen lesen? Zur Bedeutung der Namen in der Judenbuche. In: Euphorion 70 (1976), S. 409–414.

Rösener, R., Das Verhältnis von Rhythmus und Metrum in den Gedichten der Droste. Diss. Münster 1959.

Rösener, R., Vom Rhythmus in Droste-Gedichten. (Zu ‚Am dritten Sonntag nach Ostern', ‚Das Hirtenfeuer'). In: Jahrbuch der Droste-Gesellschaft 4 (1962), S. 121 bis 140.

Rotermund, E., Die Dichtergedichte der Droste. (‚Am zweiten Sonntag nach Pfingsten', ‚Mein Beruf', ‚Poesie', ‚Der Dichter – Dichters Glück'). In: Jahrbuch der Droste-Gesellschaft 4 (1962), S. 53–78.

Rudolph, M. C., Annette von Droste-Hülshoff und Emily Brontë. Diss. Freiburg i. Br. 1966.

Schäublin, P., Annette von Droste-Hülshoffs Gedicht ‚Im Grase'. In: Sprachkunst 4 (1973), S. 29–52.

Schepper, E., Über die Sprache in den lyrischen Gedichten und den Balladen der Annette von Droste-Hülshoff. In: Der Deutschunterricht 1950, Heft 3, S. 33 bis 44.

Schlaffer, H., Lyrik im Realismus. Studien über Raum und Zeit in den Gedichten Mörikes, der Droste und Liliencrons. (= Abhandlungen zur Kunst-, Musik- und Literaturwissenschaft. 38). Bonn 1966.

Schlegelmilch, W., ‚Entsagung'. Zu einem späten Gedicht der Droste. In: German Life and Letters. NS 11 (1957/58), S. 112–116.

Schnarr, C. / Sudhof, S., Die Epenauszüge von 1834. In: Jahrbuch der Droste-Gesellschaft 5 (1972), S. 11–43.

Schneider, Reinh., Erworbenes Erbe. Zum Gedächtnis der Droste. In: R. S., Über Dichter und Dichtung. Köln/Olten 1953, S. 287–302 (Nachdruck einer Schrift von 1948)

Schneider, Ron., Realismus und Restauration. Untersuchungen zur Poetik und epischem Werk der Annette von Droste-Hülshoff. Kronberg 1976.

Schneider, Ron., Annette von Droste-Hülshoff. (= Sammlung Metzler. 153). Stuttgart 1977.

Schneider, W., Annette von Droste-Hülshoff: ‚Mondesaufgang'. In: W. S., Liebe zum deutschen Gedicht. Freiburg i. Br. 1952, S. 153–162.

Schröder, R. A., Annette von Droste-Hülshoff. In: R. A. S., Die Aufsätze und Reden. Bd. 1 (= Gesammelte Werke. Bd. 2). Berlin/Frankfurt a. M. 1952, S. 736–755 (Nachdruck eines Zs.-Aufsatzes von 1948/49).

Schücking, L., Annette von Droste. Ein Lebensbild. Hg. v. L. L. Schücking. Stuttgart ⁴1964.

Schücking, L., Fünf Droste-Rezensionen 1838–1860. In: Jahrbuch der Droste-Gesellschaft 5 (1972), S. 72–101.

Schulte Kemminghausen, K., Annette im Rüschhaus. (= Rüschhaus-Bücher. 2). Münster 1951, ⁵1977.

Schulte Kemminghausen, K., Am Zwinger zeichnet die Mylady. Annette als Zeichnerin. (= Rüschhaus-Bücher. 4). Münster 1953.

Schulte Kemminghausen, K., Heinrich Straube. Ein Freund der Droste. Eine Studie. (= Schriften der Droste-Gesellschaft. 11). Münster 1958.

Schulte Kemminghausen, K., Annette von Droste-Hülshoff und die nordische Literatur. Gleichzeitig ein Beitrag zu dem Thema ‚Die Droste als Komponistin‘. In: Seiffert, H. W. (Hg.), Festschrift L. Magon. (= Deutsche Akademie der Wissenschaften zu Berlin. Veröffentlichungen des Instituts für deutsche Sprache und Literatur. 11). Berlin 1958, S. 329–339.

Schulte Kemminghausen, K., Die Droste und Freckenhorst. In: Jahrbuch der Droste-Gesellschaft 3 (1959), S. 137–144.

Schulte Kemminghausen, K., ‚Perdu‘, das Lustspiel der Droste. In: Auf roter Erde (1961), Nr. 33, S. 2 f.

Schulz, E. W., ‚Gemüt‘. Über ein Gedicht der Droste. In: E. W. S., Wort und Zeit. Aufsätze und Vorträge zur Literaturgeschichte. (= Kieler Studien zur deutschen Literaturgeschichte. 6). Neumünster 1968, S. 49–59.

Sengle, F., Zum geschichtlichen Ort Annette von Droste-Hülshoffs. In: Frühwald, W. / Niggl, G. (Hg.), Sprache und Bekenntnis. Festschrift H. Kunisch. (= Literaturwissenschaftliches Jahrbuch. Sonderband). Berlin 1971, S. 235–247.

Sengle, F., Annette von Droste-Hülshoff und Mörike. Zeitgenossenschaft und Individualität der Dichter. In: Kl. Beitr. z. Droste-Forschung 3 (1974/75), S. 9–24.

Silz, W., Annette von Droste-Hülshoff, ‚Die Judenbuche‘. In: W. S., Realism and Reality. Studies in the German Novelle of Poetic Realism. (= University of North Carolina. Studies in the Germanic Languages and Literatures. 11). Chapel Hill 1954, S. 36–51. ²1962.

Silz, W., Annette von Droste-Hülshoff: ‚Der Tod des Erzbischofs Engelbert von Köln‘. In: Monatshefte für den deutschen Unterricht 55 (1963), S. 216–224.

Staiger, E., Annette von Droste-Hülshoff. (= Wege zur Dichtung. 14). Horgen-Zürich/Leipzig 1933. Neuaufl. Frauenfeld 1962.

Staiger, E., Annette von Droste-Hülshoff. Festrede. In: Jahrbuch der Droste-Gesellschaft 2 (1948/50), S. 51–62.

Steinbüchel, T., Annette von Droste-Hülshoff nach hundert Jahren. Frankfurt a. M. 1950.

Sutter, C., A Note on the Droste-Image and ‚Das Spiegelbild‘. In: The German Quarterly 40 (1967), S. 623–629.

Techechte, M., Konstitution und Krankheitsschicksal in ihrer Bedeutung für Leben und Werk der Annette von Droste-Hülshoff. Diss. Düsseldorf 1951.

Techechte, M., Das Krankheitsschicksal der Annette von Droste-Hülshoff. In: Jahrbuch der Droste-Gesellschaft 3 (1959), S. 129–136.

Thomas, L. H. C., ‚Die Judenbuche‘ by Annette von Droste-Hülshoff. In: Modern Language Review 54 (1959), S. 56–65.

Timmermann, E., Annette von Droste-Hülshoffs Kenntnis der ausländischen Literatur, dargestellt auf Grund ihrer Briefe und ihres handschriftlichen Nachlasses. Diss. Münster 1954.

Vernekohl, W., Der Dichterin Lebenskampf. Annette von Droste-Hülshoff. In: W. V., Begegnungen. Kleine Porträts. Münster 1959, S. 119–137.

Wallenhorst, J., Die Augenbeschwerden der Annette von Droste-Hülshoff und ihre Auswirkungen auf Psyche und Schaffen der Dichterin. Diss. Münster 1950.

Weber, B. N., Droste’s Judenbuche. Westphalia in International Context. In: Germanic Review 50 (1975), S. 203–212.

Weber, K., Ein dichterischer Nachruf der Droste. (‚Katharine Schücking‘). In: Jahrbuch der Droste-Gesellschaft 4 (1962), S. 140–144.

Weber, R., Westfälisches Volkstum in Leben und Werk der Dichterin Annette von Droste-Hülshoff. (= Schriften der Volkskundlichen Kommission des Landschaftsverbandes Westfalen – Lippe. 17). Münster 1966.

Wiese, B. v., Die Balladen der Annette von Droste. In: Jahrbuch der Droste-Gesellschaft 1 (1947), S. 26–50. Nachdruck in B. v. W., Der Mensch in der Dichtung. Studien zur deutschen und europäischen Literatur. Düsseldorf 1958, S. 221–245.

Wiese, B. v., Annette von Droste-Hülshoffs ‚Judenbuche‘ als Novelle. Eine Interpretation. In: B. v. W. / Borck, K. H. (Hg.), Festschrift J. Trier. Meisenheim, Glan 1954, S. 297–317. Nachdruck in: B. v. W. (Hg.), Die deutsche Novelle von Goethe bis Kafka. Interpretationen. Bd. 1. Düsseldorf 1956, S. 154–175.

Winkler, W., Metapher und Vergleich im Schaffen der Annette von Droste-Hülshoff. Winterthur 1954.

Woesler, W., Probleme der Editionstechnik. Überlegungen anläßlich der neuen kritischen Ausgabe des ‚Geistlichen Jahres‘ der Annette von Droste-Hülshoff. Münster 1967.

Woesler, W., Th. Fontane über Annette von Droste-Hülshoff. In: Westfalen 47 (1969), S. 206–209.

Woesler, W., Religion und dichterisches Selbstverständnis im ‚Geistlichen Jahr‘ der Annette von Droste-Hülshoff. In: Westfalen 49 (1971), S. 165–181.

Woesler, W., ‚Das öde Haus‘. Anmerkungen zur Textgestaltung. In: Jahrbuch der Droste-Gesellschaft 5 (1972), S. 68–71.

Woesler, W., ‚Westphälische Schilderungen aus einer westphälischen Feder.‘ Vorarbeiten für eine kritische Ausgabe. In: Kleine Beiträge zur Droste-Forschung (1972/73), S. 72–88.

Woesler, W., Droste-Handschriften in Cologny. In: Kleine Beiträge zur Droste-Forschung (1972/73), S. 93–99.

Woesler, W., Droste-Rezeption im 19. Jahrhundert. In: Forster, L. / Roloff, H.-G. (Hg.), Akten des V. Internationalen Germanisten-Kongresses. (= Jahrbuch für

Internationale Germanistik. Kongreßberichte. Bd. 2. H. 1–4). Frankfurt a. M./ München 1976, 4, S. 94–103.

Woyte, O., Erläuterungen zu Annette von Droste-Hülshoffs ‚Die Judenbuche'. Neuauflage. (= Königs Erläuterungen. 216). Hollfeld, Ofr. 1974.

Zimmermann, I., Lesartenstudie zur ‚Durchwachten Nacht'. In: Jahrbuch der Droste-Gesellschaft 2 (1948/50), S. 323–326.

Zingg-Zollinger, R., Annette von Drostes Spiritus familiaris des Roßtäuschers. Diss. Zürich 1950.

1797	*10. Januar: Anna Elisabeth (Annette) auf Schloß Hülshoff bei Münster in Westfalen als zweites Kind des Reichsfreiherrn Clemens August II. von Droste zu Hülshoff und seiner zweiten Frau Therese von Haxthausen geboren. Marie Kathrin Plettendorf wird ihre Amme.*

Januar/Februar: Siege Napoleons bei Rivoli und Mantua.

31. Januar: Franz Schubert geboren.

4. Oktober: Jeremias Gotthelf (Albert Bitzius) geboren.

17. Oktober: Friede von Campoformio zwischen Frankreich und Österreich. Belgien (die österreichischen Niederlande), die Lombardei und das linke Rheinufer gehen an Frankreich; Österreich erhält Venedig.

16. November: Friedrich Wilhelm II. von Preußen gestorben. Sein Sohn Friedrich Wilhelm III. folgt auf den Thron.

13. Dezember: Heinrich (Harry) Heine in Düsseldorf geboren.

Goethe: ‚Hermann und Dorothea‘.

Goethe/Schiller: ‚Xenien‘.

Jean Paul: ‚Siebenkäs‘ (1796/97).

Wackenroder: ‚Herzensergießungen eines kunstliebenden Klosterbruders‘ (1796/97).

Schelling: ‚Ideen zu einer Philosophie der Natur‘.

1797–1799 Kongreß zu Rastatt.

1797–1799 Hölderlin: ‚Hyperion‘.

1798/99 Ägypten-Feldzug Napoleons.

1798 *Annettes Bruder Werner geboren.*

13. Februar: Wilhelm Heinrich Wackenroder gestorben.

Schiller: ‚Wallenstein‘ (1798/99).

Tieck: ‚Franz Sternbalds Wanderungen‘.

1799–1802 Zweiter Koalitionskrieg gegen Frankreich.

1799 24. Februar: Georg Christoph Lichtenberg gestorben.

20. Mai: Honoré Balzac geboren.

9. November: Staatsstreich Napoleons.

4. Dezember: Napoleon wird Erster Konsul auf zehn Jahre.
Friedrich Schlegel: ‚Lucinde‘.
Schleiermacher: ‚Über die Religion. Reden an die Gebildeten unter ihren Verächtern‘.

1800 *Annettes Bruder Ferdinand geboren.*
5. Mai: Napoleon beginnt seinen zweiten Italien-Feldzug.
14. Juni: Schlacht bei Marengo. Sieg Napoleons über die Österreicher.
3. Dezember: Österreichische Niederlage bei Hohenlinden.
Schiller: ‚Maria Stuart‘.
Novalis: ‚Hymnen an die Nacht‘.

1801 9. Februar: Friede von Lunéville zwischen Frankreich und Österreich. Bestätigung der Vertragsbedingungen von Campoformio (1797). Frankreich behält das linke Rheinufer.
23. März: Zar Paul I. ermordet. Alexander I. wird sein Nachfolger.
25. März: Novalis (Friedrich von Hardenberg) in Weißenfels gestorben.
7. Dezember: Johann Nestroy geboren.
11. Dezember: Christian Dietrich Grabbe in Detmold geboren.
Schiller: ‚Die Jungfrau von Orleans‘.

1802 26. Februar: Victor Hugo geboren.
25./27. März: Friede von Amiens zwischen Frankreich und England.
2. August: Napoleon wird Konsul auf Lebenszeit.
13. August: Nikolaus Lenau in Ungarn geboren.
29. November: Wilhelm Hauff in Stuttgart geboren.
Novalis: ‚Heinrich von Ofterdingen‘.

1803 25. Februar: Der ‚Reichsdeputationshauptschluß‘ zu Regensburg bringt das Ende des alten deutschen Reiches.
14. März: Friedrich Gottlieb Klopstock gestorben.
13. September: Arnold Ruge geboren.
18. Dezember: Johann Gottfried von Herder in Weimar gestorben.
Schiller: ‚Die Braut von Messina‘.
Jean Paul: ‚Titan‘.
Hebel: ‚Alemannische Gedichte‘.

1804 *Annette von Droste-Hülshoff schreibt ihr erstes Gedicht.*
12. Februar: Immanuel Kant gestorben.

9. März: Franzosen dringen in Baden ein und verhaften widerrechtlich den Herzog von Enghien.

21. März: Hinrichtung des Herzogs.

8. September: Eduard Mörike in Ludwigsburg geboren.

2. Dezember: Kaiserkrönung Napoleons.

Schiller: ‚Wilhelm Tell‘.

Jean Paul: ‚Flegeljahre‘ (1804/05).

Klingemann: ‚Nachtwachen von Bonaventura‘.

Schelling: ‚Philosophie und Religion‘.

1805   *Erster erhaltener Brief Annettes.*

Dritter Krieg der Koalition England–Österreich–Rußland gegen Frankreich.

9. Mai: Friedrich von Schiller in Weimar gestorben.

21. Oktober: Admiral Nelson siegt bei Trafalgar über die französisch-spanische Flotte und fällt im Gefecht.

23. Oktober: Adalbert Stifter in Oberplan/Böhmen geboren.

2. Dezember: ‚Dreikaiserschlacht‘ bei Austerlitz. Napoleon besiegt die russischen und österreichischen Truppen.

15. Dezember: Vertrag von Schönbrunn (Schutzbündnis) zwischen Preußen und Frankreich.

26. Dezember: Friede von Preßburg. Gebietsverluste für Österreich. Bayern und Württemberg werden Königreiche.

1806–1808   Achim von Arnim / Clemens Brentano: ‚Des Knaben Wunderhorn‘.

1806/07   Vierter Koalitionskrieg gegen Frankreich.

1806   *Annette und ihre Schwester Maria Anna (Jenny) in Bökendorf bei ihrer Stiefgroßmutter Anna Maria Freifrau von Haxthausen, die auf Annette großen religiösen Einfluß ausübt.*

12. Juli: ‚Rheinbund‘ unter französischer Führung gegründet.

6. August: Franz II., seit 1804 als Franz I. Kaiser von Österreich, dankt als römisch-deutscher Kaiser ab. Ende des ‚Heiligen Römischen Reiches Deutscher Nation‘.

18. September: Heinrich Laube geboren.

14. Oktober: Schlacht von Jena und Auerstedt. Frankreich siegt über die preußischen und russischen Armeen.

November: Kontinentalsperre gegen England (bis 1813).

Napoleons Bruder Joseph Bonaparte wird König von Neapel (bis 1808).

1807   7./9. Juli: Friede von Tilsit zwischen Frankreich einerseits, Rußland und Preußen andererseits. Das Königreich Westfalen und das Großherzogtum Warschau entstehen, Danzig wird Freie Stadt, Rußland erhält ostpreußische Gebiete.

Jérôme Bonaparte westfälischer König.

Kleist: ‚Amphitryon‘.

Fichte: ‚Reden an die deutsche Nation‘ (1807/08).

Hegel: ‚Phänomenologie des Geistes‘.

1808–1814   Krieg Napoleons gegen Spanien und Portugal.

1808   27. Januar: David Friedrich Strauß geboren.

19. September: Theodor Mundt geboren.

27. September–14. Oktober: Fürstentag zu Erfurt.

Joseph Bonaparte wird König von Spanien (bis 1813).

Friedrich Arnold Brockhaus begründet sein Konversationslexikon.

Goethe: ‚Faust. 1. Teil‘.

Kleist: ‚Der zerbrochene Krug‘; ‚Das Käthchen von Heilbronn‘; ‚Penthesilea‘.

Alexander von Humboldt: ‚Ansichten der Natur‘.

Beethoven: 5. und 6. Sinfonie.

1809   *Kaplan Bernhard Wenzelo auf Hülshoff.*

Redakteur Raßmann wünscht Annettes Mitarbeit am ‚Poetischen Taschenbuch auf das Jahr 1810‘. Die Bitte wird von der Mutter abgelehnt.

Krieg Österreichs gegen Frankreich (Fünfter Koalitionskrieg).

Tiroler Aufstand unter Andreas Hofer.

3. Februar: Felix Mendelssohn-Bartholdy geboren.

21./22. Mai: Niederlage Napoleons in der Schlacht von Aspern (Eßling).

31. Mai: Joseph Haydn gestorben.

Juni: Frankreich annektiert den Kirchenstaat.

5./6. Juli: Schlacht bei Wagram. Napoleon besiegt die österreichischen Truppen.

14. Oktober: Friede von Schönbrunn zwischen Österreich und Frankreich. Österreich muß Gebiete abtreten.

Mißglückte Erhebung gegen die französische Herrschaft in Westfalen.

Goethe: ‚Die Wahlverwandtschaften‘.

Schelling: ‚Philosophische Untersuchungen über das Wesen der menschlichen Freiheit‘.

Beethoven: Klavierkonzert Nr. 5.

um 1810   *Beginn der Arbeit am ‚Geistlichen Jahr‘.*

1810	20. Februar: Andreas Hofer in Mantua hingerichtet.

1810   20. Februar: Andreas Hofer in Mantua hingerichtet.
          1. März: Frédéric Chopin geboren.
          27. März: Kaiser Napoleon heiratet Marie-Louise, die Tochter
          des österreichischen Kaisers Franz I.
          8. Juni: Robert Schumann in Zwickau geboren.
          17. Juni: Ferdinand Freiligrath geboren.
          2. Dezember: Philipp Otto Runge in Hamburg gestorben.
          Gründung der Berliner Universität.
          Ein Großteil des hannoverschen Gebiets kommt zum König-
          reich Westfalen, Holland und Nordwestdeutschland werden
          Frankreich zugeschlagen.
          Werner: ‚Der vierundzwanzigste Februar'.
1811–1831 Goethe: ‚Dichtung und Wahrheit'.
1811   17. März: Karl Ferdinand Gutzkow in Berlin geboren.
          20. März: Der ‚König von Rom' (seit 1818 Herzog von Reich-
          stadt), Sohn Napoleons und Marie-Louises, geboren.
          21. November: Heinrich von Kleist nimmt sich das Leben.
          Hebel: ‚Schatzkästlein des rheinischen Hausfreundes'.
          Motte Fouqué: ‚Undine'.
1812–1822 Jacob und Wilhelm Grimm: ‚Kinder- und Hausmärchen'.
1812–1816 Tieck: ‚Phantasus'.
1812   *Januar: Annette lernt Professor Anton Matthias Sprickmann*
          kennen.
          Frühjahr: Massenrekrutierungen in Westfalen verursachen Un-
          ruhe unter der Bevölkerung. Die geheime Bewegung ‚Der Tu-
          gendbund' entsteht. Annettes Onkel Werner von Haxthausen
          arbeitet als Verbindungsmann.
          24. Februar: Bündnis Frankreich-Preußen.
          14. März: Französisch-österreichische Allianz.
          24. Juni: Napoleons Rußland-Feldzug beginnt.
          15.–20. September: Brand von Moskau.
          Oktober/November: Rückzug der ‚Großen Armee'.
          30. Dezember: Der preußische General Yorck schließt Waffen-
          stillstand mit Rußland (‚Konvention von Tauroggen').
          Achim von Arnim: ‚Isabella von Ägypten'.
          Beethoven: 7. und 8. Sinfonie.
1813/14   Deutsche Befreiungskriege.
1813   *Dramenfragment ‚Berta'.*
          Annette befreundet sich mit Katharina Busch.
          20. Januar: Christoph Martin Wieland gestorben.

27./28. Februar: Verteidigungsbündnis zwischen Rußland und Preußen in Breslau und Kalisch geschlossen.

15./16. März: Preußen erklärt Frankreich den Krieg.

18. März: Friedrich Hebbel geboren.

5. Mai: Sören Kierkegaard geboren.

22. Mai: Richard Wagner geboren.

Sommeraufenthalt in Bökendorf. Annette lernt Wilhelm Grimm kennen.

11. August: Österreich schließt sich der Allianz Preußen-Rußland-England an und erklärt Frankreich den Krieg.

16.–19. Oktober: Völkerschlacht von Leipzig. Napoleon unterliegt den Alliierten.

17. Oktober: Georg Büchner geboren.

26./27. Oktober: Ende des Königreichs Westfalen. Flucht der Franzosen.

31. Oktober: Auflösung des ‚Rheinbundes‘.

Katharina Busch heiratet Modestus Schücking und zieht nach Clemenswerth bei Sögel.

Schopenhauer: ‚Über die vierfache Wurzel des Satzes vom zureichenden Grunde‘.

1814/15	Wiener Kongreß.
1814	29. Januar: Johann Gottlieb Fichte in Berlin gestorben.

31. März: Einzug der Alliierten in Paris.

6./10. April: Napoleon dankt ab und geht nach Elba in die Verbannung. Rückkehr der Bourbonen. Ludwig XVIII. wird König von Frankreich.

30. Mai: Erster Friede von Paris.

6. September: Levin Schücking in Clemenswerth geboren.

Oktober: Eröffnung des Wiener Kongresses.

Hannover wird Königreich. Georg III. von England in Personalunion König von Hannover.

George Stephenson baut die erste Dampflokomotive.

Chamisso: ‚Peter Schlemihls wundersame Geschichte‘.

Beethoven: ‚Fidelio‘.

1815   21. Januar: Matthias Claudius gestorben.

1. März: Napoleon landet in Frankreich. Die ‚Herrschaft der hundert Tage‘ beginnt.

25./27. März: England, Österreich, Preußen und Rußland verbünden sich gegen Napoleon.

1. April: Otto von Bismarck geboren.

9. Juni: Mit der Wiener Kongreßakte wird das Gleichgewicht der fünf europäischen Großmächte wieder hergestellt.

10. Juni: Bundesakte. Gründung des Deutschen Bundes.

18. Juni: Schlacht von Waterloo. Blücher und Wellington siegen über Napoleon.

22. Juni/28. Juli: Napoleon dankt erneut ab. Verbannung nach Sankt Helena.

Juli: Zweite Einnahme von Paris durch die Alliierten.

Sommer: In Bökendorf führt Annette Gespräche mit ihrem Onkel Werner, der an den Befreiungskriegen teilgenommen hat. Freundschaft der Schwester Jenny mit Wilhelm Grimm.

Annette widmet sich der Suche nach alten Volks- und Minneliedern.

Herbst: Erste schwere Erkrankung.

26. September: ‚Heilige Allianz‘ zwischen Zar Alexander I., Kaiser Franz I. von Österreich und König Friedrich Wilhelm III. von Preußen.

Teilung Polens (‚Kongreß-Polen‘).

20. November: Zweiter Friede von Paris zwischen Frankreich und den Alliierten. Erneuerung der Quadrupelallianz England-Österreich-Preußen-Rußland.

Eichendorff: ‚Ahnung und Gegenwart‘.

E. T. A. Hoffmann: ‚Die Elixiere des Teufels‘ (1815/16).

Uhland: ‚Gedichte‘.

1816–1818   Jacob und Wilhelm Grimm: ‚Deutsche Sagen‘.

1816   5. November: Eröffnung der Bundesversammlung in Frankfurt.

Großherzog Karl August gibt Sachsen-Weimar eine Verfassung.

1817   31. Mai: Georg Herwegh in Stuttgart geboren.

14. Juli: Madame de Staël gestorben.

14. September: Theodor Storm in Husum geboren.

18. Oktober: Wartburgfest der Burschenschaftler.

Der badische Forstmeister Karl Freiherr von Drais erfindet eine Laufmaschine, einen Vorläufer des Fahrrads.

Achim von Arnim: ‚Die Kronenwächter‘.

Brentano: ‚Geschichte vom braven Kasperl und dem schönen Annerl‘.

E. T. A. Hoffmann: ‚Nachtstücke‘.

Grillparzer: ‚Die Ahnfrau‘.

Hegel: ‚Enzyklopädie der philosophischen Wissenschaften‘.

1818   *Versepos ‚Walter‘.*

Aufenthalt in Kassel. Bekanntschaft mit Jacob, Ludwig Emil und Lotte Grimm sowie mit Amalie Hassenpflug.

5. Mai: Karl Marx in Trier geboren.

Herbst: Kongreß von Aachen. Die Besatzungstruppen werden vorzeitig aus Frankreich abgezogen.

Marschall Jean Baptiste Bernadotte wird als Karl XIV. Johann König von Schweden.

Achim von Arnim: ‚Der tolle Invalide auf Fort Ratonneau‘.

Brentano: ‚Aus der Chronika eines fahrenden Schülers‘.

Grillparzer: ‚Sappho‘.

Schopenhauer: ‚Die Welt als Wille und Vorstellung‘.

1818/19   *Das Stadtpalais der Familie Droste wird verkauft.*

Aufenthalt während der Wintermonate nun im Beverförder Hof/Münster.

1819–1821   E. T. A. Hoffmann: ‚Die Serapionsbrüder‘.

1819   *Beginn der Arbeit am Roman ‚Ledwina‘.*

Annette lernt ihre spätere Freundin Julie von Thielmann geb. Charpentier kennen.

23. März: Der Student Karl Ludwig Sand ermordet in Mannheim August von Kotzebue.

19. Juli: Gottfried Keller in Zürich geboren.

1. August: ‚Teplitzer Punktation‘. Begründung des Restaurationssystems in Deutschland.

Es folgen die ‚Karlsbader Beschlüsse‘: Zensur, Überwachung der Universitäten, Verbot der Burschenschaften.

Sommer/Herbst: Annette mit der Großmutter zur Kur in Bad Driburg. Anschließend Aufenthalt in Bökendorf. Freundschaft mit Heinrich Straube.

30. Dezember: Theodor Fontane in Neuruppin geboren.

Erste Fahrt eines Raddampfers über den Atlantik.

Goethe: ‚West-östlicher Divan‘.

Eichendorff: ‚Das Marmorbild‘.

1820   *Überarbeitung der ersten 25 ‚Geistlichen Lieder‘ (1. Teil des ‚Geistlichen Jahres‘).*

Ausbruch der Revolution in Spanien.

29. Januar: Georg III. von England gestorben. Sein Sohn Georg IV. wird englischer König.

Frühjahr: Rückkehr nach Hülshoff.

15. Mai: Wiener Schlußakte.

Sommer: Annette in Bökendorf. Tiefe geistige Bindung zu Heinrich Straube. Auseinandersetzung mit August von Arnswaldt. Seelische Krise. Bruch mit der Familie in Bökendorf, ebenso mit Straube (‚Jugendkatastrophe‘).

Oktober: Europäischer Kongreß in Troppau.

Achim von Arnim: ‚Die Majoratsherren‘.

E. T. A. Hoffmann: ‚Lebensansichten des Katers Murr‘ (1820/22).

Scott: ‚Ivanhoe‘.

1821–1829 Griechischer Unabhängigkeitskrieg.

1821   *Arbeit am Roman ‚Ledwina‘.*

Januar: Europäischer Kongreß in Laibach.

7. April: Charles Baudelaire geboren.

5. Mai: Napoleon auf Sankt Helena gestorben.

11. November: Fjodor M. Dostojewskij geboren.

12. Dezember: Gustave Flaubert geboren.

Metternich wird Haus-, Hof- und Staatskanzler in Österreich.

Revolution in Piemont-Sardinien.

Goethe: ‚Wilhelm Meisters Wanderjahre‘ (1. Fassung).

Kleist: ‚Prinz Friedrich von Homburg‘.

Hegel: ‚Grundlinien der Philosophie des Rechts‘.

Weber: ‚Der Freischütz‘.

1822   26. Juni: E. T. A. Hoffmann in Berlin gestorben.

20. Oktober–14. Dezember: Europäischer Kongreß in Verona.

26. November: Karl August Freiherr von Hardenberg in Genua gestorben.

Wilhelm von Humboldt: ‚Über die Aufgaben des Geschichtsschreibers‘.

Schubert: 8. Sinfonie (‚Die Unvollendete‘).

1823   17. Januar: Zacharias Werner gestorben.

2. Dezember: ‚Monroe-Doktrin‘ verkündigt. Prinzip der Nichteinmischung europäischer Mächte in Angelegenheiten der USA.

Französische Intervention in Spanien. Hinrichtung der spanischen Revolutionsführer.

Beethoven: 9. Sinfonie; ‚Missa solemnis‘ (1822/23).

1824   19. April: Lord Byron in Griechenland gestorben.

4. September: Anton Bruckner geboren.

16. September: Ludwig XVIII. gestorben. Sein Bruder Karl X. wird König von Frankreich.

Niepce erfindet die Photographie (,Asphaltverfahren').

1825   11. April: Ferdinand Lassalle geboren.

19. Mai: Claude Henri de Saint-Simon gestorben.

Herbst: Reise nach Köln auf Anregung des Onkels Werner von Haxthausen. In Köln lernt Annette auch Sibylla Mertens-Schaafhausen kennen. Bekanntschaft mit August Wilhelm Schlegel und dem Bonner Professorenkreis.

11. Oktober: Conrad Ferdinand Meyer in Zürich geboren.

14. November: Jean Paul in Bayreuth gestorben.

1. Dezember: Zar Alexander I. gestorben. Sein Bruder Nikolaus I. wird Nachfolger auf dem russischen Thron.

Erste Fahrt einer Eisenbahn von Stockton nach Darlington/England.

Grillparzer: ,König Ottokars Glück und Ende'.

1826–1831 Heine: ,Reisebilder', 4 Bände.

1826   29. März: Wilhelm Liebknecht geboren.

April: Rückkehr nach Hülshoff.

28. Mai: Annettes Bruder Werner heiratet Karoline von Wendt-Papenhausen.

5. Juni: Carl Maria von Weber in London gestorben.

25. Juli: Tod des Vaters.

22. September: Johann Peter Hebel gestorben.

Oktober: Bruder Werner zieht mit seiner Frau nach Hülshoff, Annette übersiedelt ins Rüschhaus, den Witwensitz der Mutter.

Uhland und Schwab geben Hölderlins Gedichte heraus.

Eichendorff: ,Aus dem Leben eines Taugenichts'.

1827   *Erste Pläne für ein Epos ,Das Hospiz auf dem Großen Sankt Bernhard'.*

26. März: Ludwig van Beethoven in Wien gestorben.

Frühjahr: Werners erster Sohn auf Hülshoff geboren.

Sommer: Annette reist nach Bonn, Köln und Koblenz.

6. Juli: ,Londoner Vertrag'. England, Frankreich und Rußland befürworten eine Autonomie Griechenlands innerhalb des türkischen Machtbereichs.

20. Oktober: Englisch-französisch-russischer Seesieg von Navarino über die türkische Flotte.

18. November: Wilhelm Hauff in Stuttgart gestorben.

Heine: ‚Buch der Lieder‘.
Grabbe: ‚Scherz, Satire, Ironie und tiefere Bedeutung‘.

1828/29   Russisch-türkischer Krieg.

1828   *Arbeit am Epos ‚Das Hospiz auf dem Großen Sankt Bernhard‘.*
Frühjahr: Rückkehr ins Rüschhaus.
9. September: Leo Tolstoi geboren.
19. November: Franz Schubert in Wien gestorben.
Goethe: ‚Novelle‘.
Raimund: ‚Der Alpenkönig und der Menschenfeind‘.
Schubert: 7. (9.) Sinfonie.

1829   12. Januar: Friedrich von Schlegel in Dresden gestorben.
15. Juni: Annettes Bruder Ferdinand gestorben.
Nach dem Tod des Bruders schwere Erkrankung.
Katharina Schücking kommt zu Besuch. Beginn der Freundschaft
mit Christoph Bernhard Schlüter in Münster.
14. September: Friede von Adrianopel zwischen Rußland und
der Türkei. Gebietsgewinne für Rußland.
Goethe vollendet ‚Wilhelm Meisters Wanderjahre‘ (2. Fassung).
Balzac beginnt die ‚Comédie humaine‘.

1830/31   Polnische Revolution.

1830   17. Januar: Wilhelm Friedrich Waiblinger gestorben.
3. Februar: Die Unabhängigkeit Griechenlands wird auf der
Londoner Konferenz von England, Frankreich und Rußland
anerkannt.
Mai: Levin Schücking erstmals zu Besuch bei Annette.
25. Juni: Georg IV. von England gestorben. Sein Bruder Wilhelm IV. wird König.
26. Juli: ‚Juli-Revolution‘ in Frankreich.
2. August: König Karl X. dankt ab und flieht nach England.
9. August: Louis Philippe, Herzog von Orléans, wird ‚König
der Franzosen‘ (‚Bürgerkönig‘).
August: Revolution in Brüssel.
18. November: Belgien erklärt seine Unabhängigkeit.
29. November: Erhebung in Warschau.
Französische Truppen erobern Algerien.
Mörike: ‚Maler Nolten‘ (veröffentlicht 1832).
Immermann: ‚Tulifäntchen‘.

1831	*Fritz von Haxthausen und Jenny besuchen Joseph von Laßberg auf Schloß Eppishausen/Thurgau. Ein Heiratsantrag Laßbergs wird durch Jennys Mutter abgewiesen.*
	21. Januar: Achim von Arnim gestorben.
	Mai: Heinrich Heine übersiedelt nach Paris.
	4. Juni: Leopold von Sachsen-Saalfeld-Coburg wird zum König von Belgien gewählt.
	29. Juni: Reichsfreiherr vom und zum Stein gestorben.
	8. September: Wilhelm Raabe geboren.
	8. September: Niederwerfung des Aufstandes in Polen durch russische Truppen.
	Oktober: ‚Londoner Protokoll‘. Bestätigung der Unabhängigkeit und Neutralität Belgiens.
	November: Katharina Schücking gestorben. Annette hat die Absicht, sich für die Versorgung des Sohnes Levin einzusetzen.
	14. November: Georg Wilhelm Friedrich Hegel in Berlin gestorben.
	Chamisso: ‚Gedichte‘.
	Grillparzer: ‚Des Meeres und der Liebe Wellen‘.
	Grabbe: ‚Napoleon oder Die hundert Tage‘.
1832	*Annettes Vetter Clemens August von Droste-Hülshoff gestorben.*
	22. März: Johann Wolfgang von Goethe in Weimar gestorben.
	27.–30. Mai: Hambacher Fest.
	22. Juli: Napoleons Sohn, Herzog von Reichstadt und ‚König von Rom‘, in Schönbrunn gestorben.
	21. September: Sir Walter Scott gestorben.
	Goethe: ‚Faust. 2. Teil‘.
	Lenau: ‚Gedichte‘.
1833–1837	Laube: ‚Das junge Europa‘.
1833	Februar: Otto von Wittelsbach wird als Otto I. König von Griechenland.
	7. März: Rahel Varnhagen von Ense gestorben.
	7. Mai: Johannes Brahms geboren.
	Herst: ‚Entente cordiale‘ zwischen Frankreich und England.
	Oktober: Beistandspakt Österreich-Preußen-Rußland.
	Gründung des Deutschen Zollvereins.
	Heine: ‚De la France‘; ‚Zur Geschichte der Literatur in Deutschland‘.
	Nestroy: ‚Der böse Geist Lumpazivagabundus‘.
	Mendelssohn-Bartholdy: 4. Sinfonie (‚Italienische‘).

1834–1839 Karlistenkriege in Spanien.

1834 *Epen ,Das Hospiz auf dem Großen Sankt Bernhard' und ,Des Arztes Vermächtnis'.*
12. Februar: Friedrich Schleiermacher in Berlin gestorben.
22. April: Quadrupelallianz zwischen England, Frankreich, Spanien und Portugal.
Sommer: Annettes Schwester Jenny heiratet Joseph von Laßberg.
Grillparzer: ,Der Traum ein Leben'.
Raimund: ,Der Verschwender'.

1835 2. März: Kaiser Franz I. von Österreich gestorben. Ferdinand I. wird Nachfolger.
8. April: Wilhelm von Humboldt in Tegel/Berlin gestorben.
Sommer: Annette reist mit ihrer Mutter zu Jenny nach Eppishausen.
14. November/10. Dezember: Die Schriften des ,Jungen Deutschland' werden in Preußen, dann im gesamten Gebiet des Deutschen Bundes verboten.
5. Dezember: August Graf von Platen in Syrakus gestorben.
7. Dezember: Zwischen Nürnberg und Fürth verkehrt die erste deutsche Eisenbahn.
Bettine von Arnim: ,Goethes Briefwechsel mit einem Kinde'.
Büchner: ,Dantons Tod'.
Grabbe: ,Hannibal'.
Gutzkow: ,Wally, die Zweiflerin'.
Lenau: ,Faust'.
Schopenhauer: ,Über den Willen in der Natur'.

1836 *Frühjahr: Geburt der Zwillinge Hildegard und Hildegund Laßberg.*
5. September: Ferdinand Raimund begeht Selbstmord.
12. September: Christian Dietrich Grabbe in Detmold gestorben.
Herbst: Rückkehr aus der Schweiz.
Winter: Aufenthalt in Bonn bei der Witwe Clemens' von Droste.
Geschichtliche Studien.
Putschversuch Louis Napoleons in Straßburg.
Eckermann: ,Gespräche mit Goethe'.
Tieck: ,Der junge Tischlermeister'.
Heine: ,Die romantische Schule'.
Immermann: ,Die Epigonen'.

1837	12. Februar: Ludwig Börne in Paris gestorben.
	19. Februar: Tod Georg Büchners in Zürich.

20. Juni: Wilhelm IV. von England gestorben. Sein Bruder Ernst August wird König von Hannover, Victoria besteigt den englischen Thron.

Sieben Göttinger Professoren (die ‚Göttinger Sieben‘) werden vom hannoverschen König Ernst August entlassen, da sie sich gegen die Aufhebung der Verfassung wenden.

Sommer: Pläne Annettes, die Schlacht im Loener Bruch in einem Versepos darzustellen.

Oktober: Levin Schücking wieder in Münster. Beginn der Freundschaft mit Annette. In Münster Treffen des literarischen ‚Kränzchens‘.

Marx schließt sich den ‚Junghegelianern‘ an.

Daguerre erfindet sein photographisches Verfahren (‚Daguerreotypie‘), Morse den Schreibtelegraphen.

Eichendorff: ‚Gedichte‘.

1838 *Die erste Ausgabe der ‚Gedichte von Annette Elisabeth von D. H.‘ erscheint bei Aschendorff in Münster.*

Abschluß der ‚Schlacht im Loener Bruch‘.

17. Mai: Charles Maurice de Talleyrand gestorben.

Sommer: Besuch in Bökendorf. ‚Die Taxuswand‘.

21. August: Adelbert von Chamisso gestorben.

Friedrich Wilhelm Bessel bestimmt erstmals die Entfernung eines Fixsterns von der Sonne.

Brentano: ‚Gokkel, Hinkel und Gackeleia‘.

Grillparzer: ‚Weh dem, der lügt‘.

Immermann: ‚Münchhausen‘ (1838/39).

Mörike: ‚Gedichte‘.

Arnold Ruge und Theodor Echtermeyer geben die ‚Hallischen Jahrbücher‘ heraus.

Feuerbach: ‚Zur Kritik der positiven Philosophie‘.

1839–1841 Orientalische Krise.

Im türkisch-ägyptischen Krieg unterstützt Frankreich Ägypten, England und Rußland stehen auf der Seite des Sultans.

1839 *Arbeit am 2. Teil des ‚Geistlichen Jahres‘.*

Erste Pläne zur ‚Judenbuche‘.

19. April: Teilung Luxemburgs. Garantie der belgischen Neutralität und Festlegung der Grenzen im Londoner Vertrag.

Sommer: Ferdinand Freiligrath in Münster.

Ende Oktober: Levin Schücking nach Reisen mit Freiligrath wieder zu Besuch im Rüschhaus.

Tieck: ,Des Lebens Überfluß'.

Büchner: ,Lenz'.

Freiligrath: ,Gedichte'.

1840–1842 Englisch-chinesischer Opiumkrieg (Erster chinesischer Krieg).

1840 *Lustspiel ,Perdu' (Fragment). Adele Schopenhauer im Rüschhaus.*

2. April: Emile Zola geboren.

7. Mai: Caspar David Friedrich gestorben.

7. Juni: König Friedrich Wilhelm III. von Preußen gestorben. Sein Sohn Friedrich Wilhelm IV. wird Nachfolger.

15. Juli: 1. Londoner Konvention. Verständigung zwischen England, Österreich, Preußen und Rußland in der Nahost-Frage auf Kosten Frankreichs.

25. August: Karl Immermann in Düsseldorf gestorben.

September: Levin Schücking wieder bei Annette im Rüschhaus. Gemeinsame Arbeit am ,Malerischen und Romantischen Westphalen'.

Winter: Wiederholte Besuche Levins.

Annette arbeitet an Schückings ,Familienschild' mit.

Erneuter Putschversuch Louis Napoleons in Straßburg.

Die erste Briefmarke der Welt erscheint in England.

Bettine von Arnim: ,Die Gründerode'.

Hebbel: ,Judith'.

1841 *,Rüschhauser Balladen'.*

Besuch von Jenny und ihrer Familie im Rüschhaus.

Durch Vermittlung Annettes erhält Levin die Stelle eines Sekretärs bei Laßberg auf Schloß Meersburg.

13./15. Juli: 2. Londoner Konvention (,Meerengenvertrag'): Abkommen über die Dardanellen-Durchfahrt. Ende der Orientalischen Krise.

Ende September: Annette reist mit Jenny erstmals nach Meersburg.

Oktober: Levin Schücking auf der Meersburg.

Annette arbeitet an Schückings ,Stiftsfräulein' und ,Schloß am Meer' mit.

Begegnung mit Uhland.

Abschluß der ,Judenbuche'.

Gotthelf: ,Uli der Knecht'.

Herwegh: ,Gedichte eines Lebendigen'.

Sealsfield: ‚Das Kajütenbuch‘.

Stifter: ‚Die Mappe meines Urgroßvaters‘ (1841/42).

Feuerbach: ‚Das Wesen des Christentums‘.

Schumann: 1. Sinfonie.

Wagner: ‚Der fliegende Holländer‘.

1842   23. März: Stendhal (Henri Beyle) gestorben.

April: Levin Schücking nimmt eine Stelle beim Fürsten Wrede in Ellingen an und verläßt Meersburg.

April/Mai: In Cottas ‚Morgenblatt‘ erscheinen die ‚Judenbuche‘ und Gedichte.

28. Juli: Clemens Brentano in Aschaffenburg gestorben.

28. Juli: Abreise Annettes von der Meersburg.

Ende August: Rückkehr ins Rüschhaus.

29. August: Der Vertrag von Nanking beendet den englisch-chinesischen Opiumkrieg. Hongkong wird britische Kronkolonie.

September: Beginn des Briefwechsels zwischen Levin Schücking und Luise von Gall.

Ballade ‚Der Spiritus familiaris des Roßtäuschers‘.

Büchner: ‚Leonce und Lena‘.

Gotthelf: ‚Die schwarze Spinne‘.

Nestroy: ‚Einen Jux will er sich machen‘.

1843   *März/April: Sibylla Mertens zu Besuch im Rüschhaus.*

Mai: Erste persönliche Begegnung zwischen Levin Schücking und Luise von Gall.

7. Juni: Friedrich Hölderlin in Tübingen gestorben.

September: Zweite Reise nach Meersburg mit Elise Rüdiger.

7. Oktober: Levin Schücking und Luise von Gall heiraten.

November: Kauf des ‚Fürstenhäusels‘.

Hebbel: ‚Genoveva‘.

Kierkegaard: ‚Entweder – oder‘.

1844–1850   Stifter: ‚Studien‘.

1844   8. März: Karl XIV. Johann von Schweden gestorben. Sein Sohn Oskar I. folgt auf den Thron.

6. Mai: Beim Besuch Levins und seiner Frau auf der Meersburg wird die Entfremdung zwischen Annette und Schücking deutlich. Freundschaft mit Philippa Pearsall.

August: Annette verläßt Meersburg. Auf der Heimreise Erkrankung.

September: Annette wieder im Rüschhaus.

Herbst: Bei Cotta erscheint die erste Gesamtausgabe der ‚Gedichte von Annette Freiin von Droste-Hülshoff'.

15. Oktober: Friedrich Nietzsche geboren.

Weberaufstand in Schlesien.

Heine: ‚Deutschland. Ein Wintermärchen'; ‚Neue Gedichte'.

Hebbel: ‚Maria Magdalene'.

1845–1862 Alexander von Humboldt: ‚Kosmos' (5 Bände).

1845 *Die ‚Bilder aus Westfalen' (‚Westfälische Schilderungen') erscheinen in den Münchner ‚Historisch-politischen Blättern'.*

Februar: Tod der Amme Marie Kathrin Plettendorf.

12. Mai: August Wilhelm von Schlegel in Bonn gestorben.

Sommer/Herbst: Annette zur Pflege ihres Onkels Fritz von Haxthausen in Abbenburg.

Engels: ‚Die Lage der arbeitenden Klassen in England'.

Stirner: ‚Der Einzige und sein Eigentum'.

Wagner: ‚Tannhäuser'.

1846 *Jahresanfang: Levin Schücking ironisiert in seinem Werk ‚Die Ritterbürtigen' den westfälischen Adel.*

Bruch zwischen Annette und Schücking.

Schwere Erkrankung.

8. Juli: König Christian VIII. von Dänemark erhebt Ansprüche auf Schleswig. Beginn des dänisch-deutschen Konflikts.

Herbst: Letzte Reise nach Meersburg.

6. November: Krakau wird dem österreichischen Staat eingegliedert.

LeVerrier entdeckt den Planeten Neptun.

Brentano: ‚Märchen'.

Mörike: ‚Idylle vom Bodensee'.

Keller: ‚Gedichte'.

Dostojewskij: ‚Der Doppelgänger'.

1847 Juni/Dezember: Der ‚Bund der Kommunisten' tagt in London. Engels' Devise ‚Proletarier aller Länder vereinigt euch!' wird angenommen.

21. Juli: Testament.

Sommer: Mutter Therese von Droste reist von Meersburg zurück nach Hülshoff.

4. November: Felix Mendelssohn-Bartholdy in Leipzig gestorben.

Sonderbundskrieg in der Schweiz.

Heine: ‚Atta Troll. Ein Sommernachtstraum'.

Grillparzer: ‚Der arme Spielmann'.

Heinrich Hoffmann: ‚Struwwelpeter'.

1848   Januar: Erfolge der liberalen Bewegung in Italien.

Februar: ‚Kommunistisches Manifest' von Karl Marx und Friedrich Engels.

21./22. Februar: Aufstand in Krakau.

22.–24. Februar: ‚Februarrevolution' in Frankreich. Der ‚Bürgerkönig' Louis Philippe dankt ab. Ausrufung der Republik.

27. Februar: ‚Offenburger Programmpunkte'. Erste Ansätze zu einer Revolution in Deutschland.

März–Mai: Aufstände in Wien, Berlin und München.

13. März: Rücktritt des österreichischen Kanzlers Metternich.

18. März: Erhebungen in Italien gegen die österreichische Herrschaft.

April: Revolutionäre gehen gegen Laßbergs Dagobertsburg vor und werden unblutig abgewehrt.

18. Mai: Deutsche Nationalversammlung in der Frankfurter Paulskirche eröffnet.

24. Mai: Annette von Droste-Hülshoff auf der Meersburg gestorben.

26. Mai: Beisetzung.

2.–12. Juni: Slawenkongreß in Prag.

Prager Pfingstaufstand.

23.–26. Juni: Pariser Juni-Aufstand der Arbeiter.

August/September: Der 1. Allgemeine Deutsche Arbeiterkongreß tagt in Berlin.

6./7.–31. Oktober: Erneuter Aufstand in Wien.

4. November: Die deutsche Nationalversammlung beschließt eine neue Verfassung.

2. Dezember: Der österreichische Kaiser Ferdinand I. dankt ab. Sein Neffe Franz Joseph I. besteigt den Thron.

5. Dezember: König Friedrich Wilhelm IV. von Preußen löst die preußische Nationalversammlung auf und oktroyiert eine Verfassung.

10. Dezember: Louis Napoleon zum Präsidenten der französischen Republik gewählt.

Jacob Grimm: ‚Geschichte der deutschen Sprache'.

Wagner: ‚Lohengrin'.

1851   *Christian Bernhard Schlüter und Wilhelm Junkmann geben bei Cotta das ‚Geistliche Jahr' heraus.*

1860	,*Letzte Gaben*', hg. von Levin Schücking, in Hannover erschienen.
1862	*Erste Droste-Biographie:* ,*Annette von Droste, ein Lebensbild, angeordnet von Levin Schücking und Jenny von Laßberg*'.
1878/79	*Cotta veröffentlicht* ,*Gesammelte Schriften von Annette von Droste-Hülshoff*' *(3 Teile), hg. von Levin Schücking.*

REGISTER

HEYNE BIOGRAPHIEN

*Die Taschenbuchreihe mit den bedeutenden Biographien
der Großen aus Kunst, Kultur und Politik.*

64 / DM 8,80

65 / DM 10,80

66 / DM 7,80

67 / DM 8,80

68 / DM 8,80

69 / DM 7,80

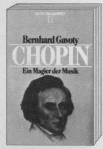

70 / DM 12,80

71 / DM 7,80

72 / DM 12,80

Wilhelm Heyne Verlag München

HEYNE GESCHICHTE

Die Reihe »Heyne Geschichte« hat die Aufgabe, sowohl die großen Epochen als auch wesentliche Marksteine bis hin zu entscheidenden Tagesereignissen in der Geschichte aller Völker und Zeiten im Taschenbuch darzustellen.

Wilhelm Heyne Verlag München

DIE GROSSEN KULTUREN DER WELT

ARCHAEOLOGIA MUNDI

In dieser Heyne-Taschenbuchreihe werden die großen Kultur-epochen der Menschheit mit wissenschaftlicher Sorgfalt und einzig-artigem Bildmaterial dargestellt. Kenner, Fachleute und Gelehrte von internationalem Rang geben in dieser schön ausgestatteten, gleichwohl preiswerten Taschenbuchedition einen authentischen Einblick in die erregende Wirklichkeit der Archäologie.

Wilhelm Heyne Verlag München

ENZYKLOPÄDIE DER WELTKUNST

In der neuen Heyne-Taschenbuchreihe <u>Enzyklopädie der Weltkunst</u> soll systematisch der Werdegang der Weltkunst dargestellt werden, von den erstaunlichen Zeugnissen der Eiszeitmenschen bis hin zu den Kunstschöpfungen der Hochkulturen. In dieser auf 18 Bände angelegten Reihe wird durch kritische Interpretation, unmittelbare Anschauung und sorgfältig ausgewähltes Bildmaterial eine ungewöhnliche Gesamtschau aller künstlerischen Bereiche vermittelt.

Wolfhart Westendorf
Das alte Ägypten
1 / DM 12,80

Carel J. Du Ry
Völker des alten Orients
2 / DM 12,80

German Hafner
Kreta und Hellas
3 / DM 12,80

German Hafner
Athen und Rom
4 / DM 12,80

Walter Torbrügge
Europäische Vorzeit
5 / DM 14,80

Backes/Dölling
Die Geburt Europas
6 / DM 14,80

Christa Schug-Wille
Byzanz und seine Welt
7 / DM 14,80

Carel J. Du Ry
Die Welt des Islam
8 / DM 14,80

François Souchal
Das hohe Mittelalter
9 / DM 14,80

Hans H. Hofstätter
Spätes Mittelalter
10 / DM 14,80

Robert E. Wolf/
Ronald Millen
Geburt der Neuzeit
11 / DM 14,80

Liselotte Andersen
Barock und Rokoko
12 / DM 11,80

Jürgen Schultze
Neunzehntes Jahrhundert
13 / DM 14,80

Albert Schug
Erlebnis der Gegenwart
14 / DM 14,80

Anton Dockstader
Das alte Amerika
15 / DM 14,80

Trowell/
Nevermann
Afrika und Ozeanien
16 / DM 14,80
(Januar '81)

Hugo Münsterberg
Der Ferne Osten
17 / DM 14,80
(März '81)

Hugo Münsterberg
Der indische Raum
18 / DM 14,80
(Mai '81)

HEYNE

Wilhelm Heyne Verlag
München

HEYNE ◾ STILKUNDE

Diese beispiellose Taschenbuch-Reihe ist eine enzyklopädisch ange-
legte, vielbändige Edition, die in übersichtlicher und gut verständlicher
Weise Epochenstile, Künstlerstile und Werkstile der verschiedensten
Kunstgattungen erläutert. In reich bebilderten Einzeldarstellungen
schreiben anerkannte Kunsthistoriker nach dem neuesten Stand der
Wissenschaft Originalausgaben.

Oswald Hederer
Klassizismus
Heyne Stilkunde 1 / DM 6,80

Rudolf Bachleitner
Die Nazarener
Heyne Stilkunde 2 / DM 7,80

Reinhard Müller-Mehlis
Die Kunst im Dritten Reich
Heyne Stilkunde 3 / DM 8,80

Hartmut Biermann
Renaissance
Heyne Stilkunde 5 / DM 8,80

Günter Drebusch
Industriearchitektur
Heyne Stilkunde 6 / DM 7,80

Christian-Adolf Isermeyer
Empire
Heyne Stilkunde 7 / DM 8,80

Richard Zürcher
Rokoko-Schlösser
Heyne Stilkunde 8 / DM 8,80

Hartmut Schäfer
Byzantinische Architektur
Heyne Stilkunde 9 / DM 9,80

Rolf Linnenkamp
**Die Schlösser und Projekte
Ludwigs II.**
Heyne Stilkunde 10 / DM 8,80

Heinz E. R. Martin
Die Kunst Tibets
Heyne Stilkunde 11 / DM 9,80

Wilhelm Schlink
Die Kathedralen Frankreichs
Heyne Stilkunde 12 / DM 9,80

Alfred Kamphausen
Backsteingotik
Heyne Stilkunde 13 / DM 9,80

Hugo Brandenburg
Roms frühchristliche Basiliken
Heyne Stilkunde 14 / DM 12,80

Geerd Westrum
Altdeutsche Malerei
Heyne Stilkunde 15 / DM 12,80

Christian Baur
**Landschaftsmalerei
der Romantik**
Heyne Stilkunde 17 / DM 10,80

Klaus Wessel
Byzanz
Heyne Stilkunde 18 / DM 12,80

Heinz E. R. Martin
Chinesische Malerei
Heyne Stilkunde 19 / DM 12,80

Hermann Bauer
**Holländische Malerei
des 17. Jahrhunderts**
Heyne Stilkunde 20 / DM 14,80

Thomas Zaunschirm
Die 50er Jahre
Heyne Stilkunde 21 / DM 14,80

Adrian von Buttlar
Der Landschaftsgarten
Heyne Stilkunde 22 / DM 14,80

Wilhelm Heyne Verlag München